高等院校计算机系列教材

Java 程序设计教程

主　编　郭广军　刘安丰　阳西述

副主编　林睦纲　罗　心　夏若安

　　　　王剑波　陈海林　邓爱萍

主　审　陈志刚

U0250400

WUHAN UNIVERSITY PRESS

武汉大学出版社

图书在版编目(CIP)数据

Java 程序设计教程/郭广军,刘安丰,阳西述主编.—武汉:武汉大学出版社,2008.7
高等院校计算机系列教材
ISBN 978-7-307-06231-3

Ⅰ.J… Ⅱ.①郭… ②刘… ③阳… Ⅲ.JAVA 语言—程序设计—高等学校—教材 Ⅳ.TP312

中国版本图书馆 CIP 数据核字(2008)第 063861 号

责任编辑:黄金文 责任校对:程小宜 版式设计:支 笛

出版发行:武汉大学出版社 (430072 武昌 珞珈山)
  (电子邮件:wdp4@ whu.edu.cn 网址:www.wdp.com.cn)
印刷:崇阳县天人印刷有限责任公司
开本:787×1092 1/16 印张:31.25 字数:748 千字
版次:2008 年 7 月第 1 版 2012 年 12 月第 3 次印刷
ISBN 978-7-307-06231-3/TP·293 定价:42.00 元

高等院校计算机系列教材
编 委 会

内容简介

本教材的基础篇中全面、系统地介绍了 Java 语言程序设计的基础知识、基本语法、编程环境与方法，Java 语言面向对象基础知识和面向对象高级程序设计，以及 Java GUI 程序设计、Java Applet 程序设计、Java 标准类库、集合操作。高级篇中介绍了 Java 语言的异常处理技术、多线程技术、输入输出技术、网络编程技术、JDBC 与数据库访问技术和 JavaBean 组件技术等内容。

本教材基于 Java SE 5.0 编写，内容新颖，力求重点突出，层次清晰，通俗易懂，例题丰富，方便教学。本书各章备有习题和上机实验指导，以检验读者的学习情况，有助于读者掌握教材中的主要内容。

本教材可作为高等院校计算机科学与技术、网络工程、软件工程、电子信息工程、通信工程、信息安全和电子商务等专业的面向对象程序设计课程的教材使用，也可作为广大计算机爱好者自学 Java 语言的参考书。

Java 是一种编程语言，它具有简单、高效、健壮、安全、与平台无关、可移植性好和多线程等特点，是一种纯面向对象的、网络编程首选的语言。Java 支持从智能卡应用、手持式电子消费类产品应用、桌面应用到企业级应用。Java 是一种技术，它蕴含着商机，是竞争力的保证。在当今网络时代，Java 语言越来越受到人们的欢迎。

面向对象的 Java 语言诞生于 1995 年 5 月 23 日，经过十几年的发展已相当成熟，它具备 "Write once，run anywhere" 的能力，是服务提供商和系统集成商用以支持多种操作系统和硬件平台的首选解决方案。在网络计算遍及全球的今天，Java 平台吸引了数百万开发者。Java 技术作为软件开发的一种革命性技术，已被列为当今世界信息技术的主流之一。

目前，国内各高校计算机、电子信息和通信等理工科专业都开设了 Java 类课程，Java 语言课程日趋普及，有的面向文科专业也开设了选修课。由于 Java 技术的发展日新月异，旧的教材已经不能满足教学的要求。随着网络与通信技术的飞速发展，Java SE、Java EE、Java ME 日趋成熟，Java SE 5.0/6.0 的推出进一步简化了程序的编写，提高了软件开发效率与质量，因此很有必要编写一本内容新颖全面，能反映 Java 新技术特性的教材，以指导学生的学习。

本教材由 13 章构成。第 1 章是 Java 语言概述，回顾了 Java 语言的发展历史，指出了 Java 语言的特点，分析了 Java Application 和 Java Applet 程序结构及其简单程序设计，阐述了 Java 虚拟机的工作机理、JDK 的下载安装和有关环境变量设置以及 Java 程序的编译、运行方法及其命令，介绍了 NetBeans、Eclipse、JBuilder、JCreator、BlueJ 等集成开发环境及其使用方法；第 2 章是 Java 语言基础，在介绍了 Java 的标识符、基本数据类型、运算符和表达式、程序流程控制语句等 Java 语言基础知识的基础上，进一步阐述了 Java 中一维数组和二维数组的声明、初始化及应用，最后介绍了 Java 中字符串处理的基本技术，包括常用字符串类 String 和 StringBuffer 等的应用；第 3 章是 Java 语言面向对象基础，概要介绍了面向对象的基本思想和抽象、类、对象、封装、继承、多态、消息通信、接口、包等面向对象的基本概念，并以图例的方式简要介绍了 UML 的九种图和五种关系等基础知识，重点阐述了 Java 类的定义、对象的创建与清除，对比介绍了类变量和实例变量、类方法与实例方法的声明与使用，给出了类包的创建、引入与运行方法；第 4 章是 Java 语言面向对象高级程序设计，重点介绍了消息通信、访问控制、封装、继承、多态性、抽象类、抽象方法、接口、内部类、匿名类等面向对象的高级程序设计知识与技术，归纳总结了 this、super、final、abstract、static 等修饰符的特性与应用方法，概要介绍了模式的概念和 Decorator、Façade、FactoryMethod、Proxy 等设计模式及其在接口中的应用；第 5 章是 Java 标准类库，介绍了基本数据类型的包装类的应用，java.lang 包中的 Object、System、Runtime 和 Math 等类的应用，日期操作主要包括 java.util 包中的 Date、Calendar 类和 java.text 包中 DateFormat、SimpleDateFormat 类的应用，java.util 包中有关集合框架接口及其实现类的应用，Java 泛型技术的应用；第 6 章是 Java GUI 程序设计，在介绍了 AWT 及其组件、布局管理器和事件处理机制的基础，翔实介绍了 Swing 的特性及其类层次结构，Swing 程序的一般结构、布局管理器与事件处理，Swing 常用容器组件和基本组件及其应用；第 7 章是 Java Applet 及其应用，介绍了 Java Applet 运行原理、安全机制、生命周期，在 Applet 中显示图像，播放声音等应用；第 8 章是 Java 异常处理技术，介绍了异常的概念，Java 中的异常类，Java 异常处理机制和自定义异常类及其应用；第 9 章是 Java 多线程技术，介绍了线程、进程和程序等基本概念，Java 线程的五个基本状态与生命周期，Java 线程的调度与优先级，Java 线程的两种创建方式，线程的挂起、恢复与终止，线程的互斥同步、线程通信、线程死锁，守护线程与线程联合等基本知识；第 10 章是 Java 输入输出技术，在介绍了 Java 中流的概念和流式输入输出机制的基础上，阐述了 Java 中文件和目录的操作，常用的字节流和字符流类的应用，对象串行化与反串行化操作；第 11 章是网络编程技术，简要介绍了 OSI/RM、TCP/IP 协议体系结构，IP 地址与端口号等网络通信基础知识，在给出 Java 网络编程类的基础上重点阐述了基于 URL、Socket、Datagram 和 MulticastSocket 等网络通信编程方法与技术，详细介绍了基于 RMI 的分布式编程技术；第 12 章是 JDBC 与数据库访问技术，简要介绍了数据库、关系型数据库、字段、记录、SQL、DDL、DML、DCL、JDBC 等数据库的基本知识，在分析了 JDBC 体系结构、JDBC 四类驱动程序的基础上，阐述了 DriverManager 类、Connection 接口、Statement 接口、PreparedStatement 接口和 ResultSet 接口等常用 JDBC API 的接口与类，重点介绍了使用 JDBC 访问各种数据库的基本算法，进一步介绍了事务操作、存取优化、批量操作、大数据对象存取等 JDBC 的高级应用；第 13 章是 JavaBean 组件技术，在介绍软件组件、软件组件模型等面向组件体系结构的基本知识的基础上，重点介绍了 JavaBean 的特性、结构、设计规范，JavaBean 的属性和事件处理技术。

本教材基于 Java SE 5.0 编写，内容新颖，力求重点突出，层次清晰，通俗易懂，方便教学。各章提供了丰富的实例、习题和上机实验指导，并配备了 PPT 格式的多媒体课件。本教材可作为高等院校计算机科学与技术、网络工程、软件工程、电子信息工程、通信工程、信息安全和电子商务等本、专科的面向对象程序设计课程教材，也适合于编程开发人员培训、广大计算机技术爱好者自学使用。建议本教材的教学时数为 40~60 学时，详细的教学安排，请读者查看湖南人文科技学院 Java 程序设计精品课程网站（http：//www.hnrku.net.cn：8000/java）。本教材配套的多媒体课件和源程序等教学资源可从该网站下载。

本教材由武汉大学出版社策划，湖南人文科技学院郭广军副教授、中南大学刘安丰博士和湖南省第一师范学校阳西述副教授主编。第 1、3、4、11 章由郭广军编写，第 12 章由刘安丰编写，第 9 章由阳西述编写，第 2 章由长沙理工大学罗心、王哲老师共同编写，第 6、8 章由衡阳师范学院林睦纲老师编写，第 7、10 章由湖南省第一师范学校夏若安老师编写，第 5 章由湖南人文科技学院陈海林、邓爱萍老师共同编写，第 13 章湖南人文科技学院王剑波老师编写，郭广军、刘安丰、阳西述对全书各章进行了认真反复的修改、审校和统稿。在本教材编写过程中，参考了部分国内外教材以及互联网上的技术资料，得到了许多同仁和同事的支持与帮助，在此一并表示感谢。同时，特别感谢中南大学博士生导师陈志刚教授，邓晓衡博士在百忙之中仔细审阅了本书全稿，并提出了许多宝贵的修改意见，使本书更趋完善。此外，还要衷心感谢武汉大学出版社和各参编者所在院校领导，正是由于他们的大力支持，才使得本教材与广大读者见面。

本教材得到了湖南省自然科学基金（07JJ6113）、湖南省教育科学"十一五"规划重点课题基金（XJK06AZC010）、湖南省高等学校青年骨干教师基金、湖南省教育厅资助科研项目（07C382）和湖南人文科学院资助教学改革研究重点项目（RKJGZ0708）的资助。

由于编者水平所限，书中难免存在一些缺点和错误，恳请各位同行和广大读者批评指正（任何建议请发至 gjguo@163.com 邮箱）。

作 者

2007 年 12 月于海园

目　录

第1章　Java 语言概述

【本章要点】

1．Java 语言的发展历史、特点。

2．Java Application 和 Java Applet 程序结构及其简单程序设计；Servlet、JSP 和 Java EE 程序的基本结构。

3．Java 虚拟机的工作机理，JDK（JDK 1.5/Java SE 5.0）的下载与安装，有关环境变量设置（JAVA_HOME、CLASSPATH 和 Path 等）；Java 程序的编译、运行方法及其命令（javac、java、appletviewer、jar、javah、javap、jdb、javadoc 等）；基本输入输出方法（System.out.println()、System.out.print()、System.out.printf()、System.out.format()、java.io.BufferedReader()、java.util.Scanner()）；各种集成开发环境使用（NetBeans、Eclipse、JBuilder、JCreator、BlueJ 等）。

Java 是一种编程语言，它具有简单、高效、健壮、安全、可移植性好和多线程等特点，是一种纯面向对象的、网络编程首选的语言。Java 是一个平台，它支持从智能卡应用、手持式电子消费类产品应用、桌面应用到企业级应用。Java 是一种技术，它蕴含着商机，是竞争力的保证。Java 可谓无处不在，目前，全世界有 149 家硬件厂商支持 Java 技术，有 12.5 亿张 Java 智能卡、10.7 亿部 Java 手机、28 亿台 Java 设备在工作，发射到火星的"勇气号"探测器也是基于 Java 技术的。

注：Java 是印度尼西亚的一个重要的盛产咖啡的岛屿，中文名叫爪哇，开发人员为这种新的语言起名为 Java，其寓意是为世人端上一杯热咖啡。

1.1　Java 语言的发展简史

Java 语言的历史可以追溯到 1991 年 4 月，Sun Microsystems 公司由 James Gosling（Java 之父）领导的一个叫"Green"的项目，此项目的目的是开发一个能嵌入电冰箱、电视机和电烤箱等家用电器的分布式软件系统，以便用户通过 E-mail 对家用电器进行控制，提高智能化水平。项目组成员开始准备采用 C++语言开发，然而考虑到 C++语言太复杂且安全性差，最后决定基于 C++语言开发一种新的 Oak（橡树）语言，这就是 Java 语言的前身。

Oak 是一种适用于网络编程的精巧而安全的语言，它保留并简化了许多 C++语言的语法，去除了 C++中明确的资源引用、指针运算、多继承和操作符重载等不安全与复杂的特性，并具有与硬件无关的特性，可降低开发成本。

Internet 的迅速发展和普及应用，为 Oak 语言的研制并最终演化成 Java 语言提供了条件，特别是为促进 Java 技术的飞速发展与应用注入了强大动力。尽管 Sun 公司曾用 Oak 语言投标了一个以失败告终的交互式电视节目，却在 Mark Ardreesen 开发的 Mosaic 和 Netscape 的启发下，开启了 Oak 进军 Internet 的契机。1994 年秋，Oak 项目组完成了一个用 Oak 语言编写的 Web 浏览器，称为 WebRunner，它展示了 Oak 作为 Internet 开发工具的能力。后来，Oak 语言更名为 Java1 语言，WebRunner 改名为 HotJava，并于 1995 年 5 月 23 日，在 Sun World'95 大会上正式发布，这一天被 IT 界视为 Java 语言的诞生日。

1996 年 1 月 23 日，Sun 公司发布了 JDK 1.0，计算机产业的各大公司，包括 IBM、Apple、DEC、Adobe、Silicon Graphics、HP、Oracle、Toshiba 和 Microsoft 等，相继从 Sun 公司购买了 Java 技术许可证，开发相应的产品。JDK 1.0 包括运行环境（Java Runtime Environment，JRE）和开发环境（Java Development Kits，JDK）两部分。在运行环境中包括了核心 API（Application Program Interface），集成 API，用户界面 API，发布技术和 Java 虚拟机（Java Virtual Machine，JVM）五个部分。而开发环境还包括了编译 Java 程序的编译器（javac）。在 JDK 1.0 时代，JDK 除了 AWT（Abstract Window Toolkit，一种用于开发图形用户界面的 API）外，其他的类库并不完整。

1997 年 2 月 18 日，Sun 公司发布了 JDK 1.1。JDK 1.1 相对于 JDK 1.0 最大的改进就是为 JVM 增加了 JIT（即时编译）编译器，使 JDK 在效率上有了非常大的提升。

1998 年是 Java 开始迅猛发展的一年，Sun 公司发布了 JKD 1.2（称为 Java 2 platform）和 JSP/Servlet、EJB 规范，标志着 Java 已经吹响了向企业、桌面和移动三个领域进军的号角。JDK 1.2 将 API 分成了核心 API、可选 API 和特殊 API 三大类，增加了 Swing，在多线程、集合类和非同步类上做了大量的改进。

1999 年，Sun 公司把 Java 2 platform 技术分为 J2SE（Java 2 platform, Standard Edition）、J2EE（Java 2 platform, Enterprise Edition）和 J2ME（Java 2 platform, Micro Edition）。其中 J2SE 就是从 1.2 版本开始的 JDK，它为创建和运行 Java 程序提供了最基本的环境。J2EE 和 J2ME 建立在 J2SE 的基础上，J2EE 为分布式的企业级应用提供开发和运行环境，J2ME 为嵌入式应用提供开发和运行环境。

2000 年 5 月 8 日，JDK 1.3 发布，JDK 1.3 中同样进行了大量的改进，主要表现在一些类库上（如数学运算、新的 Timer API 等），在 JNDI 接口方面增加了一些 DNS 的支持，还增加了 JNI 的支持，这使得 Java 可以访问本地资源、支持 XML 以及使用新的 Hotspot 虚拟机代替了传统的虚拟机。2001 年，J2EE 1.3 发布。

2002 年 2 月 13 日，Sun 公司发布了 JDK 历史上最为成熟的版本 JDK 1.4，主要对 Hotspot 虚拟机的锁机制进行了改进，使 JDK 1.4 的性能有了质的飞跃。同时由于 Compaq、Fujitsu、SAS、Symbian、IBM 等公司的参与，使 JDK 1.4 成为发展最快的一个 JDK 版本，至此，Java 的计算能力有了大幅度提升，已经可以使用 Java 实现大多数的应用了，其中，J2EE SDK 的下载量达到 200 万次。2003 年，5.5 亿台桌面机上运行 Java 程序，75%的开发人员将 Java 作为首要开发工具。

2004 年 10 月，Sun 公司发布了期待已久的版本 JDK 1.5，这是 Java 语言发展史上的又一里程碑事件，为了表示这个版本的重要性，J2SE 1.5 更名为 J2SE 5.0。J2SE5.0 的主题是易用，它增加了泛型、增强的 for 语句、可变数目参数、注解（Annotations）、自动拆箱（unboxing）和装箱等功能，更新了企业级规范，如通过注释等新特性改善了 EJB 的复杂性，并推出了 EJB3.0 规范。同时又针对 JSP 的前端界面设计而推出了 JSF。JSF 类似于 ASP.NET 的服务端控件，通过它可以快速创建复杂的 JSP 界面。

2005 年，JavaOne 大会召开，Sun 公司公开 Java SE 6.0，并将 Java 的各种版本更名，取消其中的数字"2"：J2EE 更名为 Java EE，J2SE 更名为 Java SE，J2ME 更名为 Java ME。2006

年 12 月，JDK 6.0 正式版发布。Java SE 6.0 不仅在性能、易用性方面得到了前所未有的提高，而且还提供了如脚本、全新的 API（Swing 和 AWT 等 API 已经被更新）的支持。而且 Java SE 6.0 是专为 Vista 而设计的，它在 Vista 上将会拥有更好的性能。

Java 语言曾被美国的著名杂志 PC Magazine 评为 1995 年十大优秀科技产品。微软公司总裁 Bill Gates 感慨地说："Java 是长时间以来最卓越的程序设计语言。"Sun 公司的总裁 Scott McNealy 认为，Java 为 Internet 和 WWW 开辟了一个崭新的时代。万维网（WWW）的创始人 Berners-Lee 说："计算机事业发展的下一个浪潮就是 Java，并且将很快会发生。"甚至有人预言：Java 将是网络上的"世界语"，今后所有的用其他语言编写的软件统统都要用 Java 语言来改写。

在进入 21 世纪以来，随着 Web 技术成为展示和操作数据的事实标准，企业利用 J2EE 平台对原来分散的子系统进行整合。尽管应用整合可以通过多种手段来实现，但 J2EE 出现后，因其天生具备良好的开放性和可扩展性，使之在应用整合和开发的过程中发挥了越来越显著的优势。J2EE 逐渐成为开发商创建电子商务、电子政务和企业级应用的事实标准。

总之，面向对象的 Java 语言经过十几年的发展已相当成熟，具备"Write once, run anywhere"的能力，是服务提供商和系统集成商用以支持多种操作系统和硬件平台的首选解决方案。在网络计算遍及全球的今天，Java 平台吸引了数百万开发者。Java 技术作为软件开发的一种革命性技术，已被列为当今世界信息技术的主流之一。

1.2　Java 语言的特点及优势

在"Java 白皮书"中，Sun 公司对 Java 的定义是："Java: A simple, object-oriented, distributed, interpreted, robust, secure, architecture-neutral, portable, high-performance, multi-threaded, and dynamic language." 即：Java 是一种具有"简单、面向对象的、分布式、解释型、健壮、安全、与体系结构无关、可移植、高性能、多线程和动态执行"等特性的语言。

1.　简单（Simple）

Java 语言简单高效，其基本解释器只有 48 KB，加上标准类库和线程的支持共约 215KB。Java 语言由 C++简化改进而来，它去除了 C++中头文件、指针、结构、联合、运算符重载、多重继承和虚类等复杂与不安全成分；同时，Java 提供了丰富的类库，使得编程容易、效率高、质量好，不要长时间训练，就能掌握基本编程方法与技术。此外，Java 的垃圾收集器能自动回收内存中的无用信息，大大简化了程序员的内存管理工作。

2.　面向对象（Object-Oriented）

面向对象是现代编程语言的重要特性之一，面向对象技术极大地提高了软件开发的效能。在面向对象的编程语言中，简单地说，程序=对象+消息。Java 语言是一种纯面向对象的语言，它提供了简单的类机制和动态的接口模型，其编程的焦点集中于对象及其接口。对象则封装了对象的状态变量（属性/数据）及其相应的方法（行为/操作），实现了模块化和信息隐藏。类则提供了一类对象的原型，并通过继承机制，使子类可以继承父类所提供的方法，实现了代码的重用。Java 支持静态与动态风格的代码重用。接口则定义了一个类的表现形式，而不包含任何实现，实现了软件设计与实现的分离，使 Java 面向对象编程变得更加灵活。

3.　分布式（Distributed）

Java 是面向网络的语言，它直接支持分布式的网络应用。在 Java 核心类库中包括一个支持 HTTP、SMTP 和 FTP 等基于 TCP/IP 协议栈的类库，用户可以通过 URL 地址方便透明地打开并访问网络上的其他对象，其访问方式与访问本地文件系统几乎完全相同。

4. 健壮（Robust）

Java 致力于检查程序在编译和运行时的错误，类型检查机制可以检查出许多开发早期出现的错误。Java 支持自动内存管理，减少了内存出错的可能性。Java 采用对象数组并能检测数组边界，避免了覆盖数据的可能。基于异常（Exception）处理机制，在编译时，能揭示出可能出现但未被处理的异常，帮助程序员正确地进行选择，以防止系统的崩溃。

5. 安全（Secure）

网络分布式环境要求软件具有高度的安全性。Java 不支持指针，避免了非法内存操作，一切对内存的访问都必须通过对象的实例变量来实现，防止了程序员使用特洛伊木马等欺骗手段访问对象的私有成员，同时也避免了指针操作中容易产生的错误。Java 的运行环境还提供了字节码校验器、运行时内存布局、类装载器和文件访问限制等安全保障机制，以及 Java 虚拟机的"沙箱"运行模式，这些都大大提升了 Java 的安全性能。

6. 体系结构中立（Architecture-Neutral）

Java 将它的源程序编译成一种与体系结构无关的字节码（byte-code）指令，只要是安装了 Java，运行时系统的机器都能执行这种中间代码。这些字节码指令对应于 Java 虚拟机中的指令组，Java 解释器得到字节码后，再将字节码翻译成本地机器码，使之能够在不同的平台上运行。现在，支持 Java 虚拟机环境的系统有 Solaris SPARC、Solaris X86、Linux、Unix 和 Win32 系列（Windows 95/98、Windows NT、Windows ME、Windows 2000、Windows XP、Windows 2003 Server）等。

7. 可移植（Portable）

与体系结构无关的特性是 Java 程序可移植的重要基础。Java 语言规范遵循 POSIX 标准，没有任何"同具体实现相关"的内容。Java 采用 IEEE 标准的数据类型，其基本数据类型长度是固定而独立于平台的；字符串使用标准的 Unicode 字符集进行存储；Java 的类库中也实现了与不同平台的接口，使这些类库可以移植。此外，Java 编译器是由 Java 语言实现的，Java 运行时系统由标准 C 实现，这使得 Java 系统本身也具有可移植性。

8. 多线程（Multi-Threaded）

多线程机制使应用程序能够并行执行，具备更好的交互性和实时控制性能，线程的同步机制保证了对共享数据的正确操作。通过使用多线程，程序员可以分别用不同的线程完成特定的行为，而不必采用全局的事件循环机制，很容易实现网络上的实时交互行为。

9. 动态（Dynamic）

Java 的动态特性是其面向对象设计方法的发展。Java 采用"滞后联编"机制使它能适应不断发展变化的环境。它允许在类库中自由地加入新的方法和实例变量而不会影响用户程序的执行。并且 Java 通过接口来支持多重继承，使之比严格的类继承具有更灵活的方式和扩展性。

10. 解释执行（Interpreted）

Java 解释器（运行时系统）直接对 Java 字节码进行解释执行。字节码本身携带了许多编译时信息，使得连接过程更加简单。

11. 高性能（High-Performance）

与其他解释执行的语言如 BASIC 不同，Java 字节码的设计使之能很容易地直接转换成对应于特定 CPU 的机器码，从而得到较高的性能。Sun 用直接解释器一秒钟内可调用 300 000 个过程。翻译目标代码的速度与 C/C++的性能没什么区别。

总之，Java 是一种编程语言、一种开发环境、一种应用环境、一种部署环境、一种广泛使用的网络编程语言，它是一种全新的计算概念。

1.3 Java 虚拟机

Java 虚拟机（Java Virtual Machine，JVM）是软件模拟的虚拟计算机，JVM 的建立需要针对不同的软硬件平台做专门的实现，既要考虑处理器的体系结构，也要考虑操作系统的种类。目前在 SPARC 结构、X86 结构、MIPS 和 PPC 等嵌入式处理芯片上，在 UNIX、Linux、Windows 和部分实时操作系统上都实现了 Java 虚拟机。

JVM 可以在任何处理器上（包括计算机和其他电子设备）安全并且兼容地执行保存在.class 文件中的字节码。Java 程序的跨平台特性主要是指字节码文件可以在任何具有 JVM 环境的计算机或者电子设备上运行。JVM 中的 Java 解释器（java.exe）负责将字节码文件解释成为特定的机器码并执行。JVM 执行 Java 程序的过程如图 1-1 所示。

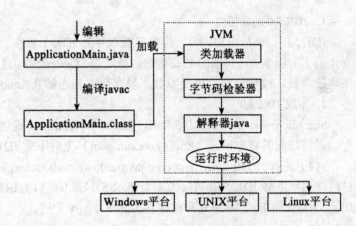

图 1-1 JVM 执行 Java 程序的过程

JVM 提供了程序运行时环境 JRE（Java Runtime Enviroment），JRE 中最重要的一个资源是运行时数据区。运行时数据区是操作系统为 JVM 进程分配的内存区域。由 JVM 管理该区域，并将其进一步分为多个子区域，主要包括堆区、方法区和 Java 栈区等。在堆区中存放对象，在方法区中存放类的类型信息，类型信息包括

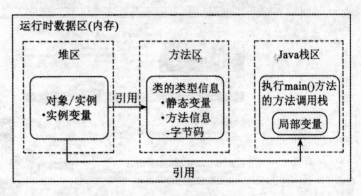

图 1-2 JVM 运行时数据区

静态变量和方法信息等，方法信息中包含类的所有方法的字节码。JVM 运行时数据区如图 1-2 所示。

1.4　Java 运行时环境与开发环境

Java 运行时环境 JRE 是由 Java 虚拟机、Java 核心类及一些支持文件组成的，它为 Java 程序提供了基本的运行环境。JRE 是面向 Java 程序的使用者而非开发者。若用户只需要运行 Java 程序则可只安装 JRE 即可。

Java 开发环境通常指 Java 开发工具包 JDK（Java Development Kit），它提供了 Java 的开发环境和运行环境。JDK 是面向开发人员使用的 SDK（Software Development Kit），SDK 一般指软件开发包，可以包括函数库和编译程序等。用户在安装 JDK 时，安装程序默认选项会依次安装 JDK 与 JRE。

1.4.1　JDK 5.0 的下载安装与环境变量设置

1. JDK 5.0 的新特性

JDK 5.0（即 Java SE 5.0，其内部版本号为 JDK 1.5.0）是从 JDK 1.0 版本以来，语言上变化最大的版本，其新增的主要功能包括泛型（Generics）、自动封装（Autoboxing/Unboxing）、循环的增强、枚举类型、可变参数、静态导入和注解（Annotation, Metadata）。

2. 下载 JDK 5.0

Sun Microsystems 公司为 Solaris、Linux 和 Windows 提供了 JDK 的最新、最完整的版本。可以通过访问其官方网站（http://java.sun.com）免费下载 JDK 5.0 和有关集成开发环境。

（1）先打开 http://java.sun.com/javase/downloads/index_jdk5.jsp 网页，如图 1-3 所示，用户可在这里下载 JDK 5.0（当前版本为 JDK 5.0 Update 11）、JRE 5.0、JDK 5.0+NetBeans5.5 IDE、JDK 5.0+Java EE、JDK 5.0 源程序和 JDK 5.0 API 文档。

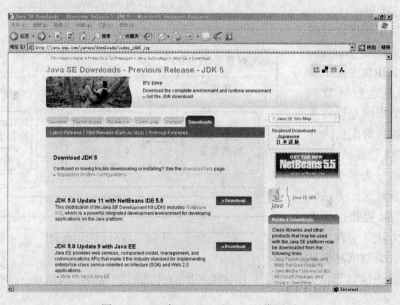

图 1-3　JDK 与 NetBeans IDE 下载页面

（2）若下载使用 JDK 5.0 等资源，需要用户先接受 Sun 公司的许可协议（License

Agreement），如图 1-4 所示，单击【Accept】按钮接受许可协议。

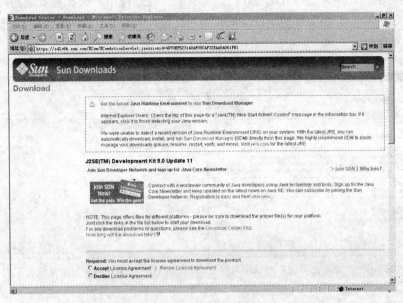

图 1-4　接受下载许可协议页面

（3）根据用户的操作系统平台选择相应的 JDK，此处选择 Windows Platform 下使用的 JDK，如图 1-5 所示。到此用户可用迅雷等进行下载，此处下载后的 JDK 软件包为 jdk-1_5_0_11-windows-i586-p.exe。

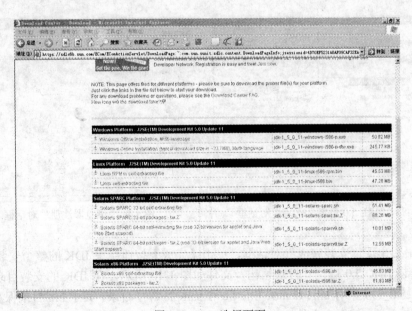

图 1-5　JDK 选择页面

3. 安装 JDK 5.0

（1）运行 jdk-1_5_0_11-windows-i586-p.exe 出现图 1-6 所示的"许可证协议"对话框，

选择【我接受许可证协议中的条款】单选按键，单击【下一步】按钮。

（2）在如图 1-7 所示的"JDK 5.0 自定义安装"对话框中，选择要安装的可选功能项，并可更改安装目录（此处改为"C:\Java\jdk1.5.0_11"），单击【下一步】按钮则进入"JDK 5.0 正在安装"对话框。

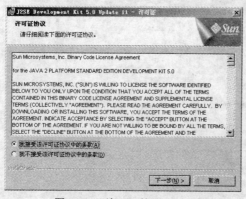
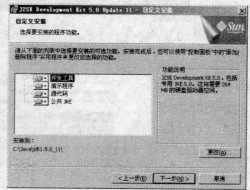

图 1-6　"许可证协议"对话框　　　　　　图 1-7　"JDK 5.0 自定义安装"对话框

（3）在 JDK 5.0 安装完成后，出现如图 1-8 所示的"JRE 5.0 自定义安装"对话框，选择要安装的可选功能项，并可更改安装目录（此处改为"C:\Java\jre1.5.0_11"），单击【下一步】按钮则进入"JRE 5.0 正在安装"对话框。

（4）JRE 5.0 安装完成后，会出现如图 1-9 所示的"浏览器注册"对话框，选择"Microsoft Internet Explorer"后单击【下一步】按钮。

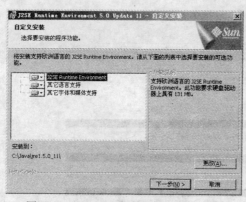
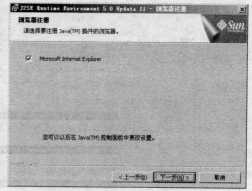

图 1-8　"JRE 5.0 自定义安装"对话框　　　　　图 1-9　"浏览器注册"对话框

（5）最后出现"安装完成"对话框，单击【完成】按钮结束 JDK 的整个安装。

成功安装 JDK 5.0 后，其目录结构及文件如图 1-10 所示，在 JDK 的安装目录（此处为 C:\Java\jdk1.5.0_11）下有 bin、demo、lib、jre 和 sample 等子目录，其中 bin 目录保存了 javac、java 和 appletviewer 等命令文件，demo 和 sample 目录保存了许多 java 的应用示例，lib 目录保存了 Java 的类库文件，jre 目录保存的是 Java 运行时环境（JRE），src.zip 中压缩的是 Java 类库的源程序。

图 1-10　JDK 5.0 目录结构及文件

JRE 5.0 的目录结构与文件如图 1-11 所示，它有 bin 和 lib 两个子目录，其中 bin 子目录中存放了 JVM 相关动态链接库文件，lib 子目录中存放了 Java 的核心类库文件。需要指出的是，若用户只需要安装 JRE，则可到 Sun 公司网站下载 JRE 5.0（jre-1_5_0_11-windows-i586-p.exe），其下载与安装方法与前述 JDK 的下载安装方法基本相同。

图 1-11　JRE 5.0 目录结构及文件

4. 设置环境变量

设置环境变量的目的是为了能够正常使用所安装的 JDK 开发包。通常需要设置 JAVA_HOME、PATH 和 CLASSPATH 这三个环境变量。下面以在 Windows XP/NT/2000/2003 的系统属性中设置环境变量为例说明其设置方法。

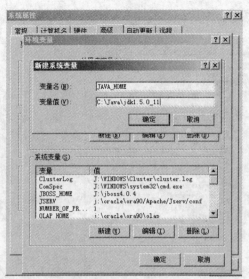

图 1-12 用"系统属性"设置 JAVA_HOME

（1）JAVA_HOME

JAVA_HOME 环境变量的值就是 JDK 所在的主目录（此处为 C:\Java\jdk1.5.0_11）。一些 Java 版的软件和一些 Java 的工具需要用到该变量，此外，在设置 PATH 和 CLASSPATH 时也可以使用该变量以方便设置。设置 JAVA_HOME 的方法如下：

①用鼠标右击桌面上【我的电脑】，在弹出菜单中选择单击【属性】选项。

②在"系统属性"对话框中，选择【高级】选项卡，然后单击【环境变量】按钮。

③在弹出的"环境变量"对话框中，单击【系统变量】选项组中的【新建】按钮。

④在弹出的"新建系统变量"对话框中，输入变量名"JAVA_HOME"和变量值"C:\Java\jdk1.5.0_11"，如图 1-12 所示，最后单击【确定】按钮。

（2）PATH

PATH 环境变量用来指定一个路径列表，以便自动搜索可执行文件。执行一个可执行文件时，若该文件不能在当前目录下找到，则依次寻找 PATH 中的每一个路径，直至找到。或者找完了 PATH 中的路径还未能找到，则报错。Java 编译器命令（javac），解释器命令（java）及其他的工具命令（如 javadoc、jdb 等）都位于其安装路径下的 bin 目录（即：%JAVA_HOME%\bin）中。设置 PATH 的方法如下：

①-②步与设置 JAVA_HOME 的方法相同。

③在弹出的"环境变量"对话框中，选择【系统变量】选项组列表框中的"Path"后，单击【编辑】按钮。

④在弹出的"编辑系统变量"对话框中，为 Path 变量添加变量值"%JAVA_HOME%\bin;%PATH%"，如图 1-13 所示，最后单击【确定】按钮。

（3）CLASSPATH

CLASSPATH 环境变量也用来指定一个路径列表，以便搜索 Java 编译或者运行时需要用到的类。在 CLASSPATH 列表中除了可以包含路径外，还可以包含.jar 文件。Java 查找类时会把一个.jar 文件当做一个目录来进行查找。通常需要把 Java 运行时环境的 JAR 包文件（即：%JAVA_HOME%\jre\lib\rt.jar）包含在 CLASSPATH 中。设置 CLASSPATH 的方法如下：

①-②-③步与设置 JAVA_HOME 的方法相同。

④在弹出的"新建系统变量"对话框中，输入变量名"CLASSPATH"，变量值".;%JAVA_HOME%\JRE\LIB\RT.JAR;"，如图 1-14 所示，最后单击【确定】按钮。

注意：①设置 CLASSPATH，必须加入当前路径（用"."表示），否则运行当前路径的类时会抛出运行时异常（java.lang.NoClassDefFoundError），程序无法运行。②Java 虚拟机找运行所需类库的顺序：启动类库→扩展类库→用户自定义类库。启动类库是 Java SE 核心类包（如 rt.jar 和 charsets.jar 等），扩展类库保存在%JAVA_HOME%\jre\lib\ext 目录，这两类类库 JVM 会自动加载，而用户自定义类库必须通过 CLASSPATH 环境变量定义才能被加载。

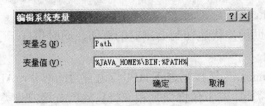 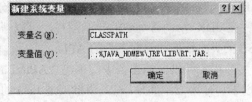

图 1-13　用"系统属性"设置 PATH　　　　图 1-14　用"系统属性"设置 CLASSPATH

（4）在 MS-DOS 命令行窗口设置环境变量

set JAVA_HOME=C:\Java\jdk1.5.0_11;

set PATH = %JAVA_HOME%\bin;%PATH%;

set CLASSPATH = ;%JAVA_HOME%\jre\lib\rt.jar;

　　注意：①这种方式设置的环境变量只对本 DOS 窗口有效。②可用"set 环境变量名"命令来查看该环境变量名的值。

1.4.2　JDK 5.0 的帮助文件

由于 JDK 5.0 的安装程序中不包含 JDK 帮助文档，用户可从 Sun 的网站上下载后安装。先打开 http://java.sun.com/javase/downloads/index_jdk5.jsp 页面，找到"J2SE 5.0 Documentation"的下载链接，根据提示可以下载 jdk-1_5_0-doc.zip（英文版）到本地硬盘。若要下载 JDK 5.0 API 帮助文档的中文版，则可从 Sun 中国技术社区网站的下载页面中（http://gceclub. sun.com.cn/download.html）下载，其文件名是 html_zh_CN.zip。

通常将其安装在 JDK 所在目录的 docs 子目录下面，然后浏览器打开 docs 子目录下的 index.html 文件即可查看 JDK 5.0 的有关帮助信息，其首页如图 1-15 所示。

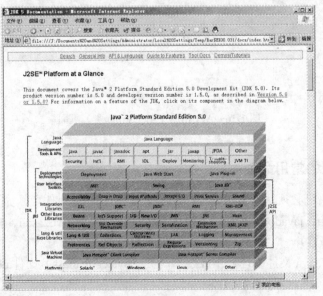

图 1-15　JDK 帮助文档首页及导航图

从图 1-15 可见，JDK 帮助文档分为 Search（搜索）、General Info（大纲信息）、API&Language（API 帮助与语言）、Guide to Features（JDK 平台特性）、Tool Docs（J2SE 平台命令的使用）和 Demos/Tutorials（J2SE 示例文档）六个部分。

在 JDK 帮助首页中的导航图片，可以帮助用户快速转到要浏览的页面，同时也展示了 J2SE 的类库结构和开发工具的 API。

在 JDK 帮助文档主页中，单击"API&Languae"链接则进入 API 与语言帮助部分，API 帮助窗口分为三个部分：左上角框架是 Java 的类包，左下角框架是相应类包的所有接口与类，右边框架则显示是相应类的属性与方法的说明。如图 1-16 所示，是 java.lang 类包中 String 类的 API 帮助信息。需要特别指出的是，程序员在编程过程中要善于查阅 API 帮助文档，了解系统类库中提供的类的功能、成员方法和成员变量等信息，这是学习提高编程技能的第一手资料和有效途径。

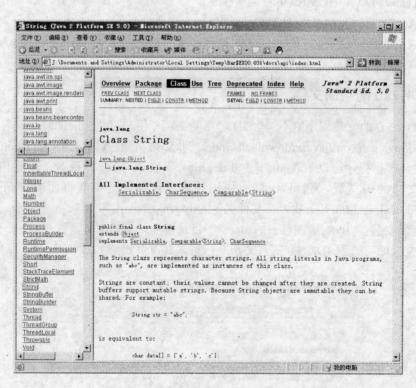

图 1-16　API 帮助文档（String 类）页面

1.4.3　JDK 5.0 的常用命令

对于 Java 程序员必须熟悉 JDK 带的一些常用命令及其常用选项，如 javac、java/javaw、appletviewer、javah、javadoc、javap、jar、HtmlConverter、native2ascii、serialver 等。

1. javac（编译器）

基本功能：将.java 文件编译后生成字节码类（bytecode class）文件.class。

使用格式：javac [选项] <源文件>

选项说明：见表 1-1 javac 编译器命令行选项

表 1-1	javac 编译器命令行选项
选项	功能
-g	生成所有调试信息
-g:none	不生成任何调试信息
-g:{lines,vars,source}	只生成某些调试信息
-nowarn	不生成任何警告
-verbose	输出有关编译器正在执行的操作的消息
-deprecation	输出使用已过时的 API 的源位置
-classpath <路径>	指定查找用户类文件的位置
-cp <路径>	指定查找用户类文件的位置
-sourcepath <路径>	指定查找输入源文件的位置
-bootclasspath <路径>	覆盖引导类文件的位置
-extdirs <目录>	覆盖安装的扩展目录的位置
-endorseddirs <目录>	覆盖签名的标准路径的位置
-d <目录>	指定存放生成的类文件的位置
-encoding <编码>	指定源文件使用的字符编码
-source <版本>	提供与指定版本的源兼容性
-target <版本>	生成特定 VM 版本的类文件
-version	版本信息
-help	输出标准选项的提要
-X	输出非标准选项的提要
-J <标志>	直接将<标志>传递给运行时系统

注意事项：使用 javac 命令编译时源程序文件必须带扩展名.java; javac 命令不区分源程序文件名的大小写。

应用举例：

>javac HelloWorld.java ←┘ //编译 HelloWorld.java 文件

>javac –verbose HelloWorld.java ←┘ //编译 HelloWorld.java 文件并显示编译信息

>javac sources*.java ←┘ //编译 sources 文件夹中所有.java 文件

>javac sources*.java –d bin ←┘ //编译 sources 文件夹中所有.java 文件并将编译后的.class 文件放入 bin 目录。

>javac –classpath d:\comsoft helloworld.java ←┘ //调用 d:\comsoft 中类编译 HelloWorld.java 文件

>javac @det.txt @src.txt ←┘ //若 det.txt 文件内容为：-d bin ; src.txt 文件内容为：src\HelloWorld.java，则将 HelloWorld.java 编译后保存在 bin 目录中。

2. java/javaw（解释器）

基本功能：加载类到 JVM，激活 main 方法并解释执行。

使用格式： java [选项] <类> [参数…]

　　　　　　 java [选项] -jar <jar 文件> [参数…]

　　　　　　 javaw [选项] <类> [参数…]

　　　　　　 javaw [选项] -jar <jar 文件> [参数…]

选项说明：见表 1-2

表 1-2   java/javaw 命令行选项

选项	功能
-classpath	指出类的路径，java 将在指定的路径查找待运行的类
-cp	它是-classpath 的缩写，其作用与-classpath 相同
-jar	表示运行的是一个 jar 包类文件
-verbose	显示运行是使用到的各种类包和类
-version	显示 JRE 的版本号
-help	显示 java 命令的帮助信息

有关说明：java 与 javaw 的区别在于用 java 运行程序时需要 DOS 窗口的支持，而 javaw 则不需要。

应用举例：

> java -version←┘ //显示 JRE 版本号

>java –classpath comsoft\ch1 HelloWorld←┘   //运行 comsoft\ch1 目录中的 HelloWorld 类

>java -classpath ch1.jar HelloWorld ←┘ //运行 ch1.jar 包中的 HelloWorld 类

>java –cp comsoft\ch1 HelloWorld←┘   //运行 comsoft\ch1 目录中的 HelloWorld 类

>java -jar ch1.jar ←┘ //运行 ch1.jar 包

>javaw HelloWindow←┘ //不依靠 DOS 窗口运行 HelloWindow 类

3. appletviewer（Java 小程序浏览器）

基本功能：appletviewer 命令主要用来测试 Applet 程序。

使用格式：appletviewer [选项项] url(s)。

选项说明：见表 1-3。

表 1-3   appletviewer 命令行选项

选项	功能
-debug	在 Java 调试器中启动 applet 小程序查看器
-encoding <encoding>	指定由 HTML 文件使用的字符编码
-J <runtime flag>	向 Java 解释器传递参数

应用举例：

>appletviewer AppletDemo.html←┘   //在 AppletDemo.html 中用<applet code="AppletDemo. class" width =200 height = 200></applet>嵌入了"AppletDemo.class"，此处用 appletviewer 命令测试 AppletDemo 类。

4. jar（jar 包生成器）

基本功能：采用 ZIP 和 ZLIB 压缩格式将一系列类文件压缩为一个文件（jar 包类），这可以加快文件的下载速度，提高控制下载的安全性，便于类的管理与发布。

使用格式：jar {ctxu}[vfm0Mi] [jar-文件] [manifest-文件] [-C 目录] 文件名 ...

选项说明：见表 1-4。

表 1-4　　　　　　　　　　　　　　　　jar 命令行选项

选项	功能
-c	创建新的存档
-t	列出存档内容的列表
-x	展开存档中的命名的（或所有的）文件
-u	更新已存在的存档
-v	生成详细输出到标准输出上
-f	指定存档文件名
-m	包含来自标明文件的标明信息
-0	只存储方式；未用 ZIP 压缩格式
-M	不产生所有项的清单（manifest）文件
-i	为指定的 jar 文件产生索引信息
-C	改变到指定的目录，并且包含下列文件

应用举例：

>jar cvf myclasses.jar First.class Second.class←┘　//将两个 class 文件存档到一个名为 'myclasses.jar'的存档文件中

>jar cvfm myclasses.jar mymanifest -C comsoft/ .　←┘　//用一个存在的清单（manifest）文件'mymanifest'将 comsoft 目录下的所有文件存档到一个名为'myclasses.jar'的存档文件中

>jar cf ch1.jar bin*.class　←┘　//将 bin 目录中的所有类加入新建的 ch1.jar 包文件

>jar cf ch1nodir.jar -C bin*.class　←┘　//将 bin 目录中的所有类加入 ch1nodir.jar 包文件但不保留 bin 目录

>jar c0f ch1.jar bin*.class　←┘　//不应用压缩格式创建 ch1.jar 包文件

>jar uf ch1.jar AppletDemo.class　←┘　//将 AppletDemo.class 类以更新方式加入 ch1.jar 包文件

>jar tf ch1.jar　←┘　　　　　　　//查看 jar 文件

>jar tvf ch1.jar ←┘　　　　　　//查看 jar 文件的详细信息

>jar xf ch1.jar ←┘　　　　　　　//解开 ch1.jar 文件到磁盘

5.　javah（头文件生成器）

基本功能：javah 命令用来创建 C 头文件和存根文件（.h 文件和.c 文件），这是将本地 C 成员函数包入 Java 所需要的，被创建的头文件给出了有关 java 类的信息，这些信息是 C 成员函数与 java 类交换数据所必需的。存根文件用来创建将定义 java 对象的结构与 java 对象本身数据相联系的 C 文件。

使用格式：javah [选项] <类>

选项说明：见表 1-5。

表 1-5　　　　　　　　　　　　　　　　javah 命令行选项

选项	功能
-help	输出此帮助消息并退出
-classpath <路径>	用于装入类的路径
-bootclasspath <路径>	用于装入引导类的路径
-d <目录>	输出目录
-o <文件>	输出文件（只能使用-d 或-o 中的一个）
-jni	生成 JNI 样式的头文件（默认）
-version	输出版本信息
-verbose	启用详细输出
-force	始终写入输出文件

高等院校计算机系列教材

注：使用全限定名称指定 <类>（例如，java.lang.Object），且只要类名（区分大小写）而不要写.class 扩展名，javah 程序可接受多个类名以产生文件头和存根文件。

应用举例：

>javah HelloWorld←┘   //创建 HelloWorld.class 的头文件 HelloWorld.h

6. javap（反汇编器）

基本功能：javap 命令可反汇编一个 Java 字节代码文件，默认返回公有成员变量和成员方法的信息。

选项说明：见表 1-6。

表 1-6   javap 命令行选项

选项	功能
-help	输出 javap 的帮助信息
-l	输出行及局部变量表
-b	确保与 JDK1.1javap 的向后兼容性
-public	只显示 public 类及成员
-protected	只显示 protected 和 public 类及成员
-package	只显示包、protected 和 public 类及成员。这是缺省设置
-private	显示所有类和成员
-J*flag*	直接将 *flag* 传给运行时系统
-s	输出内部类型签名
-c	输出类中各方法的未解析的代码，即构成 Java 字节码的指令
-verbose	输出堆栈大小、各方法的 locals 及 args 数
-classpath *路径*	指定 javap 用来查找类的路径
-bootclasspath *路径*	指定加载自举类所用的路径
-extdirs *dirs*	覆盖搜索安装方式扩展的位置。扩展的缺省位置是 jre\lib\ext

应用举例：

>javah HelloWorld←┘   //反汇编 HelloWorld.class，可返回其公有变量和类的成员方法信息。

7. jdb（Java 调试器）

基本功能：jdb 为 java 程序提供了一个命令行调试环境。

使用格式：jdb <选项> <类> <参数>

选项说明：见表 1-7。

表 1-7   jdb 命令行选项

选项	功能
-help	输出此消息并退出
-sourcepath <以 ";" 分隔的目录>	查找源文件的目录
-attach <地址>	使用标准连接器连接到位于指定地址的正在运行的 VM
-listen <地址>	等待正在运行的 VM 使用标准连接器在指定地址
-listenany	等待正在运行的 VM 用标准连接器在任何可用地址进行连接

续表

选项	功能
-launch	立即启动 VM，而不等待"run"命令
-listconnectors	列出此 VM 中可用的连接器
-connect <连接器名称>:<名称 1>=<值 1>,...	使用指定连接器和列出参数值连接到目标 VM
-dbgtrace [标志]	输出用于调试 jdb 的信息
-tclient	在 Hotspot Performance Engine（客户机）中运行应用程序
-tserver	在 Hotspot Performance Engine（服务器）中运行应用程序
-v -verbose[:class|gc|jni]	启用详细模式
-D<名称>=<值>	设置系统属性
-classpath <以 ";" 分隔的目录>	列出查找类的目录
-X<选项>	非标准目标 VM 选项

应用举例：

> jdb HelloWorld ←┘　//加载等调试的类 HelloWorld.class

> ? ←┘ //在调试状态下可用? 命令查看相关调试命令，然后可做有关调试，详细调试命令此处略。

8. javadoc（API 文件生成器）

基本功能：Javadoc 解析 Java 源文件中的声明和文档注释，并产生相应的 HTML 页（缺省），描述公有类、保护类、内部类、接口、构造函数、方法和域。它可对整个包、单个源文件或二者生成 API 帮助文件。

使用格式：javadoc [选项] [软件包名称] [源文件] [@file]

选项说明：用 javadoc –help 命令查询，此处略。

应用举例：

> javadoc HelloWorld.java←┘　//生成 HelloWorld.java 的 API 文档

1.5　简单 Java 程序设计

用户在安装并配置了 JDK 以后，就可以开始编写和运行 Java 程序了。Java 程序可分为 Application Program（应用程序）、Applet Program（小程序）和 Servlet Program（服务器端小程序）三种基本类型。Application Program 是一种能由 JVM 独立解释执行的本地应用程序，Applet Program 是一种包含在 Web 网页 HTML 文件中依靠浏览器中 Java 解释器解释并执行的小程序，Servlets Program 是一种后端 Web 服务器端程序，它可以处理客户发送的请求（request），在接受客户请求并做出响应后，再将处理结果反馈给客户端（response）。这三类程序的结构不同，但基本语法都一样，所以能彼此沟通。

1.5.1　Java Application 程序

【例 1-1】　第一个简单的 Java Application 程序。其功能是在显示器屏幕的当前光标处输出一行文本信息：Hello World！

1. 程序代码

程序清单1-1: HelloWorld.java

```
public class HelloWorld { // 声明一个公有类：HelloWorld
  public static void main(String[] args) { // 类中主方法，程序入口点
     System.out.println("Hello World !");
     // 在屏幕上输出字符串"Hello World !"
  }
 }
```

运行结果:

Hello World !

2. 编写程序

（1）先打开资源管理器，选定 D:盘后，在其右边的文件窗口空白处单击鼠标右键，在弹出的快捷菜单中执行【新建】→【文件夹】命令，依次建立存放 Java 程序的文件夹："D:\JPT\Ch01"。

（2）然后选定 Ch01 文件夹，在其右边的文件窗口空白处单击鼠标右键，在弹出的快捷菜单中执行【新建】→【文本文档】命令，新建一文本文档并改名为"HelloWorld.java"。

（3）右击"HelloWorld.java"文件，在弹出的快捷菜单中执行【打开方式】→【记事本】命令，使用记事程序打开 HelloWorld.java 程序文件。

（4）最后在打开 HelloWorld.java 程序文件中输入"程序清单 1-1"中的代码后保存文件，如图 1-17 所示。

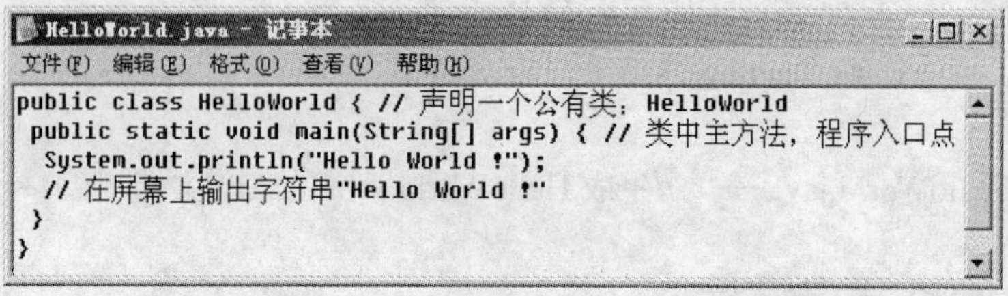

图 1-17　用记事本编辑 HelloWorld.java 程序文件

注意: 由于 Java 解释器要求公有类必须放在与其同名的文件中，所以 Java 源程序文件名必须与其程序代码中的公有类（public class）的名字相同，并且区分大小写。对于这一点初学者易犯错误，需高度注意。

3. 编译运行

（1）在 Windows 桌面，执行【开始】→【运行...】命令，在出现的"运行"窗口中输入"cmd"命令，单击【确定】按钮，打开"命令提示符"窗口。

（2）输入以下命令，进入"D:\JPT\Ch01"目录。

> D: ←┘ //改变当前盘为 D:盘

> CD JPT\Ch01←┘ //改变当前目录为 D:\JPT\Ch01

（3）编译 Java 程序。

一般格式：<DOS 提示符>javac <源文件全名>

例: D:\JPT\Ch01>javac HelloWorld.java ←┘

说明：①javac 编译器要求被编译的 Java 程序文件名必须加扩展名.java，但不区分程序文件名中字

母的大小写。②若程序文件被成功编译，则 Java 源程序文件中所定义的每个类都会在磁盘上生成与类名相同的类文件（.class），此处 HelloWorld.java 程序文件中只有一个公有类"public class HelloWorld"，所以其对应的类文件也只有"HelloWorld.class"。③若程序文件存在语法等错误，则不能通过编译而不生成相应类文件，但编译器会报告程序中的错误原因和错误位置等信息。若将例 1-1 程序中第二行的"String"改为"string"，则会产生如图 1-18 所示的编译错误，它报告的是"在 HelloWorld.java 程序的第 2 行找不到 string 这个类"。原因是由于 Java 类名是区分大小写的，而在 java.lang 类包中只定义了"String"类，而不存在"string"类，所以报错。需要特别指出的是，程序员必须认真阅读编译时错误报告，以便快速定位并修正错误，然后再次编译直到成功。

（4）运行 Java 程序。

一般格式：<DOS 提示符>java <类名全称>

D:\JPT\Ch01>java HelloWorld ←┘

说明：①java 解释器只要求给出被运行的类名（或类名全称——指带包名前缀的类）而不必加类文件的扩展名.class，并且它对类名中字母的大小写是敏感的。

成功编译并运行 HelloWorld.java 程序的结果，如图 1-19 所示。

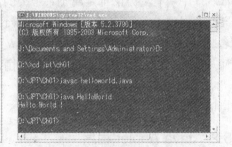

图 1-18　在例 1-1 中设置错误后的编译错误报告　　图 1-19　例 1-1 编译运行的步骤与结果

4. 程序解析

由于 Java 语言是纯面向对象的语言，其数据以及对数据的处理全部封装在类中，所以每个 Java 程序至少包含一个类的声明。一个 Java 类由类的声明部分和类体两部分组成。例 1-1 程序代码中的第一行"public class HelloWorld {"开始了一个公有类 HelloWorld 的声明。其中，class 关键字引出 Java 的类声明，其后面直接跟上类名（HelloWorld）；public 关键字用来修饰类，表示类的访问权限是公有的，对于公有的类则可以被其他任意类使用。类体部分则由大括号{ }括起来，此处，其中只定义一个 main()成员方法。

Java 类中的成员方法由方法声明部分和方法体两部分构成。"public static void main（String argv[]）"，为主方法 main()的声明部分，其中，public 关键字用来修饰方法，表示方法的访问权限是公有的，对于公有的方法则可以被其他任意类调用；static 关键字指明该方法是一个类方法，它可以通过类名直接调用，由 JVM 要求通过类直接调用 main()方法，所以 main()方法必须声明为类方法（static 方法）；void 则指明 main()方法的返回值类型为空值（实际是不返回值）。main()方法首部圆括号()中的"String args[]"是传递给 main()方法的参数，参数名为"args[]"，但其名字允许改变，[ ]亦可置于 args 与 String 之间，它是一个 String 类型的一维数组引用，它可以接受命令行中的 0 个或多个字符串类型的实际参数。main()方法是 Java 应用程序的基本标志，是 Java Application 所必需的且必须按照上述的格式来定义。main()方法是运行 Java 应用程序的入口点，含有 main()方法的类通常称为主类。

main()方法体部分由大括号{}括起来，此处 main()方法体中只调用了 System.out. println("Hello World！")；这一条语句，用来在显示器屏幕上输出一行字符串文本信息；System 是一个预定义的类，它提供对系统的访问，out 是 System 类中的一个 PrintStream 类型的类成员变量，它代表标准输出流对象，它将输出流传送到屏幕上，out 对象的 println（）方法的功能是输出字符串后将光标跳至下一行行首，它能实现 C 语言中的 printf 语句和 C++中 cout<< 语句类似的一些功能。

Java Application 程序的结构特点：一个 Java Application 程序由一个或多个文件组成，每个文件中可以定义一个或多个类，每个类由若干个方法和变量组成。一个文件中定义多个类时，允许其中声明零个或一个 public 类，若有 public 类则程序文件名必须与 public 类的类名相同，并区分大小写，扩展名为.java。一个 Java Application 程序仅有一个主方法 main()，是整个程序的入口。

Java 程序编写中的注意事项：程序名必须与 public 类同名；Java 程序区分大小写字母；Java 程序中所有的方法都是属于某个类的，没有不属于某个类的方法。

此外根据 Java 命名规范的约定，Java 所有的类名都以一个大写字母开头，由多个词构成类名时每个词首字母大写。程序中以"//"开头的为注释，称之为行注释，它不影响程序的编译与运行。Java 程序的书写格式很自由，一般采用紧对齐格式进行书写，Java 语句用分号";"作为语句的分隔标记，一般一行写一条语句，需要时，一行可以写多条语句，一条语句也可以分成多行书写。

1.5.2　Java Applet 程序

【例 1-2】　第一个简单的 Java Applet 程序。其功能是在浏览器中输出一个矩形，并在矩形中显示"This is an applet program！"。

程序清单1-2:　FirstApplet.java

```
import java.applet.Applet;//引入java.applet包中Applet类
import java.awt.Graphics;//引入java.awt包中Graphics类
public class FirstApplet extends Applet {// 继承Applet类
  public void paint(Graphics g) {
    g.drawRect(2, 2, 200, 100);// 在(2,2)坐标处绘制矩形,宽高=(200,100)
    g.drawString("This is an applet program !", 10, 50);
     //在(10,50) 坐标处绘制字符串"This is an applet program !"
  }
}
```

运行结果：

在这个简单的 Applet 程序（小应用程序）中，首先用 import 语句引入了 java.applet 类包中 Applet 类和 java.awt 类包中 Graphics 类，然后声明一个 public 类 FirstApplet，对于一个 Java 小应用程序而言，它必须是 Applet 类的一个子类，所以用 extends 关键字声明 FirstApplet 继承 Applet 类。在 FirstApplet 子类中，重写（覆盖）父类 Applet 中的 paint()方法，其中参数 g 为 Graphics 类，它表明当前作画的上下文。在 paint()方法中，调用 g 实例的 drawRect ()方法，在坐标（2，2）处输出宽度与高度分别为 200 和 100 像素的矩形框，然后再调用 g 实例的

drawString（）方法，在坐标（10，50）处输出字符串"This is an applet program！"，其中坐标都是用像素点来表示的。

程序中 public void drawRect（int x，int y，int width，int height）方法的功能是以（x，y）为参考点、（width，height）为宽度和高度绘制指定矩形，单位为像素。其参数 x 是绘制矩形的左上角 x 坐标，y 是绘制矩形的左上角 y 坐标，width 是绘制矩形的宽度，height 是绘制矩形的高度。public abstract void drawString（String str，int x，int y）方法的功能是在点（x，y）位置绘制给定的字符 str。

在这个 applet 程序中没有实现 main（）方法，这是 Applet 程序与 Application 程序运行机制的主要区别之一。为了运行此程序，我们先将其保存在 FirstApplet.java 程序文件中，然后对它进行编译：

d:\user\chap01>javac　FirstApplet.java ←┘

得到字节码文件 FirstApplet.class。由于 Applet 中没有 main（）方法作为 Java 解释器的入口，程序员必须编写 HTML 网页文件，把该 Applet 嵌入其中，然后用 appletviewer 来运行，或在支持 Java 的浏览器（如 IE 等）上运行。FirstApplet.html 文件的脚本如下：

程序1-2的网页文件： `FirstApplet.html`

```
<html>
<head>
<title>This is an applet program !</title>
</head>
  <body>
    <applet code="FirstApplet.class" width=250 height=150></applet>
  </body>
</html>
```

其中用<applet>标记来启动 FirstApplet 类，其 code 属性指明字节码所在的类文件，width 和 height 属性指明 Applet 所占的屏幕尺寸的大小，我们把这个 HTML 文件存入 FirstApplet.html 网页中，然后使用 appletviewer 工具来运行此网页，方法如下：

d:\user\chap01>appletviewer FirstApplet.html ←┘

这时屏幕上弹出一个如图 1-20（a）所示的窗口，其中显示一个矩形，并在矩形中输出"This is an applet program！"。若在 IE 浏览器中打开 FirstApplet.html 网页，则运行结果如图 1-20（b）所示。

| (a) | (b) |

图1-20　例1-2运行结果

1.5.3 Servlet 程序

Java Servlet 和 Java Applet 正好是相对应的两种程序类型。Applet 运行在客户端，在浏览器内执行，而 Servlet 在服务器内部运行，通过客户端提交的请求启动运行,并将结果还回给客户端或调用它的程序。一个具体 Servlet 类一般都继承自 HttpServlet 类。在 HttpServlet 类中有 init()、service()和 doXxx()等许多方法，其中 init()方法功能是在一个 Servlet 类首次被调用时执行，完成一些初始化工作。每请求一个 Servlet 时，服务器都会生成一个新的 Servlet 线程，而生成新线程时就要调用 servive()方法，servive()方法会根据 Servlet 请求的类型不同而调用不同的 doXxx()方法。doXxx()方法是指 doGet()、doPost()、doDelete()、doOptions 和 doTrace 等方法的总称。

【例 1-3】 第一个简单的 Servlet 程序。通过重写 doGet()和 doPost()方法，实现在浏览器页面中输出一级标题信息 "This is a Servlet program !"。

程序清单1-3: FirstServlet.java

```java
import java.io.*;
import javax.servlet.*;
import javax.servlet.http.*;
public class FirstServlet extends HttpServlet {//继承HttpServlet类
    protected void doGet(HttpServletRequest request,
HttpServletResponse response) throws ServletException, IOException {
        response.setContentType("text/htm/;charset=gb2312");
        // 设置响应类型和字符集
        PrintWriter out = response.getWriter();
        // 获取PrintWriter对象，用来向客户端输出内容
        out.println("<html>");
        out.println("<head>");
        out.println("<title>第一个Servlet</title>");
        out.println("</head>");
        out.println("<body>");
        out.println("<h1>");
        out.println("This is a Servlet program !");
        out.println("</h1>");
        out.println("</body>");
        out.println("</html>");
    }
    protected void doPost(HttpServletRequest request,
HttpServletResponse response) throws ServletException, IOException {
        doGet(request, response);
    }
}
```

运行结果：

配置与运行：

（1）将 FirstServlet.jvat 保存在%TOMCAT_HOME%\webapps\ROOT\WEB-INF\classes 目录中，然后编译文件。方法如下：

C:\jakarta-tomcat-5.5.9\webapps\ROOT\WEB-INF\classes>

javac -classpath C:\jakarta-tomcat-5.5.9\common\lib\servlet-api.jar firstservlet.java ↩

说明：Servlet API 位于 java 的扩展包中，编译时要将 Servlet API 的 jar 包（servlet-api.jar）添加到类路径中。servlet-api.jar 位于%TOMCAT_HOME%\common\lib 目录中。此处%TOMCAT_HOME%的值为"C:\jakarta-tomcat-5.5.9\"。

（2）在%TOMCAT_HOME%\webapps\ROOT\WEB-INF\目录中创建 web.xml 文件，配置相应的 Servlet 与 Servlet-mapping。

程序1-3配置文件：`web.xml`

```xml
<?xml version="1.0" encoding="UTF-8"?>
<web-app id="WebApp_ID" version="2.4"
    xmlns="http://java.sun.com/xml/ns/j2ee"
    xmlns:xsi="http://www.w3.org/2001/XMLSchema-instance"
    xsi:schemaLocation="http://java.sun.com/xml/ns/j2ee
http://java.sun.com/xml/ns/j2ee/web-app_2_4.xsd">
    <!--Servlet的类定义 -->
    <servlet>
        <servlet-name>FirstServlet</servlet-name>
        <servlet-class>FirstServlet</servlet-class>
    </servlet>
    <!--Servlet的URL映射 -->
    <servlet-mapping>
        <servlet-name>FirstServlet</servlet-name>
        <url-pattern>/FirstServlet</url-pattern>
    </servlet-mapping>
</web-app>
```

说明：web.xml 是该 Servlet 的配置文件，其中<servlet>标记的<servlet-name>和<servlet-class>属性分别表示 Servlet 的名称及其使用的类的类名全称；<servlet-mapping>标记中的<url-pattern>属性用来为<servlet-name>属性所指定的 Servlet 进行 URL 地址映射（需通过此映射地址来访问对应的 Servlet）。

（3）启动 Tomcat，在浏览器地址栏中输入"http://localhost:8088/FirstServlet"，运行结果如图 1-21 所示。

图 1-21 例 1-3 运行结果

1.5.4 JSP 程序

在使用 Servlet 做开发时，若所有前台的 HTML 代码都通过 Servlet 生成，则会使 Servlet 负荷加重，性能降低，将是一个很糟糕的技术。若将 Servlet 只作为简单的逻辑控制器而前台全都使用表态的 HTML，则这样的 Web 应用的动态效果差。为了克服这些缺陷，JSP（Java Server Page）应运而生。利用 JSP 实现前台较好的动态效果，运行 Servlet 实现后台较好的逻辑操作。JSP 可以将静态的 HTML 与动态生成的内容混合起来，并且在 JSP 中 HTML 的编写与维护很简单，代码清晰，有利于团队开发。

本质上，JSP 技术也是服务器，JSP 页面第一次被访问时被转换成 Servlet 并进行编译，然后载入内存中进行初始化和执行相关操作。尽管 JSP 服务器端经过编译最终将会被转换成 Servlet，这种底层的等同性并不意味着 JSP 和 Servlet 对于所有情况均适用，二者的便利性、可维护性和侧重性是不同的。

Servlet 结合 JSP 可以做出功能强大、结构清晰的应用，然而在实际的企业级应用中，不会只用 Servlet 或 Servlet+JSP 来做开发，其中如 Struts 框架对 Servlet 做了很好的封装，是一种简单成熟而广泛应用的开发框架。

1.5.5 Java EE 程序

与标准 Web 应用程序一样，Java EE（Java Enterprise Edition）应用程序通常需要部署到 Java EE 应用服务器（JBoss、Sun Application Server、BEA WebLogic 和 IBM WebSphere 等）上，并通过 Web 浏览器进行访问。Java EE 应用程序提供的功能非常丰富，其中包括 Web 服务和 EJB（Enterprise JavaBeans）技术。

1.6 Java 集成开发环境

Java JDK 只提供了基本的底层开发运行环境和类库，而没有提供专门的开发工具。JDK 安装完后，简单条件下程序员可用各种纯文本编辑器（如记事本、UltraEdit 和 EditPlus 等）编程，然后在"命令提示符"窗口中调用相应的命令来完成程序的编译（javac）和运行（java）。然而在实际的软件开发中，为了提高软件开发效率、保证质量，通常会使用各种 Java 集成开发环境及工具。集成开发环境通常集成了软件开发各阶段的实用工具，如分析、设计、建模、编码、测试、调试、部署和管理等工具，同时为程序员提供了友好的可视化的交互界面，受到了程序员的青睐。

目前，Java IDE 的种类很多，如 Sun 的 NetBeans 与 Sun Java Studio、IBM 的 Eclipse 与 Visual Age for Java、Borland 的 JBuilder、Oracle 的 Jdeveloper 、BEA 的 WebLogic Workshop 等。

1.6.1 NetBeans

NetBeans 是 Sun 公司开发的开源免费且功能全面的 Java 集成开发环境，为 Java 开发人员创造了一个可扩展的、开源的、多平台的 Java IDE。NetBeans 将版本控制和 XML 编辑等融入其众多功能中，并集成了 TomCat Web 服务器和 Sun Application Server 应用服务器。开发人员不仅可以使用 NetBeans 编写、编译、调试和部署 Java 应用，而且支持企业级应用开发，包括 JSP 与 Servlet 的两层 Web 创建和包括应用服务的三层应用。NetBeans 集成开发环境的主界面如图 1-22 所示。

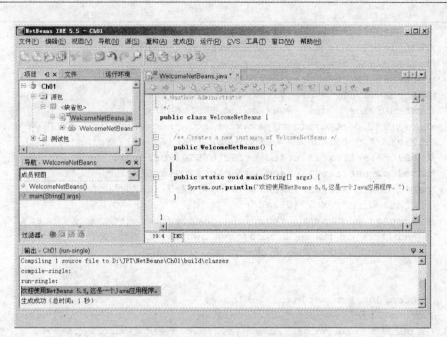

图 1-22　NetBeans 5.5 IDE 主界面

1.　下载和安装 NetBeans

打开 NetBeans 官方网站的下载页面（http://www.netbeans.org/downloads/index.html），用户可在这里下载简体中文版 NetBeans 5.5（安装软件包名为 netbeans-5_5-windows-zh_CN.exe）或者 NetBeans IDE 5.5 + Java EE Application Server 9.0（安装软件包名为 sjsas_pe-9_0_01_p01-nb-5_5-windows-zh_CN.exe）。双击下载的安装软件包文件，按安装向导提示安装即可，此处安装的是"NetBeans IDE 5.5 with Java EE Application Server 9.0"。

2.　使用 NetBeans 进行开发

在大多数集成开发环境中编写程序，无论代码的长与短，都需要创建一个项目。因为在创建的项目中，除了所要编写的代码文件以外，集成开发工具在创建项目的同时，也将整个程序编译运行中所需要的库文件、jar 包文件和设置 classpath 文件等一起加载到项目中，这样为程序员的开发带来了极大的方便。

【例 1-4】　使用 javax.swing 类包中的 JFrame 等类编写简单的基于 Swing 的 GUI 交互程序，实现从键盘输入两个操作数 op1、op2，然后计算这两个数的和、差、积和商。

程序清单1-4: AlgorithmFrame.java

```
package jpt.ch01;
public class AlgorithmFrame extends javax.swing.JFrame {
    /** Creates new form AlgorithmFrame */
    public AlgorithmFrame() {
        initComponents();
    }
    // <editor-fold defaultstate="collapsed" desc=" 生成的代码 ">
    private void initComponents() {
        jLabelOp1 = new javax.swing.JLabel();
        jTextFieldOp1 = new javax.swing.JTextField();
        jLabelOp2 = new javax.swing.JLabel();
        jTextFieldOp2 = new javax.swing.JTextField();
```

```
        jLabelResult = new javax.swing.JLabel();
        jTextFieldResult = new javax.swing.JTextField();
        jButtonAdd = new javax.swing.JButton();
        jButtonSubtract = new javax.swing.JButton();
        jButtonMultiply = new javax.swing.JButton();
        jButtonDivide = new javax.swing.JButton();
    setDefaultCloseOperation(javax.swing.WindowConstants.EXIT_ON_CLOSE);
    setTitle("\u7b97\u672f\u8fd0\u7b97\u6f14\u793a-Swing");
    jLabelOp1.setText("\u64cd\u4f5c\u65701\uff1a");
    jLabelOp2.setText("\u64cd\u4f5c\u65702\uff1a");
    jLabelResult.setText("\u8fd0\u7b97\u7ed3\u679c\uff1a");
    jButtonAdd.setText("\u52a0");
    jButtonAdd.addMouseListener(new java.awt.event.MouseAdapter() {
        public void mouseClicked(java.awt.event.MouseEvent evt) {
            jButtonAddMouseClicked(evt);
        }
    });
    jButtonSubtract.setText("\u51cf");
    jButtonSubtract.addMouseListener(new     java.awt.event.MouseAdapter()
{       public void mouseClicked(java.awt.event.MouseEvent evt) {
         jButtonSubtractMouseClicked(evt);
        }
    });
    jButtonMultiply.setText("\u4e58");
    jButtonMultiply.addMouseListener(new     java.awt.event.MouseAdapter()
{      public void mouseClicked(java.awt.event.MouseEvent evt) {
         jButtonMultiplyMouseClicked(evt);
        }
    });
    jButtonDivide.setText("\u9664");
    jButtonDivide.addMouseListener(new java.awt.event.MouseAdapter() {
      public void mouseClicked(java.awt.event.MouseEvent evt) {
         jButtonDivideMouseClicked(evt);
        }
    });
 org.jdesktop.layout.GroupLayout          layout          =          new
org.jdesktop.layout.GroupLayout(getContentPane());
 getContentPane().setLayout(layout);
layout.setHorizontalGroup(
layout.createParallelGroup(org.jdesktop.layout.GroupLayout.LEADING)
.add(layout.createSequentialGroup()
  .addContainerGap()
  .add(layout.createParallelGroup(org.jdesktop.layout.GroupLayout.LEADING)
  .add(layout.createSequentialGroup()
  .add(layout.createParallelGroup(org.jdesktop.layout.GroupLayout.LEADING)
  .add(jLabelOp1)
  .add(jLabelOp2)
   .add(jLabelResult))
    .add(9, 9, 9)
  .add(layout.createParallelGroup(org.jdesktop.layout.GroupLayout.LEADING)
  .add(jTextFieldOp2, org.jdesktop.layout.GroupLayout.DEFAULT_SIZE, 188,
Short.MAX_VALUE)
```

```
        .add(jTextFieldOp1, org.jdesktop.layout.GroupLayout.DEFAULT_SIZE, 188,
Short.MAX_VALUE)
        .add(jTextFieldResult,   org.jdesktop.layout.GroupLayout.DEFAULT_SIZE,
188, Short.MAX_VALUE)))
        .add(layout.createSequentialGroup()
        .add(jButtonAdd,    org.jdesktop.layout.GroupLayout.DEFAULT_SIZE,    59,
Short.MAX_VALUE)
        .addPreferredGap(org.jdesktop.layout.LayoutStyle.RELATED)
        .add(jButtonSubtract, org.jdesktop.layout.GroupLayout.DEFAULT_SIZE, 59,
Short.MAX_VALUE)
        .addPreferredGap(org.jdesktop.layout.LayoutStyle.RELATED)
        .add(jButtonMultiply,   org.jdesktop.layout.GroupLayout.DEFAULT_SIZE,
59, Short.MAX_VALUE)
          .addPreferredGap(org.jdesktop.layout.LayoutStyle.RELATED)
          .add(jButtonDivide,   org.jdesktop.layout.GroupLayout.DEFAULT_SIZE,
59, Short.MAX_VALUE)
            .addPreferredGap(org.jdesktop.layout.LayoutStyle.RELATED)))
.addContainerGap())
 );
 layout.setVerticalGroup(
layout.createParallelGroup(org.jdesktop.layout.GroupLayout.LEADING)
 .add(layout.createSequentialGroup()
  .addContainerGap()
  .add(layout.createParallelGroup(org.jdesktop.layout.GroupLayout.BASELINE
, false)
    .add(layout.createSequentialGroup()
    .add(6, 6, 6)
     .add(jLabelOp1))
      .add(jTextFieldOp1,    org.jdesktop.layout.GroupLayout.PREFERRED_SIZE,
org.jdesktop.layout.GroupLayout.DEFAULT_SIZE,
org.jdesktop.layout.GroupLayout.PREFERRED_SIZE))
        .addPreferredGap(org.jdesktop.layout.LayoutStyle.RELATED)
      .add(layout.createParallelGroup(org.jdesktop.layout.GroupLayout.BASEL
INE, false)
        .add(layout.createSequentialGroup()
        .add(6, 6, 6)
         .add(jLabelOp2))
          .add(jTextFieldOp2,org.jdesktop.layout.GroupLayout.PREFERRED_SIZE,
org.jdesktop.layout.GroupLayout.DEFAULT_SIZE,
org.jdesktop.layout.GroupLayout.PREFERRED_SIZE))
          .addPreferredGap(org.jdesktop.layout.LayoutStyle.RELATED)
        .add(layout.createParallelGroup(org.jdesktop.layout.GroupLayout.BASE
LINE, false)
        .add(layout.createSequentialGroup()
        .add(6, 6, 6)
         .add(jLabelResult))
          .add(jTextFieldResult,
org.jdesktop.layout.GroupLayout.PREFERRED_SIZE,
org.jdesktop.layout.GroupLayout.DEFAULT_SIZE,
org.jdesktop.layout.GroupLayout.PREFERRED_SIZE))
            .addPreferredGap(org.jdesktop.layout.LayoutStyle.RELATED)
        .add(layout.createParallelGroup(org.jdesktop.layout.GroupLayout.LEA
```

高等院校计算机系列教材

```
DING)
        .add(jButtonAdd,        org.jdesktop.layout.GroupLayout.DEFAULT_SIZE,
org.jdesktop.layout.GroupLayout.DEFAULT_SIZE, Short.MAX_VALUE)
        .add(jButtonSubtract,org.jdesktop.layout.GroupLayout.DEFAULT_SIZ
E, org.jdesktop.layout.GroupLayout.DEFAULT_SIZE, Short.MAX_VALUE)
        .add(jButtonMultiply,org.jdesktop.layout.GroupLayout.DEFAULT_SIZ
E, org.jdesktop.layout.GroupLayout.DEFAULT_SIZE, Short.MAX_VALUE)
        .add(jButtonDivide,org.jdesktop.layout.GroupLayout.DEFAULT_SIZE,
org.jdesktop.layout.GroupLayout.DEFAULT_SIZE, Short.MAX_VALUE))
        .addContainerGap())
);
pack();
}// </editor-fold>
private void jButtonAddMouseClicked(java.awt.event.MouseEvent evt) {
    double op1,op2,result;
    op1 = Double.parseDouble(this.jTextFieldOp1.getText());
    op2 = Double.parseDouble(this.jTextFieldOp2.getText());
    result = op1+op2;
     jLabelResult.setText("和 = ");
    jTextFieldResult.setText(new Double(result).toString());
}
private  void  jButtonSubtractMouseClicked(java.awt.event.MouseEvent  evt)
{    double op1,op2,result;
    op1 = Double.parseDouble(this.jTextFieldOp1.getText());
    op2 = Double.parseDouble(this.jTextFieldOp2.getText());
    result = op1-op2;
     jLabelResult.setText("差 = ");
    jTextFieldResult.setText(new Double(result).toString());
}
    private  void  jButtonMultiplyMouseClicked(java.awt.event.MouseEvent  evt)
{    double op1,op2,result;
    op1 = Double.parseDouble(this.jTextFieldOp1.getText());
    op2 = Double.parseDouble(this.jTextFieldOp2.getText());
    result = op1*op2;
     jLabelResult.setText("积 = ");
    jTextFieldResult.setText(new Double(result).toString());
}
    private  void  jButtonDivideMouseClicked(java.awt.event.MouseEvent evt) {
    double op1,op2,result;
    op1 = Double.parseDouble(this.jTextFieldOp1.getText());
    op2 = Double.parseDouble(this.jTextFieldOp2.getText());
    result = op1/op2;
    jLabelResult.setText("商 = ");
    jTextFieldResult.setText(new Double(result).toString());
}
    public static void main(String args[]) {
    java.awt.EventQueue.invokeLater(new Runnable() {
        public void run() {
            new AlgorithmFrame().setVisible(true);
        }
    });
}
```

```
// 变量声明 - 不进行修改
private javax.swing.JButton jButtonAdd;
private javax.swing.JButton jButtonDivide;
private javax.swing.JButton jButtonMultiply;
private javax.swing.JButton jButtonSubtract;
private javax.swing.JLabel jLabelOp1;
private javax.swing.JLabel jLabelOp2;
private javax.swing.JLabel jLabelResult;
private javax.swing.JTextField jTextFieldOp1;
private javax.swing.JTextField jTextFieldOp2;
private javax.swing.JTextField jTextFieldResult;
// 变量声明结束
}
```

运行结果（如图1-23所示）：

图1-23　例1-4运行结果

（1）第一步：新建工程

①执行【程序】→【NetBeans 5.5】→【NetBeans IDE】命令启动 NetBeans IDE 5.5，其主界面如图 1-22 所示。

②在如图 1-22 所示 NetBeans 5.5 主界面中，执行【文件】→【新建项目】菜单命令，出现如图 1-24 所示的"新建项目"对话框。

③在"新建项目"对话框中，类别选择为"常规"，项目选择为"Java 应用程序"，然后单击【下一步】按钮，出现如图 1-25 所示的"新建 Java 应用程序"对话框。

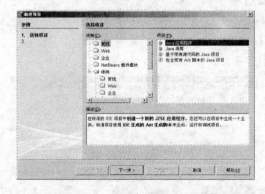

图 1-24　"新建项目"对话框

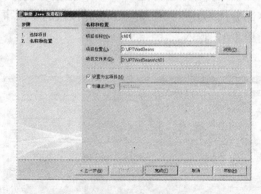

图 1-25　"新建 Java 应用程序"对话框

④在"新建 Java 应用程序"对话框，在"项目名称"后的文本框内输入项目名为"ch01"，项目位置为"D:\JPT\NetBeans"，并将"创建主类"复选框前的对号去掉，最后单击【完成】按钮。

（2）第二步：新建 JFrame 窗体

①如图 1-26 所示，在项目窗口中，选中"ch01"，单击鼠标右键，在弹出快捷菜单中执行【新建】→【JFrame 窗体】命令。

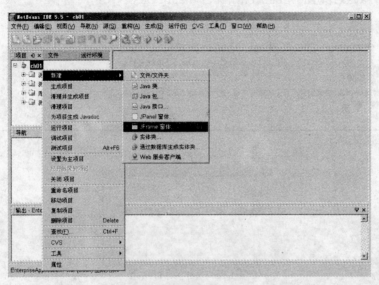

图 1-26　新建 JFrame 窗体

②在弹出的"新建 JFrame 窗体"对话框中，在"类名称"文本框内输入所要创建的类名（AlgorithmFrame），在"包"文本框中输入包名（jpt.ch01），如图 1-27 所示，然后单击【完成】按钮。

③在创建好新的类 AlgorithmFrame 后，就可以通过"源"与"设计"窗口以代码方式与可视化方式来设计 GUI 程序，如图 1-28 所示。在此程序中包括一个 JFrame 窗口，三个 JLabel 标签、三个 JTextField 文本框和四个 JButton 按钮，除事件代码外其他代码均由系统自动产生（如其中斜体字部分是 NetBeans 根据可视化设计的效果而自产生的，且不允许程序直接修改这部分代码），对于四个 JButton 按钮的单击事件代码代表的是业务逻辑代码，请参照"程序清单 1-4"输入。

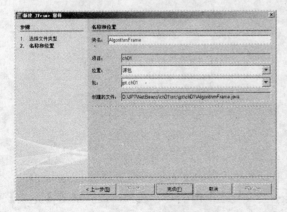

图 1-27　"新建 JFrame 窗体"对话框

图 1-28　NetBeans 可视化设计器及组件面板

注意：可视化组件操作方法

● 可视化组件的使用：用鼠标光标将组件从"组件面板"中直接拖放到设计窗口的 JFrame 容器中，放置组件时要注意观察其参考线与锚点位置，以便放到合适位置。

● 设置组件属性：先在设计窗口中选定要设置的组件，然后在"属性事件代码"窗口中单击"属性"，对组件的有关属性进行设置。

● 编写组件的事件代码：先在设计窗口中选定要设置的组件，然后在"属性事件代码"窗口中单击"事件"，选定要设置的事件，再单击"代码"即可对相应事件的代码进行编写。

● 程序格式：执行【源】→【重设计代码格式】菜单命令可对程序格式按默认模板格式重新排列。

（3）第三步：编译运行程序

● 编译程序：在项目窗口右击程序文件（AlgorithmFrame.java），在弹出快捷菜单中执行【编译文件】命令。

● 运行程序：在项目窗口右击程序文件（AlgorithmFrame.java），在弹出快捷菜单中执行【运行文件】命令。

● 运行结果：AlgorithmFrame.java 运行结果，如图 1-23 所示。

1.6.2　Eclipse

Eclipse 是 IBM 公司投入了 4000 多万元开发的一个开放源代码的软件平台，提供了一个全功能的、具有商业品质的工业平台。它由 Eclipse 项目、Eclipse 工具项目和 Eclipse 技术项目组成，最近又新增加了 Eclipse Web 工具平台项目。这些都为 Java 开发人员提供了一个可扩展的、开源的、多平台的 Java IDE，以支持在多种环境中从事开发工作。

整个 Eclipse 采用平台加插件体系结构，Eclipse Platform Runtime 作为整个系统的基础，是一个专门为插件提供的运行时容器，其本身不具备任何面向用户的业务功能。Eclipse 平台仅是一个纯粹的容器，若没有插件则什么也做不了。所有的业务功能都封装在 Eclipse 的插件中，程序员可以通过不同的插件，自由地实现想要的功能。Eclipse 的集成环境窗口如图 1-29 所示。

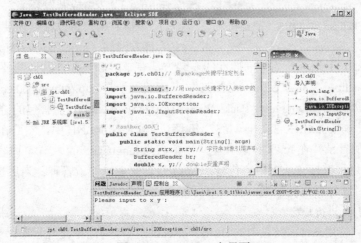

图 1-29　Eclipse3.2 主界面

1. 下载和安装 Eclipse

（1）首先要从 Eclipse 的官方网站（http://www.eclipse.org/downloads/index.php）下载 Eclipse

的安装文件，下载页面如图 1-30 所示。

（2）单击"Eclipse SDK 3.2.2"链接后，网站就会提示选择"下载 Eclipse 的镜像服务器"，此处选择"[China] ActuateShanghai(http)"，如图 1-31 所示。

图 1-30　Eclipse 官方下载页面

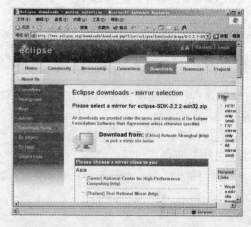

图 1-31　下载 Eclipse 的镜像服务器页面

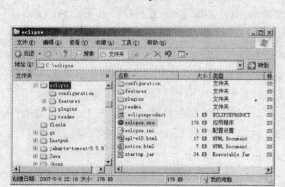

图 1-32　Eclipse 3.2.2 IDE 文件结构

（3）下载后得到的是一个压缩包文件"eclipse-SDK-3.2.2-win32.zip"，将下载的压缩包解压缩到某个磁盘（此处为"C:\"），即可完成 Eclipse 的安装。解压缩后生成的 eclipse 文件夹中的文件结构如图 1-32 所示。其中 plugins 和 features 文件夹存放的是插件的相关文件，双击"eclipse.exe"即可启动 Eclipse 3.2.2 集成开发环境。

（4）用户可以根据需要到 Eclipse 插件的官方网站（http://www.eclipse-plugins.info/eclipse/plugins.jsp）下载有关插件，插件的安装方法有链接和复制两种。若要下载 Eclipse 语言包"NLpack1-eclipse-SDK-3.2.1a-win32.zip"，其下载网址是 http://download.eclipse.org/eclipse/downloads/drops/L-3.2.1_Language_Packs-200609210945/index.php。语言包的链接安装方法是：可先将 NLpack1-eclipse-SDK-3.2.1a-win32.zip 解压至 c:\eclipse\NL 中，然后在 eclipse 中建立一个名为 links 的目录并在 links 目录中建立一个名为 language.link 文件，内容为 Path = c:\eclipse\ NL。这种链接方法把语言包与 eclipse 分开安装以便于管理。当然也可将插件直接解压到 eclipse 目录进行复制安装。

2. 使用 Eclipse 进行开发

【例 1-5】　使用 java.io 类包中的 BufferedReader 类编写简单交互程序，实现从键盘读入两个数 x、y，并计算 x^y，然后输出 x、y、x^y 的值。

程序清单1-5: TestBufferedReader.java

```
package jpt.ch01;// 用package关键字指定包名
import java.lang.Double;//用import关键字引入类包中的类
import java.io.BufferedReader;
```

```
import java.io.IOException;
import java.io.InputStreamReader;
public class TestBufferedReader {
    public static void main(String[] args) throws IOException {
        String strx, stry;// 字符串对象引用声明
        BufferedReader br;
        double x, y;// double变量声明
        br = new BufferedReader(new InputStreamReader(System.in));
    // 调用BufferedReader类的构方法装饰InputStreamReader流，创建br对象
        strx = br.readLine();// 从键盘读一行数据，返回值类型为字符
        stry = br.readLine();
        x = Double.parseDouble(strx);// 将字符串转化为double类型
        y = Double.parseDouble(stry);
        System.out.println("strx = " + strx + " stry = " + stry);
        System.out.println("    x = " + x + "      y = " + y);
    System.out.println(" x^y = " + Math.pow(x, y)); // 计算并输出x^y
    }
```

运行结果：
```
Please input to x y :
2←┘
3←┘
strx = 2 stry = 3
   x = 2.0      y = 3.0
x^y = 8.0
```

（1）第一步：新建工程

①在 eclipse 启动过程中，按照其初始的默认配置，会出现如图 1-33 所示的"工作空间启动程序"对话框，用户可单击【浏览】按钮选择工作空间所在目录，此处直接输入"D:\JPT\Eclipse"以创建新的工作空间，用来保存 Java 项目及其程序文件和类文件等。

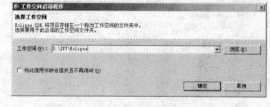

图 1-33   "工作空间启动程序"对话框

②在如图 1-29 所示 Eclipse 主界面中，执行如图 1-34 所示【文件】→【新建】→【项目…】菜单命令。

③出现如图 1-35 所示的"新建项目"对话框，选择"Java 项目"，然后单击【下一步】按钮。

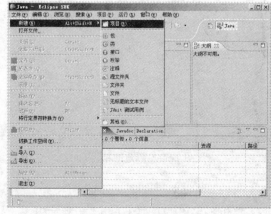

图 1-34   建立项目命令

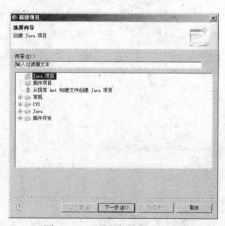

图 1-35   "新建项目"对话框

高等院校计算机系列教材

④在如图 1-36 所示的"新建 Java 项目"对话框中，在"项目名"后的文本框内输入项目名为"ch01"，JRE 选择为"使用缺省（当前为"jre1.5.0_11"）"，项目布局选择为"创建单独的源文件夹和输出文件夹"，最后单击【完成】按钮。

注意：在初使用 Eclipse 时，需要对 JRE 和项目布局进行配置，此处的配置方法如下：

● 配置 JRE：在图 1-37 中单击"配置 JRE"链接，在弹出的"首选项"对话框中选择"已安装的JRE"选项，然后单击右边的【添加】按钮，再在弹出的"添加 JRE"对话框中单击【浏览】按钮，在弹出的"浏览文件夹"对话框中选择"C:\java\jdk1.5.0_11"，然后单击【确定】按钮，如图所示。

● 配置项目布局：在图 1-38 中单击项目布局中"配置缺省值"链接，在弹出的"首选项"对话框中选择"构建路径"选项，并选中"文件夹"单选项，然后单击【确定】按钮。

● 其他配置：在 Eclipse 主界面中执行【窗口】→【首选项】命令，可以进行有关设置。

完成以上操作后，就创建好了一个名为"ch01"的 Java 项目，在项目窗口中，可以看到新建好的项目，以及导入的多个 jar 包文件，如图 1-39 所示。

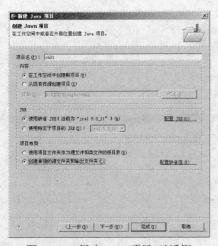
图 1-36 "新建 Java 项目"对话框

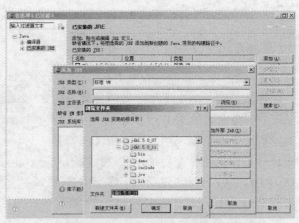
图 1-37 "首选项"窗口-配置 JRE

图 1-38 "首选项"窗口-配置构建路径

图 1-39 新建的项目 ch01

（2）第二步：新建类

在创建好工程后，就可以在工程中创建自己的类，实现需要的功能。步骤如下：

①在项目窗口中，选中"ch01"，单击鼠标右键，在弹出快捷菜单中执行【新建】→【类】

命令，如图 1-40 所示。

②此时将弹出如图 1-41 所示的"新建 Java 类"对话框，在"包"文本框中输入包名（jpt.ch01），在"名称"文本框内输入所要创建的类名（TestBufferedReader），并选择"public static void main（String args[]）"复选框，使所创建的类中包含 main() 主方法，选择"生成注释"复选框，最后单击【完成】。

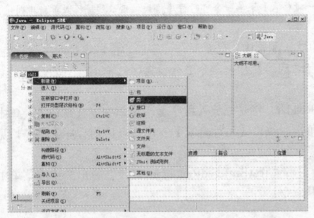

图 1-40　新建类命令　　　　　　　　　图 1-41　"新建 Java 类"对话框

③在创建好新的类 TestBufferedReader 后，就可以通过代码编辑对话框来编写代码了，在这里参照例 1-5 中程序代码输入，如图 1-42 所示。

图 1-42　例 1-5 程序及运行结果

注意：源代码功能

● 带点提示：在编辑代码时，在类名或对象名后输入英文句点，系统弹出"输入选项"对话框以帮助用户提高输入的效率，并减少程序错误。

- 错误提示：在输入代码过程中，对于程序的语法错误，IDE 会有相应的错误标记，若将鼠标器光标置于错误标记上会自动报告相应错误信息，程序员可以快速查阅错误的原因。
- 自动导入功能：执行【源代码】→【添加导放】/【组织导入】菜单命令可自动引入有关类包中的类。
- 自动创建 get 和 set 函数：执行【源代码】→【生成 Getter 和 Setter...】菜单命令可快速生成类中成员变量（字段）的访问器 getX()与修改器 setX()方法。
- 程序格式：执行【源代码】→【格式】菜单命令可对程序格式按默认模板格式重新排列。

（3）第三步：编译运行类

- 编译程序：在 Eclipse 初始的默认配置中，只要保存程序后，将自动对程序进行编译。用户可以通过菜单中【项目】→【自动构建】开关命令进行设置。
- 运行程序：

方法一：打开程序 TestBufferedReader，将光标放入程序编辑窗口中的任意位置，单击工具栏中运行按钮 "▶ ▾" 右边的三角形，执行【运行方式】→【Java 应用程序】命令，见图 1-42。

方法二：在 Eclipse 项目栏中，右击 "TestBufferedReader.java"，在弹出的快捷菜单中执行【运行方式】→【Java 应用程序】命令。

- 运行结果：

TestBufferedReader.java 程序运行结果显示在 "控制台" 视图窗口中，见图 1-42。

1.6.3　JBuilder

JBuilder 原本是 Borland 公司开发的、功能强大的可视化 Java 集成开发工具。早期的版本有 JBuilder1 到 JBuilder8，近期使用较多的是 JBuilder 9、JBuilder 2005 和 JBuilder 2006。JBuilder 的可视化集成环境包括代码编辑器、工程创建工具、对象浏览器和调试工具等。程序员可以在 JBuilder IDE 中创建和打开工程，建立、打开和编写程序，同时也可以进行程序的编译、调试和运行。更重要的是，使用 JBuilder 支持高效的企业级开发，支持编写 Servlet、JSP、EJB 和 Web Service 等应用程序。程序员可以利用 JBuilder IDE 快速生成程序框架、GUI 界面等。JBuilder 2006 的主界面如图 1-43 所示。

2006 年 Borland 公司将 Delphi、JBuilder、C++ Builder 和 InterBase 等 IDE 归属新成立的独立营业的 CodeGear 公司，其中 JBuilder 的主角就是 JBuilder 2007。JBuilder 2007 基于 Eclipse 平台，充分融合了 Java 商业开发工具和 Java 开源框架/程序，其架构风格和使用方法同 Eclipse 很相似，它支持主流 Java 框架，具备完整的建模能力、强大的 EJB3/JPA 开发能力和高效的开发功能。在 JBuilder 2007 中程序员可以建立可视化的 EJB 3 开发项目、可视化的 JPA 开发项目、Hibernate/Spring 项目、Tapestry 项目和 Java 建模项目等。

1. 下载和安装 JBuilder

用户可到 CodeGear 公司的下载页面（http://www.codegear.com/downloads/free/jbuilder）下载 jbuilder2006 和 jbuilder2007 试用版（30 天）。下载后 jbuilder 2006 的安装软件包为 jb2006_enttrialdl_win.zip，jbuilder 2007 的安装软件包为 JBuilder2007_enttrial.zip，解压安装软件包，执行其中的 install_windows.exe 安装程序，然后在安装向导的提示下即可完成安装。JBuilder 2006 集成开发环境主界面如图 1-43 所示。JBuilder 2007 的主界面如图 1-44 所示。

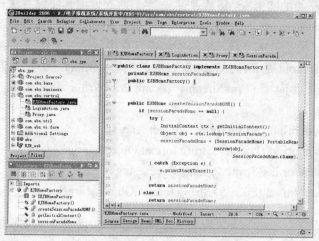

图 1-43　JBuilder 2006 IDE 主界面

2. 使用 JBuilder 进行开发

【例 1-6】　使用 JDK 5.0 的 java.util 类包中的 Scanner 类来简化交互程序设计，实现从键盘读入两个整数 x、y，然后计算并输出这两个整数的积。

程序清单1-6: TestMultiplication.java

```java
import java.util.Scanner;
public class TestMultiplication {
    public static void main(String[] args) {
        int x, y;
        Scanner sc = new Scanner(System.in);// 创建Scanner类的实例sc
        System.out.print("请输入两个整数: ");// 输出字符串后不换行
        x = sc.nextInt(); // 从键盘读入一个整数赋值给x
        y = sc.nextInt(); // 从键盘读入一个整数赋值给y
        System.out.printf("%d * %d = ", x, y); //格式化输出
        System.out.format(" %d\n", x * y); //格式化输出
    }
}
```

运行结果:
请输入两个整数: 7 8 ←┘
7 * 8 = 56

在 JBuilder 2007 中编写、编译和运行 Java 应用程序的步骤和方法与 Eclipse 基本相同，请参照 Eclipse 开发程序有关内容操作。例 1-6 程序 TestMultiplication.java 与编译运行结果如图 1-44 所示。

程序分析：程序中只有一个 TestMultiplication 类，这个类中只定义了 main()成员方法，在 main()方法中先使用java.util.Scanner类的构造方法创建

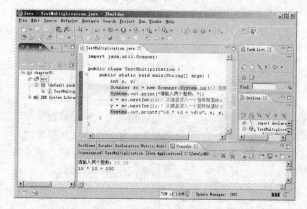

图 1-44　JBuilder 2007 IDE 主界面及程序

高等院校计算机系列教材

37

一个 java.util.Scanner 类的实例 sc，然后通过 sc 实例两次调用其实例方法 nextInt()从键盘读入两个整数，最后用 System.out 对象的格式化输出方法 printf()与 format()方法输出相应数据。

java.util.Scanner 类是 JDK 5.0 新增的类，可以直接从输入流读取简单数据，从而简化交互程序的设计。System.out 是 java.io.PrintStream 的实例。print()方法的功能是输出字符串但不换行。从 JDK 5.0 开始 java.io.PrintStream、java.io.PrintWriter 和 java.lang.String 每个类都有四个新的格式化方法：

public PrintStream printf (String format,Object... args)

public PrintStream printf (Locale l,String format,Object... args)

public PrintStream format(String format,Object... args)

public PrintStream format(Locale l,String format,Object... args)

有关说明：

①printf()和 format()方法都是使用指定格式字符串和参数，将格式化字符串写入到 PrintStream 类型的输出流（System.out 对象）中。

②格式字符串的语法（String format）。

格式字符串是一个 String，它可以包含固定文本（普通字符）以及一个或多个嵌入的格式说明符。常规类型、字符类型和数值类型的格式说明符的语法如下：

%[argument_index$][flags][width][.precision]conversion

其中：[]表示可选项。

• argument_index：是一个十进制整数，表明参数在参数列表中的位置。第一个参数由 "1$" 引用，第二个参数由 "2$" 引用，以此类推。

• flags：是修改输出格式的字符集。

• Width: 是一个非负十进制整数，表示输出的最少字符个数。

• precision：是一个非负十进制整数，代表数字的小数位数。

• conversion: 表示被格式化的参数的类型。

格式说明符如表 1-8 所示。

表 1-8　　　　　　　　　　　　　　　　　格式说明符

转换	类别	说　明
'b','B'	常规	如果参数 arg 为 null，则结果为 "false"。如果 arg 是一个 boolean 值或 Boolean，则结果为 String.valueOf() 返回的字符串。否则结果为 "true"。
'h','H'	常规	如果参数 arg 为 null，则结果为 "null"。否则，结果为调用 Integer.toHexString(arg.hashCode()) 得到的结果。
's','S'	常规	如果参数 arg 为 null，则结果为 "null"。如果 arg 实现 Formattable，则调用 arg.formatTo。否则，结果为调用 arg.toString() 得到的结果。
'c','C'	字符	结果是一个 Unicode 字符。
'd'	整数	结果被格式化为十进制整数。
'o'	整数	结果被格式化为八进制整数。
'x','X'	整数	结果被格式化为十六进制整数。
'e','E'	浮点	结果被格式化为用计算机科学记数法表示的十进制数。
'f '	浮点	结果被格式化为十进制数。
'g','G'	浮点	根据精度和舍入运算后的值，使用计算机科学记数形式或十进制格式对结果进行格式化。

续表

转换	类别	说 明
'a','A'	浮点	结果被格式化为带有效位数和指数的十六进制浮点数。
't','T'	日期/时间	日期和时间转换字符的前缀。请参阅日期/时间转换。
'%'	百分比	结果为字面值 '%' ('\u0025')。
'n'	行分隔符	结果为特定于平台的行分隔符。

1.6.4 JCreator

JCreator 是 Xinox Software 公司（http://www.jcreator.com/index.htm）开发的小巧灵活的 Java IDE，安装后只有 4M 左右，且只需 32M 内存即可运行，它集编辑、编译和运行调试功能于一体。JCreator 安装程序本身并不附带 JDK，所以需要先安装 JDK 与 JDK API，然后再安装 JCreator。JCreator Pro 3.5 IDE 主界面如图 1-45 所示。

1.6.5 BlueJ

BlueJ 是由澳大利亚蒙纳什大学（Monash University）与 Sun 公司(Sun Microsystem)合作开发的一个完整的 Java 编译调试环境，它简单易用，适合初学者的交互式对象构建和调用，是学习

图 1-45 JCreator Pro 3.5 IDE 主界面及程序

Java 的好工具。它支持完整的图形化的类构建、文本和图形编辑器、虚拟机和 debug 等。可以到 BlueJ 官方网站（http://www.bluej.org/download/download.html）免费下载使用。BlueJ 2.2 安装包为 bluejsetup-220 preview.exe，双击运行安装程序，在向导提示下即可完成安装，与 JCreator 一样 BlueJ 也不带 JDK，因此在安装 BlueJ 前须先安装好 JDK。如图 1-46 所示是 BlueJ 2.2 主界面和 HelloWorld.java 程序。

1.6.6 其他编辑工具

UltraEdit 是一套功能强大的文本编辑器，可以编辑文字、ASCII 码，同时内嵌英文单词检

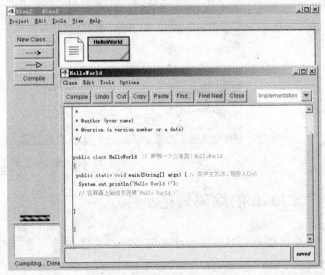

图 1-46 BlueJ 2.2 主界面及程序

查，并可以突出显示 Java、C++以及 VB 指令及关键字。在 UltraEdit 中，可同时编辑多个文件，而且即使开启很大的文件，速度也不会慢。UltraEdit 文本编辑器带有 HTML Tag 颜色显示、搜寻替换以及无限还原功能。在 UltraEdit 中编写 Java 程序，还可以建立一个项目文件，把相关原文件组织起来。用户可到 UltraEdit 官方网站（http://www.ultraedit.com）下载 UltraEdit。UltraEdit-32 的界面如图 1-47 所示。

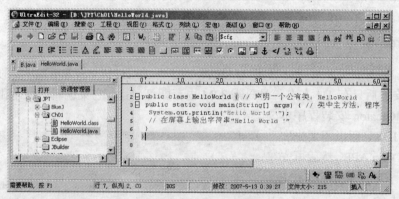

图 1-47　UltraEdit-32 界面

　　EditPlus 也是一个文本编辑器软件，同样也可以实现多个工作窗口，可以在工作区域中打开多个文档，并且可以在多个文档中方便地进行切换。在 EditPlus 文本编辑器中，可以编辑 Java、HTML、ASP、C/C++、Perl 等程序代码，同时 EditPlus 可以高亮显示编程语言的语法（例如关键字）；另外，EditPlus 提供了和 Internet 的无缝连接，可以在 EditPlus 的工作区中打开 Internet 浏览窗口。用户可到 EditPlus 官方网站(http://www.editplus.com/download.html)下载 EditPlus。EditPlus-2 文本编辑环境的主界面如图 1-48 所示。

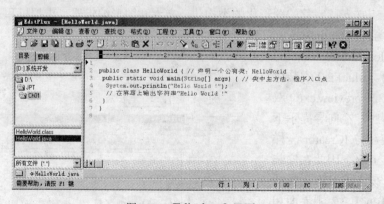

图 1-48　Editplus-2 界面

1.7　Java 的编码规范

　　编码规范可以改善软件的可读性、可维护性，帮助程序员理解代码。程序员可到 Sun 官方网站（http://java.sun.com/docs/codeconv/html/CodeConvTOC.doc.html）查询完整的 Java 语言编码规范（Java Code Conventions），其中文版可查阅 http://morningspace.51.

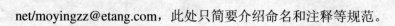

net/moyingzz@etang.com，此处只简要介绍命名和注释等规范。

1.7.1　命名规范

命名规范如表 1-9 所示。

表 1-9

标识符类型	命名规则	举例
包 (Packages)	包名所有字母均为小写字母，使用点分格式，逻辑上是一个整体。包名从左到右由顶级、一级和二级等域名组成，物理存储时每级域名被映射成目录，其中的点"."被映射为路径字符"\"。	java.lang java.io com.comsoft.teach
类 (Classes)	类名的首字母大写，若多个单词组成类名则每个单词的首字母大写。类名要简洁且见名知意，常用完整单词而避免缩写词。	HelloWorld FirstApplet Rectangle
接口 (Interfaces)	接口名的首字母大写，若多个单词组成接口名则每个单词的首字母大写。它一般使用后缀为 ble、er 等词命名，或在前面可加上"I"、"Interface"或在后面加上"Ifc"。	Cloneable Renderer ICustomer
属性/字段 (Attributes/ Fields)	属性名首字母小写，其余单词首字母大写，可以在其前加上变量类型，如变量的数据类型标识。其中的实例变量名(Instance Variables)首字母可用下画线。	userName strUserName numCode _employeeId
方法 (Methods)	方法名是一个动词，第一个单词的首字母小写，其后单词的首字母大写。内部成员变量的访问器与修改器方法常以 getX()和 setX()形式命名，返回布尔值的方法名常用 is、has、can 开头。	openAccount(); setName() getName() isPrime()
参数 (Parameters)	参数名首字母小写，其余单词首字母大写，可以用 a 或 an 作为参数的开头。	aPhoto、quantity cartItem、orderId
局部变量 (Local Variables)	局部变量名首字母小写，其余单词首字母大写，一般不以下画线或美元符号开头。文件操作类变量：首字母用 in 或 out 表示输入或输出，可以 Stream 结束。循环体内部变量 i、j、k、m 和 n 一般用于整型，而 c、d、e 一般用于字符型，尽量避免单个字符的变量名。异常类变量可以"e"字母打头，如 ext 等。	inStream、 outStream lineNumber i、j、k、m、n c、d、e
对象 (Object)	对象名首字母小写，其余单词首字母大写。	accounts studentOne
控件 (Controls)	对象名首字母小写，其余单词首字母大写，后面可应用控件名称作为结束字符串。	okButton fileMenu customerTextField
常量 (Constants)	常量名全部大写，单词之间用下画线"_"隔开。	MIN_WIDTH、PI MAX_WIDTH
集合 (Sets)	集合名首字母小写，其余单词首字母大写，可用"s"作为结束符。	customers orderItems

1.7.2　注释规范

注释是为源程序增加必要的解释说明的内容，其目的是提高程序的可读性。书写注释是编写程序的良好习惯。注释只是为程序起一个说明的作用，在编译系统作词法分析前会被忽略掉。

Java 程序有两类注释：实现注释（implementation comments）和文档注释（document comments）。实现注释是那些在 C++中见过的，使用/*...*/和//界定的注释，用以注释代码或者实现细节。文档注释是 Java 独有的，并由/**...*/界定。文档注释可以通过 javadoc 工具转换成 HTML 文件，以被没有源码的开发人员读懂。

程序的注释风格有块(block)、单行(single-line)、尾端(trailing)和行末(end-of-line)四种。其中，块注释（"/**...*/或/*...*/"）通常用于提供对文件、方法、数据结构和算法的描述，一般被置于每个文件的开始处以及每个方法之前。单行注释（"/*...*/"）可以显示在一行内，并与其后的代码具有一样的缩进层级。尾端注释（"/*...*/"）可以与它们所要描述的代码位于同一行，但是应该有足够的空白来分开代码和注释。行末注释（"//"）可以注释掉整行或者一行中的一部分。

注释可用来给出代码的概要说明，提供代码自身所不能提供的附加信息。注释只要包含与阅读和理解程序有关的信息即可,对设计决策中重要的或者不是显而易见的地方必须说明,同时也要避免代码已清晰表达出来的重复信息。因为过多的重复注释同样会降低软件质量。

程序注释范例：`Iterable.java`

```
/*
 * @(#)Iterable.java    1.3 03/12/19
 *
 * Copyright 2004 Sun Microsystems, Inc. All rights reserved.
 * SUN PROPRIETARY/CONFIDENTIAL. Use is subject to license terms.
 */
package java.lang;
import java.util.Iterator;
/** Implementing this interface allows an object to be the target of
 * the "foreach" statement.
 */
public interface Iterable<T> {
    /**
     * Returns an iterator over a set of elements of type T.
     *
     * @return an Iterator.
     */
    Iterator<T> iterator();
}
```

1.7.3　代码规范

同一行代码不要太长，一般不超过 A4 纸的宽度，否则可分为多行来写；下一层次代码比上一层次代码低两个空格；适当使用空格提高程序可读性；按一定顺序编写代码。要特别指出的是在 NetBeans、Eclipse 和 JBuilder 等 IDE 的 "源程序" 菜单中均提供了 "格式化

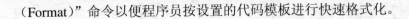

（Format）"命令以便程序员按设置的代码模板进行快速格式化。

习　题　一

一、简答题

1．Java 语言的诞生日是哪一天？它有哪些特点与优势？

2．Java 语言程序分为哪几种？Java Application 程序和 Java Applet 程序的主要区别是什么？

3．Java Application 程序在结构上有哪些特点？如何编译、运行？被编译后生成什么文件？该文件机器可以直接识别吗？如何执行？

4．安装 JDK 后如何对 JAVA_HOME、PATH 和 CLASSPATH 环境变量进行设置？它们的作用是什么？

5．Java 程序在书写上应注意哪些事项？有哪些编码规范？

6．为什么要对程序进行注释？Java 中有哪几种注释？文档注释符与多行注释符有何不同？

二、选择题

1．下面关于 Java Application 程序结构特点描述中，错误的是（　　）。

A．一个 Java Application 程序由一个或多个文件组成，每个文件中可以定义一个或多个类，每个类由若干个方法和变量组成。

B．Java 程序中声明有 public 类时，则 Java 程序文件名必须与 public 类的类名相同，并区分大小写，扩展名为.java。

C．组成 Java Application 程序的多个类中，有且仅有一个主类。

D．一个.java 文件中定义多个类时，允许其中声明多个 public 类。

2．编译 Java 程序后生成的面向 JVM 的字节码文件的扩展名是（　　）。

A．.java　　　B．.class　　　C．.obj　　　D．.exe

3．下面关于 Java 语言特点的描述中，错误的是（　　）。

A．Java 是纯面向对象编程语言，支持单继承和多继承。

B．Java 支持分布式的网络应用，可透明地访问网络上的其他对象。

C．Java 支持多线程编程。

D．Java 程序与平台无关、可移植性好。

4．Java SE 的命令文件（java、javac、javadoc 等）所在目录是（　　）。

A．%JAVA_HOME%\jre　　　　B．%JAVA_HOME%\lib

C．%JAVA_HOME%\bin　　　　D．%JAVA_HOME%\demo

5．下列关于运行字节码文件的命令行参的描述中，正确的是（　　）。

A．命令行的命令字被存放在 args[0]中。

B．数组 args[]的大小与命令行的参数的个数无关。

C．第一个命令行参数(紧跟命令字的参数)被存放在 args[0]中。

D．第一个命令行参数被存放在 args[1]中。

6. paint()方法使用哪种类型的参数？（　）

A．Graphics　　　B．Graphics2D　　　C．String　　　D．Color

7. Java 的核心包中，提供编程应用的基本类的包是（　）。

A．java.util　　B．java.lang　　C．java.applet　　D．java.rmi

8. 编译 Java 程序时，用于指定生成 class 文件位置的选项是（　）。

A．-d　　　　B．-g　　　　C．-verbose　　　D．-nowarn

9. 下列标识符（名字）命名原则中，正确的是（　）。

A．类名的首字母小写　　　　B．接口名的首字母小写

C．常量全部大写　　　　D．变量名和方法名的首字母大写

10. 下面哪些选项是正确的 main 方法说明？（　）

A．void main()　　　　B．private static void main(String args[])

C．public main(String args[])　　　D．public static void main(String args[])

11. 下面哪种注释方法能够支持 javadoc 命令？（　）

A．//　　　B．/*...*/　　　C．/**...*/　　　D．/**...**/

三、判断题

1. Java 语言具有较好的安全性和可移植性及与平台无关等特性。（　）

2. Java 语言的源程序不是编译型的，而是编译解释型的。（　）

3. Java Application 程序中，必有一个主方法 main()，该方法有没有参数都可以。（　）

4. java.util.Scanner(System.in)可以接收用户从键盘输入的简单数据。（　）

5. Java 程序中不区分大小写字母。（　）

6. 机器不能直接识别字节码文件，它要经过 JVM 中的解释器边解释边执行。（　）

7. System 类中的 println()方法分行显示信息，而 print()方法不分行显示信息。（　）

8. 当前路径的标识是".."。（　）

9. java 命令不区分大小写，而 javac 命令区分大小写。（　）

10. printf()和 format()方法使用指定格式字符串和参数，将格式化字符串写入到 PrintStream 类型的输出流（System.out 对象）中。（　）

11. 在运行字节码文件时，使用 java 命令，一定要给出字节码文件的扩展名.class。（　）

四、编程题

1. 分别用 UltraEdit、NetBeans、Eclipse、JBuilder 和 JCreator 编写一个 Java Application 程序，使该程序运行后输出字符串 "Nothing is too difficult if you put your head into it ."。

2. 编写一个具有交互功能的 Java Application 程序，提示从键盘输入应付金额和实付金额后，计算并输出找零或欠付金额。

3. 编写一个 Java Applet 程序，使该程序运行后输出字符串 "Don't put off till tomorrow what should be done today."。

实验一　Java 开发环境与简单 Java 程序设计

一、实验目的

1. 掌握 JDK 的下载安装，熟悉 JRE 与 JDK 的系统文件结构，正确设置有关环境变量。
2. 掌握 JDK 帮助文件的下载安装，学会使用 API 帮助。
3. 掌握 JDK 中 javac、java/javaw 和 appletviewer 等常用命令的功能与使用方法。
4. 了解 NetBeans、Eclipse、JBuilder、JCreator 和 BlueJ 等各种集成开发环境的下载安装，熟练掌握其中一种 IDE 的基本环境与基本操作。
5. 熟悉 Java Application 的程序结构，掌握其编辑、编译和运行方法，参考本章中的例题，学会编写简单的 Java Application 程序。
6. 掌握 Java Applet 程序的编辑、编译和运行方法，参考本章中的例题，学会编写简单的 Java Applet 程序。
7. 了解并遵守 Java 的编码规范。

二、实验内容

1. 参考 1.3.1 节从 Sun Microsystems 公司官方网站（http://java.sun.com）下载安装 JDK 5.0 并对 JAVA_HOME、PATH 和 CLASSPATH 环境变量进行设置。
2. 下载安装 JDK 5.0 的帮助文件并查阅其 "API 帮助与语言"。
3. 参考 1.5 节下载安装 NetBeans、Eclipse、JBuilder、JCreator 和 BlueJ 等集成开发环境中的一种，并在其中编辑、编译和运行 Java Application 和 Java Applet 程序。
4. 编写并调试"习题一　编程题"中的三个程序。
5. 应用 java 命令运行%JAVA_HOME%\demo\jfc\Notepad 目录中的 Notepad.jar，应用 appletviewer 命令运行%JAVA_HOME%\demo\applets\Clock 目录中的 example1.html。
6. 调试【例 1-1】至【例 1-6】中有关的例题。

第2章　Java 语言基础

【本章要点】

1．Java 语言的基本语法、语义和语用：主要包括 Java 的标识符、基本数据类型、运算符和表达式、程序流程控制语句等知识。

2．数组的应用：主要包括一维数组和二维数组的声明、初始化及应用等。

3．字符串处理技术：主要包括字符串常量与字符串变量；字符串处理的常用类 String 和 StringBuffer 的应用等。

2.1　标识符

程序员对程序中的各个元素加以命名时，使用的命名记号称为标识符（identifier）。变量，函数，类、方法、接口和对象的名称都是标识符。在 Java 语言中，标识符由字母、数字、下画线（_）、美元符（$）组成，没有长度限制，不能含有其他符号或空格。标识符只能以字母、下画线或美元符开头，不能以数字开头，另外标识符区分大小写。

例：identifier, _user, $value, Count1　//为合法标识符

\#user, 1count, value@　　　　　　//为非法标识符

标识是很重要的，因为它们代表着一个东西的实体，当一个标识被创建之后，在相同代码块中它均代表同一个对象。为了提高程序的可读性，标识符最好"见名知义"，而且规范大小写的使用方式。

　　注意：包含美元符号（$）的关键字通常用得较少，尽管它在 BASIC 和 VAX/VMS 系统语言中有着广泛的应用。由于它们不被熟知，因而最好避免在标识符中使用它们，除非有本地使用上的习惯或其他不得已的原因。另外标识符不能是关键字，但是它可包含一个关键字作为它的名字的一部分。

例：tryagain　//是一个有效标识符

　　try　　　//不是有效标识符，因为 try 是一个 Java 关键字

下面是 Java 编程语言中的关键字，它们不能作任何其他的用途。

abstract	default	if	private	threadsafe
boolean	do	implements	protected	throw
break	double	import	public	throws
byte	else	instanceof	return	transient
byvalue *	extends	int	short	true
case	false	interface	static	try
catch	final	long	strictfp	void
char	finally	native	super	volatile
class	float	new	switch	while
const *	for	null	synchronized	
continue	goto*	package	this	

其中，加*标记后是被保留但当前却未使用的。

概括起来，在 Java 中，对于标识符的规则主要有：①标识符是只能以字母、下画线（_）或美元符号（$）开头，由字母、数字、下画线（_）或美元符号（$）组成的字符串；②标识符区分大小写；③标识符的长度没有限制；④注释不能插在一个标识符或关键字中；⑤Java 有许多关键字，它们都有各自的特殊意义和用法，不能用做标识符，但标识符里可包含关键字。

注意：在Java中对于不同的标识符类型在其命名时还有一些具体的规定，在本书第1章1.7.1节列出了一些类型的标识符命名规范。

2.2　基本数据类型

Java 程序都是由数据和对数据进行的操作构成的。数据是指计算机用的基本数据，数据类型决定了数据的取值范围和运算符号。

Java 的数据类型可以分为两大类型：基本类型（简单数据类型）和引用类型（复合数据类型）。简单类型指那些不能再分割的原子类型，它用来实现一些基本的数据类型，包括整型（integer）、浮点型（float）、字符型（char）及布尔型（boolean）等 8 种基本数据类型。表 2-1 指出了这 8 种基本数据类型可以表示数的范围。

表 2-1 Java 的基本数据类型

数据类型	关键字	占用字节数	默认数值	取值范围
布尔型	boolean	1	false	true,false
字节型	byte	1	0	-128~127
短整型	short	2	0	-32768～32767
整型	int	4	0	-2147483648～2147483647
长整型	long	8	0L	$-2^{63}\sim(2^{63}-1)$
单精度符点型	float	4	0.0F	$-3.4\times10^{38}\sim3.4\times10^{38}$
双精度符点型	double	8	0.0D	$-1.7\times10^{308}\sim1.7\times10^{308}$
字符型	char	2	'\u0000'	'\u0000'～'\uffff '

Java 语言有三种复合类型：类（class）、接口（interface）和数组（array）。复合类型建立在简单类型的基础上。复合数据类型是用户根据用户的需要定义并实现其运算的类型。简单类型的数据在函数调用中是以传值方式进行的，而复合数据类型在函数调用中则是以传地址的方式进行的。Java 中的数据类型如图 2-1 所示。

另外 Java 语言中还包含其他数据类型。记录：相同或不同类型的数据组成的结构叫"记录"。元组：记录类型的变量的一组值（或一行值）。

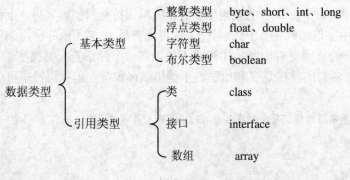

图 2-1　Java 的数据类型

2.2.1　数据类型

Java 程序都是由数据和对数据进行的操作构成的。数据是计算机用的基本数据，数据类型决定了数据的取值范围和运算符号。

1. 整型

按照存储位的不同，Java 语言的整型数据可分为 byte、short、int、long 4 种，分别表示从 8 位到 64 位的整数。其中，int 和 long 类型是最常用的类型，而 byte 类型经常用在字节码数据中，比如网络传输数据或进行二进制数据的输入/输出。由于 short 类型在使用时要求数据的存储须先高字节后低字节，在某些机器中可能会出错，故使用较少。

Java 的整数也可以用十进制、八进制和十六进制来表示。八进制数以 O 打头，数字字符为 0～7；十六进制数用 Ox（OX）打头，数字字符为 0～9、a～f 或 A～F。一个整型数隐含为 int 型，如果需要将一个整数强制表示为 long 类型的数，必须在该数后加上字母 1 或 L。

注意：所有 Java 编程语言中的整数类型都是带符号的数字。

例：定义整型数

```
int a;      //定义 a 为整型
long b;     //b 为 long 型整数
short c;    //c 为 short 型整数
byte d;     //d 为 byte 型整数
```

2. 浮点型

Java 的浮点类型分为两种：单精度浮点数和双精度浮点数，关键字 float 表示单精度（32 位），而 double 则表示双精度（64 位），且存放位长与机器无关。两个 float 型数运算的结果仍是 float 型，若有其中之一为 double 型，则结果为 double 型。

浮点数的隐含类型为 double 型，当我们要 float 型的数时，就需要显示说明，即在该数后跟一个字母 f，告诉编译器该数为 float 类型。double 类型的数值也可以使用后缀 d。不管是 double 型还是 float 型，当对实数使用比较运算符 "＝＝" 时，由于精度的取值问题，必须小心使用。单精度实数的有效位为：二进制 23 位，十进制为 7 位精度。双精度实数有效位为：二进制 52 位，十进制为 15 位精度，多余位四舍五入。当这些数字遇到取值范围错误时，会发生（上溢 Overflow）；而在遇到被零除时，会发生下溢（Underflow）。

例：定义浮点数。

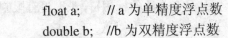

```
float a;        // a 为单精度浮点数
double b;       //b 为双精度浮点数
```

3. 布尔型

布尔型是 Java 中最简单的类型,在 Java 中布尔型变量只有两个值:真(true)或假(false)。在 Java 中,布尔型数据是独立的数据类型,所以既不能将整数值赋给布尔变量,也不能将布尔类型的数转换成整型或其他类型。布尔型数据在机器中位长为 8 位。

例:定义布尔型数据。

```
boolean a= false;              //定义布尔型数据 a 为 false
boolean b= ture;               //定义布尔型数据 b 为 ture
```

4. 字符型

Java 中字符型变量的类型为 char,使用 char 类型可表示单个字符。一个 char 代表一个 16-bit 无符号的(不分正负的)Unicode 字符,因此 char 类型数据被定义成一个 16 位的无符号整数。一个 char 文字必须包含在单引号内 (' ')。

例:定义一个字符变量。

```
char   a='b';                  //定义一个初值为 'b' 的字符型变量 a
```

在 Java 中,由于 Java 没有无符号整型类型,因而字符型数据不能用做整数,但可以通过转换来进行变通。

```
例:    char a='a';   //定义一个初值为 'a' 的字符型变量 a
       char b=(char) (a+1); //强制类型转换,即字符变量 a 转换为整数 97 后与 1 相加,最
                           //后转换成字符 'b'。
```

Java 字符集中一些不能显示的控制字符也可以用转义序列来表示,如表 2-2 所示。

表 2-2   转义字符表

转义字符	功能描述
\ddd	1~3 位八进制所表示的字符
\uxxxx	1~4 位十六进制所表示的字符
\'	单引号
\"	双引号
\\	反斜杠
\r	回车
\n	换行
\f	换页
\t	水平制表
\b	退格

2.2.2 常量和变量

1. 变量

变量是一个保存数据的内存区域的名称。变量使用前必须先声明,然后才能对其赋值。变量的声明是指编辑器为特定数据类型的数值在内存中分配合适的内存空间,变量的命名必须符合 2.1 节的标识符的规定,变量的说明可在使用位置之前的任何地方进行。

(1)变量声明的格式:

<数据类型> <变量名>[=<初值>];

其中<数据类型>是变量所属的数据类型；<变量名>是一个合法的标识符，长度没有限制，[]中的是可选项。

例：int a=10;   //声明整型变量 a 并赋值为 10

    char b;   //声明字符型变量 b

注意：

①Java 要求在使用一个变量之前要对变量的类型加以声明。

②Java 中一个变量的声明就是一条完整的 Java 语句，所以应该在结尾使用分号。

（2）变量初始化

在声明变量的同时也可以对变量进行初始化，即赋初值。初始化，其实还是一个赋值语句，只不过这个赋值语句是在声明变量的时候就一起完成的。

例：int i=0;   //声明 i 是 int 类型的变量，并且 i 的初值为 0

注意：

①在 Java 中绝对不能出现未初始化的变量，在使用一个变量前必须给变量赋值。

②声明可以在代码内的任何一个位置出现，但在方法的任何代码块内只可对一个变量声明一次。

（3）变量赋值

当声明一个变量并没有赋初值或需要重新赋值时，就需要赋值语句。其格式为：

变量名=值;

赋值和函数调用是程序语言改变变量的值的基本手段。

int x, y;   //声明整型变量

char c;   //声明字符型变量

float z = 3.414f;   //声明单精度浮点数并赋值

double w = 3.1415;   //声明双精度浮点数并赋值

boolean truth = true;   //声明布尔型并赋值

x = 6;   //给 x 赋值为 6

y = 1000;   //给 y 赋值为 1000

c = 'A';   //给 c 赋值为字符 A

2. 常量

常量是在程序运行的整个过程中保持值不变的量。Java 语言中常量也是有类型的，包括整型、浮点型、字符型、字符串型。用常量赋初值的优势：程序修改比较方便。

常量的声明与变量的声明基本一样，只需要用关键字 final 标识。final 通常写在最前面。Java 约定常量全部用大写表示，常量只允许在定义时给出其值，并不允许在其后的程序中改变数值。

例：常量的声明。

final int A=10;   //声明整型常量 A 并赋值为 10

final float B=1.23;   //声明浮点型常量 B 并赋值为 1.23

2.3 运算符与表达式

2.3.1 运算符及其分类

对各种类型的数据进行加工的过程成为运算，表示各种不同运算的符号称为运算符，参与运算的数据称为操作数，按操作数的数目分为以下三类：

①一元运算符：＋＋，－－，＋，－

②二元运算符：＋，－，>

③三元运算符：？：

运算符按其功能分为七类：算术运算符、关系运算符、逻辑运算符、位运算符、条件运算符、赋值运算符和其他。

（1）算术运算符

算术运算符用于对整型数和实型数的运算。包括加号（＋）、减号（－）、乘号（*）、除号（/）、取模（%）、自增运算符（++）、自减运算符（--）等。按其要求的操作数的个数分为单元运算符和双元运算符两类。

①单目运算符

单目运算符++、--可以位于操作数的前面，如++x 或- -x， 也可以位于操作数的后面，如 x++、x--；无论单目运算符位于操作数的前面或后面，操作数完成单元运算后，并把结果赋予操作数变量。

例： int a=10;

    a++;   //a=11

    int b=1;

    b--;   //b=0

②双目运算符

双目运算符+、-、*、/，如两个操作数都是整型，则结果是整型；否则是实型。%运算符用于求整数除的余数，它要求两边操作数均为整型，结果也为整型。

例： int a=7;

    int b=2;

    则：a/b=3   //整除

    a%b=1   //取余

注意：

①算术运算符的总体原则是先乘除、再加减，括号优先。

②整数除法会直接去掉小数，而不是进位。

③对取模运算符%来说，其操作数可以为浮点数。如：37.2%10=7.2。

④Java对加运算符进行了扩展，使它能够进行字符串的连接，如"love"+"you"，得到串"loveyou"。

（2）关系运算符

关系运算符有==（等于），!=（不等于），<（小于），<=（小于等于），>（大于），>=（大于等于）及 instanceof （对象运算符）七种，主要用来比较两个值，整型和实型可以混合出现在关系运算符两边外，在一个关系运算符两边的数据类型应一致，关系表达式的结果类型为布尔型，即返回布尔类型的值 true 或 false。

例： 5>=3   //结果为 false

    5 >3   //结果为 true

（3）逻辑运算符

逻辑运算符有三个，它们是：!（非），&&（与），‖（或）。这些运算符要求的操作数和结果值都是布尔型，即返回布尔类型的值 true 或 false。

对"或运算"如果运算符左边的表达式的值为 true，则表达式的结果为 true，不必对运算符右边的表达式再进行运算；对"与运算"，如果左边表达式的值为 false，则表达式的结果为 false。

例： (3>5) &&(5>3)   //结果为 false

(3>5) ||(5>3)   //结果为 true

（4）位运算符

位运算符用来对二进制的位进行运算。在 Java 语言中，位运算符有按位与运算符（&）、按位或运算符（I）、按位异或运算符（^）、按位取反运算符（~）、左移位运算符（<< ）和右移位运算符（>>）。

①按位与运算（&）

参与运算的两个值，如果两个相应位都为 1，则该位的结果为 1，否则为 0。

即：0&0=0，0&1=0，1&0=0，1&1=1

例：　　　a:　00000000　00000000　00000000　00000111

&　b:　10000001　10100101　11110011　10101011

c:　00000000　00000000　00000000　00000011

②按位或运算（I）

参与运算的两个值，如果两个相应位都是 0，则该位结果为 0，否则为 1。

即：0I0=0，0I1=1，1I0=1，1I1=1

例：若 a=1;b=2;则 aIb=3。

③按位异或运算（^）

参与运算的两个值，如果两个相应位的某一个是 1，另一个是 0，那么按位异或（^）在该位的结果为 1。也就是说如果两个相应位相同，输出位为 0，否则为 1。

即：0^0=0，0^1=1，1^0=1，1^1=0

例：若 a=1;b=2; 则 a^b=3。

④按位取反运算（~）

按位取反运算（~）属于一元运算符，它只对一个自变量进行操作。按位取反生成与输入位相反的值，若输入 0，则输出 1；输入 1，则输出 0。

即：~0=1，~1=0

例：若 a=4；则~a=-5。

⑤左移位运算符（<<）

运算符<<执行一个左移位。作左移位运算时，右边的空位补 0。在不产生溢出的情况下，数据左移 1 位相当于乘以 2。

例：int a=64,b;

b=a<<1;   //b=128

⑥右移位运算符（>>与>>>）

运算符>>执行一个右移位（带符号），左边按符号位补 0 或 1。

例：int a=16,b;

b=a>>2;   //b=4

运算符>>>是 0 填充的右移，它执行的是不带符号的移位。即对以补码表示的二进制数操作时，在带符号的右移中，右移后左边留下的空位中添入的是原数的符号位（正数为 0，负数为 1）；在不带符号的右移中，右移后左边留下的空位中添入的一律是 0。

（5）条件运算符

条件运算符是"? ："，它是 Java 中惟一的三元运算符。它要求三个操作数，其格式如下：

变量 ＝ ＜布尔表达式＞？＜表达式 1＞：＜表达式 2＞

第一个操作数必须是布尔表达式，其他两个操作数可以是数值型或布尔型表达式。

条件运算符的含义是：当＜布尔表达式＞为真时，变量的值为＜表达式 1＞的值，否则为＜表达式 2＞的值。

例：result=(sum==0 ? 1:sum); //判断 sum 的值为 0 时 result=num；不为 1 时 result=sum。

（6）赋值运算符

赋值运算符"="用来把右边表达式的值赋给左边的变量，即将右边表达式的值存放在变量名所表示的存储单元中，这样的语句又叫赋值语句。它的语法格式如下：

变量名=表达式；

> 注意：赋值运算符"="与数学的等号含义不同。

例：int a=0;   //a 赋值为 0

int b=a;   //把 a 赋值给 b

（7）其他

包括分量运算符"·"，下标运算符"[ ]"，实例运算符"instanceof"，内存分配运算符"new"，强制类型转换运算符"（类型）"，方法调用运算符"()"等。

【例 2-1】   各种运算举例。

程序清单2-1: Example2_1.java

```java
public class Example2_1 {
    public static void main(String args[]) {
        int a = 7 + 2; // a=9
        int b = a * 2; // b=18
        int c = b / 9; // c=2
        int d = -a; // d=-9
        int e = d % 2; // e=-1
        double f = 17.5 % 4;// f=1.5
        int i = 2;
        int j = i++; // i=3, j=2
        int k = ++i; // i=4, k=4
        System.out.println("a=" + a);
        System.out.println("b=" + b);
        System.out.println("c=" + c);
        System.out.println("d=" + d);
        System.out.println("e=" + e);
        System.out.println("f=" + f);
        System.out.println("i=" + i);
        System.out.println("j=" + j);
        System.out.println("k=" + k);
        int x, y, z, w, v;
        x = a & b; // 二进制数1001,也就是十进制数9
        y = a | b; // 二进制数1111,也就是十进制数15
        z = a ^ b; // 二进制数0110,也就是十进制数6
        w = a << 2; // 9*4=36
        v = c >> 1; // 8/2=4;
        System.out.println("x=" + x);
```

```
        System.out.println("y=" + y);
        System.out.println("z=" + z);
        System.out.println("w=" + w);
        System.out.println("v=" + v);
    }
}
```

运行结果:

```
a=9
b=18
c=2
d=-9
e=-1
f=1.5
i=4
j=2
k=4
x=0
y=27
z=27
w=36
v=1
```

2.3.2　运算符的优先级

　　表达式的运算次序取决于表达式中各种运算符的优先级。优先级高的先运算,优先级低的后运算,另外还可用括号"()"改变表达式的运算次序。

　　优先级决定了同一表达式中多个运算符被执行的先后次序,如乘除运算优先于加减运算。同一级里的运算符具有相同的优先级。运算符的结合性则决定了相同优先级的运算符的执行顺序。表 2-3 列出了 Java 中运算符的优先级与结合性。

表 2-3	Java 中运算符的优先级	
优先级	运算符	结合性
1	·[]();,	从左到右
2	! ~ ++ -- +(一元) -(一元)	从右到左
3	* / %	从左到右
4	+(二元) -(二元)	从左到右
5	<< >> >>>	从左到右
6	< <= >= >	从左到右
7	== !=	从左到右
8	&	从左到右
9	^	从左到右
10	|	从左到右
11	&&	从左到右
12	||	从左到右
13	?:	从右到左
14	= += -= *= /= &= |= ^= <<= >>= >>=	从右到左

因为括号优先级最高，所以不论任何时候，当我们一时无法确定某种计算的执行次序时，可以使用加括号的方法来明确指定运算的顺序，这样不容易出错，同时也是提高程序可读性的一个重要方法。

2.3.3　表达式

表达式是由操作数和运算符按一定语法形式组成的符号序列，每个表达式经过运算后都会产生一个确定的值。一个常量或一个变量是最简单的表达式，运算符是算术运算符的表达式称做算术表达式，运算符是关系运算符的表达式称做关系表达式，运算符是逻辑运算符的表达式称做逻辑表达式，运算符是位运算符的表达式称做位表达式。

运算符都有优先级，表达式按照运算符的优先级来运算，最后得到整个表达式的值。表达式按照运算符优先级高的先运算；同一优先级的运算符则按照运算符的结合性进行运算。

下面给出一个简单的例子，来说明之前讨论过的 Java 语言的基本要素。

【例 2-2】　输出两个整数的和、乘积。

程序清单2-2: Example2_2.java

```
public class Example2_2 {
        public static void main(String args[]){
        int a=10,b=3,sum, product;
        sum=a+b;
        product=a*b;
        System.out.println("sum="+sum+",product="+ product);
    }
}
```

运行结果：

```
sum=13,product=30
```

2.3.4　语句

Java 语句是 Java 标识符的集合，由关键字、常量、变量和表达式构成，是方法的主要成分，必须包含在类的方法体之中。Java 语句有表达式语句、复合语句、选择语句和循环语句等。语句以分号"；"作为结束标志，单独的一个分号被看做一个空语句，空语句不做任何事情。

在表达式后边加上分号"；"就是一个表达式语句。经常使用的表达式语句有赋值语句和方法调用语句。表达式语句是最简单的语句，它们被顺序执行，完成相应的操作。

复合语句也称为块（block）语句，是包含在一对大括号"{ }"中的任意语句序列。与其他语句用分号作结束符不同，复合语句右括号"}"后面不需要分号。尽管复合语句含有任意多个语句，但从语法上讲，一个复合语句被看做一个简单语句。

【例 2-3】　简单数据类型转换。

程序清单2-3: Example2_3.java

```
public class Example2_3 {
  public static void main(String args[]){
    int a,i=3,j=4;
    a=i + j;
    System.out.println("a="+a);
    {
        float f;
```

```
        f=j+4.5F;
        i++;
        System.out.println("f="+f);
    }
  }
}
```

运行结果:
```
a=7
f=8.5
```

2.4 程序流程控制

流程控制语句提供了控制程序执行步骤的基本手段，可以说是程序的核心部分，是任何一种程序语言都要提供的。Java 同其他结构化程序设计一样，提供了许多流程控制语句。本节我们讨论其流程控制语句的基本语法及特点。

2.4.1 概述

具体来说，Java 的流程控制可通过如下一些语句来实现：
①顺序语句
②分支语句:if-else 语句；switch 语句
③循环语句：while 和 do-while 语句；for 和 for-each 语句
④异常处理语句

2.4.2 分支语句

分支结构又称为选择结构，是在两种或两种以上的多条执行路径中选择一条执行的控制结构，选择语句提供了一种控制机制，使得程序根据相应的条件去执行对应的语句。

（1）if-else 语句

if-else 语句控制条件的转移，if-else 语句根据判定条件的真假来执行两种操作中的一种。if 语句对给定的条件加以判断，根据判定结果执行相应操作；如果表达式为真，执行 if 语句体，如果为假，则执行 else 后面的语句体。if 语句分为简单条件语句和复合条件语句，其语法格式如下：

① 简单条件语句（单分支/双分支）

```
if (condition)                      if (condition )
    statement;                          statement1;
                                    else
                                        statement2;
```

在简单条件语句中若无 else 部分，语句的执行过程是：执行 if 语句时，首先对 condition 的值进行判断，若 condition 的值为 true，则程序执行语句 statement，否则就转去执行 if 语句的后续语句。

若有 else 部分，语句的执行过程是：执行 if 语句时，首先对 condition 的值进行判断，condition 的值为 true，则程序执行语句 statement1，否则执行语句 statement2。

②复合条件语句（多分支/if 嵌套）

if(condition1)　statement1;

　else if (condition2)　statement2;

　　else if(condition3)　statement3;

　　　　…

　　　else　statementN;

使用 Java 复合条件语句时，一个 if 语句后可以跟任意个 else if 语句，但只能有一个 else 语句。在 if 嵌套语句中，if 与 else 按"最近未匹配"原则进行匹配，即 else 总是与离它最近的尚未匹配的 if 相匹配。

【例 2-4】 将学生的考试成绩转换成不同的等级：90 分以上为 A，80 分以上但小于 90 分为 B，依次类推，F 表示不及格。

程序清单2-4：Example2_4.java

```java
import java.util.*;
public class Example2_4{
    public static void main(String args[]) {
    System.out.println ("input the score");
    Scanner inputscan =new Scanner((System.in));
    int score=inputscan.nextInt();
        char grade;
        if (score >= 90){ //如果score大于90则grade 为A
          grade = 'A';
        }
        else if (score >= 80){ //如果score大于80则grade 为B
          grade = 'B';
        }
        else if (score >= 70){ //如果score大于70则grade 为C
          grade = 'C';
        }
        else if (score >= 60){ //如果score大于60则grade 为D
          grade = 'D';
        }
        else { //如果其他则grade 为F
          grade = 'F';
        }
        System.out.println ("grade = " + grade);
    }
}
```

运行结果：

```
input the score
25
Grade = F
```

（2）switch 语句

switch 语句（又称开关语句）是 Java 所提供的多分支选择语句，和 case 语句一起使用的，其功能是根据某个表达式的值在多个 case 引导的多个分支语句中选择一个来执行。

上面结构中，每条语句均用 break 语句加以终止，这是因为，如果没有 break 语句，程序将继续执行下一个 case 语句，直到结束。如果没有与常量相匹配的 case 语句，则执行 default

语句。switch 表达式与 case 常量表达式的类型可为 byte、char、short、int 及 long 类型，不能是关系表达式和逻辑表达式。

switch 语句根据一个有序类型表达式有条件地执行语句。

switch 语句的一般格式如下：

```
switch (表达式) {
    case <常量 1>:   <语句 1>;   break;
    case <常量 2>:   <语句 2>;   break;
        ...
    case <常量 N>:   <语句 N>;   break;
        [default:    <语句组>;   break;]
}
```

break 语句用来在执行完一个 case 分支后，使程序跳出 switch 语句，即终止 switch 语句的执行，如果没有 break 语句，程序将继续执行下一个 case 语句，直到结束。default 子句是可选的。switch 表达式与 case 常量表达式的类型可为 byte、char、short、int 及 long 类型，不能是关系表达式和逻辑表达式。

【例 2-5】 switch 语句应用示例。

程序清单2-5: Example2_5.java

```java
public class Example2_5 {
    public static void main(String args[]) {
        float a=1;
        float b=5;
        float result=0;
        char op='*';
        switch(op) {
          case '+':
              result=a+b;
              break;          case '-':
              result=a-b;
              break;
          case '*':
              result=a*b;
              break;
          case '/':
              result=a/b;
              break;
          default:
              result=0;
        }
        System.out.println("result="+result);
    }
}
```

运行结果：
result=5.0

2.4.3 循环语句

循环结构是程序中一种重要的基本结构，是指在一定的条件下反复执行某段程序，被反复执行的这段程序称为"循环体"。

几乎所有的实用程序都包含循环，而循环结构是程序设计的基本结构之一，它和顺序结构、选择结构共同作为各种复杂程序的基本构造单元。Java 提供了三种格式的循环控制语句：while 语句、do-while 语句和 for 语句。

（1）while 语句

while 语句的格式如下：

while（条件表达式）{

    循环体语句；

}

while 语句执行的过程为：执行 while 语句时，首先判断布尔表达式的值，当布尔表达式的值为 true，则执行循环体，然后再判断条件，直到布尔表达式的值为 false，停止执行语句。

在循环刚开始时，计算一次"条件表达式"的值。当条件为假时，将不执行循环体，直接跳转到循环体外，执行循环体外的后续语句；当条件为真时，便执行循环体。每执行完一次循环体，都会重新计算一次条件表达式，当条件为真时，便继续执行循环体，直到条件为假才结束循环。

【例 2-6】 求全班平均成绩。

程序清单2-6：Example2_6.java

```java
import java.util.*;
public class Example2_6{
    public static void main(String args[])  {
        int total=0;
        int gradeCounter=0;
        float average;
        while ( gradeCounter < 5 )  {
            System.out.println ("input the grade");
            Scanner  inputscan =new  Scanner((System.in));
            int grade=inputscan.nextInt();
        //输入grade
        total = total + grade;
        gradeCounter = gradeCounter + 1;
    }
        average =(float)total / 5; //求平均成绩
    System.out.println("average ="+ average); //输出平均成绩
    }
}
```

运行结果：
```
input the grade
88
input the grade
89
input the grade
94
input the grade
97
input the grade
95
average =92.6
```

（2） do-while 语句

Java 还提供了另一个与 while 语句类似的语句——do-while 语句。如果需要循环执行的语句至少执行一次，可使用 do-while 语句，do-while 的基本格式为：

do {

　循环体语句；

} while (条件表达式);

do-while 语句先执行一次循环体中的语句，然后测试布尔表达式的值，如果布尔表达式的值为真，那就继续执行循环体，do-while 语句将不断地测试布尔表达式的值并执行循环体中的内容，直到布尔表达式的值为假为止。所以 do-while 语句的循环体至少执行一次。另外 do-while 语句是可以与 while 语句互换的。

【例 2-7】　用 do-while 语句实现打印数字 1 到 10。

程序清单2-7: Example2_7.java

```java
public class Example2_7 {
    public static void main(String args[]) {
        int counter = 0;
        do {
            System.out.println("counter ="+ counter); //输出counter
        } while ( ++counter <= 10 );//循环条件
    }
}
```

运行结果:

```
counter =0
counter =1
counter =2
counter =3
counter =4
counter =5
counter =6
counter =7
counter =8
counter =9
counter =10
```

（3） for 语句

for 语句是三个循环语句中功能最强，使用最广泛的一个。for 语句是 Java 语言中最灵活的一种控制结构，它有多种变形，可实现不同的循环功能。for 语句的一般格式为：

for ([表达式 1]; [表达式 2]; [表达式 3]) {

　statements;

}

表达式 1 是初始条件，是为循环变量置初值，它在循环开始的时候执行一次。表达式 2 是终止条件，决定循环是否继续，该条件表达式在每次循环的时候均作判断，如表达式结果为 false，则循环结束，表达式 3 是增量，用来修改循环变量，控制变量每循环一次后按什么方式变化。

　　for 语句中循环控制变量必须是有序类型，常用的有整型、字符型、布尔型。循环控制变量初值和终值通常是与控制变量类型相一致的一个常量，也可以是表达式。循环次数由初值和终值决定。for 语句的执行过程如下：

　　①按表达式 1 将初值赋给循环控制变量。

　　②按表达式 2 判断控制变量的值是否越过终值，未越过终值则转③，越过终值则转步骤⑥。

　　③执行循环体。

　　④按表达式 3 修改控制变量。

　　⑤返回②。

　　⑥结束循环。

　　【例 2-8】　用 for 结构求 2 到 100 的所有整数的总和。

程序清单2-8：Example2_8.java

```java
public class Example2_8 {
    public static void main(String args[]){
        int sum = 0;
        for (int number = 2; number <= 100; number += 2 ){
            sum += number;
        }
        System.out.println("sum ="+ sum);
    }
}
```

运行结果：

```
sum =2550
```

　　（4）for-each

　　这个语法是 5.0 新增的，它表示收集一个集合中的各元素，并针对各个元素执行内嵌语句。for-each 循环提供了一种遍历对象集合的简单方法。for-each 循环语句对于处理数组和集合等数据类型的运算特别简便。在 for-each 循环中，可以指定需要遍历的对象集合以及用来接收集合中每个元素的变量，其语法如下：

foreach(type identifier in expression) embedded-statement　{

**　　循环体；**

**　　}**

　　其中类型（type）和标识符（identifier）用来声明循环变量，表达式（expression）对应集合，每执行一次内嵌语句，循环变量就依次取集合中的一个元素代入其中。在这里循环变量是一个只读型局部变量，如果试图改变它的值或将它作为一个 ref 或 out 类型的参数传递，都将引发编译时错误。foreach 语句中的 expression 必须是集合类型，如果该集合的元素类型与循环变量类型不一致，则必须有一个显示定义的从集合中的元素类型到循环变量元素类型的显式转换。

　　【例 2-9】　for-each 循环的应用示例。

程序清单2-9：Example2_9.java

```java
public class Example2_9 {
    public static void main(String args[]){
        int nums[]={1,2,3,4,5,6,7,8,9,10};
        int sum=0;
```

```
        for(int x:nums){
        System.out.println ("value is "+x);
        sum+=x;
        if(x==5)
        break;
        }
        System.out.println ("summation is "+sum);
        }
}
```

运行结果:
```
value is 1
value is 2
value is 3
value is 4
value is 5
summation is 15
```

2.4.4 跳转语句

跳转语句又叫转移语句,它是用来改变控制流程的语句。Java 语言提供了 3 个跳转语句:break、continue 和 return 语句。它们的功能就是改变 while、do-while、for 及 switch 语句的正常运行。其中,break 用于强行退出循环,不执行循环中剩余的语句。而 continue 则停止执行当前的循环,开始新的循环。下面对上述的三个跳转语句分别加以介绍。

1. break 语句

break 语句在 while、for、do/while 或 switch 结构中执行时,使得程序立即退出这些结构,从而执行该结构后面的第一条语句。break 语句常用于提前从循环退出或跳过 switch 结构的其余部分。它的基本语法形式如下:

break [标号];

其中,用"[ ]"括起的标号部分是可选的。break 语句和 continue 语句都有两种使用的形式:一种是不带标号的 break 语句和 continue 语句;一种是带标号的 break 语句和 continue 语句。

（1）不带标号的情况

此时,break 语句的功能是终止 break 所在的循环,转去执行其后的第一条语句。对于不带标号的 break 语句,在执行时有两个特点:一是在有多重循环时,它只能使循环从本层的循环跳出来;二是此时程序一定转移到本层循环的下一个语句。用未带标号的 break 语句终止 swtich 语句,控制流程会马上转到 switch 语句下方的语句。

（2）带标号的情况

标号就是加在语句前面的一个合法的标识符,并在标号的后边跟一个冒号（：）,如下所示: **标号：语句**

标号应该定义在某一个循环语句之前,紧靠在循环语句的前方,用来标志这个循环结构,在标号和循环之间置入任何语句都是不明智的行为。此时,break 语句的功能是终止由标号指出的语句块的执行。它的一种典型用法是实现从其所处的多重循环的内部直接跳出来,只要在欲跳出的循环开始处加上标号即可。

【例 2-10】 for 结构中的 break 应用示例。

程序清单2-10: Example2_10.java

```java
public class Example2_10{
    public static void main(String args[]) {
        int x;
        for ( x = 1; x <= 10; x++ ) {
            if ( x == 5 )
            break;    // break当x=5
            System.out.println("x ="+ x);
        }
    }
}
```

运行结果:

```
x =1
x =2
x =3
x =4
```

从本质上说，不带标号的 break 语句用于终止内部的 switch、for、while 或者 do-while，而带标号的 break 语句用于终止一个外部的语句，它通过 break 语句中所带的标号来实现。C 语言中的标号语句一般是以冒号（：）作为其语句表示，而且往往同 goto 语句配合使用。虽然 Java 不支持 goto 语句，但其保留了标号语句的使用。

2. continue 语句

continue 语句在 while、for 或 do/while 结构中执行时跳过该结构体的其余语句，进入下一轮循环。在 while 和 do-while 结构中，循环条件测试在执行 continue 语句之后立即求值。在 for 结构中，执行递增表达式，然后进行循环条件测试。前面曾介绍过 while 结构可以在大多数情况下取代 for 结构。但如果 while 结构中的递增表达式在 continue 语句之后，则会出现例外。这时，在测试循环条件之前没有执行递增，并且 while 与 for 的执行方式是不同的。

continue 语句一般使用格式为：

continue [标号];

其中，标号表示 continue 语句也可以带标号，是可选项。

continue 语句通常有两种使用情况：

（1）不带标号的使用情况

此时，continue 语句用于跳过当前的 for、while 或者 do-while 循环，即跳过循环体中 continue 语句后面的语句，回到循环体的条件测试部分继续执行。

不带标号的 continue 语句和不带标号的 break 语句类似，只能跳过本次循环的剩余语句。

【例 2-11】　不带标号的 continue 语句应用示例。

程序清单2-11: Example2_11.java

```java
import java.util.*;
public class Example2_11 {
    public static void main(String args[]) {
        System.out.println ("input the string");
        Scanner inputscan =new Scanner((System.in));
        String str1=inputscan.next();
        StringBuffer str2=new StringBuffer(str1);//声明字符串str2
        int count = 0;
        for (int i = 0; i < str2.length(); i++) {
```

```
        if (str2.charAt(i) != 'a')
            continue;  // 跳出本次循环语句，开始下一次循环
            count++;
        }
        System.out.println(str2);
        System.out.println("count="+ count);      }
    }
```

运行结果:

```
input the string
haha
haha
count=2
```

（2）带标号的使用情况

此时，continue 语句跳过标号所指语句块中的所有余下部分语句，回到标号所指语句块的条件测试部分继续执行。

【例 2-12】 带标号的 continue 语句应用示例。

程序清单2-12: Example2_12.java

```java
import java.util.*;
public class Example2_12 {
    public static void main(String args[]) {
        System.out.println ("input the string SourceStr:");
        Scanner inputscan =new Scanner((System.in));
        String SourceStr=inputscan.next();
        System.out.println ("input the string MatchStr:");
        Scanner inputscan2 =new Scanner((System.in));
        String MatchStr=inputscan2.next();
        boolean found = false;
        Match:
        for (int i = 0; i <= SourceStr.length() - MatchStr.length(); i++){
            int n = MatchStr.length();
            int j = i;
            int k = 0;
            while (n-- != 0) {
            if (SourceStr.charAt(j++) != MatchStr.charAt(k++))
             continue Match;
            }
            found = true;
            break Match;
        }
        System.out.println ("The Match result is: "+(found ? "Found it" : "Didn't find it"));
    }
}
```

运行结果:

```
input the string SourceStr:
hahahaha
input the string MatchStr:
goha
The Match result is: Didn't find it
```

上面程序功能是首先输入一个源字符串，然后输入另一需匹配的串，如果匹配，则输出Found it，否则输出 Didn't find it。

2.5　数组

数组是相同类型的数据元素按顺序组成的一种复合数据类型，元素在数组中的相对位置由下标来指明。数组在 Java 语言中属第一类对象。数组中的每个元素通过数组名加下标进行引用。当建立一个数组后，就不能轻易地改变它的大小。当你试图对数组声明边界外的任何一个元素进行访问时，程序运行就会中止，但编译的时候可以通过。数组作为一种特殊的数据类型具有以下特点：

①一个数组中所有的元素应该是同一类型；

②数组中的元素是有顺序的；

③数组中的一个元素通过数组名和数组下标来确定。

数组分为一维数组和多维数组。

2.5.1　一维数组

（1）一维数组的定义

数组声明的格式为：

数据类型　数组名[ ];　　　或　　数据类型 [ ] 数组名;

类型可以为 Java 中任意的数据类型，包括简单类型和复合类型。数组名为 Java 标识符。"[ ]"部分指明该变量是一个数组类型变量。

例：int Array1[ ];　　//定义整型数组 Array1[ ]

　　float Array2[];　//定义浮点型数组 Array2[ ]

（2）为数组元素分配内存单元

数组说明之后尚不能立即被访问，因为还没有为数组元素分配内存空间。需要使用 new 操作来构造数组，即在数组说明之后为数组元素分配存储空间，同时对数组元素进行初始化。其格式如下：

数组名=new 类型[数组长度];

例：int a[];　　　　　//定义一个数组 a

　　a=new int[5];　// 为数组 a 的元素分配内存空间

它为整型数组 a 分配 5 个整数元素的内存空间，并使每个元素初值为 0。

（3）数组的初始化

数组初始化就是为数组元素指定初始值。通常在构造数组时，Java 会使每个数组元素初始化为一个默认值。但不希望数组的初值为默认值，此时，就需要用赋值语句来对数组进行初始化。

数组的初始化方式有两种：一种方式是像初始化简单类型一样自动初始化数组，即在说明数组的同时进行初始化。

例：int a[]={2,3,4,5,6};　//定义一个数组 a，其元素分别赋值为 2，3，4，5，6

另一种方式是在声明之后再创建数组，然后为每个元素赋值。

由上可见，数组初始化可由花括号"{}"括起的一串由逗号分隔的表达式组成，逗号（,）

分隔数组元素中的值。在语句中不必明确指明数组的长度,因为它已经体现在所给出的数据元素个数之中了,系统会自动根据所给的元素个数为数组分配一定的内存空间。

（4）数组元素的使用

声明了一个数组,并用 new 语句为它分配了内存空间后,就可以在程序中像使用任何变量一样来使用数组元素,数组元素的标识方式为:

数组名[下标]

注意:

①在 Java 语言中,数组下标从 0 开始,到数组长度减 1 结束。

②下标必须是整型或可以转化成整型的量。

③Java 系统能自动检查数组下标越界的情况。

④Java 中的数组实际上是一种隐含的"数组类"。

⑤任何数组都有公有变量 length。企图使用小于零或大于数组长度的下标都会引起越界异常（例如,数组的最大下标为 5,但是在程序中存取了下标为 8 或-4 的元素）。

（5）数组的长度

在 Java 中提供了 length 属性来返回数组的长度,其格式如下:

数组名.length

【例 2-13】 数组排序应用示例。

程序清单2-13: Example2_13.java

```java
import java.util.*;
public class Example2_13{
    public static void main(String args[]){
        int a[]={9,1,3,4,2,5,7,6,8};
        System.out.println("a排序前为:");
        for(int i=0;i<a.length;i++)
          System.out.print(a[i]+"  ");
        System.out.println();
        System.out.println("a排序后为:");
        Arrays.sort(a);
        for(int i=0;i<a.length;i++)
          System.out.print(a[i]+"  ");
    }
}
```

运行结果:

排序前为:

3 4 3 1 2 6 0 7 8

排序后为:

0 1 2 3 3 4 6 7 8

下面我们利用数组来求几个数中的最大值。

【例 2-14】 求 5 个数中的最大值。

程序清单2-14: Example2_14.java

```java
public class Example2_14 {
    public static void main(String args[]) {
        int i,max;
        int a[]={1,2,3,4,5};
        for(i=0;i<5;i++){
```

```
            System.out.println(" "+a[i]);
        }
        max=a[0];
        for(i=0;i<5;i++){
            if(a[i]>max)
                max=a[i];
        }
        System.out.println("\nthe max is: "+max);
    }
}
```

运行结果:
```
1 2 3 4 5
the max is: 5
```

【例 2-15】　从数组中读取数值，并用直方图进行描述。

程序清单2-15: Example2_15.java

```
public class Example2_15 {
        public static void main(String args[]) {
            int i,j;
            int a[]={1,2,3,4,5};//定义数组a并初始化
            for(i=0;i<5;i++) {
             for(j=a[i]-1;j>=0;j--){
                    System.out.print("*");//打印*
             }
             System.out.println("\n");
            }
        }
}
```

运行结果:
```
*
**
***
****
*****
```

排序（sort）数组（即将数据排成特定顺序，如升序或降序）是一个重要的计算应用。排序数据是个复杂问题，是计算机科学中大量研究的课题。这里我们介绍一种最简单的排序机制，来加深我们对数组的认识。我们使用冒泡排序（Bubble Sort）方法，较少的数值慢慢从下往上"冒"，就像水中的气泡一样，而较大的值则慢慢往下沉。这个方法在数组中多次操作，每一次都比较一对相邻元素。如果某一对为升序（或数值相等），则将数值保持不变。如果某一对为降序，则将数值交换。

【例 2-16】　简单的冒泡排序。

程序清单2-16: Example2_16.java

```
public class Example2_16 {
        public static void main(String args[]){
            int arraysize=10;
            int a[] = { 2, 6, 4, 8, 10, 12, 89, 68, 45, 37 };
            int i, hold;
            System.out.println("Data items in original order\n");
            for ( i = 0; i <arraysize; i++ ) {
```

```
            System.out.print(" "+a[i]);
    }
    for (int pass=0; pass<arraysize-1; pass++ ) {
        for ( i = 0; i <arraysize-1; i++ ){
            if ( a[i] > a[i + 1 ] ) {
                hold =a[i];
                a[i ] = a[i + 1 ];
                a[i + 1 ] = hold;
            }
        }
    }
    System.out.println("\nData items in ascending order\n");
    for ( i = 0; i < arraysize; i++ ){
        System.out.print(" "+a[i]);
    }
    }
}
```

运行结果:
```
Data items in original order

 2 6 4 8 10 12 89 68 45 37
Data items in ascending order

 2 4 6 8 10 12 37 45 68 89
```

程序首先比较 a[0] 与 a[1]，然后比较 a[1] 与 a[2]，接着是 a[2] 与 a[3]，一直到比较 a[8] 与 a[9]。尽管有 10 个元素，但只进行 9 次比较。由于连续进行比较，因此一次即可能将大值向下移动多位，但小值只能向上移动一位。第 1 遍，即可把最大的值移到数组底部，变为 a[9]。第 2 遍，即可将第 2 大的值移到 a[8]，第 9 遍，将第 9 大的值移到 a[1]。最小值即为 a[0]，因此，只进行 9 次比较即可排序 10 个元素的数组。

排序是用嵌套 for 循环完成的。如果需要交换，则用三条赋值语句完成:

hold = a[i];

a[i] = a[i+1];

a[i+1] = hold;

其中附加的变量 hold 临时保存要交换的两个值之一。只有两个赋值语句是无法进行交换的: a[i] = a [i+1];

a[i+l] =a[i];

例如，如果 a[i] 为 7 而 a[i+1] 为 5。则第一条赋值语句之后,两个值均为 5，数值 7 丢失，因此要先用变量 hold 临时保存要交换的两个值之一。

冒泡排序的主要优点是易于编程。但冒泡排序的速度很慢，这在排序大数组时更明显。

2.5.2　二维数组

如果一个一维数组的每个元素都是一个一维数组，就构成了二维数组，所以说二维数组为一个特殊的一维数组，其每个元素又是一个一维数组。

（1）二维数组的定义

二维数组定义的格式为:

数据类型 数组名[ ] [ ];

或

数据类型[] 数组名[];

例：int a[ ] [ ];   //定义一个二维数组 a

（2）为二维数组分配内存空间

对二维数组来说，分配内存空间有下面几种方法：

①直接为每一维分配空间。

例：int a[ ] [ ] = new int[3] [3];

②从最高维开始，分别为每一维分配空间。

例：int a[ ][ ] = new int[3] [ ];   //最高维含 3 个元素，每个元素为一个整型数组

　　a [0] = new int[3];   //最高维第一个元素是一个长度为 3 的整型数组

　　a [1] = new int[5];   //最高维第二个元素是一个长度为 5 的整型数组

　　a [2] = new int[2];   //最高维第三个元素是一个长度为 2 的整型数组

（3）二维数组元素的初始化

二维数组元素的初始化有两种方式：

①直接对数组中的每个元素进行赋值。

②在定义数组的同时进行初始化。

（4）二数组元素的引用

对二维数组中每个元素，其引用方式为：

数组名[下标 1] [下标 2]

如：a[1][2] 、b[i][j]等。

另外在 Java 中并不直接支持多维数组，所以，多维数组的声明是通过对一维数组的嵌套式声明来实现的，即用"数组的数组"来声明多维数组。

其他多维数组的使用方法和二维数组类同。

下面的例子是二维数组初始化。

【例2-17】 建立 2 个二维数组并用两种方法初始化。

程序清单2-17: Example2_17.java

```java
public class Example2_17 {
    public static void main(String args[]){
 int array1[][] = { { 1, 2, 3 }, { 4, 5, 6 }};//数组array1的初始化
        int array2[][]=new int[2][3];
        int i,j;
        for(i=0;i<2;i++){
         for(j=0;j<3;j++){
             array2[i][j]=i*2+j; //数组array2的初始化
         }
        }
        for(i=0;i<2;i++) {
         for(j=0;j<3;j++){
          System.out.print(""+array1[i][j]);// 输出数组array1的各元素值
         }
         System.out.print("\n");
        }
```

```
            System.out.print("\n");
          for(i=0;i<2;i++)  {
             for(j=0;j<3;j++)    {
          System.out.print(""+array2[i][j]);//输出数组arrary2的各元素值
             }
             System.out.print("\n");
          }

      }
}
```

运行结果:
```
123
456

012
234
```

【例 2-18】 对一个 2×3 矩阵，编程求最小元素的值，并输出其所在行、列号。

程序清单2-18: Example2_18.java

```
public class Example2_18 {
    public static void main(String args[])  {
        int a[][]={{1,2,3},{4,5,6},{7,8,9}};
        int row=0,colum=0,i,j,min;
        min=a[0][0];
        for(i=0;i<=1;i++)  {
          for(j=0;j<=2;j++) {
            if(a[i][j]<min)
            min=a[i][j];
            row=i;
            colum=j;
          }
        }
        System.out.println("min="+min);//输出最小值
        System.out.println("row="+row);// 输出最小值所在行
        System.out.println("colum ="+colum);//输出最小值所在列
    }
}
```

运行结果:
```
min=1
row=1
colum =2
```

【例 2-19】 利用二维数组对学生的成绩进行统计，并按功课对其输出。

程序清单2-19: Example2_19.java

```
public class Example2_19 {
    public static void main(String args[]){
    //定义course数组来保存对应的每门功课
    String course[]={"Maths","English","Computer","politics"};
    int classSize = 8,i,j;
    int Mark [][]= new int [classSize][4]; //定义Mark数组保存每门功课的成绩
    for(i=0;i<4;i++)    {
        System.out.print ("\t"+course[i]);//输出课程名
```

```
    }
    System.out.print ("\n");
        for (i=0;i<classSize;i++)   {
            for (j=0;j<4;j++)  {
                Mark [i][j]=(int)(70*Math.random());//由随机函数取得成绩
                System.out.print ("\t    "+Mark[i][j]);//输出成绩
            }
            System.out.print ("\n");
        }
    }
}
```

运行结果:

Maths	English	Computer	politics
8	33	55	23
23	27	65	20
11	11	25	38
52	7	5	37
56	11	4	56
54	62	58	39
15	63	50	26
0	44	32	28

二维数组相当于由一维数组为元素构成的一维数组,作为元素的数组长度可以是不固定的。

2.6　字符串类型

字符串类型包括字符常量和字符变量两大类,字符常量是用单引号括起来的一个字符,如'a'和转义字符\。字符变量:Char ch='s';//默认初始值为\u0000。

字符串即 n 个字符组成的序列,字符串用一队双引号括起来,一个字符串中的字符个数称为字符串的长度。如"Hello World!"是一个长度为 12 的字符串。

Java 语言中,把字符串作为对象来处理,Java 语言提供的 java.lang 中封装了类 String 和 StringBuffer,都可以用来表示一个字符串(分别处理不变字符串和可变字符串)。

2.6.1　字符串常量

一个字符串常量是括在两个双引号之间的字符序列。若两个双引号之间没有任何字符,则为空串。Java 允许在字符串中出现转义字符。

如:"Hello World!"

Java 允许使用+号把两个字串连接起来。连接一个字串和一个非字串值时,后者被转换成字串。这个特性常用于输出语句中。

如:System.out.println ("a="+a+,b="+b);

2.6.2　字符串声明及初始化

Java 语言中字符串分常量和变量两种。系统为程序中出现的常量自动创建一个 String 对象。对于字符串变量,在使用之前要显式声明,并进行初始化。声明如下:

```
String a;          //声明字符串 a
StringBuffer b;    //声明可变字符串 b
```
也可以创建一个空字符串：
```
String c=new String();
```
也可以直接用字符串常量来初始化一个字符串：
```
String d="Hello World !";
```

2.6.3　字符串处理

1. String 类

String 类是字符串常量类，该类对象在建立后不能修改。Java 编译器保证每个字符串常量都是 String 类对象。用双引号括住的一串字符即为字符串常量，比如"Welcome to Java!"，在通过编译器编译后成为 String 对象。因而，实例化一个 String 类对象既可以通过字符串常量，也可以通过系统提供的构造方法。

（1）String 类的基本方法

①String 类初始化

String 类可用字符串常量对其初始化，也可调用其构造方法来进行。

例：String s = "Welcome to Java!";

　　String str ="this is a string";

②String 类的构造函数

String 类的主要构造函数如表 2-4 所示。

表 2-4　　　　　　　　　　　　String 类的构造函数

函　　数	功能描述
String()	生成一个空串
String(String value)	用已知串生成一个串对象
String(char value[])	用字符数组生成一个串对象
String(char value[],int offset,int count)	用字符数组 value 的 offset 位置开始的 count 个字符，建立一个字符串对象，之后并不影响原来的字符数组
String(char value[],int hibyte,int offset,int count)	基本功能同上

（2）字符串类的 String 访问

字符串的访问即字符串的引用，它包括得到字符串的长度，得到指定位置的字符或子串，以及得到某个字符或子串在字符串中的索引位置等。String 类的功能很强，几乎覆盖了所有的字符串运算操作。

在 Java 中，String 类包含有 50 多个方法来实现字符串的各种操作，我们需要经常使用的方法主要有 length( )、charAt( )、indexOf( )、lastIndexOf( )、getChars( )、getBytes( )、toCharArray( )等方法。表 2-5 给出了一些常用的字符串运算方法。

表 2-5	String 类的常用方法
方　法	功能描述
length()	返回字符串的长度
toLowerCase()	转换为小写串
toUpperCase()	转换为大写串
charAt(int index)	返回字符串的第 index 个字符
substring(int beginindex)	返回从 beginindex 位置(包括该位置)开始到结尾的所有字符
substring(int beginindex,int endindex)	返回从 beginindex 位置(包括)开始到 endindex(不包括)的所有字符
compareTo(String anotherString)	字符串比较，返回值为二者差
regionMatches(int toffset,String other,int ooffset,int len)	比较本串从 toffset 开始的 len 个字符和 other 串从 ooffset 开始的 len 个字符是否一致
startWith(String prefix)	比较字符串是否以 prefix 开始
endWith(String suffix)	比较字符串是否以 suffix 结束
indexOf(int ch)	返回某个字符或字符串在本字符串中第一次出现的位置
lastIndexOf()	返回某个字符或字符串在本字符串中最后一次出现的位置
replace(char oldChar,char newChar)	将字符串中 oldChar 字符替换成 newChar 字符
valueOf(Object obj)	将某个对象的实例转换成字符串

1）字符串的连接

① **public String concat(String str)**;

该方法的参数为一个 String 类对象，作用是将参数中的字符串 str 连接到原来字符串的后面。

例：String s1="JA";

　　String s2=s1.concat("VA");　　//将字符串 JAVA 赋给 s2.

②字符串连接——"+"运算符

例：String age="9";

　　String s="He is"+age+"years old.";

　　System.out.println(s);//将三个字符串连起来，结果为"He is 9 years old."

③字符串与其他类型数据的连接

例：int age=9;

　　String s="He is"+age+"years old.";

　　System.out.println(s);　　//整型自动转换为它的字符串形式。

2）求字符串的长度

　　public int length();

返回字串的长度，这里的长度指的是字符串中 Unicode 字符的数目。

例：char chars[]={ 'a','b','c' };

　　String s=new String(chars);

　　System.out.println(s.length( ));　　//输出结果 3

3）求字符串中某一位置的字符

　　public char charAt(int index)

该方法在一个特定的位置索引一个字符串，以得到字符串中指定位置的字符。值得注意的是，在字符串中第一个字符的索引是 0，第二个字符的索引是 1，依次类推，最后一个字符的索引是 length（）-1。

例：char ch;

    ch="abc".charAt(1);   //将 "b" 赋给 ch.

4）字符串的比较

比较字符串可以利用 String 类提供的下列方法：

①**public int compareTo（String   anotherString）**

其比较过程是两个字符串中相同位置上的字符按排列顺序逐个比较的结果。如果在整个比较过程中，没有发现不同的地方，则表明两个字符串是完全相等的，compareTo 方法返回 0；如果在比较过程中，发现了不同的地方，则比较过程会停下来，这时一定是两个字符串在某个位置上不相同，如果当前字符串在这个位置上的字符大于参数中的这个位置上的字符，compareTo 方法返回一个大于 0 的整数，否则返回一个小于 0 的整数。

②**public boolean equals（Object anObject）**

该方法比较两个字符串，和 Character 类提供的 equals 方法相似，因为它们都是重载 Object 类的方法。该方法比较当前字符串和参数字符串，在两个字符串相等的时候返回 true，否则返回 false。

③**public boolean equalsIgnoreCase（String anotherString）**

该方法和 equals 方法相似，不同在于 equalsIgnoreCase 方法将忽略字母大小写的区别。

例：String s="Abcd";

    String s1="abcd";

    boolean i=s.equals(s1);

    boolean j=s.equalsIgnoreCase(s1);   // i 的值为 false，j 的值为 true。

5）从字符串中提取子串

利用 String 类提供的 substring 方法可以从一个大的字符串中提取一个子串，有两种常用的形式：

①**public String substring（int beginIndex）**

该方法从 beginIndex 位置起，从当前字符串中取出剩余的字符作为一个新的字符串返回。

 例：String s="abcdefgh";

    String s1=s.substring(0);

    String s2=s.substring(2);

    String s3=s.substring(8);

s1 返回的值为 "abcdefgh"；s2 返回的值为 "cdefgh"；s3 返回的值为 ""，即 s3 为一个空串。

②**public String substring（int beginIndex, int endIndex）**

该方法从当前字符串中取出一个子串，该子串从 beginIndex 位置起至 endIndex-1 结束。子串返回的长度为 endIndex-beginIndex。

例：String s="abcdefgh";

    String s1=s.substring(0,3);

    String s2=s.substring(2,4);

    String s3=s.substring(3,7);

s1 返回的值为 "abc"；s2 返回的值为 "cd"；s3 返回的值为 "defg"。

6）字符串中单个字符的查找

字符串中单个字符的查找可以利用 String 类提供的下列方法：

①public int indexOf（int ch）

该方法用于查找当前字符串中某一个特定字符 ch 出现的位置。该方法从头向后查找，如果在字符串中找到字符 ch，则返回字符 ch 在字符串中第一次出现的位置；如果在整个字符串中没有找到字符 ch，则返回-1。

例：String s="abcdefgh";

int a=s.indexOf('e');//a 的值为 4

int b=s.indexOf('i');//b 的值为-1

②public int indexOf（int ch, int fromIndex）

该方法和第一种方法类似，不同在于该方法从 fromIndex 位置向后查找，返回的仍然是字符 ch 在字符串第一次出现的位置。

例：String s="abcdefgh";

int a=s.indexOf('e');   //a 的值为 4

int b=s.indexOf('e',3);   //b 的值为 4

int c=s.indexOf('e',5);   //c 的值为-1

③public int lastIndexOf（int ch）

该方法和第一种方法类似，不同在于该方法从字符串的末尾位置向前查找，返回的仍然是字符 ch 在字符串第一次出现的位置。

④public int lastIndexOf（int ch, int fromIndex）

该方法和第二种方法类似，不同在于该方法从 fromIndex 位置向前查找，返回的仍然是字符 ch 在字符串第一次出现的位置。

7）字符串中子串的查找

字符串中子串的查找与字符串中单个字符的查找十分相似，可以利用 String 类提供的下列方法：

①public int indexOf（String str）

②public int indexOf（String str, int fromIndex）

③public int lastIndexOf（String str）

④public int lastIndexOf（String str,int fromIndex）

8）字符串中字符大小写的转换

字符串中字符大小写的转换，可以利用 String 类提供的下列方法：

①public String toLowerCase（）

该方法将字符串中所有字符转换成小写，并返回转换后的新串。

②public String toUpperCase（）

该方法将字符串中所有字符转换成大写，并返回转换后的新串。

9）字符串中多余空格的去除

public String trim()

该方法只是去掉开头和结尾的空格，并返回得到的新字符串。值得注意的是，在原来字符串中间的空格并不去掉。

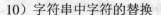

10）字符串中字符的替换

①public String replace（char oldChar,char newChar）

该方法用字符 newChar 替换当前字符串中所有的字符 oldChar，并返回一个新的字符串。

②public String replaceFirst（String regex, String replacement）

该方法用字符串 replacement 的内容替换当前字符串中遇到的第一个和字符串 regex 相一致的子串，并将产生的新字符串返回。

③public String replaceAll（String regex, String replacement）

该方法用字符串 replacement 的内容替换当前字符串中遇到的所有和字符串 regex 相一致的子串，并将产生的新字符串返回。

　　注意：String 中对字符串的操作不是对源操作串对象本身进行的，而是对新生成的一个源操作串对象的拷贝进行的，其操作的结果不影响源串。

【例 2-20】 字符串的操作示例（一）。

程序清单2-20: Example2_20.java

```java
public class Example2_20 {
    public static void main(String args[]) {
        String a="HelloWorld!";
        String s1=new String();
        String s2=new String("String 2");
        char chars[]={'h','e','l','l','o'};
        String s3=new String(chars);
        System.out.println("The String No.1 is "+s1);
        System.out.println("The String No.2 is "+s2);
        System.out.println("The String No.3 is "+s3);
    }
}
```

运行结果：

```
The String No.1 is
The String No.2 is String 2
The String No.3 is hello
```

【例 2-21】 字符串的操作示例（二）。

程序清单2-21: Example2_21.java

```java
public class Example2_21 {
    public static void main(String args[]) {
        String s1="HelloWold";
        String s2="Wold";
        System.out.println("s1为："+s1);
        System.out.println("s1的长度为："+s1.length());
        System.out.println("s2为："+s2);
        System.out.println("s2的长度为："+s2.length());
        System.out.println("s1大写是:"+s1.toUpperCase());
        System.out.println("s2小写是:"+s2.toLowerCase());
        for (int i=0;i<s1.length();i++){
        System.out.println("s1中的第"+i+"个字符是："+s1.charAt(i));
            }
        System.out.println("s1+s2="+s1+s2);
        if(s1.compareTo(s2)==0)
            System.out.println("s1与s2相等");
```

```
        else
            System.out.println("s1与s2不相等");
        if (s1.indexOf(s2)!=-1) {
            System.out.println("s2是s1的子串");
            System.out.println("s2在s1中的位置为: "+s1.indexOf(s2));
            }
        else
            System.out.println("s2不是s1的子串");
        }
    }
```

运行结果:
s1为: HelloWold
s1的长度为: 9
s2为: Wold
s2的长度为: 4
s1大写是:HELLOWOLD
s2小写是:wold
s1中的第0个字符是: H
s1中的第1个字符是: e
s1中的第2个字符是: l
s1中的第3个字符是: l
s1中的第4个字符是: o
s1中的第5个字符是: W
s1中的第6个字符是: o
s1中的第7个字符是: l
s1中的第8个字符是: d
s1+s2=HelloWoldWold
s1与s2不相等
s2是s1的子串
s2在s1中的位置为: 5

（3）字符串与字符数组

String 类中的方法 String（char[]）和 String(char[],int offset,int length)分别用数组中的全部或部分字符创建字符串对象。String 类也提供了将字符串保存到数组中的方法:

Public void getChar(int start ,int end,char c[],int offset)

字符串调用方法 getChar()将当前字符串中的一部分字符复制到参数 c 指定的数组中，将字符中从位置 start 到 end-1 位置的字符复制到数组 c 中，并从数组 c 的 offset 处开始存放。

String 类还提供了一个方法:

Public char[]toCharArray()

调用该方法可以初始化一个字符数组，该数组的长度与字符串的长度相等，并将字符串对象的全部字符复制到该数组中。

【例 2-22】　字符串与字符数组转换。

程序清单2-22: Example2_22.java

```
public class Example2_22 {
    public static void main(String[] args) {
        String s="哈哈";
        char a[]=s.toCharArray();
        for(int i=0;i<a.length;i++)  {
```

```
        a[i]=(char)(a[i]^'w');
    }
    String secret =new String(a);
    System.out.println("密文: "+secret);
    for(int i=0;i<a.length;i++)          {
      a[i]=(char)(a[i]^'w');
    }
    String code=new String(a);
    System.out.println("原文: "+code);
  }
}
```

运行结果:

密文: 咿咿

原文: 哈哈

2. StringBuffer 类

String 类是字符串常量类,初始化后就不能进行修改,而 StringBuffer 类是字符串缓冲区,不仅可以接受修改,还可以读入整个文件。在 Java 中,StringBuffer 类是一个可以修改的字符串对象,使用起来比 String 类更加灵活、方便。

(1) **StringBuffer** 类的基本方法

与 String 类类似,StringBuffer 类方法很多,下面我们也从初始化与访问方法两个方面加以介绍。

1) **StringBuffer** 类的初始化

StringBuffer 类只能用初始化函数对其初始化,如果想按下面语句:

StringBuffer s= "HelloWorld!";

对其初始化,则系统会给出出错信息。

StringBuffer 的构造函数如表 2-6 所示。

2) **StringBuffer** 类的访问方法

StringBuffer 类的方法主要就是添加字符和插入字符,如表 2-7 所示。

表 2-6　　　　　　　　　　　　String Buffer 的构造函数

函　数	功能描述
StringBuffer()	建立空的字符串对象
StringBuffer(int length)	建立长度为 length 的字符串对象
StringBuffer(String)	建立一个初始值为 String 的字符串对象

表 2-7　　　　　　　　　　　　String Buffer 类的方法

方　法	功能描述
length()	返回字符串长度
setLength(int newlength)	重新设置字符串的长度,新串为旧串的截余
charAt(int index)	返回指定位置的字符
setCharAt(int index,char ch)	重设指定位置的字符
append(Object obj)	将指定对象转换为字符串添加到原串尾
insert(int offset,Object obj)	将指定对象转换为字符串,然后插入到从 offset 开始的位置
toString()	将字符串转换成 String 对象

StringBuffer 类提供两组方法用来扩充 StringBuffer 对象所包含的字符，分别是：

①**public StringBuffer append（Object obj）**

append 方法用于扩充 StringBuffer 对象所包含的字符，该方法将指定的参数对象转化为字符串后，将其附加在原来的 StringBuffer 对象之后，并返回新的 StringBuffer 对象。附加的的参数对象可以是各种数据类型的，如 int、char、String、double 等。

②**public StringBuffer insert（int 插入位置，参数对象类型，参数对象名）**

该方法将指定的参数对象转化为字符串后，将其插入在原来的 StringBuffer 对象中指定的位置，并返回新的 StringBuffer 对象。

3）**StringBuffer** 类对象的长度与容量

一个 StringBuffer 类对象的长度指的是它包含的字符个数，容量指的是被分配的字符空间的数量。

①**public int length（）**

该方法返回当前 StringBuffer 类对象包含的字符个数。

②**public int capacity（）**

该方法返回当前 StringBuffer 类对象分配的字符空间的数量。

4）**StringBuffer** 类对象的修改

public void setCharAt(int index,char ch)

该方法将当前 StringBuffer 对象中的 index 位置的字符替换为指定的字符 ch。

5）字符串的赋值和加法

字符串是在程序中要经常使用的数据类型，在 Java 编译系统中引入了字符串的赋值和加法操作。

注意：StringBuffer 中对字符串的连接操作是对源串本身进行的，操作之后源串的值发生了变化，变成连接后的串。

例： string Buffer a=new String Buffer("HelloWorld!");
```
a.setLength(5);           // a="Hello"
a.setCharAt (0,' h ');    //a=" helloWorld!"
a.append(value);          // a=" helloWorld!value "
a.append(true);           // a=" helloWorld!valuetrue"
a.insert(15, "=");        //sb=" helloWorld!value=true"
```

【例 2-23】 StringBuffer 类的应用示例。

程序清单2-23: Example2_23.java

```java
public class Example2_23 {
    public static void main(String args[]) {
        String s = "465xixihaha";
        System.out.println("初始s="+s);
        int i = s.length();
        StringBuffer buffer = new StringBuffer(i);
        for(int j=i-1;j>=0;j--) {
            buffer.append(s.charAt(j));
        }
        System.out.println("反转后s="+buffer);
```

高等院校计算机系列教材

运行结果：

初始s=465xixihaha
反转后s=ahahixix564

（2）字符串与字符数组

String Buffer 类中的方法 stringBuffer append(char str[])用于将字符数组添加到 StringBuffer 中，同时也提供了 StringBuffer append(char str[],int offset,int len)用于将字符数组 Str[]中从 Offset 开始的 len 个字符添加到 StringBuffer 中。

String 类也提供了将字符串保存到数组中的方法：

public void getChars（int srcBegin，int srcEnd，char dst[]，int dstBegin）

用于将 StringBuffer 中从 srcBegin 到 srcEnd 的字符拷贝到数组 dst[]（开始位置为 dstBegin）中。

3. StringTokenizer

有时需要分析字符串，并将字符串分解成可被独立使用的单词，这些单词叫做语言符号。当我们分析一个字符串并将字符串分解成可独立使用的单词时，可以使用 java.util 包中的 StringTokenizer 类，StringTokenizer 类的主要用途就是将字符串以定界符为界，分析为一个个的 token（可理解为单词），定界符可以自己指定。

例： StringTokenizer fenxi=new StringTokenizer("We are student");

StringTokenizer fenxi=new StringTokenizer("We,are;student",",:");

我们把一个 StringTokenizer 对象作一个字符串分析器。一个分析器可以使用 nextToken() 方法逐个获取字符串中的语言符号（单词），每当调用 nextToken（）时，都将在字符串中获得下一个语言符号。通常用 while 循环来逐个获取语言符号，为了控制循环，我们可以使用 StringTokenizer 类中的 hasMoreTokens（）方法，只要字符串中还有语言符号，该方法就返回 true，否则返回 false。另外我们还可以调用 countTokens()方法得到字符串一共有多少个语言符号。

StringTokenizer 类三种构造方法：

①**public StringTokenizer(String str)**

为指定字符串构造一个 string tokenizer。tokenizer 使用默认的分隔符集 "\t\n\r\f"，即：空白字符、制表符、换行符、回车符和换页符。分隔符字符本身不作为标记。

参数：str - 要解析的字符串。

抛出：NullPointerException-如果 str 为 null。

②**public StringTokenizer(String str,String delim)**

为指定字符串构造一个 string tokenizer。delim 参数中的字符都是分隔标记的分隔符。分隔符字符本身不作为标记。

注意：如果 delim 为 null，则此构造方法不抛出异常。但是，尝试对得到的 StringTokenizer 调用其他方法则可能抛出 NullPointerException。

参数：str - 要解析的字符串。

delim - 分隔符。

抛出：NullPointerException - 如果 str 为 null。

③**public StringTokenizer(String str,String delim,boolean returnDelims)**

为指定字符串构造一个 string tokenizer。delim 参数中的所有字符都是分隔标记的分隔符。

如果 returnDelims 标志为 true，则分隔符字符也作为标记返回。每个分隔符都作为一个长度为 1 的字符串返回。如果标志为 false，则跳过分隔符，只是用做标记之间的分隔符。

注意：*如果* delim *为* null，*则此构造方法不抛出异常。但是，尝试对得到的* StringTokenizer *调用其他方法则可能抛出* NullPointerException。

参数：str -要解析的字符串。

delim -分隔符。

returnDelims - 指示是否将分隔符作为标记返回的标志。

抛出：NullPointerException - 如果 str 为 null。

【例 2-24】　StringTokenizer 类的应用示例。

程序清单2-24: Example2_24.java

```java
import java.util.*;
public class Example2_24 {
    public static void main(String[] args) {
StringTokenizer st = new StringTokenizer("this is a test", "e", true);
    while (st.hasMoreTokens())   {
            System.out.println(st.nextToken());
    }
  }
}
```

运行结果：
```
this is a t
e
st
```

2.6.4　字符串与其他数据之间的转换

Java 中的+运算符的特殊功能方便地将许多其他的 Java 数据类型的字符串表示法添加到字符串，例：System.out.println("Average is" + a);

字符串型数据与其他数据类型转换在一般语言中都是通过 toString()方法来实现的。

【例 2-25】　将学生的考试成绩转换成不同的等级：90 分以上为 A，80 分以上但小于90 分为 B，依次类推，F 表示不及格。

程序清单2-25: Example2_25.java

```java
public class Example2_25 {
    public static void main(String args[]){
            int a=10;
            float b=3.14f;
            double c=3.1415926;
             Integer A=new Integer(a);//生成integer类
            Float B=new Float(b);       //生成float类
            Double C=new Double(c);   //生成double类
            String x=A.toString();
            String y=B.toString();
            String z=C.toString();
            System.out.println(x);
            System.out.println(y);
```

```
        System.out.println(z);
    }
}
```

运行结果:
10
3.14
3.1415926

习 题 二

一、填空题

1. 已知: int a =8,b=6; 则: 表达式++a-b++的值为 （   ）。

2. 已知: boolean b1=true,b2; 则: 表达式! b1 && b2 ||b2 的值为 （   ）。

3. 已知: double x=8.5,y=5.8; 则: 表达式 x++>y-- 值为 （   ）。

4. 已知: int a[ ]={2,4,6,8}; 则: 表达式(a[0]+=a[1])+ ++a[2]值为 （   ）。

5. 执行 **int** x, a = 2, b = 3, c = 4; x = ++a + b++ + c++; 结果是 （   ）。

6. Java 中的显式类型转换既能 （   ）也能从高类型向低类型转换，而隐式类型转换只有前者。

7. 在 Java 中，字符串和数组是作为 （   ）出现的。

8. 执行下列程序代码的输出结果是 （   ）。

    int a = 10; **int** i, j; i = ++a; j = a--;
    System.*out*.printf("%d,%d,%d", a, i, j);

9. 执行完 boolean x=false; boolean y=true; boolean z=(x&&y)&&(!y) ; int f=z==false?1:2; 这段代码后，z与f的值分别是 （   ）和 （   ）。

二、选择题

1. 下面哪些标识符在Java语言中是合法的？ （   ）
A. persons$ B. TwoUsers   C. *point   D. instanceof F.end-line

2. 下列 （   ）是合法标识符。
A. 2end   B. -hello   C. =AB   D. 整型变量

3. 已知 int i = 2 147 483 647; ++i; 则 i 的值等于 （   ）。
A. - 2 147 483 648   B. 2 147 483 647   C. 2 147 483 648   D.-1

4. 若 x = 5,y = 8，则表达式 x|y 的值为 （   ）。
A. 3   B. 13   C. 0   D. 5

5. 若定义有变量 float f1,f2 = 8.0F，则下列说法正确的是 （   ）。
A. 变量 f1，f2 均被初始化为 8.0   B. 变量 f1 没有被初始化，f2 被初始化为 8.0
C. 变量 f1，f2 均未被初始化   D. 变量 f2 没有被初始化，f1 被初始化为 8.0

6. 基本数据类型 short 的取值范围是 （   ）。
A. （-256）~ 255   B. （-32 768）~ 32 767   C. （-128）~ 127   D. 0~65 535

7. 下列 （   ）是不能通过编译的语句。
A. double d = 545.0;   B. char a1 = "c";   C. int i = 321;   D. float f1 =45.0f;

8．若定义有 short s; byte b; char c; 则表达式 s * b + c 的类型为（　　　）。

A．char 　　　　　 B．short 　　　　　 C．int 　　　 D．byte

9．下列循环语句的循环次数是（　　　）。

```
int i=5;
do {    System.out.println(i--);
        i--;
   }while(i!=0);
```

A．5 　　　　 B．无限 　　　 C．0 　　　 D．1

10．下列代码哪几行会出错？（　　　）

```
1)    public void modify() {
2)        int I, j, k;
3)        I = 100;
4)        while (I > 0) {
5)            j = I * 2;
6)            System.out.println(" The value of j is " + j);
7)            k = k + 1;
8)            I--;
9)        }
10}
```

A．line 4 　　　　　 B．line 6 　　　 C．line 7 　　　 D．line 8

11．下列关于数组的定义形式，哪些是错误的？（　　　）

A．int[ ]c=new char[10]; 　　　　　 B．int[ ][3]=new int[2][ ];

C．int[ ]a; a=new int; 　　　　　　 D．char b[ ]; b=new char[80];

12．执行String[] s=new String[10];语句后，哪些结论是正确的？（　　　）

A．s[0] 为 未定义 　　　　　 B．s.length 为10

C．s[9] 为 null 　　　　　　 D．s[10] 为 ""

13．下列关于Java语言的数组描述中，错误的是（　　　）。

A．数组的长度通常用length表示 　　B．数组下标从0开始

C．数组元素是按顺序存放在内存的 　D．数组在赋初值和赋值时都不判界

14．下面的表达式哪些是正确的? （　　　）

A．String s="你好";int i=3; s+=i;

B．String s="你好";int i=3; if(i==s){ s+=i};

C．String s="你好";int i=3; s=i+s;

D．String s="你好";int i=3; s=i+;

E．String s=null; int i=(s!=null)&&(s.length()>0)?s.length():0;

15．下列代表十六进制整数的是（　　　）。

A．012345 　　B．2008 　　C．0xfa08 　　D．fb05

16．在 switch(expression)语句中，expression 的数据型不能是（　　　）。

A．char 　　　B．short 　　C．double 　　D．byte

17．下列说法正确的是（　　　）。

A．表达式"1+2>3"的值是 false B．表达式"1+2||3"是非法的表达式

C．表达式"i+j=1"是非法的表达式 D．表达式"1+2>3"的值是 true

18．指出正确的表达式（ ）。

A．byte=128; B．long l=0xfffL; C．Boolean=null; D．double=0.9239d;

19．**public class** T18 {

    static int *arr*[] = **new int**[10];

    public static void main(String a[]) {

        System.*out*.println(*arr*[1]);

    }

}

哪个语句是正确的？（ ）

A．编译时将产生错误 B．编译时正确，运行时将产生错误

C．输出零 D．输出空

20．若 String s = "hello"; String t = "hello"; char c[] = {'h','e','l','l','o'}；则下列哪些表达式返回 true？（ ）

A．s.equals(t); B．t.equals(new String("hello"));

C．t.equals(c); D．s==t;

21．执行下面的代码段：

switch(m){ case 0: System.out.println("case 0");

        case 1: System.out.println("case 1"); break;

        case 2:

        default: System.out.println("default");

    }

下列 m 的哪些值将引起"default"的输出？（ ）

A．0 B．1 C．2 D．3

22．下列关于"<<"和">>"的运算,哪些是正确的？（ ）

A．0000 0100 0000 0000 0000 0000 0000 0000<<5 的运行结果是

    1000 0000 0000 0000 0000 0000 0000 0000

B．0000 0100 0000 0000 0000 0000 0000 0000<<5 的运行结果是

    1111 1100 0000 0000 0000 0000 0000 0000

C．1100 0000 0000 0000 0000 0000 0000 0000>>5 的运行结果是

    1111 1110 0000 0000 0000 0000 0000 0000

D．1100 0000 0000 0000 0000 0000 0000 0000>>5 的运行结果是

    0000 0110 0000 0000 0000 0000 0000 0000

三、判断题

1．Java 语言使用的是 Unicode 字符集，每个字符在内存中占 8 位。（ ）

2．Java 语言中不同数据类型的长度是固定的，不随机器硬件不同而改变。（ ）

3．所有的变量在使用前都必须进行初始化。（ ）

4．已知 byte i = (byte)127; i = i +1;这两个语句能被成功编译。（ ）

5. String str="abcdefghi";　　char chr=str.charAt(9);（　　　）

6. char[] chrArray={ 'a', 'b', 'c', 'd', 'e', 'f', 'g' };　　　char chr=chrArray[6];（　　）

7. int i,j;　boolean booleanValue=(i==j);（　　　）

8. int intArray[]={0,2,4,6,8};　int length=int Array.length();（　　　）

9. String str="abcedf"; int length=str.length;（　　　）

10. short shortValue=220;　　byte byteValue=shortValue;（　　　）

11. int[] intArray[60];（　　　）

12. char[] str="abcdefgh";（　　　）

13. 说明或声明数组时不分配内存大小,创建数组时分配内存大小。（　　　）

14. 强制类型转换运算符的功能是将一个表达式的类型转换为所指定的类型。（　　　）

四、分析题

1. 分析下面的程序，写出运行结果。

```java
public class Exercises5_1 {
    String str = new String("Hi !");
    char[] ch = { 'L', 'i', 'k', 'e' };
    public static void main(String args[]) {
        Exercises5_1 ex = new Exercises5_1();
        ex.change(ex.str, ex.ch);
        System.out.print(ex.str + " ");
        System.out.print(ex.ch);
    }
    public void change(String str, char ch[]) {
        str = "How are you";
        ch[1] = 'u';
    }
}
```

运行结果是：（　　　　　　　　　）

2. 分析下面的程序，写出运行结果。

```java
public class Exercises5_2 {
    public static void main(String[] args) {
        int n = 1, m, j, i;
        for (i = 3; i <= 30; i += 2) {
            m = (int) Math.sqrt((double) i);
            for (j = 2; j <= m; j++)
                if ((i % j) == 0)
                    break;
            if (j >= m + 1) {
                System.out.print(i + "   ");
                if (n % 5 == 0)
```

```
                  System.out.print("\n");
               n++;
            }
        }
    }
}
```

运行结果是：（   ）

3．分析下面的程序，写出运行结果：

```
public class Exercises5_3 {
    public static void main(String args[]) {
        String str1 = new String();
        String str2 = new String("String 2");
        char chars[] = { 'a', ' ', 's', 't', 'r', 'i', 'n', 'g' };
        String str3 = new String(chars);
        String str4 = new String(chars, 2, 6);
        byte bytes[] = { 0x30, 0x31, 0x32, 0x33, 0x34, 0x35, 0x36, 0x37, 0x38,    0x39 };
        String str5 = new String(bytes);
        StringBuffer strb = new StringBuffer(str3);
        System.out.println("The String str1 is " + str1);
        System.out.println("The String str2 is " + str2);
        System.out.println("The String str3 is " + str3);
        System.out.println("The String str4 is " + str4);
        System.out.println("The String str5 is " + str5);
        System.out.println("The String strb is " + strb);
    }
}
```

运行结果是：（   ）

五、改错题

1．找出下面代码的错误部分，说明错误类型及原因，并更正。

```
public int m1 (int number[20]){
    number = new int[20];
    for(int i=0;i<number.length;i++)
        number[i] = number[i-1] + number[i+1];
        return number;
    }
```

2．找出下面代码的错误部分，说明错误类型及原因，并更正。

```
(1)   int x = 1;
      while (x <= 10);
          {   i++;   }
```

```
(2) switch (n) {
        case 1:    system.out.println(""The name is 1");
        case 2:    system.out.println(""The name is 2");
        break;
    }
```

六、简答题

1．Java 的关键字有哪些？

2．标识符有何用途？Java 中定义标识符的规则有哪些？

3．Java 定义了哪些基本数据类型？基本数据类型和引用数据类型的特点是什么？字节型和字符型数据有何区别？长度为 32 位的基本数据类型有哪些？

4．整型常量有哪三种表示形式？浮点型变量有哪两种表示形式？布尔型常量可以转换成其他数据类型吗？

5．在 Java 语言中，表示字符串常量和字符常量时应注意哪些问题？

6．在 Java 转义字符表示中，ASCII 码值对应的字符如何表示？Unicode 字符集中对应的字符如何表示？

7．什么是表达式语句？什么是空语句？什么是块语句？可以把块语句视为一条语种吗？

8．if 语句中，<条件表达式>一定是逻辑型表达式吗？switch 语句中，<语句序列>里一定有 break 语句吗？

9．while 循环语句与 do-while 循环语句有何不同？

10．for 循环语句中，关键字 for 后面括号内的表达式是否可以使用多个用逗号分隔的表达式？for-each 语句的特点是什么？

11．break 语句和 continue 语句有哪两种形式？

12．创建数组元素为基本数据类型的数组时，系统都会指定默认值吗？布尔型的默认值是什么？

13．在 Java 中怎样定义和使用一维数组、二维数组？

14．字符串类 String 和 StringBuffer 类有何不同？

15．Java 中的数组实际上是一个隐含的"数组类"的对象，而数组名实际上是该对象的一个引用，这种说法对吗？

16．字符数组与字符串有本质的不同，而字符串实际上是 String 类和 StringBuffer 类的对象，这种说法对吗？

七、编程题

1．编写一个程序，求 1!+2!+…+10!的值。

2．编程求 100 以内的全部素数。

3．使用异或运算符"^"实现两个整数的交换。

4．编写一个程序，打印输出下列 5×5 螺旋方阵：

```
1    2   3    4   5
16  17  18  19   6
15  24  25  20   7
14  23  22  21   8
13  12  11  10   9
```

5. 给出任意两个日期，编程计算它们相距的天数。

6. 编程输出下列图形：

```
    *
   ***
  *****
   ***
    *
```

7. 编程验证哥德巴赫猜想，即任何大于 6 的偶数可以表示为两素数之和，如 10=3+7。

8. 百鸡百钱问题，公鸡每只 3 元，母鸡每只 5 元，小鸡 3 只 1 元，用 100 元钱买 100 只鸡，公鸡、母鸡和小鸡各买多少？

9. 编写一个程序，利用数组把 10 个数用直接交换方法从小到大排序。

10. 编写一个程序，用选择法对数组 a[]={9, 5, 3, 12, 22, 35, 88, 11, 90, 1}进行由小到大的排序。

11. 找出一个二维数组的鞍点，即该位置上的元素在该行上最大、在列上最小（也可能没有）。

12. 编写一个程序，打印输出 10 行杨辉三角形。

13. 编写一个程序，实现字符串的大小写字母的相互转换。

14. 编写一个程序，找出两个字符串中所有相同的字符。

15. 编写一个程序，对字符串数组按字典序重新排列。

16. 编写一个程序，分析输出字符串中的单词，并统计单词个数。

17. 编写一个程序，将字符串".ymene tsrow sih si nam yrevE"反转。

实验二　Java 语言基础

一、实验目的

1. 掌握 Java 语言的标识符、基本数据类型、运算符和表达式、程序流程控制语句的语法、语义等知识。

2. 掌握数组（包括字符数）的声明、初始化及应用。

3. 掌握字符串的连接、求长度、查找、替换、比较、取子串等基本操作。

4. 掌握 String 类、StringBuffer 类和 StringTokenizer 类的构造方法与常用方法的应用。

二、实验内容

1. 给定一组字符，编程输出里面数值最大者。

2. 对数组中每个元素赋值后，按逆序输出。

3．对给定一整型数组，用冒泡排序算法按从大到小的顺序整序后输出。

4．给定一字符串，编程输出里面所包含的数字。

5．将给定的一字符串倒序输出。

6．水仙花数是指一个数各位数的立方和与该数本身的数值相等的数，如 $371=3^3+7^3+1^3$，则 371 是一个水仙花数。编程找出 1000 以内所有水仙花数。

7．编程对 Java 源程序进行简单的词法分析，找出其中用到的关键字、变量名、方法名和操作运算符等，并分别打印输出。

第3章 Java 语言面向对象基础

【本章要点】

1. 面向对象的基本思想和概念，主要包括抽象、类、对象、封装、继承、多态、消息通信、接口和包等概念。

2. UML 基础知识，主要包括类图、对象图、用例图、时序图、协作图、状态图、包图、组件图和部署图共九种图，泛化关系、依赖关系、实现关系、关联关系和聚集关系共五种关系。

3. Java 类的定义、对象的创建与清除。

4. 类变量和实例变量，类方法与实例方法的声明与使用。

5. 类包的创建、引入与运行。

3.1 面向对象基础

3.1.1 面向对象的基本思想

面向对象（Object Oriented，OO）方法可追溯到 20 世纪 60 年代后期出现的 Simula-67 面向对象程序设计语言，它首次引入了类和对象的概念，在 20 世纪 80 年代中期它受到了人们的广泛关注并迅速发展成熟，自 20 世纪 90 年代以来，它已成为软件开发的首选范型，当前面向对象技术已成为最好的软件开发技术。面向对象方法是指采用对象、类和继承等机制，并以消息传递实现对象之间通信的现代软件开发方法，可概括为：

面向对象(OO)=对象(Objects)+类(Classes)+继承(Inheritance)+

多态(Polymorphism)+消息通信(Communication with Messages)

面向对象方法的基本思想是按照人类习惯的思维方式，将客观世界的实体抽象为问题域中的对象（Object），每个对象封装了数据及其操作，软件即相互协作而又彼此独立的对象集合，并力求使解空间对象与问题域对象一致。

面向对象方法的四个基本要素：①万物皆为对象：指客观世界由各种对象组成，而复杂的对象可由比较简单的对象以某种方式组合而成。②按照对象分类：指将所有对象都划分成各种类（Class），每个类都定义了一组数据和一组方法。③支持类的继承：指按照子类（派生类）与父类（基类)的关系，把若干个类组成一个层次结构的系统（类树）。④采用消息通信：指对象彼此之间仅能通过传递消息互相联系。

面向对象方法的优势：①与人类习惯的思维方法一致；②稳定性好；③可重用性好；④可维护性好；⑤适合于大型软件开发。

在面向对象软件工程（Object Oriented Software Engineering，OOSE）中，其软件开发过程中包括面向对象分析（Object-Oriented Analysis，OOA）、面向对象设计（Object-Oriented

Design，OOD）、面向对象实现/面向对象程序设计（Object-Oriented Programming，OOP）和面向对象测试（Object-Oriented Test，OOT）等基本活动，这些活动是无缝耦合交叉套叠的。尽管本课程学习 Java 的重点是掌握面向对象程序设计，但 OOA、OOD 和 OOT 等也应适当兼顾，因为它们是面向对象软件开发的基本指导思想、方法论与实现技术。事实上，面向对象方法在概念和表示方法上的一致性，保证了在各项开发活动之间的无缝过渡，用面向对象方法开发软件时，在分析、设计和编码等各项开发活动之间并不存在明显的边界。

3.1.2　面向对象的基本概念

1. 抽象（Abstraction）

抽象、理论和设计是计算机方法论中三个基本过程（形态），是计算机学科认知领域中三个最基本的概念。抽象是指去除同类事物表象的和次要的方面，抽取其共同的和主要的方面，从个别中把握一般，从现象中把握本质的认知过程和思维方法。

在面向对象的开发过程中，抽象主要体现为：①从问题域的事物到软件模型中对象的抽象；②从对象到类的抽象；③从子类到父类的抽象。

在 Java 语言中，抽象（abstract）有两种含义：①若抽象为动词，则指上述的抽象思维过程。②若抽象为形容词，则用来修饰类和方法，分别表示抽象类（不能被实例化的类）和抽象方法（没有实现的方法）。

2. 对象（Object）

对象是对客观世界实体及实体关系的抽象。它是封装了"数据"及可以施加在这些数据上的"操作"的封装体，它有可惟一标识的名字，并向外提供一组服务接口（如公有操作）。对象具有状态和行为，对象中的数据表示对象的状态属性，又称为字段或数据项，在 Java 中称为"成员变量"；对象中的操作表示对象的动态行为，又称为服务或方法，在 Java 中称为"成员方法"。改变对象的状态时，只能由其他对象向该对象发送消息。对象响应消息时，按照消息模式找出与之匹配的方法，并执行该方法。

对象的特点：①以数据为中心；②实现了数据封装；③模块独立性好；④对象是主动的；⑤本质上具有并行性。

3. 类（Class）

分类是人类认识客观世界的基本方法。类是对具有相同数据和相同操作的一组相似对象的定义，其中包括创建该类对象的说明（如构造方法）。或者说，类是一组具有相同属性和行为对象的抽象。类及类的关系构成了对象模型的主要内容。面向对象编程的主要任务就是定义对象模型中的各个类。类是支持继承的抽象数据类型，对象则是类的实例。

4. 实例（instance）

实例是由某个特定的类所描述的一个个具体的对象。实际上，类是创建对象的"模板"，按照类模板所建立的一个具体的对象，即类的实例。对象既可特指一个具体的对象，也可泛指一般的对象，而实例则必然指一个具体的对象。计算机世界中的实体（Entity）称为解空间对象，实例作计算机中的一个实体，体现为物理内存中一段封闭的存储区域，其里面封装了数据及其操作。

5. 方法（Method）

方法是对象所能执行的操作，即类中定义的服务。方法描述了对象执行操作的算法，响应消息的方法。在 Java 中把方法称为成员方法，在 C++中把方法称为成员函数。

6. 属性（Attribute）

属性就是类中所定义的数据，它是对客观世界实体所具有性质的抽象。类的每个实例都有自己特有的属性值。在 Java 中把属性称为成员变量，在 C++中把属性称为数据成员。

7. 消息（Message）与服务（Service）

面向对象软件系统的复杂功能是由各种对象协同工作来共同完成的。消息通信机制是实现对象之间通信和协作的基本机制。消息是要求某个对象执行其中某个功能操作的规格说明，是对象之间相互请求与相互协作的基本途径。每个对象都具有特定的功能，相对于其他对象而言，其功能就是为其他对象提供的服务。对象所提供的服务是由对象的方法来实现，因此发送消息实际上也就是调用一个对象的方法。通常，将发送消息的对象称为发送者（服务使用者），把接收消息的对象称为接收者（服务提供者）。一个对象可以同时表现为消息发送者和消息接收者两种角色，即一个对象在响应其他对象的请求（消息）为其提供服务的同时也可以向别的对象发送消息请求服务。消息通信模型如图 3-1 所示。

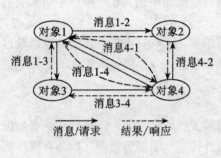

图 3-1　消息通信模型

一般地，消息具有三个基本性质：①同一对象可接收不同形式的多个消息，产生不同的响应；②相同形式的消息可以送给不同的对象，所作出的响应可以是截然不同的；③消息的发送可以不考虑具体的接收者，对象可以响应消息，也可以对消息不予理会，对消息的响应并不是必须的。

在面向对象程序设计中，消息是一个对象向其他对象发出的服务请求，它具体表现为对对象中成员变量和成员方法的引用。消息的基本数据结构（规格说明）主要包括提供服务的对象标识、服务标识、输入信息和回答信息等要素，分别体现为对象名、方法名、实际参数和返回值/操作结果等。

8. 接口（Interface）

在面向对象系统中，接口是一个抽象的概念，是指系统对外提供的服务。接口只描述系统所提供的服务，而不包含服务的实现细节。对象可视为是细粒度的子系统，它通过接口对外提供服务。对象的接口由向服务使用者公开的所有方法声明构成。服务使用者在获得服务时，其服务的实现细节对服务使用者是透明的。接口是实现系统之间解耦的有力手段，提高了系统的可扩展性。

Java 语言中接口的两种含义：①概念性接口：指系统对外提供的所有服务，在对象中表现为 public 类型的方法。②接口类型：指用 interface 关键字定义的接口，它描述了系统对外提供的所有服务，实现了服务与服务实现细节的分离。值得指出的是，Java 中"interface"的首次提出与使用，真正实现了系统设计与实现的分离，在面向对象技术的发展中具有里程碑意义。

9. 封装（Encapsulation）

封装是指把对象的属性及对属性的操作封装在一个不可分割的独立单元（即对象），并尽可能隐藏对象的属性和实现细节（信息隐藏），仅对外公开接口，为用户提供透明服务，如图 3-2 所示。

图 3-2　对象的封装与交互

封装的条件：①有一个清晰的边界。所有私有数据和实现操作的代码都被封装在此边界内，对外不见而不能直接访问。②有确定的接口（协议）。对象接口即对象可以接收的消息，只能通过向对象发送消息来引用它。③受保护的内部实现。实现对象功能的细节（私有数据和代码）不能在定义该对象的类域外访问。

封装的优势：①方便用户的理解与使用，防止用户错误修改系统属性。②有利于各个系统之间的解耦，提高各系统的独立性。③提高软件的可重用性。④降低了构建大型系统的风险。

封装的实现：在面向对象编程语言中通过访问控制来实现封装，访问控制机制能控制类和对象的属性与方法的可访问性。在 Java 中，对于类成员（成员变量与成员方法）的访问控制共有四种级别：①public：对外公开，具有类域、包域和跨包域访问性，访问级别最高。②protected：具有类域、包域和跨包子类访问性，即对同一个类、同一包中的类或者跨包中的子类公开可见。③默认（default）：具有类域和包域访问性，即只对同一个类和同一个包中的类公开可见。④private：不对外公开，只具有类域访问性，即只在同一类内部公开可见，访问级别最低。灵活运用类成员的四种访问级别可有效地控制对象的封装程度。

封装的原则：①尽最大可能实施信息隐藏，对外提供简洁统一的接口。②原则上将所有的属性藏起来，通过接口中的访问器（getX()）和修改器（setX()）来改变对象状态。

10. 继承（Inheritance）

继承是子类自动地共享基类中定义的数据和方法的机制，是一种由已有的类创建新类的代码重用机制，提高了系统的可重用性和可扩展性。通过继承，人们可先创建一个拥有共同属性的一般类，再根据此一般类创建具有特殊属性的新类，新类在继承一般类的属性和方法的同时，可根据需要新增加自己特有的属性和方法或者覆盖父类中的方法。由继承而得的类称为子类（Subclass），被继承的类称为父类（Father Class）或超类（Superclass）或基类（Base class）。

继承的传递性：指一个子类不仅继承了直接父类的属性和方法，而且继承了间接父类的属性和方法。若 A 是 B 的直接父类，B 是 C 的直接父类，则 C 继承了 B 和 A 属性和方法。

继承的分类：①单继承：指一个类最多有一个父类，其类的泛化关系表现为树型结构。②多继承：指一个类允许有两个以上父类，其类的泛化关系表现为图形结构。多重继承功能强大，但复杂性比单继承高，要特别注意避免二义性。C++支持单继承和多继承；Java 不支持多继承，只支持单继承，其子类只能有一个父类。

要指出的是，由于继承关系打破了类的封装，实际中，为了降低父子类之间的耦合度，受访问控制符的限制，子类只能继承父类的部分属性和方法，如父类中用 private 修饰的属性和方法不能被子类继承。

11. 多态性（Polymorphism）

封装、继承和多态是面向对象的基本特征，而多态与封装、继承紧密相关。Java 不支持多继承，其多态性比 C++相对简单，主要体现在两个方面：①与封装（类的定义）相关的方法重载：指同一个类中允许相同方法名的方法存在多种形式，编译时依据方法参数的顺序不同、个数不同和类型不同进行匹配调用，它是一种静态多态，或称编译时静态绑定；方法重载不是代码重用，而是对外提供统一简洁的接口。②与继承相关的方法覆盖：指同一消息既可发送给父类对象也可发送给子类对象，而父类对象和子类对象可根据它所属的类动态调用在该类中定义的不同实现算法，它是一种动态多态，或称运行时动态绑定；方法覆盖提高了系统灵活性和可读性，降低了继承所产生的复杂性。

3.1.3 面向对象的建模方法

模型是对现实世界中原型系统的一种抽象和歧义的书面描述，以反映事物的本质特征。软件模型是对软件系统的一种抽象。模型应具有抽象性、可理解性、精确性、确定性和廉价性等基本特性。模型由一组图示符号和组织这些符号的规则组成。在面向对象软件开发中，主要有对象模型、动态模型和功能模型，它们分别用来描述系统数据结构、系统控制结构和系统功能。通常使用统一建模语言（Unified Modeling Language，UML）提供的类图、对象图来建立对象模型，使用顺序图、协作图、状态图和活动图建立动态模型，使用例图、构件图建立功能模型。

3.2 UML 基础知识

3.2.1 UML 简介

Grady Booch (格雷第·布屈)、Ivar Jacobson（依瓦·亚克生博士）和 James Rumbaugh (詹姆斯·论伯博士) 是 UML 的三位创始人，他们于 1996 年 6 月设计出 UML 0.9。1997 年 11 月，对象管理组织（Object Management Group，OMG）将 UML 1.1 正式批准基于面向对象技术的标准建模语言。UML 中的"U"表示对多种经典的 OO 建模方法（如 Booch、OMT 和 OOSE 等方法）进行了统一，形成了规范；"M"表示支持建立软件开发过程中的各种工程模型；"L"表示是一种可视化的（图式）语言，它具有指定的建模元素（图式符号），严格的语法（构图规则）和明确的语义（逻辑含义）。Ration Rose 和 MagicDraw UML 是业界领先可视化 UML 建模和面向对象系统设计分析工具和 CASE 工具。本教材中的 UML 图均使用 MagicDraw UML 11.0 绘制。

3.2.2 UML 图

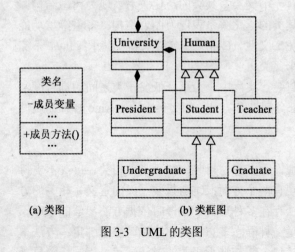

(a) 类图 (b) 类框图

图 3-3 UML 的类图

为了支持从不同角度来考察系统，UML 定义了用例图，静态图（类图，对象图，包图），交互图（顺序图，协作图），行为图（状态图，活动图），实现图（构件图，部署图）共五类 10 种模型图。

1. 类图（Class Diagram）

类图用来定义系统中类的内部结构和类之间的相互关系，描述了在系统的整个生命周期都有效的静态结构，它包括内容有：①类：它是类框图中的主要元素，用"三层矩形"表示，其上层表示类名，中层表示属性（状态），下层表示方法（行为），如图 3-3（a）所示，属性与方法前面的+、#、~和-分别表示公有（public）、保护（protected）、默认和私有（private）访问控制权限。抽象类和抽象方法的名字用斜体字表示。②类之间的关系：包括关联、依赖、聚集、泛化和实现五种关系，详情见本章 3.2.3 节（类的五种关系）。

如图 3-3（b）所示，类 Human 是类 President、Student 和 Teacher 的父类，它们之间存在一般到特殊的泛化关系（继承关系）、类 University 与类 President、Student 和 Teacher 存在组合关系，表示一所大学由校长、学生和教师组成。

2. 对象图（Object Diagram）

对象图是类图的实例，对象存在生命周期，对象图只能在系统某一段时间存在。如图 3-4（a）所示 student 是图 3-4（b）Student 类的对象或实例。

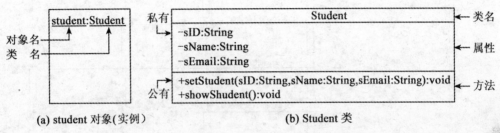

(a) student 对象(实例)　　　　　　　　(b) Student 类

图 3-4　UML 的对象与类

3. 用例图（Use Case Diagram）

用例图来从用户角度描述系统的功能，并指出各功能的操作者。用例图以可视化方式帮助开发团队理解系统的功能需求。它包括内容有：①角色：角色是系统的边界，即使用系统特定功能的用户，用"人形"符号表示。②用例：表示系统的某个功能，用"椭圆"符号表示。③角色和用例的关系：角色和用例之间是使用关系，用"带实线的箭头"符号来表示。④用例之间的关系：用例之间可存在包含关系和扩展关系。包含关系指一个用例包含了另一个用例的功能，扩展关系指一个用例继承了另一个用例的功能。

某选课系统如图 3-5 所示，有学生、教师和教务干事三种角色(参与者)，其中学生可以完成用户注册、课程注册和浏览课程；教师可以开办课程、删除课程和浏览课程；教务干事可以管理注册学生、审定课程和排课。

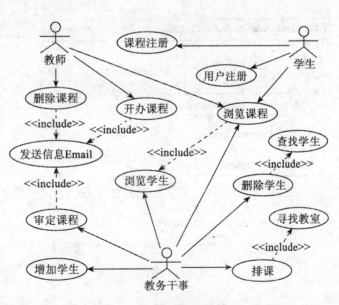

图 3-5　选课系统用例图

4. 顺序图（Sequence Diagram）

顺序图用来描述对象之间的协作关系和交互过程，强调对象之间消息发送的顺序。

顺序图有如下两个维度：①水平维度：显示对象之间发送消息的过程；②垂直维度：显示发送消息的时间顺序和生命周期。

如图 3-6 所示是选课系统采用会话外观设计模式的排课顺序图，客户端通过网络，先发送 createCourse 消息创建 SessionFacade 对象，然后交由 SessionFacade 对象以消息方法依次建立了 Course、Teacher 和 Classroom 对象，最后给 Course 对象指派了教师和分配了教室。

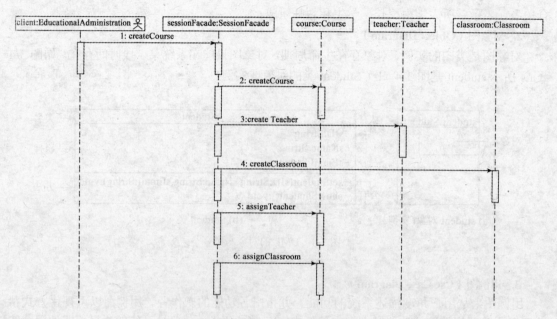

图 3-6　选课系统的排课顺序图

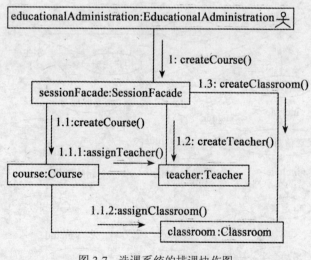

图 3-7　选课系统的排课协作图

5.　协作图（Collaboration Diagram）

协作图用来描述对象间的协作关系，强调对象之间的通信关系，它与顺序图包含的信息相同，Rational Rose 工具能够使二者自动转换。两者的主要区别是，顺序图侧重演示的是对象与角色随着时间的变化进行的交互，而协作图则不参照时间，直观地显示对象与角色之间的协作过程。可以根据协作图来分析和调节对象之间的功能分布。如图 3-7 所示是选课系统采用会话外观设计模式的排课协作图。

6.　状态图（State Diagram）

状态图用来描述对象在它的生命周期中所处的不同状态，以及事件发生时状态转移的条件。没有必要为每个类建立状态转换图，通常只对那些有多个状态，并且其行为受外界环境的影响而发生变化的类绘制状态图。状态转换图的基本元素有：①初始点：用"实心圆"表示；②状态之间的转换：用"箭头"来表示；③状态：用"圆角矩形"表示；④终止点：用"内含实心圆的圆"表示。选课系统的用户注册状态图如图 3-8 所示。

7. 活动图（Activity Diagram）

活动图用来描述为满足用例，应该进行的活动以及活动间的约束关系。选课系统的用户注册活动图如图 3-9 所示。

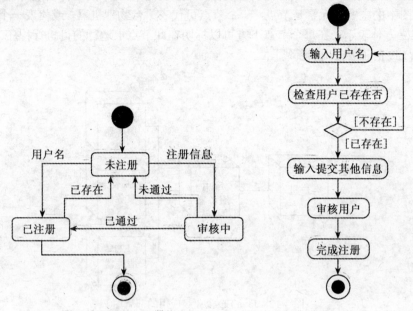

图 3-8　选课系统的用户注册状态图　　　　图 3-9　选课系统的用户注册活动图

8. 包图（Package Diagram）

包图用于描述系统的分层结构。UML1.1 以后，包图不再是一种独立的模型图。

如图 3-10 所示的 com.comsoft.ch03 包中，有四个类（ClassMethodDemo、ClassVariableDemo、InstanceMethodDemo、InstanceVariableDemo）和一个接口（InOutInterface）。

图 3-10　类与接口的包图

9. 构件/组件图
（Component Diagram）

构件图主要用来显示软件系统中构件之间、与第三方构件（例如类库）之间的依赖关系。构件图既可在高层次显示粗粒度的构件，也可在低层次展示某个构件的组成结构。

构件称为组件或中间件，它由一组协作完成特定服务的类组成。每个构件都

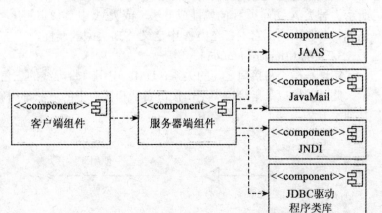

图 3-11　Java EE 企业级应用的高层组件图

封装实现细节，对外公开接口。构件之间具有较高的独立性，它们只存在依赖关系，即一个构件会访问另一个构件的服务。如图 3-11 所示是 Java EE 企业级应用的高层组件图。

10. 部署图（Deployment Diagram）

部署图用来定义系统中软硬件的物理体系结构，展示系统中的组件在硬件环境中的物理布局。部署图中的主要的元素是节点，一个节点可代表一台物理机器，或代表一个虚拟机器。节点用三维立方体表示，在每个节点下方可以标明在此节点上运行的可执行程序。如图 3-12 所示是 Java EE 企业级应用的部署图。

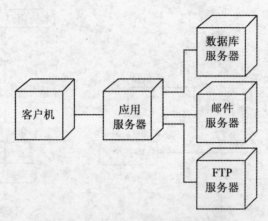

图 3-12　Java EE 企业级应用的部署图

3.2.3　类间关系

在 UML 中，类之间存在主要有关联、依赖、聚集、泛化和实现五种关系。

1. 泛化（Generalization）

泛化指类之间的继承关系、一般与特殊的关系，UML 中用"带实线的三角形箭头"表示，如图 3-13 所示。

2. 依赖（Dependency）

依赖指的是类之间的调用（使用）关系，UML 中用"带虚线的箭头"表示，如图 3-14 所示。若类 A 访问类 B 的属性或方法，或类 A 中负责实例化类 B，则说明类 A 依赖类 B。依赖与关联不同，它不必在类 A 中定义类 B 类型的属性。

3. 实现（Implementation）

实现是指类与接口之间的关系，UML 中用"带虚线的三角形箭头"表示，如图 3-15 所示。此处的接口是指接口类型，接口名字和接口中的方法都用斜体字表示，接口中的方法都是抽象方法。

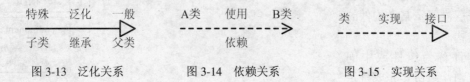

图 3-13　泛化关系　　　　图 3-14　依赖关系　　　　图 3-15　实现关系

4. 关联（Association）

关联指类之间的特定对应关系，UML 中用"带实线的箭头"表示。若类 A 与类 B 关联，则类 A 中包含有类 B 类型的属性。按照类之间的数量对比，关联可分为以下三种，如图 3-16（a）、（b）、（c）所示。

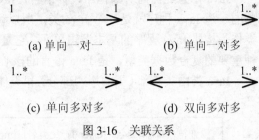

图 3-16 关联关系

①一对一关联：若一所学校只设一个校长，一个校长只能在一所学校任职，则学校与校长之间是一对一关联。

②一对多关联：若一个学生只能在一所学校注册，一所学校可招收 N 名学生，则学校与学生之间是一对多关联。

③多对多关联：若一门课程可被多名学生选修，一个学生可选修多门课程，则课程与学生之间是多对多关联。

关联还可以分为单向关联和双向关联，如图 3-16 所示。

5. 聚集（Aggregation）

聚集指的是整体与部分之间的关系，UML 中用"带实线的菱形箭头"表示。聚集关系可分为两种类型：

①聚合（Aggregation）关系：它是普通聚集关系，被聚集的子系统允许被拆卸和替换，整体与部分的生命周期可不一样，UML 中用带"实线的空心菱形箭头"表示，空心菱形指向的是代表"整体"的类，如图 3-17（a）所示。聚合关系的例子如：一部电话机包含主机和话筒，一台计算机包含主机、显示器和键盘等。

②组合（Combination）关系：它是强聚集关系，被聚集的子系统不允许被拆卸和替换，整体与部分的生命周期相同，UML 中用带"实线的实心菱形箭头"表示，如图 3-17（b）所示。聚合关系的例子如：集成型主板中不允许拆卸的显示卡、网卡和声卡，一个公司与其部门之间的关系，等等。

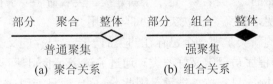

图 3-17 聚集关系

6. 依赖、关联和聚集的区别

依赖、关联和聚集关系存在异同，建立对象模型时很容易混淆。若对象 A 与对象 B 之间存在依赖或关联或聚集关系，则对象 A 都有可能调用对象 B 的方法，这是三种关系的相同之处，然而它们都有着各自不同的特征。

①依赖关系的特征：对于两个相对独立的系统，当一个系统负责构造另一个系统的实例，或者依赖另一个系统的服务时，这两个系统之间主要体现为依赖关系。

②关联关系的特征：对于两个相对独立的系统，当一个系统的实例与另一个系统的一些特定实例存在固定的对应关系时，这两个系统之间为关联关系。

③聚集关系的特征：当系统 B 被加入至系统 A 中，系统 B 成为系统 A 的组成部分时，系统 A 和系统 B 之间为聚集关系。

④聚集关系和关联关系的生命周期不同：具有关联关系的两个对象，在多数情况下，两者有独立的生命周期；具有聚集关系（特别是强聚集关系）的两个对象，整体对象会制约它的组成对象的生命周期。

3.3 类的定义

Java 作为纯面向对象程序设计语言，Java 程序中的数据与操作皆封装在若干类中，最简单的一道 Java 程序就是一个 Java 类，所以说，Java 程序即类，这是 Java 程序的重要特点。类作为构建 Java 程序的基本逻辑单元，它是一种封装性的成员变量与成员方法的集合，是一种重要的复合数据类型，是 Java 语言的核心基础。

Java 类由类首部（类的声明部分）和类体两部分组成，其定义的一般格式如图 3-18 所示。

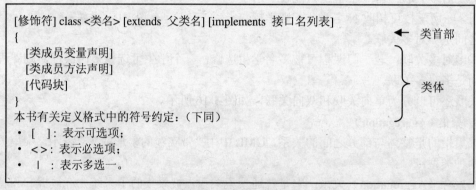

图 3-18　类的一般格式

3.3.1 类首部

1. 类的声明用关键字

①class（类）：它告诉 Java 编译器，其后的"<类名>"是一个新建类。类名命名要求首字母大写，其他各词首字母也大写，类名能见名知意，反映类的功能与作用。

②extends（继承/扩展）：用来说明定义的新类是哪一个已存在的类的子类。已存的父类可以是 Java 标准类库中定义的类，也可以是程序员已定义好的类。通过关键字 extends 可以继承父类中部分成员变量与成员方法。由于 Java 只支持单继承，因此 extends 后只能跟一个父类名。当 extends 项缺省时，则新建类默认继承 Object 类。值得指出的是，事实上，Object 类是 Java 类树中顶层的根类，其他每个类都是 Object 类的子类，它们都直接或间接地继承了 Object 类。

③implements（实现）：说明当前定义的新类实现哪些接口所定义的功能和方法，接口名列表中的多个接口间用逗号","分隔。接口是 Java 语言实现多重继承的一种特殊机制，将在 4.6 节中介绍。

2. 类的修饰符

[修饰符]它用来说明类的作用域及其他性质，类的修饰符是可选项，其格式如下：

[[public] [abstract | final]]

（1）类的访问控制符（详见 4.2.1 节）

①默认（default 类）：无访问控制符的类，称为默认类。默认类只能被同一个包中的类所使用，而不能被其他包中的类所访问，默认类只具有包访问性。

②public（公有类）：使用 public 修饰的类叫公有类，它能被其他所有类所使用，公有类

具有包访问性和跨包访问性。需要指出的是，Java 程序中的主类（含有 main( )方法的类）必须是公有类。

（2）类的非访问控制符

①abstract（抽象类）：使用 abstract 修饰的类叫抽象类。抽象类中可以含有未实现的方法（抽象方法）。抽象类是一种不能被实例化而没有具体对象的概念类。通常抽象类是它的所有子类的公共属性和方法的集合，抽象类必须被继承，由其子类重写其中的抽象方法后方能被实例化。

②final（最终类）：使用 final 修饰的类中最终类。最终类不能有子类，故其中的方法不能被覆盖（重写）。实际中，最终类是用来完成某种标准功能的类，为提高系统可靠性、安全性而不允许用户随意修改，如 Java 标准类库中的一些底层类。

　　注意：由于 final 类不能有子类，而 abstract 类必须被子类继承，两者互为矛盾，故不能用来同时修饰一个类。

3.3.2　类体

类体是用一对花括号"{}"括起来的类的数据与操作集合，一般地，数据与操作分别称为成员变量和成员方法。类体中可以包括用花括号"{}"括起来的代码块，类体也可以为空。

其一般格式如图 3-19 所示：

```
{  // 类体
   // 成员变量
   [ public|protected|private ] [static] [final] [transient] [volatile][ transient]    //变量修饰符
   <数据类型> <变量名列表> [ ,变量名 = <初值> ];                                     //简单成员变量
   [修饰符] <类名> <对象名> [ = new <构造方法名> ( [实参表] ) ];                      //对象成员变量

   // 成员方法
   [public| protected| private] [static] [final| abstract] [native] [synchronized]    //方法修饰符
   <返回值类型> <方法名> ( [ 形式参数列表 ] )   [ throws 异常列表 ] {                   //方法首部
      [ 语句序列; ]                                                                    //方法体
   }

   //代码块
   [ static ] {
      [ 语句序列; ]                                                                    //代码块
   }
}
```

图 3-19　类体的一般格式

1. 成员变量

（1）成员变量的定义格式

成员变量可分为简单成员变量和对象成员变量。

①简单成员变量。

简单成员变量是指"<数据类型>"为 Java 基本数据类型的变量，其定义格式见图 3-19。其中，"<变量名列表>"是指用逗号","分隔的多个变量，简单成员变量在定义时可以赋初值，缺省时为对应数据类型变量的默认值。"变量名"是用户自定义标识符，其首字母小写，

其余单词首字母大写，并可在其前加上数据类型，应尽量做到"见名知义"。

②对象成员变量。

对象成员的定义格式见图 3-19。其中，"<类名>"是另一个类的名字，Java 语言规定：一个类体内可以包含另一个类的对象。当类中含有其他类的对象时，反映了两个类之间的"组合关系"。对被组合类的对象可以在创建它时进行初始化，也可以用类的相关方法创建。

（2）成员变量的修饰符

①访问控制修饰符

a. public（公有成员变量）：使用 public 修饰的变量叫公有成员变量。若公有成员变量属于一个公有类，则它可以被所有类访问。

b. protected（保护成员变量）：使用 protected 修饰的变量叫保护成员变量，它可被该类自身、同一包中的其他类和其他包中该类的子类访问。该修饰符的特点是允许其他包中该类的子类访问。

c. 默认（default 成员变量）：若成员变量无访问控制符，称为默认访问控制，则此成员变量具有类访问性和包访问性，它能被同一个类和同一个包中的其他类访问。

d. private（私有成员变量）：使用 private 修饰的变量叫私有成员变量，它仅可被该类自身访问，任何其他类（包括该类的子类）都不可以访问它。

②非访问控制修饰符

a. static（静态成员变量）：使用 static 修饰的变量叫静态成员变量，它的特点是属于类的，而不是属于某个对象的，故又被称为"类变量"。静态成员变量被系统存放在内存"方法区"中的一个公共存储单元中，只有一个副本，被该类的所有对象共享，任何对象都可以访问它，也可以修改它。一旦被修改后，将保持被修改后的内容直到下次被修改为止。静态成员变量的引用可以使用类名，也可以使用对象。

b. final（最终成员变量）：使用 final 修饰的变量叫最终成员变量，它是 Java 语言中的符号常量。使用 final 说明的成员变量是一种符号常量。最终成员变量必须被显式初始化，其值在程序的整个执行过程中不能被改变。最终成员变量的说明格式是：[<修饰符>] final <类型><变量名> = <初值>；最终成员变量通常还被说明为 static 类型。使用符号常量可使程序更加易读，便于修改和维护。

c. volatile（易失成员变量）：使用 volatile 修饰的变量叫易失成员变量，它可被多个并发线程共享、控制和修改。这种变量在运行过程中可能被其他未知因素改变，使用时要特别注意这些影响因素。

d. transient（瞬时成员变量）：使用 transient 修饰的变量叫瞬时成员变量，它不能被串行化，对于需要保密的变量，可使用瞬时成员变量提高其安全性。类中成员变量在默认情况下都是持久状态的一部分，当对象被串行化时非瞬时成员变量被保存在串行化的文件中，需要时可被反串行化而恢复到对象中。

（3）成员变量的访问

类的成员变量分为类变量（静态变量）和实例变量（非静态变量）两种。其中，类变量的访问方法有两种："类名.类变量名"和"实例名.类变量名"；实例变量的访问方法只有一种："实例名.实例变量名"。

2. 成员方法

Java 程序中的每一个成员方法都属于某个特定的类。成员方法的作用：①对该类体内的变量进行各种操作；②与其他类的对象进行信息交流，作为类与外部进行交互通信的接口。

（1）成员方法的定义格式

成员方法由方法首部和方法体构成。方法说明（方法首部）中必须包含<类型>、<方法名>和一对圆括号，可省略的有[修饰符]、[参数表]和 throws 及后面的[异常类名列表]。

①方法首部。

a. 方法修饰符：方法修饰符是可选项，包括访问控制修饰符（public、protected、默认、private）和非访问控制修饰符（static、final、abstract、native、synchronized）。

b. 方法三要素：一般的成员方法包括返回值类型、方法名和方法参数三个基本要素。

Ⅰ．返回值类型：除构造方法外，返回值类型为必选项，它可以是 Java 的任意数据类型，包括基本数据类型和引用类型（类、接口和数组）。若方法没有返回值，则用 void 关键字表示。需要指出的是"构造方法"作为一种构建类实例的特定用途的方法，其返回值为该类的对象引用，所以不必也不允许有任何类型的返回值（包括 void 类型）。

Ⅱ．方法名：方法名为必选项，方法名是一个动词，第一个单词的首字母小写，其后单词的首字母大写。

Ⅲ．方法参数：形参列表放在一对圆括号中，形如"([形参列表])"，尽管其中的形参可以缺省，但任何情况下其中的"圆括号"不能没有，因为"圆括号"是方法名区别于变量名等其他不同功能标识符的惟一标志。

c. 方法异常列表：为了提高程序的健壮性和可维护性，Java 采用了面向对象的异常处理机制来处理各种错误。其中在声明一个方法时，可在其方法首部用 throws 关键字明确指出该方法运行时可能抛出的各种异常（Exception），以方便用户捕获和处理异常。有关异常处理的详细介绍见第8章（异常处理机制）。

②方法体。

方法体是实现该方法功能的代码段，它是由一对花括号"{ }"括起来的语句序列，其中包含说明语句和执行语句，也可以为空。

a. 无方法体：指整个方法体仅表现为一个分号"；"且没有花括号"{}"，它表示该方法没有被实现。当且仅当方法的修饰符中有 abstract（抽象方法）或 native（本地方法）时，方法才无方法体。

b. 空方法体：指方法体表现为一对花括号"{ }"，它表示有方法体，但没有任何操作。

c. 空语句方法体：指方法体中只有空语句的方法，即"{ ; }"，它表示有方法体，但只有空操作。

（2）成员方法的修饰符

成员方法的修饰符可分为访问控制符和非访问控制符两类。

①访问控制修饰符。

a. public（公有成员方法）：使用 public 修饰的方法叫公有成员方法，是一种服务型方法。若公有成员方法属于一个公有类，则它可以被所有类访问。公有成员方法作为该类对外的服务接口，用户程序可将它作为此类对象的访问器（getX()）、修改器（setX()）获取和改变对象状态，通过它与类体内的成员变量进行信息交换。

b. protected（保护成员方法）：使用 protected 修饰的方法叫保护成员方法，它可被该类自身、同一包中的其他类和其他包中该类的子类访问。该修饰符的特点是允许其他包中该类的子类访问。

c. 默认（default 成员方法）：若成员方法无访问控制符，称为默认访问控制，则此方法具有类访问性和包访问性，它能被同一个类和同一个包中的其他类访问。

d. private（私有成员方法）：使用 private 修饰的方法叫私有成员方法，它只能被该类自身访问，而不能被其他类（包含自身类的子类）访问。私有成员方法作为一种支持型方法，其目的是帮助其他方法完成它们各自的任务。

②非访问控制修饰符。

a. static（静态成员方法/类方法）：使用 static 修饰的方法叫静态成员方法，它的特点是属于整个类的方法，而不是属于某个对象的，故又被称为"类方法"。静态成员方法被系统存放在内存"方法区"中的一个公共存储单元中，只有一个副本，被该类的所有对象共享，任何对象都可以访问它。静态成员方法的引用可以使用类名，也可以使用对象。通常静态方法只能处理静态变量。

b. final（最终成员方法）：使用 final 修饰的方法叫最终成员方法，它不能被当前类的子类重新定义。最终成员方法防止了子类对父类方法的覆盖（重写），保证了系统的安全性和正确性。

c. abstract（抽象方法）：使用 abstract 修饰的方法叫抽象方法，它是一种只有方法说明，而没有方法体的成员方法，其具体实现由继承它的子类实现。使用抽象方法的目的是使所有该类的子类都有一个同名的方法作为统一的接口。需要指出的是，若一个类中有抽象方法，则此类必为抽象类，但抽象类中不一定有抽象方法。

d. native（本地成员方法）：使用 native 修饰的方法叫本地成员方法，它通常用来说明方法体是用其他语言（如 C、C++、汇编语言等）编写的特殊方法。本地成员方法只在类体内给出说明，而其方法体在类体外。使用本地方法可充分利用已有程序，避免重复性劳动，保护用户原有投资，但它会降低程序跨平台能力。

e. synchronized（同步方法）：使用 synchronized 修饰的方法叫同步方法，它主要用于多线程共存的程序中协调和同步。

注意：①static 和 abstract 不能同时修饰某一个成员方法，即：一个类（静态）方法不能被定义为抽象方法。因为类方法用来表示某个类所特有的功能，这种功能的实现不依赖于类的具体实例，也不依赖于它的子类，所以当前类必须为类方法提供实现。②final 和 abstract 也不能同时修饰某一个成员方法，即：一个最终成员方法不能被定义为抽象方法。因为 final 成员不能被子类方法覆盖（重写），而 abstract 成员方法必须被子类方法重写并实现，两者互为矛盾，故不能用来同时修饰一个成员方法。③private 和 abstract 不能同时修饰某一个成员方法，即：一个私有方法不能被定义为抽象方法。因为私有方法不能被子类继承而重写，这与抽象方法必须被重写相背。

结论：abstract 与 static、abstract 与 final、abstract 与 private 在语义互为矛盾，所以不能连用，否则将导致编译错误。

（3）成员方法的参数和返回值

①方法参数：成员方法可以有参数，也可以没有参数，在有多个参数时用逗号分隔。定义时的参数称为形参，每个形参应由参数类型和参数名组成，形参类型可以是基本数据类型和引用类型（类、接口和数组）。值得指出的是，Java 的同一个类中可定义多个同名方法，而用方法参数的顺序、个数和类型作为方法被调用时的匹配项，即方法重载。

②返回值：每个成员方法最多有一个返回值。返回值可以是任意类型，包括基本数据类型和引用类型（类、接口和数组）。若方法没有返回值，则用 void 关键字表示。方法的返回值是通过 return 语句实现，其一般格式是：return ＜表达式＞；

要求：①＜表达式＞的类型与方法定义中返回值的类型赋值相容。Ⅰ. 对基本数据类型，可通过自动转换或强制转换使类型赋值相容；Ⅱ．对于类类型，要求完全一致或者为父类类型；Ⅲ．若返回类型为接口，则返回的数据类型必须实现该接口。②最好不要在方法内使用超过一条以上的 return 语句，且常将 return 语句作为方法的最后一条语句。

（4）成员方法的调用

①成员方法的调用方式。

类的成员方法有分类方法（静态方法）和实例方法两种。其中，类方法的访问方法有两种："类名.类方法名([实参列表])" 和 "实例名.类方法名([实参列表])"；实例方法的访问方法只有一种："实例名.实例方法名([实参列表])"。

②方法参数的传递。

在调用过程中传递至方法的值称为实参。实参可以是常量、变量和表达式。形参是方法的局部变量，其初始值来自调用过程中的实参。

a．实参->形参的赋值相容

实参的类型必须和形参类型赋值相容，其主要规则是：Ⅰ．若形参为基本数据类型，则实参可通过自动转换或强制转换使其对形参赋值相容；Ⅱ．对于类类型，或者实参与形参是相同类对象；或者实参是为形参的子类对象，则子类对象可自转化为父类对象；或者实参是为形参的父类对象，则父类对象必须强制转化为子类对象。Ⅲ．若形参为接口，则实参可以为已实现了该接口的类类型。

b．实参->形参的传递方式

Ⅰ．单向值传递：若形参为基本数据类型，则此形参作为方法的入口参数。方法被调用时系统先计算出实参的值，再将实参值拷贝给形参，给形参赋初值。实参与形参在内存中有各自独立的副本而互不影响，因此，不能改变调用方法中的实参的值。

Ⅱ．双向引用传递：若形参为复合类型（如类类型、接口），则此形参既是方法的入口参数，也是方法的出口参数。方法被调用时系统将实参对象的"引用"（相当地址）值拷贝给形参。实参与形参在内存中共享同一个副本而互相影响，因此，对形参的改变会影响到原来的实参值。Java 中，复合类型变量实际上是引用，并采用动态联编。

（5）成员方法的局部变量

局部变量是指在方法内定义的变量，包括方法形参。局部变量的作用域仅限于所定义的方法内，不能在其所在方法以外的地方对它进行访问。

局部变量与成员变量处于不同层次的变量，在方法内可以定义与成员变量同名的局部变量。对于同名的局部变量与成员变量，在方法内访问时则局部变量优先而直接调用局部变量。局部变量在方法被调用时由系统分配临时的存储单元，直到方法调用结束而自动消亡。

3．类代码块（static 代码块）

类代码块是类体中用 static 修饰或者缺省修饰的用一对花括号定界起来的一组语句序列，又称为静态代码块。类代码块不存在于任何方法体中。Java 虚拟机加载类时会自动执行类代码块。若类中包含多个类代码块，则 Java 虚拟机将按照它们在类中出现的顺序依次执行，每个类代码块只被执行一次。

类的构造方法用于创建并初始化类的实例，而类代码块则用于初始化类，给类的静态变量赋初值。类代码块与类方法一样，不能直接访问类的实例变量和实例方法，只能通过实例引用来访问实例变量和实例方法。

3.3.3　应用实例

【**例 3-1**】　验证类的定义（类修饰符、成员修饰符、成员变量、成员方法），类的实例化(new)，类的组合关系和成员方法调用。本实例，首先将"点"抽象（映射）成 Point 类，它由私有成员变量 x（横坐标）、y（纵坐标）和其相应的访问器（getX()、getY()）、修改器(setX()、setY())等构成。再将"圆"抽象（映射）成 Circle 类，它由成员变量 centre（圆心，Point 类类型）、radius（半径）、PI（π 常量）和 getArea()、getCircleLong()等成员方法组成，其中 Circle 类中的 centre 属性是 Point 类类型，二者具有组合关系。最后在 E3_1DefineClass 主类中先创建了 Point 类的一个实例 p1 和 Circle 类的实例 c1，再通过调用实例方法的形式将 p1 作为 c1 的圆心，然后计算并输出了圆的状态（坐标、半径）、面积和周长。例 3-1 的类图如图 3-20 所示，程序代码如下：

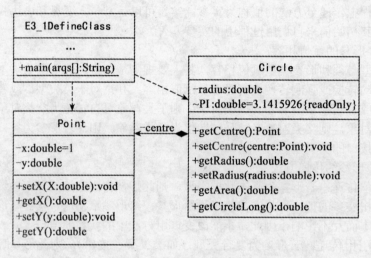

图 3-20　例 3-1 的类图

程序清单3-1：　E3_1DefineClass.java

```java
public class E3_1DefineClass {// 主类(必为公有类)
    public static void main(String args[]) {// 主方法
        Point p1 = new Point();// 实例化一个点p1
        p1.setX(8.0);// 设置点p1的x,y坐标值
        p1.setY(9.0);// 调用p1实例的实例方法setY()
        Circle c1 = new Circle();// 实例化一个圆c1
        c1.setCentre(p1);// 以对象p1为实参,引用点p1作为圆c1的圆心
        c1.setRadius(1.0);// 设置圆c1的半径值
        System.out.println("圆心(x,y)= " + "(" + c1.getCentre().getX() + ","
                + c1.getCentre().getY() + ")");
        // 先用圆c1的实例方法getCentre()取得圆心,再用圆心的getX()和getY()取得x,y坐
           标值
        System.out.println("圆的半径　= " + c1.getRadius());// 调用实例方法
        System.out.println("圆的面积　= " + c1.getArea());
        System.out.println("圆的周长　= " + c1.getCircleLong());
    }
}
class Point {// 点类的定义(默认类)
    // 成员变量(属性)
    private double x;// 点的x坐标(私有变量)
    private double y;// 点的y坐标(私有变量)
    // 成员方法(操作)
```

```java
    public double getX() { return x; }// x坐标的访问器(公有方法)
    public void setX(double x) { this.x = x; }// x坐标的修改器
    public double getY() { return y;}
    public void setY(double y) { this.y = y; }
}
class Circle {// 圆类的定义(默认类)
    private Point centre;// 对象成员变量,Point类是Circle类的组成部分(组合关系)
    private double radius;// 半径(私有变量)
    final static double PI = 3.1415926;// PI常量(最终类变量)
    public Point getCentre() { return centre; }// 圆心访问器(公有方法)
    public void setCentre(Point centre) { this.centre = centre; }// 圆心访问器
    public double getRadius() { return radius; }
    public void setRadius(double radius) { this.radius = radius; }
    public double getArea() {// 计算圆的面积(公有方法)
        return Circle.PI * Math.pow(radius, 2);// 以类变量方式取常量PI的值
    }
    public double getCircleLong() {return 2 * Circle.PI * radius;}// 计算圆的
                                                                    周长

    }
```

运行结果:
圆心(x,y)= (8.0,9.0)
圆的半径 = 1.0
圆的面积 = 3.1415926
圆的周长 = 6.2831852

【例 3-2】　　成员方法的定义与使用,包括方法参数的赋值相容与传递、返回值类型和局部变量等。其中类 B 继承类 A,类 D 实现接口 C,类 E3_2ParameterDemo 为主类,它依赖(使用)类 A、类 B 和类 D,其类图如图 3-21 所示。

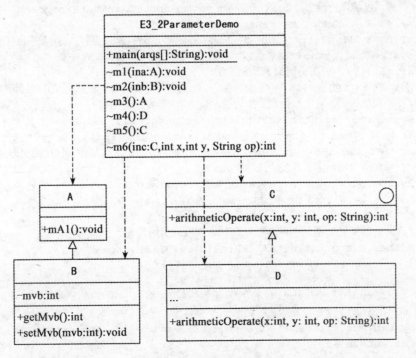

图 3-21　例 3-2 的类图

高等院校计算机系列教材

程序清单3-2: E3_2ParameterDemo.java

```java
package e3_2;
public class E3_2ParameterDemo {
    public static void main(String args[]) {
        // main()静态方法只能通过类的实例引用来访问实例方法和实例变量。
        E3_2ParameterDemo e3_2PD = new E3_2ParameterDemo();
        A a1 = new A();// 声明并创建类A的实例a1
        B b1 = new B();// 声明并创建类B的实例b1
        C c1;// 声明接口C的引用c1,接口不能实例化,只能声明接口的引用变量
        c1 = new D();// 创建类D的实例并赋值给接口C的引用c1
        System.out.print("e3_2PD.m1(b1):");
// 赋值相容一:实参为形参的子类对象(若实参是为形参的子类对象,则子类对象可自转化为父类对象)
        // 此处,b1是形参类A的子类B的对象,b1对象可自动转换为A类类型的对象
        e3_2PD.m1(b1);
        System.out.print("e3_2PD.m1(a1):");
        // 赋值相容二:实参为形参的同类对象(实参对象a1是形参A类类型的同类对象)
        e3_2PD.m1(a1);
        System.out.print("第一次调用e3_2PD.m2(b1):");
        // 赋值相容二:实参为形参的同类对象(实参对象b1是形参B类类型的同类对象)
        e3_2PD.m2(b1);// 调用方法m2(),修改了对象引用实参b1的mvb属性值
        System.out.print("第二次调用e3_2PD.m2(b1):");
    // 验证对象引用作为实参的双向引用传递效果,输出第一次调用方法m2()修改b1的mvb属性后的值
        e3_2PD.m2(b1);
// 赋值相容三:实参为形参的父类对象(若实参是为形参的父类对象,则父类对象必须强制转化为子类对象)
        // 此处,a1是形参类B的父类A的对象,a1对象被强制转换为子类B的对象
        // e3_2PD.m2((B) a1);
        // 可通过编译,但会产生运行时异常:java.lang.ClassCastException:
        // e3_2.A cannot be cast to e3_2.B
        a1 = e3_2PD.m3();// 调用实例e3_2PD的实例方法m3(),返回类A的对象引用并赋值给a1
        System.out.print("a1.mA1():");
        a1.mA1();// 调用实例a1的实例方法
        D d1 = e3_2PD.m4();// 调用实例e3_2PD的实例方法m4(),返回类D的对象引用并赋值给d1
        // 单向值传递,对实参强制类型转换,使实参-形参赋值相容
        System.out.println("d1.arithmeticOperate(10, 10,+) = "
                + d1.arithmeticOperate((int) 1.0, (int) 1.0, "+"));
        c1 = e3_2PD.m5();// 调用实例e3_2PD的实例方法m5(),返回接口C的引用并赋值给c1
        // 单向值传递,实参为表达式
        System.out.println("c1.arithmeticOperate(1+2, 1+2,*) = "
                + c1.arithmeticOperate(1 + 2, 1 + 2, "*"));
        // 若形参为接口,则实参可以为已实现了该接口的类类型
        // 此处的实参d1所属类D实现了接口C,属双向引用传递
        System.out.println("e3_2PD.m6(d1, 10, 10,/) = "
                + e3_2PD.m6(d1, 10, 10, "/"));
    }
    void m1(A ina) { ina.mA1(); }// 形参为A类类型
    void m2(B inb) {// 形参为B类类型
        System.out.println("类B实例的成员变量 mvb = " + inb.getMvb());
        inb.setMvb(100);
    }
```

```java
        // 若返回类类型，则返回的数据类型或者完全一致，或者为父类类型，此处类A是类B的父类
    A m3() {return new B(); }
        // 若返回类类型，则要求返回的数据类型或者完全一致，或者为父类类型，此处均为类D类
    D m4() { return new D(); }
        // 若返回类型为接口，则返回的数据类型必须实现该接口，此处类D实现了接口C
    C m5() {return new D(); }
    int m6(C inc, int inx, int iny, String op) {// 形参inc为接口C类型
        return inc.arithmeticOperate(inx, iny, op);
    }
}
class A { // 类A
    public void mA1() { System.out.println("调用类A中的方法mA1()"); }
}
class B extends A {// 类B继承类A,其中mA1()方法被类B继承
    private int mvb;
    public int getMvb() {return mvb; }
    public void setMvb(int mvb) { this.mvb = mvb;  }
}
interface C {// 接口C
// 接口中的方法只能且默认为public和abstract类型
    int arithmeticOperate(int x, int y, String op);
}
class D implements C {// 类D实现接口C
// 实现接口D中的抽象方法arithmeticOperate(),其首部应抽象方法相同
    public int arithmeticOperate(int x, int y, String op) {
        int z = 0;// z为局部变量
        if (op.equals("+"))
            z = x + y;
        else if (op.equals("-"))
            z = x - y;
        else if (op.equals("*"))
            z = x * y;
        else if (op.equals("/"))
            z = x / y;
        else
            System.out.print("操作符不对！");
        return z;
    }
}
```

运行结果:

```
    e3_2PD.m1(b1):调用类A中的方法mA1()
    e3_2PD.m1(a1):调用类A中的方法mA1()
    第一次调用e3_2PD.m2(b1):类B实例的成员变量 mvb = 0
    第二次调用e3_2PD.m2(b1):类B实例的成员变量 mvb = 100
    a1.mA1():调用类A中的方法mA1()
    d1.arithmeticOperate(10, 10,+) = 2
    c1.arithmeticOperate(1+2, 1+2,*) = 9
    e3_2PD.m6(d1, 10, 10,/) = 1
```

3.4 对象的创建与清除

3.4.1 构造方法

构造方法是在创建对象时，通过 new 运算符调用来创建对象并进行初始化的特殊方法。

1. 构造方法的特点

①构造方法名与其所在的类名相同。②构造方法无返回值类型，包括没有 void，否则不是构造方法，而是一般的成员方法。③构造方法只能通过 new 运算符调用。④构造方法可以没有参数，也可以有多个参数。⑤构造方法可以重载。⑥构造方法不能被子类继承。

2. 构造方法的调用

构造方法只能通过 new 运算符调用，其参数传递与形参实参的结合也在调用时同时完成。使用 new 运算符创建对象的一般格式是：

<类名> <对象名> = new <类的构造方法名> ([参数列表]) ;

该语句的功能是：①由 new 通知运行时系统为所创建的对象在内存开辟一个单元。②自动匹配并调用相应的构造方法，使用给定的[参数列表]为所创建的对象进行初始化，使新建对象的各个变量获取初值。

3. 构造方法的作用

①构造方法的主要作用是用来创建对象并进行初始化。虽然 Java 对基本数据类型都指定了固定的默认值，然而实际中往往需要使所创建的对象处于正常合理的状态，所以调用构造方法进行初始化是很必要的。②构造方法的另一个作用是在构造方法体内引入一些操作，除初始化功能外，还具有更多的其他功能。

4. 默认构造方法

默认构造方法是方法名与类名相同，没有任何形参，不实现任何操作的构造方法。在定义类时，若没有定义任何的构造方法，则运行时系统会自动为该类生成一个默认构造方法。用默认构造方法创建对象使用的是默认值。

【例 3-3】 构造方法实例。

程序清单3-3: ConstructMethodDemo.java

```java
public class ConstructMethodDemo {
    public static void main(String[] args) {
        Accounts account1 = new Accounts();// 实例化默认账号
        account1.showAccounts();// 查看账号
        account1.setAccounts("1001", "刘大鹏", 10000);// 设置账号
        account1.showAccounts();// 查看账号
        // 实例化并初始化账号
        Accounts account2 = new Accounts("1002", "胡锦岚", 100000);
        account2.showAccounts();// 查看账号
    }
}
class Accounts {// 定义账号类
    private String aID;// 账号
    private String aName;// 姓名
    private double saving;// 存款
    public Accounts() {// 无参构造方法
```

```
    }
    // 带参构造方法
    public Accounts(String aID, String aName, double saving) {
        this.aID = aID;
        this.aName = aName;
        this.saving = saving;
    }
    // 设置账号
    public void setAccounts(String aID, String aName, double saving) {
        this.aID = aID;
        this.aName = aName;
        this.saving = saving;
    }
    public void showAccounts() {// 查看账号
    System.out.println("账号:" + aID + "\t姓名:" + aName + "\t存款:" + saving);
    }
}
```

运行结果:
账号:null　　姓名:null　　存款:0.0
账号:1001　　姓名:刘大鹏　存款:10000.0
账号:1002　　姓名:胡锦岚　存款:100000.0

3.4.2　对象的创建与引用

1. 对象的创建

创建对象的一般格式如图 3-22 所示:

格式一:
<类名><对象名列表>;　　　　　　　　　　//对象引用变量的声明
<对象名> = new <构造方法名>([实参列表]);　　//创建对象并赋值给相容的对象引用变量
格式二:
<类名><对象名> = new <构造方法名>([实参列表])　　//对"格式一"的简化

图 3-22　创建对象的一般格式

创建对象的一般算法是:

①声明对象引用变量。使用图 3-22 中的第一条语句实现,对象引用变量是能引用某类类型对象的变量,其本身是一个基本类型的变量,此时对象引用变量还未引用具体的对象,显然它不会也不能为对象分配内存单元。

②新建对象。使用 new 运算符调用某类的构造方法,为新建对象分配内存单元并初始化。若调用的是默认的构造方法,则新建对象的成员变量取默认值。

③初始化新建对象。通过给定的初始化参数,使新建对象的成员变量具有所指定的初值。此项内容可以省略。

第②③步通过使用图 3-22 中的第二条语句实现。若省略了构造方法圆括号内的[实参表],则只有第①②步。

例如,已知一个类 Student:

Student s1, s2;

s1 = **new** Student();

s2 = **new** Student("0438001", "张三", "男", "1971-12-11", "02级计科1班");

此处, 先声明了类 Student 的两个对象引用变量 s1 和 s2。再使用 new 运算符调用默认构造方法为新建对象分配内存单元, 其成员变量具有默认值, 新建对象的引用值赋值给 s1; 最后使用 new 运算符调用五个参数的构造方法为新建对象分配内存单元, 并用指定的实参对它的成员变量进行初始化, 新建对象的引用赋值给 s2。

需要指出的是, 使用 new 运算符创建对象时, 返回的值是新建对象的引用值（内存地址值）, 通常将返回的这个引用值赋给类型相容的对象名, 此对象实际上是对象引用（地址）。因此, 在 Java 中, 使用已知类创建的对象实际上是对象引用。

new 运算符主要完成两项操作: ①为对象分配存储空间, 从严格意义上讲, 它是为每个"实例变量"分配空间。尽管在逻辑上, 每个对象也应该有一套实例方法, 但由于同一个类的不同对象所拥有的成员方法的代码都是一样的, 所以为了节省存储空间, 所有对象共享同一个成员方法的代码副本, 每个对象只保留存储代码区的地址。JVM 提供了解决不同对象调用相同代码段的技术。②根据提供的参数格式调用与之相匹配的构造方法, 实现初始化成员变量的操作, 然后返回本对象的引用。

【例 3-4】 对象的创建方法。

程序清单3-4: CreateObjectDemo.java

```java
public class CreateObjectDemo { // 声明Employee类的三个成员为三个对象引用
    Employee e1;
    Employee e2;
    Employee e3 = new Employee("0003", "张三", 2500.00, "2007-04-20");
    public CreateObjectDemo() {// 使用Employee类的构造方法, 创建其对象
        e1 = new Employee();
        e1.setEID("0001");// 调用成员方法: 对象.成员方法()
        e1.setEName("李四");
        e1.setESalary(2000);
        e1.eHireDay = "2007-01-01";// 访问成员变量: 对象.成员变量
        System.out.println("给e1的成员赋值:" + e1.getEID() + "\t" + e1.getEName()
            + "\t" + e1.getESalary() + "\t" + e1.eHireDay);
        e2 = new Employee("0002", "王五", 3500.00, "2007-05-20");
        e1 = e2;// 同类对象可直接赋值
        System.out.println("将e2赋值给e1后:" + e1.getEID() + "\t" + e1.getEName()
            + "\t" + e1.getESalary() + "\t" + e1.eHireDay);
    }
    public static void main(String[] args) {
        // 调用主类的构造方法CreateObjectDemo()创建无名对象
        new CreateObjectDemo();
    }
}
class Employee {// 自定义雇员类
    private String eID;// 工号
    private String eName; // 姓名
    private double eSalary; // 薪水
    String eHireDay; // 入职时间
    public Employee() {// 无参数的构造方法
```

```
        System.out.println("创建 默认 雇员：" + eID + "\t" + eName + "\t" + eSalary + "\t" + eHireDay);
    }
    // 含有参数的构造方法
    public Employee(String eID, String eName, double eSalary, String eHireDay)
{
        this.eID = eID;
        this.eName = eName;
        this.eSalary = eSalary;
        this.eHireDay = eHireDay;
        System.out.println("创建初始化雇员：" + eID + "\t" + eName + "\t" + eSalary + "\t" + eHireDay);
    }
    // 用于获取和设置雇员信息的方法
    public String getEID() { return eID; }
    public void setEID(String eid) { eID = eid; }
    public String getEName() { return eName; }
    public void setEName(String name) { eName = name; }
    public double getESalary() { return eSalary; }
    public void setESalary(double salary) { eSalary = salary; }
}
```

运行结果：

```
创建初始化雇员：0003    张三          2500.0        2007-04-20
创建 默认 雇员：null    null          0.0           null
给e1的成员赋值：0001    李四          2000.0        2007-01-01
创建初始化雇员：0002    王五          3500.0        2007-05-20
将e2赋值给e1后：0002    王五          3500.0        2007-05-20
```

2. 对象的赋值

对象可以在创建时进行初始化，也可以在创建后再对它赋值。

（1）对象的初始化

在使用 new 运算符创建一个对象时，除了给该对象分配一个内存单元，用来存放该对象非静态的成员变量和成员方法，还对所创建的对象进行初始化。所谓初始化是指运行时系统调用相应的构造方法给该对象的非静态成员变量赋初值。如果调用默认的构造方法，则该对象的成员变量将获得默认值。JVM 规定：整型变量默认值为 0；浮点型变量默认值为 0.0；布尔型变量默认值为 false；引用型变量的默认值为 null。

在例 3-4 中，e3 是类 Employee 的一个对象，创建这个对象时，对它进行了初始化：

Employee e3 = **new** Employee("0003", "张三", 2500.00, "2007-04-20");

对于对象 e1，先声明了 e1 为类 Employee 的对象引用，再调用默认构造方法 Employee()给对象 e1 的成员变量赋默认值：

Employee e1;

e1 = **new** Employee();

（2）对象成员的表示

实际上，对对象的操作是对对象成员的操作。对象成员使用点"."运算符来实现表示，其格式是：<对象名>.<成员名>，其中，<成员名>包括成员方法名和成员变量名。

要指出的是对象成员会受到访问控制符的限制而不直接访问，例如为了提高封装性，一般情况下成员变量被 private 修饰而不能使用"<对象名>.<成员名>"方式来访问，只能通过其对外公开的接口，如 public 类型的访问器和修改器来间接操作。

在例 3-4 中，以"对象.成员方法()"的形式，通过调用修改器 setEID ()、setEName 和 setESalary 分别给对象 e1 的 private 类型的 eID、eName 和 eSalary 成员变量赋值：

e1.setEID("0001");

e1.setEName("李四");

e1.setESalary(2000);

以"对象.成员变量"的形式，直接给 e1 的默认类型的成员变量 eHireDay 赋值：

e1.eHireDay = "2007-01-01";

（3）对象的赋值

给对象赋值实际上是给对象的各个成员变量赋值。此外，除了给对象的各个成员变量赋值外，还可以将同一个类的一个已知对象赋值给另一个对象。对象赋值与变量赋值一样，都是用来改变已有的值。由于对象实际上是引用型的变量，将一个对象赋值给另一个对象时，是将这个对象的地址值赋给另一个对象的地址值，于是两个具有相同地址值的对象，实际上是一个对象，它具有两个名字。

在例 3-4 中，同类对象直接赋值如：e1 = e2; 赋值后 e1 与 e2 引用的是内存中的同一个对象。

3. 对象的使用

（1）对象作为类的成员（组合关系）

把一个类的对象说明为一个类的成员时，使用 new 运算符为这个对象分配内存并初始化。

在例 3-4 中，类 CreateObjectDemo 的三个成员变量 e1,e2,e3 均是类 Employee 的对象引用，其中 e3 已初始化：

Employee e3 = **new** Employee("0003", "张三", 2500.00, "2007-04-20");

类 CreateObjectDemo 与类 Employee 之间存在组合关系。

（2）对象作为方法的参数（依赖关系）

类的对象可用来作为方法的参数，对象作方法形参时，方法实参也用对象，实现引用调用。在将实参传送给形参时，不复制副本，只传引用值（地址值）。在被调用方法中可以通过改变对象值来改变调用方法中的实参值。

【例 3-5】 对象作为方法的参数，实现方法参数的双向引传递。

程序清单3-5: ReferenceParameterDemo.java

```
public class ReferenceParameterDemo {// 主类
    public static void main(String[] args) {// 主方法
        // 调用类方法getStudent()，创建并返回一个对象引用s1
        Student s1 = Student.getStudent();
        // 对象s1作为方法的参数,实现方法参数的双向引传递
        s1.setStudent(s1, "001", "张三", 98);
        s1.showStudent(s1);
        // 调用类方法getStudent()，创建并返回一个对象引用s2
        Student s2 = Student.getStudent();
        // 对象s2作为方法的参数,实现方法参数的双向引传递
        s1.setStudent(s2, "002", "李四", 88);
        s1.showStudent(s2);
    }
}
class Student {// 类Student
```

```java
    private String sNo;// 学号
    private String sName;// 姓名
    private double sScore;// 成绩
    // 对象引用作为方法的形参
    public void setStudent(Student s, String sNo, String sName, double sScore)
{
        s.sNo = sNo;
        s.sName = sName;
        s.sScore = sScore;
    }
    static public Student getStudent() { // 类（静态）方法，其返回对象引用
        return new Student();
    }
    public void showStudent(Student s) {// 对象引用作为方法的形参
        System.out.println("学号:" + s.sNo + "\t姓名:" + s.sName + "\t成绩:"+ s.sScore);
    }
}
```

运行结果:
学号:001 姓名:张三成绩:98.0
学号:002 姓名:李四成绩:88.0

（3）对象作为方法的返回值

对象可以作为方法的返回值，该方法是类类型。Java 中，方法的类型可以是简单类型，也可以是复杂类型，包括类类型。

如例 3-5 中，方法 getStudent()返回类 Student 的对象引用，要注意返回对象的类型与方法声明首部类型的赋值相容。

（4）对象可作为数组元素（对象数组）

以对象为数组元素的数组称为对象数组。对象数组中的元素必须是同一个类的对象。创建对象数组的步骤是：①定义对象数组，用 new 运算符为该数组分配内存单元；②为数组的每个数组元素分配内存空间并进行初始化。

对象数组与基本数据类型的数组一样，可以用做方法的参数或方法的返回值。例如，主方法 main(String args[])中，便使用了 String 类的对象数组 args[]作方法参数。

【例 3-6】 对象数组的应用。

程序清单3-6: ObjcetArrayDemo.java

```java
public class ObjcetArrayDemo {// 主类
    public static void main(String[] args) {
        double sum = 0;
        Score score[] = new Score[5];// 定义对象数组
        for (int i = 0; i < score.length; i++) {// 给对象数组元素赋值
            score[i] = new Score(i + 1, (int) (Math.random() * 10) + 1, Math
                .round(Math.random() * 100));
            score[i].showScore();// 输出对象数组元素值
            sum += score[i].getScore();// 求对象数组元素的成绩字段和
            score[i] = null;// 及时清除对象引用，以便垃圾回收器回收
        }
        System.out.println("总分： " + sum);// 输出总分
    }
}
```

```
}
class Score {
    private int sno;// 学号
    private int cno;// 课程号
    private double score;// 成绩
    public Score(int sno, int cno, double score) {// 构造方法
        this.sno = sno;
        this.cno = cno;
        this.score = score;
    }
    public void showScore() {// 输出学号、课程号及成绩信息
        System.out.println("学号:" + sno + "\t课程号:" + cno + "\t成绩:" + score);
    }
    public double getScore() { return score; }// 获取成绩
}
```

运行结果:

学号:1	课程号:7	成绩:33.0
学号:2	课程号:8	成绩:39.0
学号:3	课程号:4	成绩:86.0
学号:4	课程号:10	成绩:99.0
学号:5	课程号:6	成绩:74.0

总分：331.0

3.4.3 对象复制

对象拷贝有对象引用复制、浅复制和深复制三种。理解对象的引用复制、浅复制和深复制的关系，对于编写正确的程序十分必要。

1. 对象引用复制

对象引用复制是指对象引用变量之间互相赋值，但应满足对象所属类类型间的赋值相容。例如：

```
Student s1, s2;
s1 = new Student("0438001", "张三");
s2 = s1;   //引用复制
```

其中，s1 是引用型变量，内容为 Student 类对象的引用，而不是对象本身。所以，赋值操作 s2 = s1 只是将 s1 所指示的对象引用赋给 s2，使得 s2 与 s1 引用同一个对象。其执行过程如图 3-23 所示。

2. 浅复制

浅复制是一种对对象本身内容克隆（复制）的机制，它按照二进制位串进行对象复制，新创建的对象严格地复制原对象的值。若原对象的某个成员变量是其他对象的引用，也将会被原样复制这个引用，因此，可能出现多个对象的成员对同一个子对象引用的情形。这将会带来副作用，即修改一个对象的内容将会影响到另一个对象，增加了对象管理的复杂度。

例 3-1 中，设利用 Point 类的对象 p1，创建了一个 Circle 类的对象 c1，若将 c1 浅复制给 c2，其结果如图 3-24 所示。

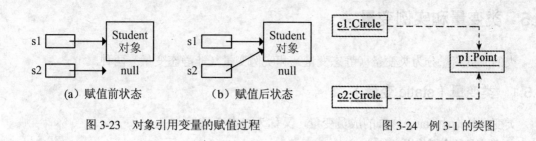

图 3-23　对象引用变量的赋值过程　　　　　　图 3-24　例 3-1 的类图

3. 深复制

深复制是一种对对象的完全复制。若原对象的某个成员变量是其他对象的引用，也将对所指的子对象依次进行复制，使得复制后的对象双方各自拥有不同的副本，只是内容相同。

Java 提供了一个 Cloneable 接口用来支持浅复制和深复制方式的对象克隆。若希望某个类的对象具有克隆功能，则该类必须实现 Cloneable 接口，并对标准 Object 类的 clone 方法进行重写，其克隆的格式类似于：c2 = (Circle)c1.clone( )，要指出的是 clone()返回的是 Object 类，因此需要进行强制转换。

实现 Cloneable 接口只是通知 Java 编译器该类对象可以被复制，而具体实现过程是由 Object.clone()方法完成的，默认的 Object.clone()方法只提供对象的浅复制。若要实现深复制，则需要重写 Object.clone()方法，并在成员方法中先调用父类的 clone()方法创建对象的浅复制，然后再显式地创建该类中子对象的拷贝。若所有对象都实现了 Cloneable 接口，只要简单地调用 clone()方法就可以实现对象的完全复制。对于需要深复制的对象，建议其子类对象都实现 Cloneable 接口。

实际应根据具体需求的不同来选定具体的对象复制。若对象中的成员变量都是基本数据类型，则选择浅复制即可；若使复制后的对象各自独立，则用深复制。

3.4.4　对象的清除

Java 提供了自动内存管理能力，可以自动释放掉不再被使用的对象。在 Java 的 Object 类中提供了 protected void finalize() ;方法，任何 Java 类都可以覆盖 finalize()方法，在这个方法中释放对象所占有相关资源的操作。当垃圾回收器将要释放无用对象的内存时，先调用该对象的 finalize()方法。若在程序终止前垃圾回收器始终没有执行垃圾回收操作，则垃圾回收器将始终不会调用无用对象的 finalize()方法。

Java 虚拟机的垃圾回收操作对程序完全是透明的，因此程序无法预料某个无用对象的 finalize()方法何时被调用。此外，除非垃圾回收器认为程序需要额外的内存，否则它不会试图释放无用对象占用的内存。

程序即使显式调用 System.gc()或 Runtime.gc()方法，也不能保证垃圾回收操作一定执行，所以不能保证无用对象的 finalize()方法一定被调用。

在程序中，若不需要再用到一个对象，就应该及时清除对这个对象的引用，使它变为无用对象，它的内存可以被回收，如例 3-6 中的"score[i] = null; "语句。

3.5　类变量和实例变量

类的成员变量分为类变量（静态变量）和实例变量（非静态变量）两种。

3.5.1　类变量（static 变量）

类变量是指由 static 修饰的成员变量，又称为静态变量。

1. 类变量的主要作用

Java 语言不支持不属于任何类的全局变量，而使用类变量在一定程度上支持全局变量，其作用有：①类变量能被该类的所有实例共享，实现了实例之间数据共享与通信；②若类的所有实例都包含一个相同的常量属性，则可把这个属性定义为静态常量类型，从而节省内存空间。

2. 类变量的存储特性

Java 虚拟机在首次加载某类时，能根据类名为类变量在运行时数据区中的"方法区"一次性分配内存，类变量在内存中只有一个拷贝，被该类的所有对象共享，任何对象都可以访问它，也可以修改它。类变量一旦被修改后，将保持被修改后的内容直到下次被修改为止。

3. 类变量的访问方法

（1）直接通过类名访问类变量，其访问格式如下：

　　　类名.类变量名

（2）使用实例（对象）引用访问类变量，其访问格式如下：

　　　实例名.类变量名

【例 3-7】　同一类中，可在任何方法内直接访问类（静态）变量；不同类中，可通过某个类的类名和实例来访问其类变量。类变量在内存中只有一个副本，并被其所有实例共享。

程序清单3-7: ClassVariableDemo.java

```java
public class ClassVariableDemo {// 主类
    public static void main(String[] args) {
        ClassVariable cv1 = new ClassVariable();
        ClassVariable cv2 = new ClassVariable();
        System.out.println("cv1.add(100) = " + cv1.add(100));
        System.out.println("cv2.subtract(10) = " + cv2.subtract(10));
        // 方法一：实例.类变量
        System.out.println("cv1.ID = " + cv1.ID);
        System.out.println("cv2.ID = " + cv2.ID);
        // 方法二：类.类变量
        System.out.println("ClassVariable.ID = " + ClassVariable.ID);
    }
}
class ClassVariable {
    static int ID;// 类变量
    int add(int i) { return ID += i; } // 同一类中,实例方法可直接访问类变量
    static int subtract(int i) { return ID -= i; }// 同一类中,类方法可直接访问类
变量
}
```

运行结果：
```
cv1.add(100) = 100
```

```
cv2.subtract(10) = 90
cv1.ID = 90
cv2.ID = 90
ClassVariable.ID = 90
```

3.5.2 实例变量（非 static 变量）

实例变量是指没有被 static 修饰的成员变量，又称为非静态变量。

1. 实例变量的存储特性

每当创建一个实例，就会为实例变量分配一次内存，实例变量可以在内存中有多个拷贝，互不影响。

2. 实例变量的访问方法

实例变量只能使用实例（对象）引用来访问实例变量，其访问格式如下：

实例名.实例变量名

【例 3-8】 同一类中，实例方法可直接访问实例（非静态）变量，而类方法只能通过实例方能访问实例变量；在不同类中，只能通过实例来访问其实例变量，不能用类名直接访问实例变量。实例变量在每个实例中都有一个副本，且彼此独立而不共享。

程序清单3-8: InstanceVariableDemo.java

```java
public class InstanceVariableDemo {// 主类
    public static void main(String[] args) {
        InstanceVariable iv1 = new InstanceVariable();// 创建一个实例
        InstanceVariable iv2 = new InstanceVariable();// 创建一个实例
        System.out.println("iv1.add(100) = " + iv1.add(100));
        System.out.println("iv2.subtract(iv2,100) = " + iv2.subtract(iv2,
100));
        // 只能用:"实例.类变量"方式访问实例变量
        System.out.println("iv1.ID = " + iv1.ID);
        System.out.println("iv2.ID = " + iv2.ID);
        // 不能用:"类.实例变量"方式访问实例变量
        // System.out.println("InstanceVariable.ID = " + InstanceVariable.ID);
    }
}

class InstanceVariable {
    int ID;// 实例变量
    int add(int i) {// 同一类中,实例方法可直接访问实例变量
        return ID += i;
    }
    static int subtract(InstanceVariable iv, int i) {
        // 同一类中,类方法不能直接访问实例变量
        // return ID -= i;
        // 同一类中,类方法能通过实例访问实例变量
        return iv.ID -= i;
    }
}
```

运行结果:

```
iv1.add(100) = 100
```

高等院校计算机系列教材

```
iv2.subtract(iv2,100) = -100
iv1.ID = 100
iv2.ID = -100
```

3.6 类方法和实例方法

类的成员方法分为类方法（静态方法）和实例方法。

3.6.1 类方法（static 方法）

类方法是指由 static 修饰的成员方法，又称为静态方法。

1. 类方法的存储特性

Java 虚拟机在首次加载某类时，能根据类名为其类方法在运行时数据区中的"方法区"一次性分配内存，类方法在内存中只有一个拷贝，被该类的所有对象共享，任何对象都可以访问它。

2. 类方法的访问限制

①类方法可以直接访问其所属类的类变量和类方法。②类方法不能直接访问其所属类的实例变量和实例方法，除非使用"实例名.实例变量"和"实例名.实例方法"。③类方法包括main()，不能使用 this 关键字(this 代表类的当前实例,由其调用的均为实例变量和实例方法)，也不能使用 super 关键字（super 关键字与类的特定实例相关，可用 super 来访问类的实例从其父类中继承的方法和属性）。④类方法不能被覆盖（Override，继承时）。

3. 类方法的访问方法

①直接通过类名访问类方法，其调用格式如下：

类名.类方法名([实参列表])

②使用实例（对象）引用访问类方法，其调用格式如下：

实例名.类方法名([实参列表])

【例 3-9】 同一类中，类方法可直接调用类方法和访问类变量，要通过实例才能调用实例方法和访问实例变量；在不同类中，可通过某个类的类名或实例来调用其类方法。类方法在内存中只有一个副本，被其所有实例共享。

程序清单3-9: ClassMethodDemo.java

```
// ClassMethodDemo.java
public class ClassMethodDemo {//主类
    public static void main(String[] args) {
        ClassMethod cm1 = new ClassMethod();// 实例化cm1
        // 方法一:类名.类方法
        ClassMethod.printIDName(cm1);
        // 不能用:类名.实例方法
        // ClassMethod.SetIDName(100, "李四");
        cm1.SetIDName(100, "李四");
        // 方法二:实例.类方法
        cm1.printIDName(cm1);
        ClassMethod cm2 = new ClassMethod();// 实例化cm2
        cm2.SetIDName(108, "王五");
        // 方法一:类名.类方法
        ClassMethod.getIDName(cm2);
```

```
    }
}
class ClassMethod {//类ClassMethod
    static int ID;// 类变量
    String name;// 实例变量
    // 实例方法可以访问类变量和实例变量
    void SetIDName(int ID, String name) {
        this.ID = ID;// 访问类变量
        this.name = name;// 访问实例变量
    }
    // 类方法可直接访问的是类变量
    static void getIDName(ClassMethod im) {
        System.out.print("ID = " + ID);
        // 类方法不可直接访问实例变量
        // System.out.print("Name = " + name);
        // 类方法中不能使用this
        // System.out.print("Name = " + this.name);
        System.out.print("\nName = " + im.name + "\n");
    }
    static void printIDName(ClassMethod im) {
        // 类方法可直接调用类方法
        getIDName(im);
        // 类方法不能直接调用实例方法
        // SetIDName(1000, "张三");
    }
}
```

运行结果:
```
ID = 0
Name = null
ID = 100
Name = 李四
ID = 108
Name = 王五
```

注意: ①main()方法必须用 static 修饰。因为把 main()方法定义为静态方法,可以使得Java虚拟机只要加载了 main()方法所属的类,就能执行 main()方法,而无须先创建这个类的实例。②在 main()静态方法中不能直接访问实例变量和实例方法,只能通过某类的实例引用来访问实例方法和实例变量。

3.6.2 实例方法(非 static 方法)

实例方法是指没有被 static 修饰的成员方法,又称为非表态方法。

1. 实例方法的存储特性

每创建一个实例,就会为实例方法分配一次内存,实例方法可以在内存中有多个拷贝,互不影响。

2. 实例变量的访问方法

只能使用实例(对象)引用来访问实例变量,其调用格式如下:

实例名.实例方法名([实参列表])

【例 3-10】 同一类中,实例方法可直接访问实例变量与类变量、实例方法与类方法,

高等院校计算机系列教材

而类方法只能调用类变量和类方法；在不同类中，只能通过实例来调用其实例方法，不能用类名直接调用实例方法。实例方法在每个实例中都有一个副本，且彼此独立而不共享。

程序清单3-10： InstanceMethodDemo.java

```java
public class InstanceMethodDemo {
    public static void main(String[] args) {
        InstanceMethod im1 = new InstanceMethod();
        im1.SetIDName(100, "李四");
        im1.printIDName(im1);
        // 不能用类名直接调用实例方法
        // InstanceMethod.printIDName(im1);
        InstanceMethod im2 = new InstanceMethod();
        im2.SetIDName(108, "王五");
        im2.getIDName(im2);
    }
}
class InstanceMethod {
    static int ID;// 类变量
    String name;// 实例变量
    // 实例方法可以访问类变量和实例变量
    void SetIDName(int ID, String name) {
        this.ID = ID;// 访问类变量
        this.name = name;// 访问实例变量
    }
    // 类方法可直接访问的是类变量
    static void getIDName(InstanceMethod im) {
        System.out.print("ID = " + ID);
        // 类方法不可直接访问实例变量
        // System.out.print("Name = " + name);
        // 类方法中不能使用this
        // System.out.print("Name = " + this.name);
        System.out.print("\nName = " + im.name + "\n");
    }
    void printIDName(InstanceMethod im) {// 实例方法调用类方法
        getIDName(im);
    }
}
```

运行结果：

```
ID = 100
Name = 李四
ID = 108
Name = 王五
```

3.7 包（package）

1. 包的概念与作用

在面向对象系统开发中，程序员通常需要定义许多类协同工作，且有些类可能要在多处反复使用。Java 中，若想在多个场合下反复使用一个类，则通常将它存放在一个称之为"包"的程序组织单位中。包是接口和类的集合，或者说包是接口和类的容器。使用包有利于实现不同程序间类的重用。Java 语言为程序员提供了自行定义包的机制。

包的作用有三：①划分类名空间：包是一种名字空间机制，同一包中的类（包括接口）名不能重名，不同包中的类名可以重名，解决了类和接口的命名冲突问题。②控制类之间的访问：包是一个访问域，对包中的类有保护作用。例如，若类被 public 修饰，则该类不仅可供同一包中的类访问，也可以被其他包中的类访问。若类声明无修饰符，则该类仅供同一包中的类访问。③有助于划分和组织 Java 应用中的各个类。

2. JDK 标准类库与软件复用

Java 的 JDK 提供诸如 java.applet、java.awt、java.awt.image、java.beans、java.io、java.lang、java.math、java.net、java.rmi、java.security、java.sql、java.text、java.util、javax.net、javax.swing、javax.xml 等包，称为基础（标准）类库。每个包中包含了许多有用的类和接口。用户也可以定义自己的包来实现自己的应用程序。

Java 的基础类库其实就是 JDK 安装目录下面的 jre\lib\rt.jar 压缩文件。学习基础类库就是学习 rt.jar。基础类库里面的类非常多。其中要求重点掌握几个核心的包，例如 java.lang、java.io、java.util、java.net、java.sql 等。

①java.lang 包：包含 Thread（线程）类、Exception（异常）类、System（系统）类、Integer（整数）类和 String（字符串）类等，这些类是 Java 编程时最常用的类。java.lang 包是 JVM 自动引入的包。

②java.awt 包：抽象窗口工具（Abstract Windows Toolkit, AWT）包中包含了用于构建 GUI 界面的类及绘图类。

③java.io 包：输入/输出包，包含各种输入流类和输出流类，如 FileInputStream（文件输入流）类及 FileOutputStream（文件输出流）类。

④java.net 包：支持 TCP/IP 网络协议，包含 Socket（套接字）类、DatagramSocket（数据报包套接字）类、URL（统一资源定位）类等，这些类用于网络通信编程。

⑤java.sql 包：支持数据库访问操作，包含 DriverManager（驱动程序管理）类和 DriverPropertyInfo（驱动程序属性）类等。

使用 JDK 标准类库中的类可以提高软件复用率、编程效率和软件质量。软件复用是提高软件开发效率和保证软件质量的重要技术手段，根据复用层次的不同，软件复用可分为需求复用、设计复用、框架复用和代码复用。代码复用是指反复使用已编写好、经过严格测试的程序的技术，它是一种语言级的软件复用技术，在面向对象的程序设计中体现为对象复用。Java 中，类是创建对象的模板，对象是类的实例，对象复用体现为类的重用。

3. .java 源程序文件结构

一般地，一个 Java 源程序由五个基本部分构成：①一个包（package）说明语句（可选项）。其作用是将本源程序文件中的接口和类纳入指定包。源程序文件中若有包说明语句，则必须是第一条语句。②若干（import）语句（可选项）。其作用是引入本源程序文件中需要使用的包。③若干接口声明（可选项）。④一个 public 的类声明。在一个源文件中只能有一个 public 类。⑤若干个属于本包的（无 public 饰符）类声明（可选项）。其一般形式如下：

```
package  包名;                    //可选项，有则必须是第一条语句
import  所要导入的类库;              //可选项，若干条
interface  接口名 {…… }            //可选项，若干个
public class  类名{…… }            //最多只能有一个 public 类（也可以没有）
```

```
class 类名{......}                        //默认类, 若干个
```

3.7.1 package 语句

1. 包的创建

包的创建是指将源程序文件中的类和接口纳入指定的包。Java 使用固定于首行的 package 语句来创建包。package 语句缺省时,则使用源程序文件所在文件夹名作为默认包。默认包中的类可以本包中相互引用非 private 的成员变量和成员方法。默认包中的类不能被其他包中的类引用和复用。创建包的一般格式是:

package　pkg1[.pkg2[.pkg3[...]]];

其功能是创建一个具有指定名字的包,当前.java 文件中的所有类和接口都被放在这个包中。例如下面的语句是合法的创建包的语句:

package　dbconnect;

package　com.comsoft.ch01

包的命名使用小写字母,采用点分方法,用 "." 来指明目录的层次,逻辑上的包名与物理上的目录结构对应一致,如包名 "com.comsoft.ch01" 与目录(文件)树 "com\comsoft\ch01" 相对应。

2. 应用实例

【例 3-11】 包的创建(package 的使用)。

程序清单3-11: //PackageDemo.java

```java
package com.comsoft.ch03;//创建包
public class PackageDemo {//主类
    public static void main(String args[]) {
        int a = 5, b = 5;
        Math math = new Math();//对同一包中的类Math实例化
        System.out.println("math.add("+a+","+b+") = "+math.add(a, b));
        System.out.println("math.subtract("+a+","+b+") = "+math.subtract(a,
b));
        System.out.println("math.multiply("+a+","+b+") = "+math.multiply(a,
b));
    System.out.println("math.divide("+a+","+b+") = "+math.divide(a, b));
    }
}
class Math {//默认类
    public double add(double x, double y) { return x + y;  }
    public double subtract(double x, double y) { return x - y; }
    public double multiply(double x, double y) { return x * y; }
    public double divide(double x, double y) { return x / y; }
}
```

运行结果:

```
math.add(5,5) = 10.0
math.subtract(5,5) = 0.0
math.multiply(5,5) = 25.0
math.divide(5,5) = 1.0
```

说明:

①使用 package 关键字指明类所在的包;

②package 语句必须在文件的最前面；

③编译方法：D:\JPT>javac -d . PackageDemo.java ←┘　// JPT 为类的主目录

④运行方法：

方法一：D:\JPT>java com.comsoft.ch03.PackageDemo ←┘

方法二：D:\>java -classpath jpt com.comsoft.ch03.PackageDemo ←┘

3.7.2　import 语句

1. import 的使用

（1）直接引用指定的类，如 import java.util.Vector。

（2）引用一个包中的多个类，如 import java.awt.*。更确切地说，它并不是引用 java.awt 中的所有类，而只引用定义为 public 的类，并且只引用被代码引用的类，所以这种引用方法并不会降低程序的性能。

（3）"*"号代替类名，不能代替包名，如 import java.awt.*，只引用 java.awt 下的类，而不引用 java.awt 下的包。

（4）import java.awt.F*，这种使用方法是错误的。

（5）import 语句在所有类定义之前，在 package 定义之后。

（6）import 只告诉编译器及解释器哪里可以找到类、变量、方法的定义，而并没有将这些定义引入代码中。

2. 包中类的使用

有以下几种机制可以使用包中的类：

（1）如果要使用的类是属于 java.lang 包的，那么可以直接使用类名来引用指定的类，而不需要加上包名，因为包 java.lang 不用显示使用 import，它是缺省引入的。

（2）如果要使用的类在其他包（java.lang 除外）中，那么可以通过包名加上类名来引用该类，如 java.awt.Font。

（3）对于经常要使用的类（该类在其他包中），那么最好使用 import 引用指定的包，如 java.awt.*。

（4）如果 import 引入的不同包中包含有相同的类名，那么这些类的使用必须加上包名。

（5）接口也可以属于某个包，也可以使用 import 引入其他包中的类和接口。

3. 应用实例

【例 3-12】　包的创建（package）与引入（import）。

程序清单 3-12：　//PackageDemo.java

```
package com.comsoft.ch03.p1;//创建包
import com.comsoft.ch03.p2.Math;//引入com.comsoft.ch03.p2中Math类
public class PackageDemo {
    public static void main(String args[]) {
        int a = 5, b = 5;
        Math math = new Math();//对不同包中的public类Math实例化
        System.out.println("math.add("+a+","+b+") = "+math.add(a, b));
        System.out.println("math.subtract("+a+","+b+") = "+math.subtract(a,
b));
        System.out.println("math.multiply("+a+","+b+") = "+math.multiply(a,
b));
```

```
        System.out.println("math.divide("+a+","+b+") = "+math.divide(a, b));
    }
}
//Math.java
package com.comsoft.ch03.p2;//创建另一个包
public class Math {//Math为public类，可跨访问
    public double add(double x, double y) { return x + y; }
    public double subtract(double x, double y) { return x - y; }
    public double multiply(double x, double y) { return x * y; }
    public double divide(double x, double y) { return x / y; }
}
```

运行结果：（同前）

```
    math.add(5,5) = 10.0
    math.subtract(5,5) = 0.0
    math.multiply(5,5) = 25.0
    math.divide(5,5) = 1.0
```

3.7.3 编译与运行

1. 编译

（1）类名全称与主目录

类名全称是指"包名+类名"的类名表述，其中类名在最后，如："com.comsoft.ch03.MyFirst"表示位于"com.comsoft.ch03"包中"MyFirst"类。

主目录是指包名中最左边部分所在父目录。设有"d:\jpt\MyFirst.java"，且 MyFirst.java中指定的包为"com.comsoft.ch03"，则"jpt"为 MyFirst 类的主目录。

（2）编译方法

d:\jpt> javac –d . MyFirst.java ←┘ // "."表示当前目录

编译结果是：d:\jpt\com\comsoft\ch03\MyFirst.class //设其中只定义了一个类

2. 运行

①运行方法一：当前目录为主目录，使用类名全称运行。

d:\jpt> java com.comsoft.ch03.MyFirst←┘

②运行方法二：若当前目录为非主目录时，则要用 classpath 指明类的主目录，并使用类名全称运行。

d:\> java classpath jpt com.comsoft.ch03.MyFirst←┘

需要指出的是，包是类名的有机整体，运行类时不能将其包名拆分，若：d:\jpt\com> java comsoft.ch03.MyFirst←┘，则产生没有定义类或找不到类（java.lang.NoClassDefFoundError）异常。

3.7.4 JAR 包的创建与运行

1. JAR 包的创建

发布 Java 应用程序或类库时，需要将其打包。通常可以使用 JDK 中自带的 JAR 包工具"jar.exe"，即可把应用程序中涉及的类和图片等文件压缩成一个 JAR 文件（JAR 包），实现发布整个程序或类库。

下面以例 3-12 的 com.comsoft.ch03 包中的主类 PackageDemo 和非主类 Math 为例说明

JAR 包的创建和运行方法。

（1）在被打包的类所处的文件夹 "E:\JPT\JBuilder2007\CH03\bin" 中，编写清单文件 "MANIFEST.MF"，其代码如下：

Manifest-Version: 1.0

Main-Class: com.comsoft.ch03.PackageDemo

Created-By: 1.5.0_02 (Sun Microsystems Inc.)

说明：①在编写清单文件时，在 "Manifest.Version" 和 "1.0" 之间必须有一个空格；在 "Main.Class" 和主类 "com.comsoft.ch03.PackageDemo" 之间也必须有一个空格。② "Main-Class:"后的类名应用使用类名全称，此处的主类为"com.comsoft.ch03.PackageDemo"。

（2）创建 JAR 包，其命令如下：

E:\JPT\JBuilder2007\CH03\bin>jar cfm packagedemo.jar MANIFEST.MF -C . com ←┘

说明：①其中参数 c 表示要生成一个新的 jar 文件；f 表示要生成的 jar 文件的名字；m 表示清单文件的名字。② "-C . com" 表示当前目录（E:\JPT\JBuilder2007\CH03\bin，此处用 "."表示）下所有以 "com" 打头的文件，要特别指出的是 "-C 目录" 中的 "目录" 不能包含类包的名字部分，因为包名是类名全称的不可分割的一部分，尽管包名在磁盘上体现为 "目录"，此处 "com" 表示所有以 "com" 打头的包中的所有文件，在 DOS 命令中，包名间的隶属符号 "." 用 "/" 或 "\" 替换，如 "com.comsoft.ch03" 可用 "com\comsoft\ch03" 或 "com/comsoft/ch03" 表示。③JAR 包的文件结构如图 3-25 所示。

图 3-25　JAR 包的文件结构

2. JAR 包的运行

若用户机器安装了 WinRAR 解压软件，且将 JAR 文件与该解压缩软件做了关联，则 packagedemo.jar 文件的类型是 WinRAR，使得 Java 程序无法直接运行。因此，在发布运行软件时，通常编写一个 DOS 的批处理文件（BAT 文件，此处为 packagedemo.bat），其内

Java程序设计教程

容如下：

java -jar packagedemo.jar

pause . //暂停

然后双击 packagedemo.bat 即可运行程序，其运行结果如图 3-26 所示。

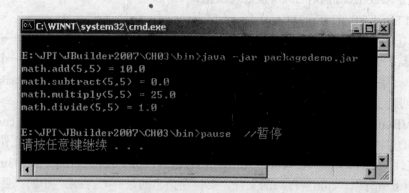

图 3-26　JAR 包的运行结果

3．JAR 包加载

对于上面的 JAR 包 packagedemo.jar，可在系统环境变量 CLASSPATH 的值中增加 "E:\JPT\JBuilder2007\CH03\bin\packagedemo.jar"，如图 3-27 所示。

图 3-27　JAR 包的加载

测试：

（1）先在桌面上建立 "claapackagedemo.bat" 批处理文件，其内容如下：

java com.comsoft.ch03.PackageDemo

pause　//暂停

（2）双击 "claapackagedemo.bat" 文件即可运行 "com.comsoft.ch03.PackageDemo" 类，其结果见图 3-26。

说明：①在 "CLASSPATH" 中加载 JAR 包时，必须给出 JAR 包的文件名，而不能只给出其路径，否则不能被加载。②若要在 "CLASSPATH" 中加载 ".class" 文件，可以通过指明类所在的主目录（顶级包名的上一级目录）来加载，此例可以在 "CLASSPATH" 的值中加入 "E:\JPT\JBuilder2007\CH03\bin\"，表示加载 "E:\JPT\JBuilder2007\CH03\bin\" 中所有类。③由 "CLASSPATH" 指定加载的 JAR 包中的类或主目录中的类可以被随处引用或运行。

高等院校计算机系列教材

128

习 题 三

一、填空题

1. 类是一组具有相同（　　　）和（　　　）的对象的抽象。（　　　）是由某个特定的类所描述的一个个具体的对象。

2. （　　　）只描述系统所提供的服务，而不包含服务的实现细节。

3. 模型应具有（　　　）、（　　　）、（　　　）、（　　　）和廉价性等基本特性。

4. UML定义了（　　　）、（　　　）、（　　　）、行为图和实现图五类模型图。

5. 在UML类图中分别用（　　　）、（　　　）、（　　　）和（　　　）表示属性与方法的公有、保护、默认和私有访问控制权限。

6. 在UML中，类之间主要有（　　　）、（　　　）、（　　　）、（　　　）和实现五种关系。

7. 构造方法的方法名与（　　　）相同，若类中没有定义任何的构造方法，则运行时系统会自动为该类生成一个（　　　）方法。

8. 在方法体内定义的变量是（　　　），其前面不能加（　　　），且必须（　　　）。

9. 数组元素作实参时对形参变量的数据传递是（　　　），数组名作实参时对形参变量的数据传递是（　　　）。

10. 对象作方法形参时，方法实参也用对象，实现（　　　）调用。

11. （　　　）是一个特殊的方法，用于创建一个类的实例。

12. 对象拷贝有（　　　）、（　　　）和（　　　）三种。

13. （　　　）方法不能直接访问其所属类的（　　　）变量和（　　　）方法，只可直接访问其所属类的（　　　）变量和（　　　）方法。

14. （　　　）变量在内存中只有一个拷贝，被该类的所有对象共享；每当创建一个实例，就会为（　　　）变量分配一次内存，（　　　）变量可以在内存中有多个拷贝，互不影响。

15. Java使用固定于首行的（　　　）语句来创建包。

16. 在运行时，由java解释器自动引入，而不用import语句引入的包是（　　　）。

17. 发布Java应用程序或类库时，通常可以使用JDK中自带的（　　　）命令打包。

二、简答题

1. 名词解释：OO、OOSE、OOA、OOD、OOP；抽象、对象、类、实例、方法、属性、消息、接口、封装、继承、多态性；模型、UML、类图、对象图、用例图、顺序图、协作图、状态图、活动图、包图、构件/组件图、部署图。

2. 简述面向对象的基本思想、主要特征和基本要素。

3. 为什么要对类进行封装？封装的原则是什么？

4. 类的封装性、继承性和多态性各自的内涵是什么？

5. 简述依赖、关联和聚集的区别。

6. 什么是对象？什么是类？二者有何关系？

7. Java中类定义的一般格式是什么？定义类的修饰符有哪些？各自的特点是什么？

高等院校计算机系列教材

8. Java 中成员变量定义的一般格式是什么？成员变量有哪些修饰符？

9. Java 中成员方法定义的一般格式是什么？成员方法有哪些修饰符？

10. 简述构造方法的特点与作用。

11. Java 中创建对象的一般格式是什么？如何初始化对象？如何给对象赋值？

12. 什么是类变量（静态变量）？什么是实例变量？它们的存储特性、访问方法、主要区别是什么？

13. 什么是类方法（静态方法）？什么是实例方法？它们的存储特性、访问方法、主要区别是什么？

14. 什么是包？如何创建包？如何引用包？

15. Import 语句和 package 语句的功能分别是什么？

16. 举例说明 JAR 包的创建、加载与运行方法。

三、选择题

1. 下面关于封装性的描述中，错误的是（　　）。
A. 封装体包含属性和行为　　　　B. 被封装的某些信息在外不可见
C. 封装提高了可重用性　　　　　D. 封装体中的属性和行为的访问权限相同

2. 下面关于类方法的描述，错误的是（　　）。
A. 说明类方法使用关键字 static　　B. 类方法和实例方法一样均占用对象的内存空间
C. 类方法能用实例和类名调用　　　D. 类方法只能处理类变量或调用类方法

3. 下面关于包的描述中，错误的是（　　）。
A. 包是若干对象的集合　　　　　B. 使用 package 语句创建包
C. 使用 import 语句引入包　　　　D. 包分为有名包和无名包两种

4. 下述哪些说法是正确的？（　　）
A. 用 static 关键字声明实例变量　　B. 实例变量是类的成员变量
C. 局部变量在方法执行时创建　　　D. 局部变量在使用之前必须初始化

5. 下面哪些代码段是正确的Java源程序？（　　）

A. import java.io.*;
package testpackage;
public class Test{/* do something... */}

B. import java.io.*;
class Person{/* do something... */}
public class Test{/* do something... */}

C. import java.io.*;
import java.awt.*;
public class Test{/* do something... */}

D. package testpackage;
public class Test{/* do something... */}

四、判断题

1. 类是一种类型，也是对象的模板。（　　）

2. 类中说明的方法可以定义在类体外。（　　）

3. 实例方法中不能引用类变量。（　　）

4. 创建对象时系统将调用适当的构造方法给对象初始化。（　　）

5. 使用运算符 new 创建对象时，赋给对象的值实际上是一个引用值。（　　）

6. 对象赋值实际上是同一个对象具有两个不同的名字，它们都有同一个引用值。（　　）

7．对象可作方法参数，对象数组不能作方法参数。（　　）

8．class 是定义类的惟一关键字。（　　）

9．Java 语言会自动回收内存中的垃圾。（　　）

五、分析题

分析下面的程序，写出运行结果。

```java
import java.awt.*;
import java.applet.*;
class MemberVar {
        static int sn = 30;
        final int fn;
        final int fk = 40;
        MemberVar() {
                fn = ++sn;
        }
}
    public class Exercises5_1 extends Applet {
        public void paint(Graphics g) {
            MemberVar obj1 = new MemberVar();
            MemberVar obj2 = new MemberVar();
            g.drawString("obj1.fn=" + obj1.fn, 20, 30);
            g.drawString("obj1.fk=" + obj1.fk, 20, 50);
            g.drawString("obj2.fn=" + obj2.fn, 20, 70);
            g.drawString("obj2.fk=" + obj2.fk, 20, 90);
        }
    }
```

运行结果是：（　　　　　）

六、改错题

1．下面的程序中有若干个语法错误，找出后请改正。

```java
public class MyMainClass{
    public static void main()  {
            TheOtherClass obj = new TheOtherClass("John Smith","Male","UK");
            System.out.println(obj.name+' '+obj.gender+' '+obj.nationality);
        }
        System.out.println("The end of the program! ")
    }
    public class TheOtherClass{
        private String name,gender,nationality;
        public TheOtherClass(String name,String gender,String nationality)  {
```

```
            this.name=name;
            this.gender=gender;
            this.nationality=nationality;
        }
    }
```

2. 下面的程序中有若干个语法错误，找出后请改正。
```
public class Car{
        private String carName;
        public int mileage;
        private static final int TOP_SPEED=50;
        abstract void alert();
        public static int getTopSpeed(){
            return TOP_SPEED;
        }
        public static void setCarName(){
            carName="Bensi";
        }
        public static void setMileage(){
            mileage=180;
        }
    }
```

七、编程题

1. 设计（用 UML 的类图表示）并实现一点类 Point，该类的构成包括点的 x 和 y 两个坐标，其构造方法、设置和修改坐标、求解两点距离的方法等，编写应用程序生成该类的对象并对其进行操作。

2. 设计（用 UML 的类图表示）并实现一个矩形类 Rectangle，包括其构造方法、求解矩形面积和周长的方法等，实例化后输出相应的信息。

3. 计算出 Fibonacci 数列的前 n 项，Fibonacci 数列的第一项和第二项都是 1，从第三项开始，每项的值都是该项的前两项之和。即：

$$\begin{cases} F(n) = F(n-1) + F(n-2) & n \geq 3 \\ F(1) = F(2) = 1 & n=1,2 \end{cases}$$

4. 参照"图 3-4"实现 Student 类的定义，然后生成该类的对象后进行相关操作。

实验三 Java 面向对象基础

一、实验目的

1. 了解面向对象的基本思想和概念。
2. 学会使用 UML 中的类图等进行面向对象设计。

3．熟练掌握 Java 类的定义、对象的创建等面向对象编程的基本方法与技术。

4．掌握类变量和实例变量，类方法与实例方法的区别与使用方法。

5．掌握 JAR 包的创建、引入与运行方法。

二、实验内容

1．设计（用 UML 的类图表示）并实现一个银行账号类 Account，用以模拟存款和取款过程，其主要功能与要求如下：

（1）账户信息包括：账号、姓名、开户时间、存款额。

（2）存款方法、取款方法。

（3）显示姓名、显示账号、查询余额等方法。

（4）在主方法中对上述功能进行测试。

（5）要求将前述类放在 comsoft.lab3 类包中。

2．计算三角形的面积和周长，有关要求如下：

（1）先设计一个 Point 类，包括其构造方法、设置和修改坐标、求解两点距离等方法。

（2）再使用 Point 类，设计一个 Triangle 类，包括其构造方法、求解三角形面积和周长等方法。

（3）用 UML 的类图表示 Triangle 类、Point 类及其关系。

3．编写两个类 VariableDemo、MethodDemo 说明类变量与实例变量、类方法与实例方法的区别。

4．将实验内容中"第 1 题"中的 Account 类打包后生成 packageaccount.jar，然后运行该 JAR包。

5．验证调试例 3-1 至例 3-12 中有关的例题。

第4章 Java语言面向对象高级程序设计

【本章要点】

1. 面向对象高级程序设计：主要包括消息通信、访问控制、封装、继承、多态性、抽象类、抽象方法、接口、内部类、匿名类等。

2. Java 修饰符：this、super、final、abstract、static 等。

3. Java 设计模式：模式的概念，模式的种类，Decorator、Façade、FactoryMethod 和 Proxy 等设计模式，设计模式在接口中的应用。

4.1 消息通信（Communication With Messages）

4.1.1 消息的类型

1. 公有消息与私有消息

在面向对象系统中，消息分为公有消息和私有消息两类。公有消息指由外界对象直接发送给某对象的消息；私有消息指对象自己发送给本身的消息，私有消息对外不开放，外界也不必了解它。外界对象只能向某对象发送公有消息，而不能发送私有消息，私有消息则由对象自身发送。

2. 特定对象的消息

特定对象的消息指将某对象可接收消息的方法集中在一起，将其消息组合而形成的一个粒度更大的消息，响应此消息的方法集对用户是透明的。特定对象的消息可分为三种类型：①可以返回对象内部状态的消息；②可以改变对象内部状态的消息；③可以做一些特定操作，改变系统状态的消息。

4.1.2 消息的使用

【例 4-1】 Java 中的消息通信示例。

程序清单4-1: MessageDemo.java

```java
class Employee {
    private int ID;
    private String name;
    private String sex;
    private int age;
    private String department;
    public Employee(int inID, String inname, String insex, int inage,
            String indepartment) {
        ID = inID;
        name = inname;
        // 下面一句中的"conversion(insex)"是对象发送给自身的消息，按要求对数据
```

```
        // 进行转换后给自己的数据成员赋值，这是一种私有消息，外界是不知道的。
        sex = conversion(insex);
        age = inage;
        department = indepartment;
    }
    public int getAge() {    return age; }
    public void setAge(int age) {    this.age = age; }
    public String getDepartment() { return department;  }
    public void setDepartment(String department) {
        this.department = department;
    }
    public int getID() { return ID; }
    public void setID(int id) { ID = id; }
    public String getName() { return name; }
    public void setName(String name) { this.name = name; }
    public String getSex() { return sex; }
    public void setSex(String sex) {
        this.sex = conversion(sex);
    }
    // 下面的"conversion(String inSex)"方法是一个私有方法，它只接收对象发送给
//自身的消息，按要求对"性别"字段的数据进行统一转换，这是一种私有消息，外界是不知道的。
    private String conversion(String inSex) {
        if (inSex.equalsIgnoreCase("M") || inSex.equals("男"))
            return "男";
        else
            return "女";
    }
}
public class MessageDemo {
    public static void main(String[] args) {
        // 发送new消息给类Employee，要求创建类Employee的对象employee1
    Employee employee1 = new Employee(10008, "张三", "m", 30, "信息中心");
        // 向对象employee1发送修改姓名的公有消息
        employee1.setName("王五");
        // 向对象employee1发送显示编号、姓名、性别、年龄和部门的公有消息。
        // 同一对象可接收不同形式的多个消息，产生不同的响应。
        System.out.println("编号: " + employee1.getID());
        System.out.println("姓名: " + employee1.getName());
        System.out.println("性别: " + employee1.getSex());
        System.out.println("年龄: " + employee1.getAge());
        System.out.println("部门: " + employee1.getDepartment());
    }
}
```

运行结果：
```
    编号：10008
    姓名：王五
    性别：男
    年龄：30
    部门：信息中心
```

4.2 访问控制

Java 中的访问控制（Access Control）主要包括对包、类、接口、类成员和构造方法的访问控制等方面。除了包的访问控制由主机系统决定外，其他的访问控制通过访问控制符来实现。访问控制符是一组限定类、接口、类成员（成员变量和成员方法）是否可以被其他类访问的修饰符。其中类和接口的访问控制符只有 public 和默认（default）两种。类成员和构造方法的访问控制符有 public、private、protected 和默认（default）4 种。

4.2.1 类的访问控制

类的访问控制符有 public 和默认 default 两种，其可见性（可访问性）如表 4-1 所示：

表 4-1 　　　　　　　　　　　　　　类的访问控制符及可见性

可见性　　　　类控制符 访问域	public（公有类）	默认（default 类）
同一包	可见	可见
不同包	可见	不可见

1. 类的公共访问控制（public）

类的公共访问控制是指类的访问控制符为 public，它具有跨包访问性，以支持类的跨包访问。一个 Java 程序中最多有一个 public 类（也可以没有 public 类），若有则并用 public 类名作为整个程序的源程序文件名。

Java 的类是通过包来组织的，定义在同一个程序文件中的所有类都属于同一个包（默认包或 package 指定名称的包）。处于同一个包中的类都是可见的，可以不需任何说明而方便地互相访问和引用。一般地，处于不同包中的类相互之间是不可见的，而不能互相引用。只有当某个类的访问控制符为 public 时，说明此类作为整体对其他类是可见和可使用的，它才具有被其他包中的类访问的可能性。

若跨包访问 public 类，则先在引用它的另一个包中使用 import 语句引入此 public 类，然后方能访问和引用这个类，以创建这个类的对象，并访问这个类内部可见的数据成员和引用它的可见的成员方法。如 Java 类库中的许多类都是 public 类，程序员只要在程序中用 import 语句将其引入后即可访问。要特别指出的是，尽管处于不同包中的 public 类作为整体对其他类是可见的，但并不代表该类的所有数据成员和成员方法也同时对其他类是可见的，因为这些数据成员和成员方法还进一步受到类成员修饰符访问控制。

只有当 public 类的数据成员和成员方法的访问控制符也被声明为 public 时，这个类的所有用 public 修饰的数据成员和成员方法也同时对其他类是可见的。在程序设计时，若希望某个类能作为公共类供其他类和程序使用，则应把这个类本身和类内的方法都定义成 public。但要指出的是，当数据成员和成员方法的访问控制符被声明为 public 时，会降低类的封装性和安全性，而要慎用。

【例 4-2】不同包中的 public 类能被跨包访问，而不同包中的 default 类不能被跨包访问。

程序清单4-2: E4_2A.java 、E4_2Demo.java

```java
package p1;
//E4_2A类为public类,可被跨包访问引用
public class E4_2A {
    private int a;
    public E4_2A() {
        E4_2B objB1 = new E4_2B();// 用同一包中的E4_2B类创建对象objB1
        objB1.setB(100);// 访问objB1对象
        System.out.println("objB1: b = " + objB1.getB());
    }
    public int getA() { return a; }
    public void setA(int a) { this.a = a; }
}
// E4_2B类为default类,只能在其所在的包中被访问引用,而不能被跨包访问引用
class E4_2B {
    private int b;
    public int getB() { return b; }
    public void setB(int b) { this.b = b; }
}
//E4_2Demo.java
package p2;
import p1.*;//引入p1包中的public类
public class E4_2Demo {
    public static void main(String[] args) {
        E4_2A objA1 = new E4_2A();// E4_2类为public类,能被跨包引用
        objA1.setA(10);
        System.out.println("objA1: a = " + objA1.getA());
        // E4_2B objB2 = new E4_2B(); //E4_2B类为defautl类,不能被跨包引用
        E4_2C objC1 = new E4_2C();// 引用同一包中的E4_2C类
        objC1.setC(1000);
        System.out.println("objC1: c = " + objC1.getC());
    }
}
//E4_2C类为default类,只能在其所在的包中被访问引用,而不能被跨包访问引用
class E4_2C {
    private int c;
    public int getC() { return c; }
    public void setC(int c) { this.c = c; }
}
```

运行结果:
```
objB1: b = 100
objA1: a = 10
objC1: c = 1000
```

分析:从例 4-2 可见,由于 p1 包中的 E4_2A 类为 public 类,而具有跨包访问性,因此它能被已引入 p1 包中类的 p2 包中类(如 E4_2Demo 类和 E4_2C)访问引用。

2. 类的默认访问控制(default)

类的默认访问控制是指类没有访问控制符,它只具有包访问性,即只有在同一个包中的类和对象才能访问和引用默认访问控制的类,而不支持类的跨包访问。

示例:类的默认访问控制示例如例 4-2 中的 E4_2B 类所示,由于 p1 包中的 E4_2B 类为

default 类，而只具有包访问性，因此它只能被其所在的 p1 包中的类（如 E4_2A 类）访问引用，而不能被尽管已引入 p1 包中类的 p2 包中类（如 E4_2Demo 类和 E4_2C）访问引用。

4.2.2 类成员的访问控制

类成员不仅包括在类体中声明的成员变量和成员方法，而且包括从它的直接父类继承的成员和从任何直接接口继承的成员。其中的构造方法和类（静态）方法是特殊的类成员。

类成员的访问控制符有 public、protected、private 和默认（default）四种，其可见性（可访问性）如表 4-2 所示。

表 4-2   类成员的访问控制符及可见性

可见性 访问域	成员控制符	public	protected	默认(default)	private
类域	同一个类	可见	可见	可见	可见
包域	同一包中的子类	可见	可见	可见	不可见
	同一包中的非子类	可见	可见	可见	不可见
跨包域	不同包中的子类	可见	可见	不可见	不可见
	不同包中的非子类	可见	不可见	不可见	不可见

1. 类成员的公共访问控制（public）

public 类型的类成员可被同一类、同一包中子类与非子类和不同包中的子类与非子类的代码访问引用。或者说 public 类成员可被能够访问它所在的包的任何代码所访问，它不受类域访问性、包域访问性和跨包域访问性的任何限制。

【例 4-3】 对于不同包中和相同包中非子类的 public 类成员可任意访问。

先在 pubpac1 包中的 public 类 E4_3A 中定义 public 类型的成员变量和成员方法，然后在 pubpac2 包中引入 pubpac1 包中的类后，由 default 类 E4_3B 中构造方法创建 E4_3A 类的实例，并访问其中的 public 成员，实现对 public 类成员的跨包访问，最后在主类 PublicDemo 中创建 E4_3B 类的实例后，实现对同包类的 public 类成员的访问。其实现代码如下：

程序清单4-3：E4_3A.java 、PublicDemo.java

```java
package pubpac1;
public class E4_3A {// public类
    public int puba;// public成员变量
    public int getPuba() { return puba; } // public成员方法
    public void setPuba(int puba) {// public成员方法
        this.puba = puba;
    }
}
//PublicDemo.java
package pubpac2;
import pubpac1.*;//引入pubpac1包的public类
public class PublicDemo {
    public static void main(String[] args) {
        E4_3B objE4_3B = new E4_3B();// 用同包中的E4_3B类实例化objE4_3B
```

```
        objE4_3B.pubb = 1000;// 访问objE4_3B对象中public成员变量
        // 访问objE4_3B对象中public成员方法getPubb()
        System.out.println("objE4_3B: pubb = " + objE4_3B.getPubb());
    }
}
class E4_3B {
    public int pubb;// public成员变量
    public int getPubb() {// public成员方法
        return pubb;
    }
    public void setPubb(int pubb) {// public成员方法
        this.pubb = pubb;
    }
    public E4_3B() {// E4_3B类的构造方法
    E4_3A objE4_3A = new E4_3A();// 用异包中的public类E4_3A实例化objE4_3A
        objE4_3A.setPuba(10);// 访问objE4_3A对象中public成员方法
        System.out.println("objE4_3A: puba = " + objE4_3A.getPuba());
        objE4_3A.puba = 100;// 访问objE4_3A对象中public成员变量
        System.out.println("objE4_3A: puba = " + objE4_3A.getPuba());
    }
}
```

运行结果：

```
    objE4_3A: puba = 10
    objE4_3A: puba = 100
    objE4_3B: pubb = 1000
```

2. 类成员的保护访问控制（protected）

protected 类型的类成员可被同一类、同一包中子类与非子类和不同包中的子类的代码访问。或者说 protected 类成员可被除不同包的非子类以外的其他能够访问它所在包的任何代码所访问，它不受类域访问性、包域访问性的任何限制。

【例 4-4】 允许包域访问 protected 类成员，而不能跨包访问不同包中非子类的 protected 类成员变量与成员方法。

程序清单4-4：E4_4A.java、ProtectedDemo.java

```
package propac1;
public class E4_4A {// public类
    protected int proa;// protected成员变量
    public int getProa() { return proa; } // public成员方法
    protected void setProa(int proa) { this.proa = proa; }// protected成员方
法
}
//ProtectedDemo.java
package propac2;
import propac1.*;//引入propac1包的public类
public class ProtectedDemo {// 主类
    public static void main(String[] args) {
        // 使用同包中default类E4_4B类实例化objE4_4B
        E4_4B objE4_4B = new E4_4B();
        // 允许访问同一包中的非子类对象objE4_4B中的protected成员变量prob
        objE4_4B.prob = 10;
        // 允许访问同一包中的非子类对象objE4_4B中的protected成员方法getProb()
```

高等院校计算机系列教材

```
        System.out.println("objE4_4B: prob = " + objE4_4B.getProb());
    }
}
class E4_4B {
    protected int prob;// protected成员变量
    protected int getProb() {// protected成员方法
        return prob;
    }
    protected void setProb(int prob) {// protected成员方法
        this.prob = prob;
    }
    public E4_4B() {// E4_4B类的构造方法
        // 用异包中的public类E4_4A实例化objE4_4A
        E4_4A objE4_4A = new E4_4A();
        // 不允许访问不同包中的非子类对象objE4_4A中的protected成员方法setProa()
        // objE4_4A.setProa(10);
        // 不允许访问不同包中的非子类对象objE4_4A中的protected成员变量proa
        // objE4_4A.proa = 100;
        System.out.println("objE4_4A: proa = " + objE4_4A.getProa());
    }
}
```

运行结果:
```
    objE4_4A: proa = 0
    objE4_4B: prob = 10
```

分析: 先在 propac1 包中的 public 类 E4_4A 中定义 protected 类型的成员变量和成员方法, 然后在 propac2 包中引入 propac1 包中的类后, 由 default 类 E4_4B 中构造方法创建 E4_4A 类的实例, 并试图跨包访问其中的 protected 成员而不成, 最后在主类 ProtectedDemo 中创建 E4_4B 类的实例后, 实现了对同包类的 projected 成员的访问。

3. 类成员的默认访问控制 (default)

default 类型 (没有访问控制符) 的类成员只能被同一类、同一包中子类与非子类的代码访问。它具有类域访问性和包域访问性。

【例 4-5】 default 类型的类成员, 只具有类域和包域访问性, 而不能跨包域访问。

程序清单4-5: E4_5A.java 、DefaultDemo.java

```
package defpac1;
public class E4_5A {// public类
    int defa;// default成员变量
    public int getDefa() { return defa; } // public成员方法
    void setDefa(int defa) { this.defa = defa; } // default成员方法
}
//DefaultDemo.java
package defpac2;
import defpac1.*;//引入defpac1包的public类
public class DefaultDemo {// 主类
    public static void main(String[] args) {
        // 使用同包中default类E4_5B类实例化objE4_5B
        E4_5B objE4_5B = new E4_5B();
        // 允许访问同一包中的非子类对象objE4_5B中的default成员变量defb
        objE4_5B.defb = 10;
        // 允许访问同一包中的非子类对象objE4_5B中的default成员方法getDefb()
```

```
        System.out.println("objE4_5B: defb = " + objE4_5B.getDefb());
    }
}
class E4_5B {
    int defb;// default成员变量
    int getDefb() { return defb; } // default成员方法
    void setDefb(int defb) { this.defb = defb; } // default成员方法
    public E4_5B() {// E4_5B类的构造方法
        // 使用异包中的public类E4_5A实例化objE4_5A
        E4_5A objE4_5A = new E4_5A();
        // 不允许访问不同包中的非子类对象objE4_5A中的default成员方法setdefa()
        // objE4_5A.setDefa(10);
        // 不允许访问不同包中的非子类对象objE4_5A中的default成员变量defa
        // objE4_5A.defa = 100;
        System.out.println("objE4_5A: defa = " + objE4_5A.getDefa());
    }
}
```

运行结果:
```
    objE4_5A: defa = 0
    objE4_5B: defb = 10
```

分析：先在 defpac1 包中的 public 类 E4_5A 中定义 default 类型的成员变量和成员方法，然后在 defpac2 包中引入 defpac1 包中的类后，由 default 类 E4_5B 中构造方法创建 E4_5A 类的实例，并试图跨包访问其中的 default 成员而不成，最后在主类 DefaultDemo 中创建 E4_5B 类的实例后，实现了对同包类的 default 成员的访问。

4. 类成员的私有访问控制（private）

private 类型的类成员只能被其所在类中的代码访问，它只具有类域访问性。

【例 4-6】 private 类型的类成员，只具有类域访问性，而不具备包域和跨包域访问性。

程序清单4-6: E4_6A.java 、PrivateDemo.java

```
package pripac1;
public class E4_6A {// public类
    private int pria = 46;// private成员变量
    public int getPria() { return pria; } // public成员方法
    void setPria(int pria) { this.pria = pria; } // private成员方法
}
//PrivateDemo.java
package pripac2;
import pripac1.*;//引入pripac1包的public类
public class PrivateDemo {// 主类
    public static void main(String[] args) {
        // 使用同包中default类E4_6B类实例化objE4_6B
        E4_6B objE4_6B = new E4_6B();
        // 不允许访问同一包中的非子类对象objE4_6B中的private成员变量与成员方法
        // objE4_6B.prib = 10;
        // objE4_6B.setPrib(100);
        // 允许访问同一包中的非子类对象objE4_6B中的private成员方法getPrib()
        System.out.println("objE4_6B: prib = " + objE4_6B.getPrib());
    }
}
class E4_6B {
```

```
private int prib;// private成员变量
int getPrib() { return prib; }// default成员方法
private void setPrib(int prib) {// private成员方法
    this.prib = prib;
}
public E4_6B() {// E4_6B类的构造方法
    // 使用异包中的public类E4_6A实例化objE4_6A
    E4_6A objE4_6A = new E4_6A();
    // 不允许访问不同包中的非子类对象objE4_6A中的private成员方法setPria()
    // objE4_6A.setPria(10);
    // 不允许访问不同包中的非子类对象objE4_6A中的private成员变量pria
    // objE4_6A.pria = 100;
    System.out.println("objE4_6A: pria = " + objE4_6A.getPria());
}
}
```

运行结果:
```
objE4_6A: pria = 46
objE4_6B: prib = 0
```

说明：对于同一包中和不同包中子类的 public、protected、default 和 privae 成员的访问控制，请见 4.3.3~4.3.4 节相关内容。

4.3 继承

继承(Inheritance)是两个类之间的一种泛化关系（一般->特殊关系），是一种由已有的类创建新类的机制。利用继承，可以先创建一个拥有共同属性的一般类，根据该一般类再创建具有特殊属性的新类。由继承而得到的类称为子类(Subclass)，被直接或间接继承的类称为父类（Father Class），或叫超类（Superclass）或基类（Base Class）。子类继承父类的状态和行为，同时也可以修改父类的状态或重写父类的行为，并添加新的状态和行为。

采用继承的机制来组织、设计系统中的类，可以使得程序结构清晰、降低编码和维护的工作量，同时可以提高程序的抽象程度，使之更加接近于人类的思维方式，提高了程序开发的效率。

Java 仅支持单继承，而不支持多重继承，即每个子类只允许有一个父类，而不允许有多个父类。但是可以从一个父类中生成若干个子类。继承不改变成员的访问权限，父类中的公有成员、保护成员和默认成员，在子类中仍然是公有成员、保护成员和默认成员。Java 中的多继承将通过接口方式来实现。

4.3.1 创建子类

Java 中，通过在类的声明中加入 extends 子句来创建一个类的子类，其一般格式是：
class <子类名> [extends 父类名] {   //只允许一个直接父类
    [子类中的新增成员]   //子类体
}

说明：①关键字 class 用来定义类，关键字 extends 用来指出该类的直接父类，若没有 extends 子句，则表示该类的默认父类为 java.lang.Object 类。②若"父类"又是某个类的子类，则"子类"同时也是该类的（间接）子类。③"子类"可以继承"父类"中访问权限设定为

public、protected 和 default 的成员变量和成员方法，但是不能继承访问权限为 private 的成员变量和成员方法。例如：

```
class A {// 类A继承类java.lang.Object
    int a1 = 10;
    private int a2 = 20;
    public int getA2() { return a2; }
}
class B extends A {// 类B继承类A,间接继承类java.lang.Object
    // 类B继承父类A的非私有成员：a1和getA2()，而私有成员a2不能被继承
    int b1 = 100;
    private int b2 = 200;
    public int getB2() { return b2; }
}
```

上面代码中，类 B 继承了类 A。类 B 是类 A 的直接子类，类 A 是类 B 的直接父类。而类 A 的直接父类是 java.lang.Object 类。在 Java 语言中，所有类都是 Object 类的子类。

4.3.2 继承的传递性

类的继承是可以传递的。类继承的传递性是指若类 B 继承类 A，类 C 又继承类 B，则类 C 应包含类 A 和类 B 的非私有成员，以及类 C 自身的成员。

【例 4-7】 类继承的传递性。

程序清单4-7： InheritanceTransferDemo.java

```
package e4_7;
public class InheritanceTransferDemo {
    public static void main(String args[]) {
        C c = new C();
        // 非私有成员在子类对象中可见
        System.out.println("c.a1 =" + c.a1 + "\nc.getA2() =" + c.getA2()
                + "\nc.b1 =" + c.b1 + "\nc.getB2() =" + c.getB2());
        // 私有成员在子类对象中不可见，此处c.a2与c.b2不可见
        // System.out.println("c.a2 =" + c.a2 + "\nc.b2 =" + c.b2);
    }
}
class A {// 类A继承类java.lang.Object
    int a1 = 10;
    private int a2 = 20;
    public int getA2() { return a2; }
}
class B extends A {// 类B继承类A,间接继承类java.lang.Object
    // 类B继承父类A的非私有成员：a1和getA2()，而私有成员a2不能被继承
    int b1 = 100;
    private int b2 = 200;
    public int getB2() { return b2; }
}
class C extends B {// 类B继承类C,间接继承类A和类java.lang.Object
    // 类C直接继承父类B的非私有成员：b1和getB2()，而私有成员b2不能被继承
// 类继承的传递性：类C间接继承父类B的父类A的非私有成员：a1和getA2()，而私有成员a2不能被
继承
}
```

高等院校计算机系列教材

Java 程序设计教程

运行结果:
```
c.a1 =10
c.getA2() =20
c.b1 =100
c.getB2 =200
```

4.3.3 子类对象的初始化

由于子类中包含有父类的非私有成员。在创建子类对象时，不仅要对自身成员变量初始化，而且还要对继承的父类中成员变量初始化。对象的初始化是通过调用构造方法来实现的。

构造方法不能被继承，但可以在子类的构造方法中调用父类的构造方法。为了方便使用，系统规定用 this()表示当前类的构造方法，用 super()表示直接父类的构造方法。实际上，除 Object 类没有父类外，其他类的构造方法中应包含自身类的构造方法和直接父类的构造方法。

构造方法的特性：①自动提供默认构造方法：若一个类中没有定义任何构造方法时，则系统自动提供一个没有参数的默认构造方法；若类中已定义任何构造方法，则系统将不提供默认构造方法。②允许构造方法重载：一个类中可根据需要定义多个重载的构造方法，不同构造方法的选择是根据参数的个数、类型和顺序进行匹配。③支持 this()和 super():在构造方法定义中，可使用 this()来调用本类的其他构造方法，使用 super()来调用父类的构造方法。若 this 和 super 都不用时，系统会自动调用 super()，即父类的默认构造方法。④调用 this()或 super()的构造方法的语句必须放在第一条语句，并且 this()和 super()最多只可调用其中一条。

【例 4-8】 子类对象的初始化，掌握 this()和 super()的使用。

程序清单4-8: SubobjectInitializeDemo.java

```java
package e4_8;
public class SubobjectInitializeDemo {
    public static void main(String args[]) {
        B b = new B(1, 2, 3);
        System.out.println("a = " + b.getA() + "\nb = " + b.getB() + "\nc = "  + b.getC());
    }
}
class A {// 类A
    private int a;// 私有成员变量
    public A() { } // 无参构造方法
    public A(int a) { this.a = a; }// 带一个参数的构造方法
    public int getA() { return a; }
}
class B extends A {// 类B继承类A
    private int b;// 私有成员变量
    private int c;
    public B() { } // 无参构造方法
    public B(int b) { this.b = b;}// 带一个参数的构造方法
    public B(int a, int b) {// 带两个参数的构造方法
        super(a);// 调用类B的父类A的"public A(int a)"构造方法
        // 调用类B自身的"public B(int a)"构造方法,
        // 但super()与this()只能取其一,且必须位于所在构造方法的第一行
        // this(b);
        this.b = b;
    }
    public B(int a, int b, int c) {// 带三个参数的构造方法
```

144

```
        this(a, b);// 调用类B自身的"public B(int a, int b)"构造方法
        this.c = c;
    }
    public int getB() { return b; }
    public int getC() { return c; }
}
```

运行结果:
```
    a = 1
    b = 2
    c = 3
```

4.3.4 子类继承父类的规则

实际上,由于子类受到父类成员的访问控制符和包的限制,子类并不能继承父类中所有的成员变量和成员方法,其继承规则如表 4-3 所示。

表 4-3   子类继承父类的规则

是否继承 成员控制符 包域	public 成员	protected 成员	默认成员	private 成员
父子类在相同包中(同包)	○	○	○	
父子类在不同包中(跨包)	○	○		

注: ①父类的构造方法不能被子类继承,只能通过 super( ) 来调用。②父类中成员的访问权限在子类中是不变的。

1. 父子类在同一包中的继承规则实例

若子类和父类在同一个包中,则子类继承父类中的 public、protected 和默认成员(成员变量和成员方法),将其作为子类的成员,但不能继承父类的 private 成员。

【例 4-9】   同包中的子类只能继承父类中的非私有成员(public、protected 和默认成员)。

程序清单4-9: InheritanceRuleOfSamePackage.java

```
package e4_9;
public class InheritanceRuleOfSamePackage {
    public static void main(String args[]) {
        B objB = new B();// 实例化类B
        objB.setA1(10);// 调用父类A中protected方法
        objB.setA2(100);// 调用父类A中protected方法
        objB.setB1(1000);// 调用子类B中public方法
        // 类A中的private变量a1不能被子类B继承
        // System.out.println(objB.a1);
        System.out.println(objB.getA1());// 调用父类A中public方法
        System.out.println(objB.a2);// 调用父类A中默认变量
        // 不能直接访问类B中的被private封装的变量
        // System.out.println(objB.b1);
        System.out.println(objB.getB1());// 调用子类B中protected方法
    }
}
```

```
class A {// 类A
    private int a1 = 1;// 私有变量
    int a2 = 2;// 默认变量
    public int getA1() { return a1; }// 公有方法
    protected void setA1(int a1) { this.a1 = a1; }// 保护方法
    public int getA2() { return a2;     }// 公有方法
    protected void setA2(int a2) { this.a2 = a2; }// 保护方法
}
class B extends A {// 同一包中的类B继承类A
    // 被继承的有：默认类型的a2、protected类型的setA1()、setA2()
    // 和public类型的getA1()、getA2()
    // 不能被继承的是：private类型的a1
    private int b1 = 3;
    protected int getB1() { return b1; }
    public void setB1(int b1) { this.b1 = b1; }
}
```

运行结果：
```
10
100
1000
```

2. 父子类在不同包中的继承规则

若子类和父类不在同一个包中，则子类继承了父类中的 public 和 protected 成员变量和成员方法，将其作为子类的成员，但不能继承父类的默认和 private 成员。

【例 4-10】 不同包中的子类只能继承父类中的 public 和 protected 成员，且不同包中的非子类不能调用 protected 成员，只有子类才能调用 protected 成员。

程序清单4-10： InheritanceRuleOfDifferentPackage.java

```
package e4_10.p1;
import e4_10.p2.*; //引入e4_10.p2包中的所有类
public class InheritanceRuleOfDifferentPackage {
    public static void main(String args[]) {
        B objB = new B();// 实例化类B
        B obj = new B(objB);// 实例化类B
        // *** objB.setA1(8);// 非子类不能调用不同包中的protected方法
        // *** objB.setA2(9);// 非子类不能调用不同包中的protected方法
        objB.setB1(7);// 调用子类中public方法
        // //类A中的private变量a1不能被子类B继承
        // System.out.println(objB.a1);
        System.out.println(objB.getA1());// 调用父类A中public方法
        // System.out.println(objB.a2);// 不能调用父类A中的默认变量
        System.out.println(objB.getA2());// 调用父类A中public方法
        // 不能直接访问类B中的被private封装的变量
        // System.out.println(objB.b1);
        System.out.println(objB.getB1());// 调用子类B中protected方法
    }
}
class B extends A {// 同一包中的类B继承类A
    // 被继承的有：protected类型的a2、setA1()、setA2()
    // 和public类型的getA1()、getA2()
    // 不能被继承的是：private类型的a1
```

```
        private int b1 = 3;
        public B() {   }//无参构造方法
        public B(B objB) {//带一个参数的构造方法
            // 不同包中的子类可调用父类中protected方法
            objB.setA1(5);
            // 不同包中的子类可调用父类中protected方法
            objB.setA2(6);
        }
        protected int getB1() {
            return b1;
        }
        public void setB1(int b1) {
            this.b1 = b1;
        }
}
//A.java
package e4_10.p2;
public class A {// 类A
        private int a1 = 1;// 私有变量
        int a2 = 2;// 默认变量
        public int getA1() {// 公有方法
            return a1;
        }
        protected void setA1(int a1) {// 保护方法
            this.a1 = a1;
        }
        public int getA2() {// 公有方法
            return a2;
        }
        protected void setA2(int a2) {// 保护方法
            this.a2 = a2;
        }
}
```

运行结果:
```
5
6
7
```

4.3.5 上转型与下转型对象

1. 子类对象和父类对象之间的转换

Java 允许父类对象和子类对象在一定条件下相互之间转换。其相互转换规则是：①隐式（自动）转换：子类对象直接赋值给父类对象时，子类对象可自动转换为父类对象，称该父类对象是子类对象的上转型对象；②强制转换：父类对象赋值给子类对象时，必须将父类对象强制转换为子类对象，称该子类对象是父类对象的下转型对象；③没有继承关系的类类型，即不在继承树的同一个继承分支上，则不允许进行类型转换。

2. 上转型对象

上转型对象在 Java 编程中是常见的。不要将父类创建的对象和子类对象的上转型对象相混淆。

设类 A 是类 B 的父类，若有：

A a;

B b=new B();

a=b;　　　　　　//a 是 b 的上转型对象（子类对象可自动转型成父类对象）

则称父类对象 a 是子类对象 b 的上转型对象。

若有：

B b;

A a=new A();

b = (B)a;　　　//b 是 a 的下转型对象（父类对象须强制转型成子类对象）

则称子类对象 b 是父类对象 a 的下转型对象。

对象的上转型对象的实体由子类负责创建，上转型对象会失去原对象的一些属性和功能。上转型对象的特性是：①上转型对象不能操作子类新增的成员变量和成员方法。②上转型对象可以操作子类继承或重写的成员变量和成员方法。③若子类重写了父类的某个方法，则上转型对象调用该方法时一定是调用被子类重写的方法。④若子类隐藏了父类的某个变量，则上转型对象访问该变量时，访问的是父类中被隐藏的变量。⑤可以将对象的上转型对象再强制转换成子类对象，则该子类对象又具备了子类所给的所有属性和功能。

【例 4-11】　上转型对象的使用。

程序清单4-11: UpTransferObjectType.java

```java
package e4_11;
public class UpTransferObjectType {
    public static void main(String args[]) {
        A obja;// 声明类A的对象引用变量obja
        B objb;// 声明类B的对象引用变量objb
        obja = new B();// 对象obja为子类B对象的上转型对象
// 不论父类中的成员变量被子类隐藏与否,上转型对象始终访问父类中的成员变量(包括被隐藏的变量)
        System.out.print("上 转 型对象obja:\n" + "a1 = " + obja.a1 + "\t" + "a2 = "+ obja.a2 + "\t");
        // 若父类中的方法没被子类重写,则上转型对象访问的方法是原父类中的方法
        obja.arithmeticOperation(10, 10);
        // 若父类中的方法被子类重写,则上转型对象访问的方法必定是子类中重写的方法
        obja.fatherMethod();
        // 上转型对象不能访问子类中新增的成员变量和成员方法
        // System.out.println(obja.c1);
        objb = (B) obja;// 将上转型对象强制转换为子类对象
        // 若父类中的成员变量被子类隐藏,则子类对象必定访问子类中重新定义的成员变量
        System.out.print("\n强制转换对象objb:\n" + "a1 = " + objb.a1 + "\t" + "a2 = "+ objb.a2 + "\t");
        // 子类对象调用继承自父类的方法
        objb.arithmeticOperation(10, 10);
        // 子类对象调用重写的方法
        objb.fatherMethod();
        // 子类对象调用新增的成员变量
        System.out.println("c1 = " + objb.c1);//
    }
}
class A {// 类A
    int a1 = 10;    int a2 = 100;
```

```
    public void arithmeticOperation(int x, int y) {
        System.out.println("x + y = " + (x + y));
    }
    public void fatherMethod() {
        System.out.println("调用父类A的方法: fatherMethod()");
    }
}
class B extends A {// 类B继类A
    // 继承了父类的成员变量a1和成员方法arithmeticOperation ()
    int a2 = 1000;// 隐藏（重写）父类的成员变量
    int c1 = 10000;// 子类新增的成员变量
    public void fatherMethod() {// 重写父类中的成员方法
        System.out.println("调用子类B的方法: fatherMethod()");
    }
}
```

运行结果:
上 转 型对象obja:
a1 = 10 a2 = 100　　x + y = 20
调用子类B的方法: fatherMethod()

强制转换对象objb:
a1 = 10 a2 = 1000　　x + y = 20
调用子类B的方法: fatherMethod()
c1 = 10000

3. 对象引用变量的动态绑定

引用变量是指类的对象的引用型变量，其绑定规则如下:

（1）对于一个引用类型的变量，Java 编译器按照它声明的类型来处理。

（2）对于一个引用类型的变量，运行时 Java 虚拟机按照它实际引用的对象来处理。例如下转型对象的引用虽然编译可以通过，但运行时会抛出 ClassCastException 运行时异常。

（3）在运行时环境中，通过引用类型变量来访问所引用对象的方法和属性时，Java 虚拟机采用以下绑定规则:

①实例方法与引用变量实际引用的对象的方法绑定，这种绑定属于动态绑定，因为是在运行时由 Java 虚拟机动态决定的。

②静态方法与引用变量所声明的类型的方法绑定，这种绑定属于静态绑定，因为实际上是在编译阶段就已经做了绑定。

③成员变量（包括静态变量和实例变量）与引用变量所声明的类型的成员变量绑定，这种绑定属于静态绑定。因为实际上是在编译阶段就已经做了绑定。

4.3.6 继承的使用方法

（1）继承树的层次不宜太多，尽量保持在两到三层（不包括顶层的 Object 类），以降低复杂度，提高可扩展性。

（2）继承树的上层应尽可能为抽象层（如接口和抽象类）。

（3）使用一棵继承树上的类时，尽可能把引用变量声明为继承树的上层类型，以提高系统之间的松耦合。若继承树上有接口类型，则尽可能把引用变量声明为继承树上层的接口类型。

（4）精心设计用于被继承的类

①提供良好的文档说明，以便开发人员正确安全地创建该类的子类。

②尽可能封装父类的实现细节，而把代表实现细节的属性和方法定义为 private 类型。

③将不允许子类覆盖的方法定义为 final 方法。

④父类的构造方法中不允许调用可被子类覆盖的方法，以防运行时出错。

⑤若不是专门为了继承而设计的类，随意继承它是不安全的，可以采取以下两种措施来禁止继承：把类声明为 final 类；把此类的所有构造方法声明为 private 类型，然后通过一些静态方法来负责构造自身的实例。

4.3.7　继承与组合区别

组合关系和继承关系相比，前者最主要的优势是不会破坏封装。若类 A 与类 C 之间为组合关系，由类 C 封装实现，则其仅向类 A 提供接口；若类 A 与类 C 之间为继承关系，则类 C 会向类 A 暴露部分实现细节。组合关系虽然不会比继承关系减少编码量，但由于组合关系会降低系统的耦合性，提高了系统的可维护性。

组合关系的缺点是比继承关系要创建更多的对象。对于组合关系，创建整体类的实例时，必须创建其局部类的实例；而对于继承关系，创建子类的实例时，无需创建父类的实例。

4.4　多态性

4.4.1　多态性的概念

多态性（Polymorphism）是面向对象方法的三个重要特性之一。多态是指在一个程序中相同的名字可以表示不同的实现。Java 的多态性主要表现在三个方面：①方法重载：指可在一个类中定义多个名字相同而实现不同的成员方法，它是一种静态多态性，或称编译时多态；②方法覆盖（重写），即子类可以隐藏与父类中的同名成员方法，它是一种动态多态性，或称运行时多态；③变量覆盖，即子类可以隐藏与父类中的同名成员变量。多态性大大提高了程序的抽象性和简洁性。从静态与动态的角度可将多态分为编译时多态（静态多态）和运行时多态（动态多态）。

（1）编译时多态（静态多态）

编译时多态是指在编译阶段，编译器根据实参的不同来静态确定具体调用相应的方法，Java 中的方法重载属于静态多态。

（2）运行时多态（动态多态）

运行时多态是指运行时系统能根据对象状态不同来调用其相应的成员方法，即动态绑定。Java 中的方法覆盖属于动态多态。

由于子类继承了父类的非私有属性，所以子类对象可以作为父类对象使用（即上转型对象）。程序中凡是使用父类对象的地方，都可以用子类对象来代替。可以通过引用子类的实例来调用子类的方法。

4.4.2 方法重载

方法重载（Method Overloading）是指 Java 的同一个类中的两个或两个以上的方法可以使用同一个名字，而它们的参数声明（个数、类型和顺序）不同。

例如：add( )方法可能有以下三个版本：

public int add(int x, int y) {

　　return x + y;

}

public double add(double x, double y) {// 参数类型不同重载

　　return x + y;

}

public double add(double x, double y, double z) {// 参数个数不同重载

　　return x + y + z;

}

重载方法并存于程序中，当一个重载方法被调用时，javac 编译器会根据实参的个数、类型和顺序来表明实际调用的重载方法的版本。因此，每个重载方法的参数个数、类型和顺序必须是不同的。虽然每个重载方法可以有不同的返回类型，但返回类型并不足以区分所使用的是哪个方法。方法重载属于 Java 的静态多态，当 Java 在编译阶段调用一个重载方法时，形参与调用实参匹配的方法才被调用。

方法重载的目的不是代码复用，它可以提高成员方法的抽象程度，对外提供一致简洁的使用接口。

【例 4-12】 方法重载的使用。

程序清单4-12: //MethodOverloadingDemo.java

```
Package e4_12;
public class MethodOverloadingDemo {
    public static void main(String args[]) {
        int a = 10, b = 20, z = 30;
        ArithmeticOperation ao = new ArithmeticOperation();
        //ao.add(a, b)与add(int x, int y)精确匹配，而不调用add(double x, double y)
        System.out.println("ao.add(a, b)=" + ao.add(a, b));
        // ao.add((double) a, (double) b)与add(double x, double y)精确匹配
        System.out.println("ao.add((double) a, (double) b)="
                + ao.add((double) a, (double) b));
        // ao.add(a, (double) b)与add(int x, double y)精确匹配
        System.out.println("ao.add(a, (double) b)=" + ao.add(a, (double) b));
        // ao.add((double) a, b)与add(double y, int x)精确匹配
        System.out.println("ao.add((double) a, b)=" + ao.add((double) a, b));
        // ao.add(a, b, z)没有与之精确匹配的方法，则将int类型的变量a,b,z自动转
    //换为doulbe类型，然后与add(double x, double y, double z)精确匹配
        System.out.println("ao.add(a, b, z)=" + ao.add(a, b, z));
    }
}
class ArithmeticOperation {
    public int add(int x, int y) {
        System.out.println("调用: public int add(int x, int y)");
```

高等院校计算机系列教材

```
        return x + y;
    }
    /* 返回值类型不足以区分重载方法
     public double add(int x, int y) {
        return (double) (x + y);
    }    */
    public double add(double x, double y) {// 参数类型不同重载
        System.out.println("调用: public double add(double x, double y)");
        return x + y;
    }
    public double add(int x, double y) {// 参数类型不同重载
        System.out.println("调用: public double add(int x, double y)");
        return (double) (x + y);
    }
    public double add(double y, int x) {// 参数顺序不同重载
        System.out.println("调用: public double add(double y, int x)");
        return (double) (x + y);
    }
    public double add(double x, double y, double z) {// 参数个数不同重载
    System.out.println("调用: public double add(double x, double y, double z) ");
        return x + y + z;
    }
}
```

运行结果:
```
调用: public int add(int x, int y)
ao.add(a, b)=30
调用: public double add(double x, double y)
ao.add((double) a, (double) b)=30.0
调用: public double add(int x, double y)
ao.add(a, (double) b)=30.0
调用: public double add(double y, int x)
ao.add((double) a, b)=30.0
调用: public double add(double x, double y, double z)
ao.add(a, b, z)=60.0
```

构造方法重载是指 Java 的同一个类可以有多个名字与类名相同，但参数不同的构造方法。

【例 4-13】 构造方法重载。ConstructMethodOverloadingDemo

程序清单4-13: ConstructMethodOverloadingDemo.java

```
package e4_13;
public class ConstructMethodOverloadingDemo {
    public static void main(String args[]) {
        // 调用public Student()构造方法实例化s1
        Student s1 = new Student();
        // 调用成员方法Student()输出学生对象s1的信息
        s1.Student();
        // 调用public Student(String Sname)构造方法实例化s2
        Student s2 = new Student("李四");
        // 调用成员方法Student()输出学生对象s2的信息
        s2.Student();
        // 调用public Student(String Sno, String Sname) 构造方法实例化s3
```

```
        Student s3 = new Student("9", "王五");
        // 调用成员方法Student()输出学生对象s3的信息
        s3.Student();
    }
}
class Student {// 类Studnet
    private String Sno;// 学号
    private String Sname;// 姓名
    private static int count = 0;// 编号器
    public void Student() {// 此为一般成员方法（因为构造方法无返回值类型）
        System.out.println("调用方法：public void Student()显示学生信息！");
        System.out.println("学号：" + Sno + "\t\t姓名：" + Sname);
    }
    public Student() {// 无参数构造方法
        System.out.println("调用构造方法：public Student()");
        count++;
        Sno = new Integer(count).toString();
        Sname = "未名";
    }
    public Student(String Sname) {// 带一个参数的构造方法
        System.out.println("调用构造方法：public Student(String Sname)");
        count++;
        Sno = new Integer(count).toString();
        this.Sname = Sname;
    }
    public Student(String Sno, String Sname) {// 带两个参数的构造方法
    System.out.println("调用构造方法：public Student(String Sno, String Sname)");
        this.Sno = Sno;
        this.Sname = Sname;
    }
}
```

运行结果：
调用构造方法：public Student()
调用方法：public void Student()显示学生信息！
学号：1   姓名：未名
调用构造方法：public Student(String Sname)
调用方法：public void Student()显示学生信息！
学号：2   姓名：李四
调用构造方法：public Student(String Sno, String Sname)
调用方法：public void Student()显示学生信息！
学号：9   姓名：王五

4.4.3 方法覆盖

方法覆盖（Method Override）是指子类对父类中相同方法头的方法重新定义，又称为方法重写。这时子类和父类具有方法头（包括修饰符、方法名、参数表和返回值类型）相同，但方法体不同的同名方法。

方法重写的原则是：①改写后的方法不能比被重写的方法有更严格的访问权限。②改写后的方法不能比被重写的方法产生更多的异常。

调用重写方法的原则是：①对子类的一个实例，若子类重写了父类的方法，则运行时系

统调用子类的方法；②对子类的一个实例，若子类继承了父类的方法（未重写），则运行时系统调用父类的方法。

调用重写方法的格式是：①一般地，在子类中通过"方法名"所调用的成员方法包括子类中的重写方法、继承自父类的方法（未重写）和子类新增的方法三种。②若要访问父类中被覆盖的成员方法，则必须使用 super 关键字来表示父类对象，其一般调用格式是：

super.<方法名>([实参表]);

通过方法覆盖，可以在子类中修改父类中同名方法的功能。方法覆盖实现了在运行时的多态性，通过运行时的对象状态来调用其相应的成员方法，从而提高程序的简洁性和灵活性。

【例 4-14】 方法覆盖的使用和父类中被覆盖方法的调用。

程序清单4-14：MethodOverrideDemo.java

```java
package e4_14;
public class MethodOverrideDemo {
    public static void main(String args[]) {
        // 创建一元二次方程实例：5x^2+6x+1 = 0;
        TwoVariableEquation twe = new TwoVariableEquation(5, 6, 1);
        // 求解两实根x1,x2
        System.out.println("twe.getX1() = " + twe.getX1());
        System.out.println("twe.getX2() = " + twe.getX2());
    }
}
// 一元一次方程类OneVariableEquation
class OneVariableEquation {
    double a;
    double b;
    public OneVariableEquation(double a, double b) { this.a = a; this.b = b; }
    public void setAB(double a, double b) { this.a = a; this.b = b; }
    double getX1() { return -b / a; }
}
// 一元二次方程类TwoVariableEquation继承类OneVariableEquation
class TwoVariableEquation extends OneVariableEquation {
    double c;
    public TwoVariableEquation(double a, double b, double c) {
        // 调用父类的构造方法public OneVariableEquation(double a, double b)
        super(a, b);
        this.c = c;
    }
    public void setABC(double a, double b, double c) {
        // 调用继承自父类的方法public void setAB(double a, double b)
        setAB(a, b);
        this.c = c;
    }
    // 子类中覆盖方法可以扩大而不能缩小父类中被覆盖方法的访问控制权限，
    // 此处"getX1()"可为public、protected和默认，而不能为private
    public double getX1() {// 覆盖父类方法
        // 用"super.<方法名>([实参表])"调用被子类覆盖的方法getX1()
        return super.getX1() / 2 + Math.sqrt(Math.pow(b, 2) - 4 * a * c);
    }
    public double getX2() {
```

```
        return super.getX1() / 2 - Math.sqrt(Math.pow(b, 2) - 4 * a * c);
    }
}
```

运行结果:
```
twe.getX1() = 3.4
twe.getX2() = -4.6
```

方法覆盖与方法重载的异同:

（1）相同点:

①二者都要求方法名相同;②二者都可以用于抽象方法和非抽象方法。

（2）不同点:

①方法覆盖要求参数签名必须一致,而方法重载要求参数签名必须不一致;②方法覆盖只能用于子类覆盖父类的方法,方法重载用于同一个类的所有方法(包括从父类中继承而来的方法);③方法覆盖对方法的访问权限和抛出的异常有特殊的要求,而方法重载在这方面没有任何限制;④方法覆盖要求返回类型必须一致,而方法重载对此不做限制;⑤父类的一个方法只能被子类覆盖一次,而一个方法在所在的类中可以被重载多次。

4.4.4 变量覆盖

变量覆盖（Variable Override）是指在子类中对从父类继承过来的成员变量重新定义,即变量名相同而其类型相同或不同,又称为成员变量的隐藏。

成员变量覆盖的处理规则是:①在子类中将继承父类的同名变量"隐藏"了。②若子类执行继承父类的操作,则使用继承自父类的变量;若子类执行自己定义的操作时,则使用自己定义的变量。

若在子类中引用父类中继承的变量,则可使用 super 关键字来表示父类对象,其一般格式是:

super.<父类变量名>;

【例4-15】 成员变量的覆盖（隐藏）与 super 的使用

程序清单4-15: VariableOverrideDemo.java

```
package e4_15;
public class VariableOverrideDemo {
    public static void main(String args[]) {
        A obja;
        B objb = new B();
        obja = objb;// obja是objb的上转型对象
        // 给父类的成员变量a赋值
        objb.setA("若子类执行继承父类的操作,则使用继承自父类的变量。");
        // 上转型对象始终访问父类成员变量
        System.out.println("obja.a = " + obja.a);
        // 子类的同名变量a隐藏了父类的变量a
        System.out.println("objb.a = " + objb.a);
        // 给父类的成员变量a赋值
        objb.setAOfB("若子类执行自己定义的操作时,则使用自己定义的变量。");
        // 子类的同名变量a隐藏了父类的变量a
        System.out.println("objb.a = " + objb.a);
        System.out.println(objb.getAOfA());
```

高等院校计算机系列教材

```
        // 子类的同名变量a隐藏了父类的变量a
        System.out.println("objb.b = " + objb.b);
        objb.getBOfA();
    }
}
class A {// 类A
    String a;
    int b = 100;
    public String getA() { return a; }
    public void setA(String a) { this.a = a; }
}
class B extends A {// 类B继承类A
    String a;// 覆盖（隐藏）父类同名变量a，类型可相同
    double b = 1000;// 覆盖（隐藏）父类同名变量b,类型可不同
    public String getAOfB() { return a; }
    public void setAOfB(String a) { this.a = a; }
    public String getAOfA() {// 用super访问被隐藏的父类中的成员变量a
        return "super.a = " + super.a;
    }
    public void getBOfA() {// 用super访问被隐藏的父类中的成员变量b
        System.out.println("super.b = " + super.b);
    }
}
```

运行结果:
```
objа.a = 若子类执行继承父类的操作，则使用继承自父类的变量。
objb.a = null
objb.a = 若子类执行自己定义的操作时，则使用自己定义的变量。
super.a = 若子类执行继承父类的操作，则使用继承自父类的变量。
objb.b = 1000.0
super.b = 100
```

4.5　抽象类与抽象方法

抽象类是 Java 支持多态性的一种重要机制，通过抽象类可以统一处理一个类层次中的同名方法。在很多实际应用中，类层次的顶层类并不具备下层子类的一些功能实现，而将这些方法声明为抽象方法，在 Java 中含有抽象方法的类就叫抽象类。抽象类和抽象方法是被 abstract 修饰的类和方法。

4.5.1　抽象类

被 abstract 修饰的类称为抽象类（Abstract Class），其定义方法如下：
abstract class <类名>{
　　……　//类体
　　}
抽象类的特点是不能被实例化，只是一种概念类。它概括了某类事物的共同属性，其子类只需简单描述其特殊之处，而不必再重复其抽象类的共同特点。因此，使用抽象类的优点是可以充分利用它所具有的公共属性来提高程序的开发效率。实际应用中，抽象类一定有它

的子类，而子类通常不是抽象类，若其子类是抽象类，则该抽象类一定会有不是抽象类的子类。抽象类与其子类的关系是继承关系。虽然抽象类不能定义对象，但是抽象类可以有构造方法，并能被其子类所调用。

使用抽象类注意以下四点：

①abstract 抽象类不能创建对象，必须通过子类继承后，由子类来创建对象。

②abstract 抽象类中，可以没有抽象方法，也可以有一个或多个抽象方法（见 4.5.2）。

③若一个类中含有 abstract 抽象方法，则该类必须被声明为抽象类。

④abstract 抽象类不能被同时声明为 final 类。

【例4-16】 抽象类的定义、继承与应用。

程序清单4-16：AbstractClassDemo.java

```java
package e4_16;
public class AbstractClassDemo {
    public static void main(String args[]) {
        A obja;// 抽象类A只能用来声明对象引用
        // obja = new A(); //抽象类A不能实例化
        B objb = new B();// 只能用实现了抽象类A的子类B实例化
        objb.add(10, 10);
        obja = objb;// obja是objb的上转型对象
        obja.add(100, 100);
    }
}
abstract class A { // 抽象类不能同时声明为final类
    public void add(int x, int y) {// add（）为非抽象方法
    }
}
class B extends A {
    // 覆盖抽象类A的方法public void add(int x, int y)
    public void add(int x, int y) {
        System.out.println(x + " + " + y + " = " + (x + y));
    }
}
```

运行结果：
```
10 + 10 = 20
100 + 100 = 200
```

4.5.2 抽象方法

抽象方法（Abstract Method）是指被 abstract 修饰的成员方法。抽象方法是一种仅有方法头，而无方法体的一种特殊方法。抽象方法不能实现任何操作，而只能作为所有子类中重载该方法的一个统一接口。抽象方法定义的一般格式是：

abstract class <类名>{

　　abstract　<返回类型><方法名>([<参数表>]);

}

在该定义中，使用了一个分号来替代方法体。

抽象方法一定出现在抽象类中，即存在抽象方法的类一定是抽象类，但抽象类不一定存在抽象方法。子类继承了父类的抽象方法后，使用不同的实现（即方法体）来重载它。于是

便形成了若干个名字、返回值类型和参数表都相同，而方法体不同的重载方法。

使用抽象方法的好处是抽象方法在不同类中重载，它隐藏具体的实现细节信息，在程序中只需给出抽象方法名，而不必知道具体调用哪个方法。抽象方法对外提供了一个共同的接口，该抽象类的所有子类都可以使用该接口来实现该功能。

使用抽象方法要注意以下两点：

①abstract 抽象方法只允许方法声明，不允许实现；

②abstract 抽象方法不能被同时声明为 final 方法。

【例 4-17】 抽象方法与抽象类的关系与应用。

程序清单4-17: //AbstractMethodDemo.java

```java
package e4_17;
public class AbstractMethodDemo {
    public static void main(String args[]) {
        A obja;// 抽象类A只能用来声明对象引用
        // obja = new A(); //抽象类A不能实例化
        B objb;
        // objb = new B(); //抽象类B不能实例化
        C objc = new C();// 只能用实现了抽象类的子类C实例化
        objc.add(10, 10);
        objc.subtract(10, 1);
        objc.Multiply(10, 10);
        objc.Divide(10, 10);
        // obja是objb和objc的上转型对象，objb是objc的上转型对象
        obja = objb = objc;
        objb.add(100, 100);
        objb.subtract(100, 10);
        objb.Multiply(100, 100);
        // objb.Divide(100, 100);//上转型对象不能调用子类新增成员
        obja.add(1000, 1000);
        obja.subtract(1000, 100);
        // obja.Multiply(1000, 1000);//上转型对象不能调用子类新增成员
    }
}
abstract class A { // 含有抽象方法的类必须定义为抽象类
    abstract void add(int x, int y);// 抽象方法声明add()
    // 抽象方法不能声明为final类型
    abstract void subtract(int x, int y);
}

// 子类B没有完全实现父类A中的抽象方法，则只能定义为抽象类
abstract class B extends A {// 类B继承类A
    // 覆盖抽象类A的方法 void add(int x, int y)
    void add(int x, int y) {
        System.out.println(x + " + " + y + " = " + (x + y));
    }
    void Multiply(int x, int y) {// 子类B新增的方法
        System.out.println(x + " * " + y + " = " + (x * y));
    }
}
// 子类C实现了间接父类A的抽象方法abstract int subtract(int x, int y)
```

```
class C extends B {// 类C继承类B
    void subtract(int x, int y) {
        System.out.println(x + " - " + y + " = " + (x - y));
    }
    void Divide(int x, int y) {// 子类C新增的方法
        System.out.println(x + " / " + y + " = " + (x / y));
    }
}
```

运行结果:
```
10 + 10 = 20
10 - 1 = 9
10 * 10 = 100
10 / 10 = 1
100 + 100 = 200
100 - 10 = 90
100 * 100 = 10000
1000 + 1000 = 2000
1000 - 100 = 900
```

4.6 接口

4.6.1 接口的概念

接口（Interface）是 Java 中支持多态性的另一种重要机制。接口允许多继承，是对类继承的扩充。一方面引进接口是为了弥补 Java 不支持多继承带来的不足，由于 Java 只支持单重继承而不支持多重继承，其类层次结构是树状结构，降低了复杂性，为了解决现实世界中存在的多继承问题，引进接口则可以实现类似于多重继承的网状层次结构。另一方面，从软件工程的角度看，引进接口可有效地将软件设计和实现分离，使开发者分工明确，提高了软件质量，在面向对象程序设计语言的发展中具有里程碑意义。

Java 中的接口有两种意思：①概念性接口，指系统对外提供的所有服务，类的所有能被外部使用者访问的方法构成了类的接口。②接口类型：指用 interface 关键字定义的接口，它明确地描述了系统对外提供的所有服务，清晰地把系统的实现细节与接口分离。

Java 中的接口类型（简称接口）实际上是由常量和抽象方法构成的特殊类。在接口定义中，仅规定了实现某些功能的对外接口和规范，但是不包含具体的实现，这些功能是在"实现"了该接口的各个类中完成的，在这些类中具体定义了接口中各个抽象方法的方法体。

4.6.2 接口的定义

接口由接口首部和接口体两部分构成，定义接口的一般格式是：
[public] interface <接口名> [extends <父接口名列表>] {
    [public][static][final]<类型><常量名>=<常量值>;   //常量说明
    [public][abstract][native]<类型><方法名>([参数表])[throws 异常列表]; //抽象方法说明
)
其中，interface 是定义接口的关键字。接口名的首字母大写，若多个单词组成接口名则每个单词的首字母大写。一个接口可以继承若干个父接口。一个类可以"实现"若干个接口，

从而获得多个"父类"，实现多重继承。接口体由接口常量和抽象方法两部分组成，因此，接口是若干个常量和抽象方法的集合。

Java 的接口既和继承有关又与多态相关，而且是众多面向对象程序设计语言所不支持的，是 Java 的一个重要特征，因此接口是运用 Java 的难中之难。接口与抽象类在表面上有些相似，如两者都不能被实例化。但接口对其中的成员变量和成员方法增加了许多限制，其主要特性有：

①接口的访问控制符有 public 和默认两种，被 public 修饰的是公有接口，可被所有类和接口使用。没有访问控制符（默认访问控制）的接口只能被同一个包中的其他类和接口使用。

②接口中的成员变量必须是被 public、static 和 final 修饰的，默认都是"public static final"类型的变量，且必须被显式初始化。

③接口中的成员方法必须是被 public 和 abstract 修饰的，默认都是"public abstract"类型的方法。若接口中存在 native 方法（方法体使用非 Java 语言编写），则该接口需加 native 修饰符。

④接口中只能包含"public static final"类型的成员变量和"public abstract"类型的成员方法。

⑤接口没有构造方法，不能被实例化。

⑥接口具有继承性。一个接口可以通过关键字 extends 来继承多个其他接口，从而实现"多重继承"。但接口不能实现另一个接口。

⑦接口必须通过类来实现它的方法。一个类只能继承一个直接父类，但可以用 implements 关键字来实现多个接口。

⑧与子类继承抽象父类相似，当类实现某个接口时，它必须实现接口中所有的抽象方法，否则这个类必须被定义为抽象类。

⑨不允许创建接口的实例，但允许定义接口类型的引用变量，该引用变量能引用这个接口类的实例。

【例 4-18】 接口的定义与主要特性。

程序清单4-18: InterfaceDefineDemo.java

```java
package e4_18;
public class InterfaceDefineDemo {
    public static void main(String args[]) {
        IA objIA;// 声明接口IA的引用变量objIA
        IB objIB;// 声明接口IB的引用变量objIB
        IShape objIShape;// 声明接口IShape的引用变量objIShape
        Circle circle = new Circle(3);// 实例化一个圆
        circle.show();
        objIA = circle;// 使用接口引用变量来调用方法
        System.out.println("objIA.getArea()=" + objIA.getArea());
        Cylinder cylinder = new Cylinder(3, 2);// 实例化一个圆柱体
        cylinder.show();
        objIB = cylinder;// 使用接口引用变量来调用方法
        System.out.println("objIB.getGirth()=" + objIB.getGirth());
        objIShape = cylinder;// 使用接口引用变量来调用方法
        System.out.println("objIShape.getVolume()=" + objIShape.getVolume());
    }
}
```

```
interface IA {// 接口IA
    public static final double PI = 3.145926;// PI常量
    // 接口中的方法必须是抽象方法
    public abstract double getArea();// 求面积
    // 接口中不能定义构造方法
    // public IA();
}
interface IB {// 接口IB
    // 接口中的方法默认为public abstract类型的方法
    double getGirth();// 求周长
}
// 接口的继承性: 接口IShaple继承接口IA、IB
interface IShape extends IA, IB {double getVolume(); }// 求体积
abstract class OutPut {// 含有抽象方法的类必定为抽象类
    abstract void show();// 抽象方法必须用abstract修饰
}
// 若接口中的抽象方法没有被全部实现, 则此类必须是抽象类, 一个类可以实现多个接口
abstract class AbstractCircle extends OutPut implements IA, IB {
    void show() {  }// 实现抽象类OutPut中抽象方法show()
    public double getArea() { return 0.0; }// 实现接口IA中的抽象方法getArea()
    // 接口IB中的抽象方法getGirth()没有被实现
}
class Circle extends AbstractCircle {// 圆类Circle
    private double radius;// 新增属性:半径
    public Circle(double radius) { this.radius = radius; }// 构造方法
    public double getArea() { return PI * radius * radius; } // 方法覆盖
    // 实现接口中的默认方法必定为public方法
    public double getGirth() { return 2 * PI * radius; }
    void show() {// 方法覆盖
        System.out.println("圆的半径 = " + radius);
        System.out.println("圆的面积 = " + getArea());
        System.out.println("圆的周长 = " + getGirth());
    }
}
// 圆柱体类Cylinder实现了抽象类和接口的所有抽象方法
class Cylinder extends OutPut implements IShape {
    private double radius;// 新增属性:半径
    private double high;// 新增属性:高
    public Cylinder(double radius, double high) {// 构造方法
        this.radius = radius;
        this.high = high;
    }
    // 实现继承自接口IA中的抽象方法getArea()
    public double getArea() { return 2 * PI * radius * (radius + high); }
    // 实现继承自接口IB中的抽象方法getGirth()
    public double getGirth() { return (2 * PI * radius); }
    // 实现接口IShape中新增的抽象方法getVolume()
    public double getVolume() { return (PI * radius * radius * high); }
    void show() {// 实现抽象类OutPut中抽象方法show()
        System.out.println("圆柱体的半径 = " + radius);
        System.out.println("圆柱体的高度 = " + high);
```

```
        System.out.println("圆柱体全面积 = " + getArea());
        System.out.println("圆柱体腰围长 = " + getGirth());
        System.out.println("圆柱体的体积 = " + getVolume());
    }
}
```

运行结果:
圆的半径 = 3.0
圆的面积 = 28.313333999999998
圆的周长 = 18.875556
objIA.getArea()=28.313333999999998
圆柱体的半径 = 3.0
圆柱体的高度 = 2.0
圆柱体全面积 = 94.37778
圆柱体腰围长 = 18.875556
圆柱体的体积 = 56.626667999999995
objIB.getGirth()=18.875556
objIShape.getVolume()=56.626667999999995

4.6.3 接口的实现

接口的实现是指接口被类实现,在它的实现类中具体给出接口中抽象方法的方法体。类中实现接口的一般方法是:

①在类的头部,使用关键字 implements 说明该类要实现的接口。

②若实现接口的类是非抽象类,则该类体内必须实现接口中所有的抽象方法,并且方法头应与接口中定义的完全一致。

③若实现接口的类是抽象类,则可以不实现接口中的所有方法,但是在抽象类的非抽象子类中对其父类所实现的接口中所有抽象方法都必须实现。

④一个类在实现某接口的抽象方法时,必须使用完全相同的方法头。若在类中实现方法时,则方法必须显式地被 public 修饰,因为接口的抽象方法均是显式或隐式的 public 方法。

【例 4-19】 使用接口描述堆栈的基本操作并用类实现其基本操作。堆栈是一种先进后出(First In and Last Out,FILO)的线性表,只允许从同端进行插入和删除,包括初始化、入(压)栈、出(弹)栈、栈判空、取栈顶元素等基本操作。

程序清单4-19: CharStackDemo.java

```java
package e4_19;
import java.io.*;
public class CharStackDemo {// 主类
    public static void main(String args[]) throws java.io.IOException {
        char choice = 0, exit = 'Y', popchar;
        DynStack ds = new DynStack(10);
        do {
            if (exit == 'x' || exit == 'X')
                return;
            System.out.println();
            do {
                if (choice != 13 && choice != 10) {
                    System.out.println("For example  CharacterStack");
                    System.out.println("    1. 初始化栈");
                    System.out.println("    2. 栈判空操作");
```

```
            System.out.println("     3．入栈操作");
            System.out.println("     4．出栈操作");
            System.out.println("     5．取栈顶元素");
            System.out.println("     6．栈置空操作");
            System.out.println("     7．求当前栈中元素个数");
            System.out.println("     8．输出栈中全部元素");
            System.out.println("     9．退出操作");
            System.out.print("  Choose one: ");
        }
        choice = (char) System.in.read();
    } while (choice < '1' || choice > '9');
    switch (choice) {
    case '1': { ds.inistack(); ds.output(); break; }
    case '2': {
        if (ds.isempty())
            System.out.println("---当前栈为空---");
        else
            System.out.println("  当前栈不为空  ");
        break;
    }
    case '3': {
        ds.push();
        ds.output(); break;
    }
    case '4': {
        popchar = ds.pop();
        if (popchar == 0)
            System.out.println("---当前栈为空!---");
        else
            System.out.println("当前出栈元素: " + popchar);
        ds.output(); break;
    }
    case '5': {
        if (ds.gettop() == 0)
            System.out.println("---当前栈为空!---");
        else
            System.out.println("当前栈顶元素: " + ds.gettop());
        ds.output(); break;
    }
    case '6': { ds.clears(); ds.output(); break; }
    case '7': {
        System.out.println("当前栈中元素个数:" + ds.current_size());
        ds.output(); break;
    }
    case '8': { ds.output(); break; }
    case '9': { return; }
    }
    System.out.print("按x|X键退出操作,按其他键继续:");
    exit = (char) System.in.read();
} while (exit != 'x' || exit != 'X');
```

```
    }
}
// 定义一个字符栈接口ICharStack.
interface ICharStack {
    void inistack(); // 1.初始化栈操作
    boolean isempty(); // 2.栈判空操作
    void push(); // 3.入栈操作
    char pop(); // 4.出栈操作
    char gettop(); // 5.取栈顶元素
    void clears(); // 6.栈置空操作
    int current_size(); // 7.求当前栈中元素个数
    void output(); // 8.输出栈中全部元素
}
// 实现一个动态栈类DynStack.
class DynStack implements ICharStack {
    private char stck[];// 用数组（线性顺序表）作为栈的物理存储结构
    private int tos;// 栈顶指针
    DynStack(int size) {// 构造方法
        stck = new char[size];
        tos = -1;
    }
    public void inistack() { // 1.初始化栈操作
        char c = '0';
        BufferedReader br = new BufferedReader(new
InputStreamReader(System.in));
        System.out.println("Enter characters, 'q' to quit.");
        do {// 从键盘读入字符
            try {
                c = (char) br.read();
            } catch (IOException e) {
                System.out.println("读入错误: " + e);
            }
            if (c != 13 && c != 10) {
                if (tos == stck.length - 1) {
                    char temp[] = new char[stck.length * 2]; // double size
                    for (int i = 0; i < stck.length; i++)
                        temp[i] = stck[i];
                    stck = temp;
                    stck[++tos] = c;
                } else
                    stck[++tos] = c;
            }
        } while (c != 'q');
        tos--;
    }
    public boolean isempty() {// 2.栈判空操作
        if (tos == -1)
            return true;
        else
            return false;
```

```
    }
    public void push() {// 3.入栈操作
        char c = '0';
        BufferedReader br = new BufferedReader(new
InputStreamReader(System.in));
        System.out.println("输入进栈字符串, 'q' to quit.");
        do {// 读入字符
            try {
                c = (char) br.read();
            } catch (IOException e) {
                System.out.println("读入错误: " + e);
            }
            if (c != 13 && c != 10) {
                if (tos == stck.length - 1) {
                    char temp[] = new char[stck.length * 2]; // 双倍扩展
                    for (int i = 0; i < stck.length; i++)
                        temp[i] = stck[i];
                    stck = temp;
                    stck[++tos] = c;
                } else
                    stck[++tos] = c;
            }
        } while (c != 'q');
        tos--;
    }
    public char pop() {// 4.出栈操作
        if (tos == -1)
            return 0;
        else
            return stck[tos--];
    }
    public char gettop() {// 5.取栈顶元素
        if (tos == -1)
            return 0;
        else
            return stck[tos];
    }
    public void clears() {// 6.栈置空操作
        tos = -1;
    }
    public int current_size() {// 7.求当前栈中元素个数
        return tos + 1;
    }
    public void output() {// 8.输出栈中全部元素
        System.out.println("当前栈中元素: ");
        System.out.println("--------------------------");
        if (tos == -1)
            System.out.println("---当前栈为空---");
        else
            for (int i = tos; i >= 0; i--)
```

```
            System.out.print(stck[i] + " ");
        System.out.println("\n--------------------------\n");
    };
}
```

运行结果:(初始化栈操作的结果)

For example CharacterStack
   1. 初始化栈
   2. 栈判空操作
   3. 入栈操作
   4. 出栈操作
   5. 取栈顶元素
   6. 栈置空操作
   7. 求当前栈中元素个数
   8. 输出栈中全部元素
   9. 退出操作
  Choose one: 1
Enter characters, 'q' to quit.
ABCDE
q
当前栈中元素:

E D C B A

按x|X键退出操作,按其他键继续:

4.6.4　接口与抽象类的比较

1. 接口与抽象类的异同

接口常常被用来为具有相似功能的一组类,对外提供一致的服务接口,这一组类可以是相关的,也可以是不相关的,而抽象类则是为一组相关的类提供一致的服务接口。所以,接口往往比抽象类具有更大的灵活性。

(1)相同点:

①抽象类与接口都位于继承树的上层,代表系统的抽象层;②都不能被实例化;③都能包含有抽象方法。

(2)不同点:

①在抽象类中可以为部分方法提供默认的实现,避免在子类中重复实现它们,提高了代码的可重用性,这是抽象类的优势所在;而接口中只能包含抽象方法,不可以有任何实现代码。②抽象类与其子类之间存在泛化(层次/从属)关系,而接口与实现它的类之间则不存在任何层次关系,只存在实现关系。③抽象类只能被单继承,而接口可以被多继承;一个类只能继承一个直接的父类,这个父类可以是抽象类,但一个类可以同时实现多个接口,这是接口的优势所在。④在接口中只能声明公有的类常量字段,而抽象类中可以声明任何字段。⑤抽象类能够尽可能地为它的相关子类提供公共特征性,包括属特征和行为特征,而接口则为一组子类仅提供一组对外的服务接口,即抽象方法。⑥接口是在编译时处理,而抽象类是在运行时处理,接口比抽象类能节省运行开销。

2. 使用接口的优势

①对于已经存在的类继承树，可以方便地从类中抽象出新的接口，但是从类中抽象出抽象类却不那么容易，因此接口更有利于软件系统的维护与重构。

②使用接口，可以方便地对已经存在的系统进行自下而上的抽象。对于任意两个类，不管它们是否属于同一个父类，只要它们存在相同的功能，就能从中抽象出一个接口类型。接口中定义了系统对外提供的一组相关服务，接口并不能强迫它的实现类在语义上是同一种类型。

3. 使用接口和抽象类的原则

①接口是系统中最高层次的抽象类型，要用接口作为系统与外界交互的窗口。

②接口本身必须十分稳定，一旦制定，不要随意修改，否则会对外界使用者及系统内部都造成影响。

③可用抽象类来定制系统中的扩展点。

4.7　内部类与匿名类

4.7.1　内部类

1. 内部类的定义与优势

此前介绍的类都只是由成员变量（字段/属性）和成员方法构成，实际上，一个类的内部也可以包含（嵌套）另一个类，称这个被包含的类为内部类（Inner Class）或嵌入类（Nested Class）。相应地，把包含内部类的类称之为外部类（Outer Class）。此外，将类定义代码不嵌套在其他类定义中的类称为顶层类（Top-level Class）。与一般的类相同，内部类也具有自己的成员变量和成员方法。通过建立内部类的对象，可以存取其成员变量和调用其成员方法。

【例 4-20】　简单内部类的定义。

程序清单4-20: InnerClassDefine.java

```java
package e4_20;
public class InnerClassDefine {
    public static void main(String agrs[]) {
        // 创建外部类OuterClass的实例out
        OuterClass out = new OuterClass();
        // 用外部类OuterClass的实例out来创建内部类InnerClass的实例in
        OuterClass.InnerClass in = out.new InnerClass();
        // 调用内部类InnerClass的实例in的成员方法icm1()
        in.icm1();
    }
}
class OuterClass {// 定义外部类OuterClass
    int ocx = 10; // 外部类的成员变量ocx
    public class InnerClass { // 定义内部类InnerClass
        int icx = 100; // 内部类的成员变量icx
        public void icm1() { // 内部类的成员方法icm1()
            System.out.println("icx of InnerClass  is " + icx);
            // 直接访问外部类成员变量
            System.out.println("ocx of OuterClass  is " + ocx);
        }
```

```
        }
}
```

运行结果:
```
icx of InnerClass  is 100
ocx of OuterClass  is 10
```

实际上，广义上的内部类还包括内部接口，Java 中内部类定义是非常灵活的，其规则是：①在另一个类或者一个接口中声明一个类，即成员类（Member Class）；②在一个方法中声明的一个类，即局部类（Local Class）；③在另一个接口或者一个类中声明一个接口，即内部接口（Inner Interface）；④类和接口声明可嵌套深度没有限制。

内部类的主要优势有：①内部类对象能够访问其所在外部类的全部属性，包括私有属性。②内部类能够被隐藏起来，不被同一包中的其他类所见。③匿名类可以方便地定义运行时回调。④使用内部类编写事件驱动程序时非常方便。

2. 内部类的类型与引用方式

一般地，内部类又分为定义在方法体外的成员类和定义在方法体内的局部类两种。成员类进一步分为静态成员类（Static Member Class）或称类成员类（Class Member Class）和非静态成员类（Nonstatic Member Class）或称实例成员类（Instance Member Class）。局部类又分为静态局部类（Static Local Class）、非静态局部类（Nonstatic Local Class）和匿名类（Anonymous Class）。内部类的分类如图 4-1 所示。

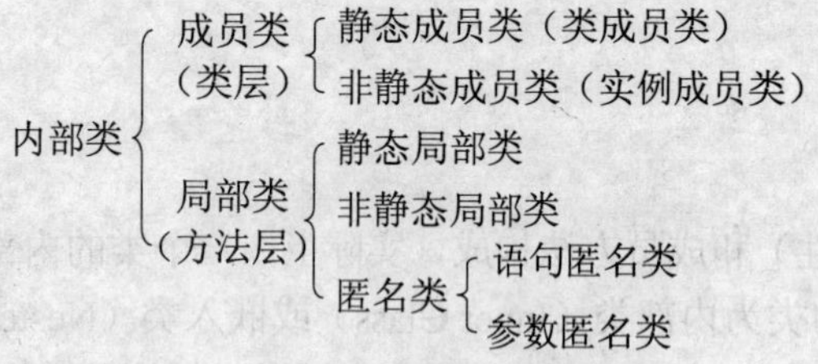

```
              ┌ 成员类   ┌ 静态成员类（类成员类）
              │（类层）  └ 非静态成员类（实例成员类）
内部类  ──────┤
              │         ┌ 静态局部类
              │ 局部类  │ 非静态局部类
              └（方法层）│         ┌ 语句匿名类
                        └ 匿名类  └ 参数匿名类
```

图 4-1 内部类的分类

外部类与内部类的基本访问原则是：在外部类中，通过一个内部类的对象来引用内部类中的成员；反之，在内部类中则可以直接引用它所在外部类的成员，包括静态成员、实例成员及私有成员。实际中，根据内部类在外部类中的位置不同，对内部类的引用也有所不同，下面按内部类类型的不同分别介绍其定义、特性、约束与引用方式：

（1）成员类（Member Class）：

指定义在方法体外的内部类，它进一步分为以下两种：

①静态成员类（Static Member Class）

静态成员类是指类声明中包含"static"关键字的内部成员类。

静态成员类的特性：a. 静态成员类可访问外部类的任一静态成员变量或静态成员方法；b. 像静态方法或静态变量一样，静态成员类有 public、protected、private、default 访问控制修饰符。

静态成员类的约束：a. 静态成员类不能与外部类重名；b. 像外部类的静态方法一样，不能直接访问外部类的实例变量和实例方法；c. 静态成员类只能定义于外部类的顶层代码或外部类其他静态成员类的顶层代码中（嵌套定义），而不能定义于外部类的某个成员方法中。

静态成员类的引用：静态内部类是附属于外部类的，而不是附属于外部类的实例，对于静态内部类的引用不需要通过外部类的实例来创建内部类对象，可直接通过外部类名就可以实现，语法格式是：new 外部类名.内部类构造方法( );

静态成员类的使用：若 B 为 A 的辅助类，且只为 A 所用时，则可将 B 定义为 A 的静态成员类。例如 JDK 中的 LinkedList 类就有 Entry 静态成员类。

```java
import java.util.*;
public class LinkedList<E> extends AbstractSequentialList<E> {
    // …;
    private static class Entry<E> {
        E element;
        Entry<E> next;
        Entry<E> previous;
        Entry(E element, Entry<E> next, Entry<E> previous) {
            this.element = element;
            this.next = next;
            this.previous = previous;
        }
    }
    // …;
}
```

显然，Entry 用来表示 LinkedList 中的一个节点，只被 LinkedList 自身使用。上述代码中的 "<E>" 是一种泛型表示，泛型是 JDK5.0 的新增特性。

【例 4-21】　静态成员类的定义、访问控制、约束与引用。

程序清单4-21：StaticMemberClass.java

```java
package e4_21;
public class StaticMemberClass {// 主类
    public static void main(String[] args) {
        // 可直接通过外部类名引用静态成员类：new 外部类名.内部类构造方法( )
        Outer.Inner1 inner1 = new Outer.Inner1();
        Outer.Inner2 inner2 = new Outer.Inner2();
        // 不能使用外部类的实例引用静态成员类
        // Outer.Inner2 inner2 = new Outer().new Inner2();
        new Test();
        // 嵌套静态成员类的使用
        Outer.Inner3.Inner4 inner4 = new Outer.Inner3.Inner4();
        // 调用外部类实例方法
        new Outer().instanceMethod();
    }
}
class Test {
    public Test() {
        // 成员类的访问控制与成员方法、成员变量的访问控制相同，见表4-2
        // 默认成员类可跨类引用
        Outer.Inner3 inner3 = new Outer.Inner3();
        // 私有成员类只在其外部类中可见，不能跨类引用
        // Outer.Inner5 inner5 = new Outer.Inner5();
    }
}
class Outer {// 外部类
    private int x = 10;
    private static int y = 100;
    // ①静态成员类能定义于外部类的顶层代码
    public static class Inner1 {// 公有静态成员类
        public Inner1() {
```

```
                // 静态成员类能直接访问外部类的静态方法和静态变量
                staticMethod();
                System.out.println("外部类Outer的静态变量y = " + y);
                // 静态成员类不能直接访问外部类的实例方法和实例变量
                // instanceMethod();
                // System.out.println("外部类Outer的静态变量x = " + x);
                System.out.println("静态成员类Inner1的反射是: " + this);
                // 静态成员类不能使用"外部类.this",实例成员类则可以使用之
                // System.out.println("外部类Outer的反射是: " + Outer.this);
            }
        }
        protected static class Inner2 {// 保护静态成员类
            public Inner2() {
                System.out.println("静态成员类Inner2的反射是: " + this);
            }
        }
        static class Inner3 {// 默认静态成员类
            // ②静态成员类能定义于外部类的其他静态成员类的顶层代码中（嵌套定义）
            public static class Inner4 {
                public Inner4() {
                    System.out.println("嵌套静态成员类Inner4的反射是: " + this);
                }
            }
            public Inner3() {
                System.out.println("静态成员类Inner3的反射是: " + this);
            }
        }
        private static class Inner5 {// 私有静态成员类
            public Inner5() {
                System.out.println("静态成员类Inner5的反射是: " + this);
            }
        }
        private static void staticMethod() {// 外部类静态成员方法
            // ③静态成员类不能定义于外部类的成员方法
            // static class Inner6 { }
            // 静态方法中不能使用"外部类.this",实例方法中则可以使用之
            // System.out.println("外部类Outer的反射是: " + Outer.this);
        }
        void instanceMethod() {// 外部类实例成员方法
            // 嵌套静态成员类的使用
            Inner3.Inner4 inner4 = new Inner3.Inner4();
            // 私有静态成员类只在其所在的外部类中被访问
            Inner5 inner5 = new Inner5();
            // 在实例方法中能使用"外部类.this",求得外部类的反射值
            System.out.println("外部类Outer的反射是: " + Outer.this);
        }
    }
}
```

运行结果:
外部类Outer的静态变量y = 100
静态成员类Inner1的反射是: e4_21.Outer$Inner1@d9f9c3
静态成员类Inner2的反射是: e4_21.Outer$Inner2@1a46e30

静态成员类Inner3的反射是：`e4_21.Outer$Inner3@addbf1`
嵌套静态成员类Inner4的反射是：`e4_21.Outer$Inner3$Inner4@9304b1`
嵌套静态成员类Inner4的反射是：`e4_21.Outer$Inner3$Inner4@190d11`
静态成员类Inner5的反射是：`e4_21.Outer$Inner5@de6ced`
外部类Outer的反射是：`e4_21.Outer@c17164`

编译器编译静态成员类时，会创建一个名称为：

"OuterClassName$StaticMemberClassName.class"的文件，其中OuterClassName是外部类的类名，StaticMemberClassName是静态成员类的类名，上例中编译后会产生的类文件如下：

Outer$Inner1.class

Outer$Inner2.class

Outer$Inner3$Inner4.class

Outer$Inner3.class

Outer$Inner5.class

Outer.class

StaticMemberClass.class

Test.class

②实例成员类（Instance Member Class）

实例成员类是指类声明中不包含"static"关键字的内部成员类。

实例成员类的特性：a. 类似于外部类的实例方法，实例成员类有public、protected、private、default访问控制修饰符；b. 一个实例成员类的实例必然属于一个外部类的实例，实例成员类可访问外部类的任一个实例变量和实例方法。

实例成员类的约束：a. 实例成员类不能与外部类重名。b. 不能在实例成员类中定义static变量、方法和类（static final形式的常量定义除外）。因为一个实例成员类的实例必然与一个外部类的实例关联，而这个static定义完全可以移到其外部类中去。c. 实例成员类不能是接口（Interface）。因为实例成员类必须能被某个外部类实例化，而接口是不能实例化的。事实上，若以成员类的形式定义一个接口，则该接口实际上是一个静态成员类，static关键字对内部接口是内含（Implicit）的。

实例成员类的引用：定义在方法体外的实例成员类如同成员变量和成员方法，也是附属于类的。其引用方法分两种情况：

a. 当在外部类的内部对实例成员类实例化时，可直接调用实例成员类的构造方法来创建其实例，其语法格式是：new 内部类构造方法( )；例：设类InnerClass是类OuterClass的一个实例成员类，则在类OuterClass的内部实例化InnerClass实例成员类的语句是：InnerClass in = new InnerClass ( );

b. 当在外部类的外部对实例成员类实例化时，需通过外部类的实例来引用，即先创建一个外部类的实例，再通过该外部类的实例来创建内部类的实例，其语法格式分为两种：

• 格式一：外部类实例.new 内部类构造方法( )
• 格式二：new 外部类构造方法( ). new 内部类构造方法( )

例：设类InnerClass是类OuterClass的一个实例成员类，则在类OuterClass的外部实例化InnerClass实例成员类的两种方法是：

方法一： OuterClass out = new OuterClass ( );

OuterClass. InnerClass in = out.new InnerClass ( );

Java 程序设计教程

方法二：OuterClass. InnerClass in = new OuterClass ( ).new InnerClass ( );

实例成员类的引用：一个实例成员类的实例必然属于其外部类的一个实例，在实例成员内部类代码中可用 this 关键字来引用实例成员类的实例，若需要获得其所属外部类实例，则需要在 this 关键字前加上外部类的类名，如"OuterClass.this"的形式。

实例成员类的使用：实例成员类的显著特性就是实例成员类能访问它的外部类实例的任意变量与方法。方便一个类对外提供一个公共接口的实现是实例成员类的典型应用。

以 JDK 中集合 Collection 类库为例，每种 Collection 类必须提供一个与其对应的迭代器 Iterator 实现以便客户端能以统一的方式遍历任一 Collection 实例。每种 Collection 类的 Iterator 实现就被定义为该 Collection 类的实例成员类。例如 JDK 中 AbstractList 类的代码片断：

```java
public abstract class AbstractList<E> extends AbstractCollection<E> implements
    List<E> {
    private class Itr implements Iterator<E> {
        // ………;
    }
    public Iterator<E> iterator() { return new Itr(); }
}
```

因为定义在 AbstractList 中的实例成员类 Itr 可访问 AbstractList 中的任意成员变量和方法，所以很方便实现 Iterator，无需 AbstractList 对外暴露更多的接口。若没有成员类机制，则只有在 AbastractList 源码之外定义一个实现 Iterator 的类 Itr，该类有一个 AbstractList 实例成员 list，为了 Itr 能获取 list 的内部信息以便实现遍历，AbstractList 必然要向 Itr 开放额外的访问接口。

【例 4-22】 实例成员类的定义、访问控制、约束与引用。
程序清单4-22: InstanceMemberClass.java

```java
package e4_22;
public class InstanceMemberClass {// 主类
    public static void main(String[] args) {
        new InstanceMemberClass();
    }
    public InstanceMemberClass() {
        // 在外部类的外部对实例成员类实例化
        // 格式一：外部类实例.new 内部类构造方法 ( )
        Outer outer = new Outer();
        outer.showXY();// 用实例调用实例方法
        Outer.staticMethod();// 用类调用类方法
        outer.showXY();
        outer.instanceMethod();
        outer.showXY();
        Outer.Inner1 inner1 = outer.new Inner1();
        inner1.showXY();
        outer.showXY();
        // 在外部类的外部对实例成员类实例化
        // 格式二：new 外部类构造方法 ( ). new 内部类构造方法 ( )
        Outer.Inner2 inner2 = new Outer().new Inner2();
        inner2.inner2M1();
        new Outer().new Inner3().new Inner4();
        // 私有实例成员类不能被跨类访问
```

高等院校计算机系列教材

172

```java
            // Outer.Inner5 inner5 = new Outer().new Inner5();
            new Outer().new Inner7().m1();
        }
}
class Outer {// 外部类
    private int x = 10;// 实例成员变量
    private static int y = 100;// 类变量
    public class Inner1 {// 公有实例成员类
        private int x;
        private int y;
        // 不能在实例成员类中定义static变量
        // private static int z;
        // 但是允许定义"static final" 组合的常量
        static final int C = 1;
        public Inner1() {
            // 直接访问实例成员类的实例成员变量
            x = 20;
            y = 200;
            // 访问外部类的实例成员变量
            Outer.this.x = 30;
            // 访问外部类的类成员变量
            Outer.this.y = 300;
        }
        void showXY() {
            System.out.println(this.getClass() + "的private int x = " + x);
            System.out.println(this.getClass() + "的private int y = " + y);
        }
    }

    protected class Inner2 {// 保护实例成员类
        // 在实例成员类中定义实例方法
        public void inner2M1() {
            System.out.println("实例成员类Inner1的反射是: " + this);
        }
        // 不能在实例成员类中定义static方法
        // public static void inner2M2() { }
    }
    class Inner3 {// 默认实例成员类
        public class Inner4 {
            public Inner4() {
            System.out.println("实例成员类Inner4的反射是: " + this);
            System.out.println("实例成员类Inner3的反射是: " + Outer.this);
            }
        }
        // 不能在实例成员类中定义static类
        // public static class Inner5_2 { }
    }
    private class Inner5 { }// 私有实例成员类
    // 内部接口其实相当于静态成员类，而与实例成员类不相当。
    interface Inner6 {// 内部接口
        public abstract void m1();// 公有抽象方法
        void m2();// 接口中的方法默认都是公有抽象方法
```

```
    }
    class Inner7 implements Inner6 {// 实现内部接口Inner6
        public void m1() {// 实现抽象方法
            System.out.println("实例成员类Inner7的反射是: " + this);
        }
        public void m2() {// 实现抽象方法
        }
    }
    static void staticMethod() {// 静态成员方法
        // 外部类的静态方法不能直接引用实例成员类
        // Inner1 inner1 = new Inner1();
        // 静态方法不能直接访问实例变量，只能直接访问类变量
        // x = 40;
        y = 400;
    }
    void instanceMethod() {// 实例成员方法
        // 外部类的实例方法才能直接引用实例成员类
        // 在外部类的内部对实例成员类实例化: new 内部类构造方法( )
        Inner1 inner1 = new Inner1();
        // 实例方法可直接访问类变量和实例变量
        x = 50;
        y = 500;
    }
    void showXY() {
        System.out.println(this.getClass() + "的private int x = " + x);
        System.out.println(this.getClass() + "的private static int y = " + y);
    }
}
```

运行结果:
```
class e4_22.Outer的private int x = 10
class e4_22.Outer的private static int y = 100
class e4_22.Outer的private int x = 10
class e4_22.Outer的private static int y = 400
class e4_22.Outer的private int x = 50
class e4_22.Outer的private static int y = 500
class e4_22.Outer$Inner1的private int x = 20
class e4_22.Outer$Inner1的private int y = 200
class e4_22.Outer的private int x = 30
class e4_22.Outer的private static int y = 300
实例成员类Inner1的反射是: e4_22.Outer$Inner2@9cab16
实例成员类Inner4的反射是: e4_22.Outer$Inner3$Inner4@19821f
实例成员类Inner3的反射是: e4_22.Outer@addbf1
实例成员类Inner7的反射是: e4_22.Outer$Inner7@190d11
```

编译器编译实例成员类时，会创建一个名称为：

"OuterClassName$InstanceMemberClassName.class" 的文件，其中 OuterClassName 是外部类的类名，InstanceMemberClassName 是实例成员类的类名，上例中编译后会产生的类文件如下：

InstanceMemberClass.class

Outer$Inner1.class

高等院校计算机系列教材

174

```
Outer$Inner2.class
Outer$Inner3$Inner4.class
Outer$Inner3.class
Outer$Inner5.class
Outer$Inner6.class
Outer$Inner7.class
Outer.class
```

（2）局部类（Local Class）：

指定义在方法体内或代码块中的内部类。由于局部类附属方法体，因此只能在方法体中创建对象实例，并且创建的实例也只能在方法体中被访问。所创建的对象实例的生命周期与方法相同，当方法结束后，对象也就随之消失。

①静态局部类

对一个静态成员类，去掉其声明中的"static"关键字，将其定义移入其外部类的静态方法或静态初始化代码段中就成为了静态局部类。静态局部类与静态成员类的基本特性相同。例如，都只能访问外部类的静态字段或方法，不能访问外部类的实例变量和实例方法等。

②实例局部类

对一个实例成员类，将其定义移入其外部类的实例方法或实例初始化代码中就成为了实例局部类。实例局部类与实例成员类的基本特性相同。例如，实例局部类的实例必属于其外部类的一个实例，可通过 OuterClass.this 引用其外部类实例等。

局部类的特性：局部类能且只能访问其所属代码段中的声明为 final 的局部变量。局部变量在其所属的代码段（譬如某个方法）执行完毕后就会被回收，而一个局部类的实例却可以在其类定义所属代码段执行完毕后依然存在，若它可操控非 final 的局部变量，用户就可以通过该实例修改已不存在的局部变量，而无意义。局部类允许嵌套定义。

局部类的约束：a. 局部类只在定义它的代码段中可见，不能在它所属代码段之外的代码中使用；b. 局部类没有 public、protected、private、default 权限修饰符（无意义）；c. 不能以局部类形式定义一个接口，因为局部类只在其所属代码段中可见，定义这样的接口无意义。d. 局部类类名不能与其外部类类名重复。

局部类的使用：局部类大部分以匿名类的形式使用。

【例 4-23】　静态局部类和实例局部类的定义、访问控制、约束与引用。

程序清单4-23：StaticIntanceLocalClass.java

```
package e4_23;
public class StaticIntanceLocalClass {
    public static void main(String[] args) {
        Outer outer = new Outer();
        outer.intanceMethod();// 实例名.实例方法()
        Outer.staticMethod();// 类名.静态方法()
        // 局部类所在代码块或方法体以外的地方不可见
        // new Outer().new Inner1();
    }
}
class Outer {
    private int x;
```

```java
    private static int y;
    // 在外部类的实例代码块中定义实例局部类
    {// 实例初始化代码块
        int lx = 0;
        final int ly = 1;
        class Inner1 {// 实例局部类
            public void InnerM1() {
                x = 1;// 实例局部类能直接访问外部类的成员变量
                Outer.this.y = 10;// 可用"OuterClass.this"获得外部类的实例
                // 在实例局部类所在代码块中，不能访问非final类型的局部变量
                // System.out.print(lx);

                // 在实例局部类所在代码块中，能访问final类型的局部变量
                System.out.println("在实例局部" + this.getClass()
                        + "中访问其代码块中的final int ly = " + ly);
                System.out.println("在实例局部" + this.getClass()
                        + "中访问Outer类中的private static int y = " + y);
                System.out.println("在实例局部" + this.getClass()
                        + "中访问Outer类中的private int x = " + x);
            }
        }
        // 只能在方法体或代码块中创建局部类例，且创建的实例也只能在局部域中被访问。
        new Inner1().InnerM1();
        // 局部类不能加访问控制修饰符public、protected、private
        // public class inner2 { }
    }
    // 在外部类的静态代码块中定义静态局部类
    static {// 静态初始化代码块
        class Inner2 {// 静态局部类
            public Inner2() {
                // 静态局部类只能访问外部类的静态变量和静态方法
                y = 100;
                staticMethod();
                // 静态局部类不能访问外部类的实例变量和实例方法，
                // x = 2;
                // intanceMethod();
                System.out.println("在静态局部" + this.getClass()
                        + "中访问Outer类中的private static int y = " + y);
            }
        }
        // 只能在方法体或代码块中创建局部类例，且创建的实例也只能在局部域中被访问。
        new Inner2();
    }
    public void intanceMethod() {// 在外部类的实例方法中定义实例局部类
        class Inner4 {// 实例局部类的嵌套定义
            // new Inner3();
        }
        class Inner3 {
            class Inner4 {// 实例局部类的嵌套定义
                public Inner4() {
```

```
                        System.out.println("在嵌套实例局部" + this.getClass()
                                + "中访问Outer类中的private static int y = " + y);
                    }
                }
            }
            // 局部类只在其所在代码块域或方法域中可见
            // Outer.Inner2 inner2;
            new Inner3().new Inner4();
        }
        static void staticMethod() {
            class Inner4 {// 在外部类的静态方法中定义静态局部类
                public Inner4() {
                    y = 200;// 静态局部类只能访问外部类的静态变量和静态方法
                    System.out.println("在静态局部" + this.getClass()
                            + "中访问Outer类中的private static int y = " + y);
                    // 静态局部类不能访问外部类的实例变量和实例方法,
                    // x = 2;
                    // intanceMethod();
                }
            }
            new Inner4();
            // 接口不能定义成局部类
            // interface I { }
        }
    }
}
```

运行结果:
在静态局部class e4_23.Outer$2Inner4中访问Outer类中的private static int y = 200
在静态局部class e4_23.Outer$1Inner2中访问Outer类中的private static int y = 200
在实例局部class e4_23.Outer$1Inner1中访问其代码块中的final int ly = 1
在实例局部class e4_23.Outer$1Inner1中访问Outer类中的private static int y = 10
在实例局部class e4_23.Outer$1Inner1中访问Outer类中的private int x = 1
在嵌套实例局部class e4_23.Outer$1Inner3$Inner4中访问Outer类中的private static int y = 10
在静态局部class e4_23.Outer$2Inner4中访问Outer类中的private static int y = 200

（3）内部接口（Inner Interface）：

指在另一个接口或者一个类中声明的接口，这个接口必须由另一个内部类来实现。

【例 4-24】 定义一个"部门"外部类 Department，然后在其中定义"内部接口"InOut 以定制输入输出服务，"员工"成员类 Employee 实现了接口 InOut，成员类 Employee 能方便地访问其外部类 Department 的"部门、员工号"信息，并对工号自动编号。

程序清单4-24: InnerInterface.java

```
package e4_24;
import java.util.*;
public class InnerInterface {// 主类
    public static void main(String[] args) {
        Department department = new Department("计算机系");// 创建部门实例
        // 为该部门创建第一名员工
        Department.Employee employee1 = department.new Employee();
        employee1.input();// 输入员工信息
        employee1.output();// 输出员工信息
```

高等院校计算机系列教材

```
        // 为该部门创建第二名员工
        Department.Employee employee2 = department.new Employee();
        employee2.input();// 输入员工信息
        employee2.output();// 输出员工信息
    }
}
class Department {// 外部类Department
    private String eDeparment;// 部门成员变量
    private static int eCount = 0;// 部门员工编号器
    public Department(String department) {// 外部类构造方法
        eDeparment = department;
    }
    interface InOut {// 内部接口InOut, 定制输入输出服务
        void input();
        void output();
    }
    class Employee implements InOut {// 成员类Employee, 并实现内部接口
        private String eID;// 工号
        private String eName;// 姓名
        private double ePay;// 工资
        public void input() {// 实现输入员工信息方法input()
            eID = new Integer(++eCount).toString();
            Scanner sin = new Scanner(System.in);
            System.out.print("请输入姓名: ");
            eName = sin.next();
            System.out.print("请输入工资: ");
            ePay = sin.nextDouble();
        }
        public void output() {// 实现输出员工信息方法onput()
        System.out.println("工号: " + eID + "\t姓名: " + eName + "\t部门: "
                + eDeparment + "\t工资: " + ePay);
        }
    }
}
```

运行结果:
请输入姓名: 郭大宇
请输入工资: 3500
工号: 1　姓名: 郭大宇　部门: 计算机系　　工资: 3500.0
请输入姓名: 郭思宇
请输入工资: 5000
工号: 2　姓名: 郭思宇　部门: 计算机系　　工资: 5000.0

（4）抽象内部类

内部类可以定义为抽象类型, 但需要被其他内部类继承或实现。

【例 4-25】 定义一个"部门"外部类 Department, 然后在其中定义员工"抽象内部类" AbstractEmployee, 以定制其属性和输入输出服务, "员工"成员类 Employee 继承了抽象类 AbstractEmployee, 成员类 Employee 能方便地访问其外部类 Department 的"部门、员工号"信息, 并对工号自动编号。

程序清单4-25: AbstractInnerClass.java

```java
package e4_25;
import java.util.Scanner;
public class AbstractInnerClass {
    public static void main(String[] args) {
        Department department = new Department("计算机系");// 创建部门实例
        // 为该部门创建第一名员工
        Department.Employee employee1 = department.new Employee();
        employee1.input();// 输入员工信息
        employee1.output();// 输出员工信息
        // 为该部门创建第二名员工
        Department.Employee employee2 = department.new Employee();
        employee2.input();// 输入员工信息
        employee2.output();// 输出员工信息
    }
}
class Department {// 外部类Department
    private String eDeparment;// 部门成员变量
    private static int eCount = 0;// 部门员工编号器
    public Department(String eDepartment) {// 外部类构造方法
        this.eDeparment = eDepartment;
    }
    // 内部抽象类AbstractEmployee，定制输入输出服务
    abstract class AbstractEmployee {
        String eID;// 工号
        String eName;// 姓名
        double ePay;// 工资
        abstract void input();
        abstract void output();
    }
    // 实例成员类Employee，并继承内部抽象类bstractEmployee
    class Employee extends AbstractEmployee {
        public void input() {// 实现输入员工信息方法input()
            eID = new Integer(++eCount).toString();
            Scanner sin = new Scanner(System.in);
            System.out.print("请输入姓名: ");
            eName = sin.next();
            System.out.print("请输入工资: ");
            ePay = sin.nextDouble();
        }
        public void output() {// 实现输出员工信息方法onput()
        System.out.println("工号: " + eID + "\t姓名: " + eName + "\t部门: "
                + eDeparment + "\t工资: " + ePay);
        }
    }
}
```

运行结果:
请输入姓名: 张三
请输入工资: 1000
工号: 1   姓名: 张三   部门: 计算机系   工资: 1000.0
请输入姓名: 李四
请输入工资: 2000
工号: 2   姓名: 李四   部门: 计算机系   工资: 2000.0

3. 内部类的主要特性

①内部类一般用在定义它的类或语句块之内，在外部引用它时必须给出完整的名称。名称不能与包含它的类名相同。

②可以访问它所在的外部类的静态成员变量和实例成员变量，也可以访问它所在方法的局部变量。

③可以定义为 abstract 类型。

④可以声明为 public、protected、default、private 类型。

⑤若被声明为 static 类型，则变成了"顶层类"，不能再使用局部变量。

⑥若想在内部类中声明任何 static 成员，则该内部类必须声明为 static 类型。

4. 使用内部类的注意事项

①Java 程序中，对于内部类的继承没有限制，与普通的类一样可被单继承。同时对内部类的嵌套层次也没有限制。

②内部类同一般类一样，可以实现接口。

③非静态内部类可视为外部类中的实例（普通）方法，它对整个类具有访问权限，可以访问其所在的外部类，包括 private 成员变量在内的所有成员变量。但是非静态内部类中不能包含 static 类型的成员变量。非静态的内部类允许被四种不同的访问修饰符修饰，也可以被其他外部类的成员方法访问。

④静态内部类可视为外部类中的 static 方法,它只能访问被声明为 static 类型的成员变量,以及调用 static 型的方法。

⑤局部（方法体中）内部类，视为方法中的局部变量，它可以访问外部类中的所有成员变量，包括 private 私有成员变量。它可以访问其所在方法中被声明为 final 类型的局部常量。它不能被任何访问控制修饰符修饰，同时也不能使用 static 修饰符修饰。

4.7.2　匿名类

创建类的对象时，可以采用显式类和匿名类（Anonymous Class）两种方式，①显式类方式：先使用已定义类的构造方法创建对象，再将其引用值保存在一个指定的对象引用变量中，如：<类名> <对象名> = new 类的构造方法( );`这是一种常见的方式。②匿名类方式：使用匿名类来创建对象，且不将所创建的对象引用值保存在对象引用变量中，而由程序隐式获取匿名类所构造对象的引用值进行操作。当程序运行结束时，该隐式对象的生命周期也随之而结束，如：new 构造方法( );

1. 匿名类的定义

匿名类是指没有名字的局部类，匿名类可以继承另一类或实现一个接口。定义在方法中的局部匿名类时，可在 new 后直接跟父类名或接口名，而不需要使用 implements 或 extends 关键字。匿名类不能在其他地方对该类实例化，除非重现匿名类的代码。定义匿名类的一般格式有二：

①继承基类的匿名类，其语法格式是：

```
new 父类构造方法（[参数列表]）{
  <匿名类体>
}
```

创建匿名类实例时，"参数列表"将被传入其父类对应的构造方法。

②实现接口的匿名类，其语法格式是：

new 接口名( ) {

    <匿名类体>

  }

其中，new 语句实际是声明并调用一个新的匿名类，它能继承一个给定的父类或者实现一个给定的接口，它能创建该匿名类的一个新实例，并把它作为其所在语句的结果而返回。被继承的类和要实现的接口是 new 语句的操作数，后跟匿名类的主体。

2. 匿名类的特性与约束

匿名类作为一种特殊的局部类，局部类的特性与约束都适用于它。此外，匿名类在语法上不能同时继承类和实现接口，匿名类中不能显示定义构造方法。

3. 匿名类的形式

实际应用中，匿名类的应用形式一般分为语句匿名类和参数匿名类两种。

（1）语句匿名类

语句匿名类是指作为语句一部分的局部匿名类，语句匿名类返回该类对象的引用，可以应用在对象引用的任何地方，其一般应用格式有以下两种形式：

①格式一：保存匿名类的实例引用值

<类名/接口名> 匿名类的实例名 = new <类名/接口名> ([参数列表]) {

    <匿名类体>

};   //作为语句，此处的分号不能少

匿名类的实例名.匿名类实例方法( );

②格式二：不保存匿名类的实例引用值

new <类名/接口名> ([参数列表]) {

    <匿名类体>

}.匿名类实例方法( );   //作为语句，此处的分号不能少

【例 4-26】 语句匿名类的应用。

程序清单4-26: StatementAnonymousClass.java

```
package e4_26;
public class StatementAnonymousClass {// 主类
    public static void main(String[] args) {
        OuterClass out = new OuterClass();
        out.instanceMethod();
    }
}
class OuterClass {// 外部类
    public void instanceMethod() {// 实例方法
        // 格式一：定义一个实现IOutIn接口的语句匿名类，并创建实例，且保存实例的引用值至io
        IOutIn io = new IOutIn() {// 语句匿名类实现接口IOutIn
            public void doOut() {
                System.out.println("实现接口的语句匿名类！");
            }
        };// 语句匿名类是语句的一部分，因此在大括号后必须跟分号
        io.doOut();
        // 格式二：定义一个继承基类BaseClass的语句匿名类，并创建实例，且不保存实例的引用
```
值

```
        new BaseClass(58) {// 语句匿名类继承类BaseClass
            // 匿名类中不能显示定义构造方法
            // public BaseClass(int x,int y){}
            public void printData() {// 匿名类中新增实例方法
                System.out.println("x = " + getX());
            }
        }.printData(); // 输出: x = 58
    }
}
interface IOutIn {// 定义接口IOutIn
    void doOut();// 抽象方法doOut()
}
class BaseClass {// 定义类BaseClass
    private int x;
    public BaseClass(int x) { this.x = x;   }// 构造方法
    public int getX() { return x;  }// 实例方法
}
```

运行结果:
实现接口的语句匿名类!
x = 58

（2）参数匿名类

参数匿名类是指作为方法形式参数的局部匿名类，其一般应用格式是:

方法名(new <类名/接口名> ([参数列表]) {

　　<匿名类体>

}); 　 //此处分号不能少

参数匿名类返回该类对象的引用，可以应用在方法形参为对象引用的任何地方，参数匿名类的定义、构造和使用发生在同一地方同时实现。

【例 4-27】　参数匿名类的应用。以实现 java.io.FilenameFilter 接口的参数匿名类的实例作为 java.io.File 类的实例方法 "public String[] list(FilenameFilter filter)" 的实参，返回包含在目录中的由指定过滤器 FilenameFilter 所过滤的文件和目录名称。

程序清单4-27: ParameterAnonymousClass.java

```
package e4_27;
import java.io.*;
public class ParameterAnonymousClass {
    public static void main(String[] args) {
        // 创建指定目录的File实例directory
        File directory = new File("E:/JPT/JBuilder2007/CH04/src/e4_27/");
// 调用File类的list()方法时，会自动调用FilenameFilter接口中的方法accept()
// 定义实现接口FilenameFilter的参数匿名类，并创建实例作为调用list()方法的实参
        String[] filelist = directory.list(new FilenameFilter() {
            public boolean accept(File directory, String filename) {
                // 过滤后得到扩展为".java"的所有文件
                return filename.endsWith(".java");
            }
        });// 此处的分号不能少
        for (int i = 0; i < filelist.length; i++) {// 输出
            System.out.println(filelist[i]);
```

```
        }
    }
}
```

运行结果:

`ParameterAnonymousClass.java`

【**例 4-28**】 基于参数匿名类的动作接收器示例。

程序清单4-28: `ListenerAnonymousClass.java`

```java
package e4_28;
import java.awt.*;
import java.awt.event.*;
import javax.swing.*;
public class ListenerAnonymousClass {
    public static void main(String[] args) {
        ActionListener frame = new ActionListener();// 创建窗口类
        frame.setVisible(true); // 显示窗口类
    }
}
class ActionListener extends JFrame {
    JPanel contentPane;
    JButton jButton1 = new JButton();// 创建按钮
    public ActionListener() {// 构造方法
        contentPane = (JPanel) this.getContentPane();
        contentPane.setLayout(null); // 将布局设为空布局
        this.setSize(new Dimension(300, 200));
        this.setTitle("基于参数匿名类的动作接收器示例");
        jButton1.setText("按钮1"); // 设置按钮的属性
        jButton1.setBounds(new Rectangle(60, 70, 180, 40));
        // 为按钮1创建基于参数匿名类的动作接收器
        jButton1.addActionListener(new java.awt.event.ActionListener() {
            public void actionPerformed(ActionEvent e) {
                JOptionPane.showMessageDialog(null, "这是按钮1的动作事件。");
            }
        });
        // 为面板加入按钮
        contentPane.add(jButton1);
    }
}
```

运行结果:如图4-2所示。

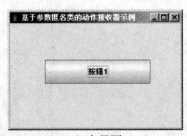

(a) 主界面　　　　　　　　　(b) 单击"按钮1"事件结果

图 4-2 例 4-28 运行结果

4. 匿名类的使用

①类的定义代码必须较少，一般不超过 10 行；②只需要创建该类的一个实例；③类的定义代码与类的使用代码紧邻；④使用匿名不影响代码的易读性；⑤上面例 4-27 中实现 FilenameFilter 接口参数匿名类，以及事件接收器和类的回调（Callback）功能的代码都是匿名类的典型应用。

内部类和匿名类提供了对代码更好的封装，使代码更容易理解和维护，使相关的类都能存在于同一个源代码文件中（内部类），并能避免一个程序产生大量非常小的类（匿名类）。

4.8　this、super 和修饰符

4.8.1　this 引用

每当创建一个对象时，JVM 就会给它分配一个引用自身的指针 this，因此所有对象默认的引用都可使用 this。在程序中使用 this 关键字的情形有以下几种：

①在类的构造方法中，可通过 this 语句调用该类的另一构造方法。

②在一个实例方法内，若局部变量或参数和实例变量同名，则实例变量被屏蔽，此时可以采用"this.实例变量"的方式来指代实例变量。

③在一个实例方法内，可通过 this 访问当前实例引用。

使用 this 的约束：this 只能使用在构造方法或实例方法内，而不能在静态方法和静态代码块内使用。

4.8.2　super 关键字

super 和 this 都可以使被屏蔽的成员方法或成员变量变为可见。成员方法与成员变量被屏蔽的情形有：

①按照变量的作用域规则，若在一个方法中的局部变量和与其所在类或父类的成员变量同名，则在成员方法内只有局部变量可见。

②若子类的某个成员方法覆盖了父类的一个成员方法，则在子类的范围内父类的成员方法不可见。

③若子类中定义了和父类同名的成员变量，则在子类的范围内父类的成员变量不可见。

在程序中使用 super 关键字的情形有以下几种：

①在类的构造方法中，可通过 super 语句调用该类的父类的构造方法。

②在子类中可以采用"super.<方法名>([实参表])"和"super.<父类变量名>"的方式分别访问父类的被屏蔽的成员方法和成员变量。

使用 super 的约束：super 只能使用在构造方法或实例方法内，而不能在静态方法和静态代码块内使用。

4.8.3　Java 的修饰符

在 Java 语言中提供用来修饰类、变量和方法的修饰符。正确使用这些修饰符，有助于提高软件的可重用性、可维护性、可扩展性及系统的运行性能。表 4-4 给出了类、成员方法、构造方法、成员变量和局部变量可用的各种修饰符。其中"○"表示可以修饰。

表 4-4　　　　　类（成员类、局部类）、方法、成员变量和局部变量的可用修饰符

修　饰　符	顶层类	成员方法	成员类	构造方法	成员变量	局部变量	局部类
abstract（抽象的）	○	○	○				
static（静态的）		○	○		○		
public（公有的）	○	○	○	○	○		
protected（保护的）		○	○	○	○		
default（指无修饰符）	○	○	○	○	○	○	○
private（私有的）		○	○	○	○		
synchronized（同步的）		○					
native（本地的）		○					
transient　（暂时的）					○		
volatile（易失的）					○		
final（不可改变的）	○	○			○	○	

1. final 修饰符

final 具有"不可改变的"含义，它可以修饰非抽象类、非抽象成员方法和成员变量。

• 用 final 修饰的类不能被继承，没有子类。

• 用 final 修饰的成员方法不能被子类的方法覆盖。

• 用 final 修饰的成员变量表示常量，必须初始化，且只能被赋一次值。

• final 不能用来修饰构造方法。

（1）final 类

继承关系的副作用是打破封装，子类能够访问父类的实现细节，而且能以方法覆盖的方式修改实现细节。可以考虑把类定义为 final 类型的情形有以下几点：

• 不是专门为继承而设计的类，类本身的方法之间有复杂的调用关系。

• 出于安全的原因，类的实现细节不允许有任何改动。

• 在创建模型时，确信这个类不会再被扩展。

（2）final 方法

在某些情况下，出于安全的原因，父类不允许子类覆盖某个方法，此时可以把这个方法声明为 final 类型。如所有 Object 类的子类都可以覆盖 equals()方法，但不能覆盖 getClass()方法。

（3）final 变量

用 final 修饰的变量表示取值不会改变的常量。final 变量具有以下特征：

①final 修饰符可以修饰静态变量、实例变量和局部变量，分别表示静态常量、实例常量和局部常量。

②final 变量必须显式初始化,否则编译错误。但非 final 类型的成员变量不必显式初始化。对于 final 类型的实例变量，可以在定义变量时或者在构造方法中进行初始化；对于 final 类型的静态变量，只能在定义变量时进行初始化。

③final 变量只能赋一次值。

④若将引用类型的变量用 final 修饰，那么该变量只能始终引用一个对象，但可以改变对

象的内容。

在程序通过 final 修饰符来定义常量的主要作用有：

①提高程序的安全性，禁止非法修改取值固定并且不允许改变的数据。

②提高程序代码的可维护性。

③提高程序代码的可读性。

2. abstract 修饰符

abstract 修饰符可用来修饰类和成员方法。

①用 abstract 修饰的类为抽象类，抽象类位于继承树的抽象层，抽象类不能被实例化，即不允许创建抽象类本身的实例。没有用 abstract 修饰的类为具体类，具体类可以被实例化。

- 抽象类中可以没有抽象方法，但包含了抽象方法的类必须被定义为抽象类。
- 如果子类没有实现父类中所有的抽象方法，子类也必须定义为抽象类。
- 抽象类不能被定义为 private、final 和 static 类型。

②用 abstract 修饰的方法为抽象方法，抽象方法没有方法体。抽象方法用来描述系统具有什么功能，但不提供具体的实现。没有用 abstract 修饰的方法称为具体方法，具体方法具有方法体，没有抽象构造方法。

3. static 修饰符

static 修饰符可以用来修饰类的成员变量、成员方法和代码块。

①用 static 修饰的成员方法和成员变量分别表示静态方法和静态变量，可以直接通过类名来访问。被 static 所修饰的成员变量和成员方法表明归某个类所有，它不依赖于类的特定实例，被类的所有实例共享。只要这个类被加载，Java 虚拟机就能根据类名在运行数据区的方法区内定位到它们。

②用 static 修饰的程序代码块表示静态代码块，当 Java 虚拟机加载时，应会执行该代码块。

4.9 Java 的设计模式

4.9.1 模式的概念

模式（Pattern）是特定环境中重复出现问题的解决方案，是一种有效的软件复用方式。软件模式的分类方法多种多样，常见的软件模式有设计模式、构架模式、分析模式、创建模式、结构模式和行为模式。

面向对象的软件设计中，根据目的不同，模式可分为创建型（Creational）、结构型（Structural）和行为型（Behavioral）三种。其中，创建型模式与对象的创建有关，结构型模式用来处理类或对象的组合，行为型模式则对类或对象怎样交互和怎样分配职责进行描述。

根据使用范围不同，模式可分为类模式和对象模式。其中，类模式处理类和子类之间的关系，这些关系通过继承建立，是静态的，在编译时就确定下来了；对象模式处理对象间的关系，这些关系在运行时是可变的，具有动态性。GOF（Gangs Of Four：Erich Gamma，Richard Helm，Ralph Johnson，John Vlissides）在《设计模式——可复用面向对象软件的基础》中提出了 23 个设计模式，并对其依据两条分类准则分别分类，如表 4-5 所示。

表 4-5   模式的分类

范围		目　的		
		创建型（Creational）	结构型（Structural）	行为型（Behavioral）
	类	工厂方法（Factory Method）	适配器（类，Adapter）	解释器（Interpreter） 模板方法（Template Method）
	对象	抽象工厂（Abstract Factory） 构造器（Builder） 原型（Prototype） 单例（Singleton）	适配器（对象，Adapter） 桥接（Bridge） 复合（Composite） 装饰（Decorator） 门面（Facade） 轻量（Flyweight） 代理（Proxy）	责任链（Chain of Responsibility） 命令（Command） 迭代器（Iterator） 中介者（Mediator） 备忘录（Memonto） 观察者（Observer） 状态（State） 策略（Strategy） 访问者（Visitor）

4.9.2　创建模式

创建模式是对类实例化过程的抽象。实例化类的一般方法是：Aclass aClass=new Aclass();该方法只能在程序中生成固定类的实例。实际中，程序有时需要根据不同的情况生成不同类的实例，从而需要将实例的生成过程抽象到一个特殊的创建类中，由该类在运行时决定生成不同类的实例，以提高程序的灵活性和通用性。创建模式分为类的创建模式和对象的创建模式，见表 4-5。

（1）工厂方法模式（Factory Method Pattern）：它将客户类和工厂类分开，是生成非固定类对象的解决方案，提供了一个创建一系列相关或相互依赖对象的接口。有如消费者任何时候需要某种产品，只需向工厂请求即可，而消费者无须修改就可以接纳新产品。其缺点是当产品修改时，工厂类也要做相应的修改。

（2）抽象工厂模式（Abstract Factory Pattern）：其核心工厂类不负责具体产品创建，而将具体创建工作交给其子类去做，成为一个抽象工厂角色，仅负责给出具体工厂类必须实现的接口，而不涉及具体产品类的实例化细节。抽象工厂用来创建对象族，能确保被创建对象族的一致性和对象族发生改变的灵活性，在跨平台的设计中应用广泛。

（3）构造器模式（Builder Pattern）：它将一个复杂对象的构造过程和它的表现层分离开来，使得类可以根据不同情况有不同的表现方式，表现层可以独立变化而不必知道对象创建过程的细节。构造器模式可以强制实行一种分步骤进行的建造过程，其侧重点在于对象的创建过程。

（4）原型模式（Prototype Pattern）：原型模式通过对类的实例进行拷贝来创建新的实例，原型模式在 Java 里得到大量的应用。原型模式适用于任何的等级结构，其缺点是每一个类都必须配备一个克隆方法。

（5）单例模式（Singleton Pattern）：它确保某一个类只有一个实例，且能自动实例化并提供一个全局引用向整个系统提供该实例。单例模式只适用于真正的"单一实例"需求的情况。

高等院校计算机系列教材

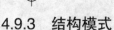

4.9.3 结构模式

结构性模式焦点是如何将类和对象组成更大的结构，以便构成更加复杂的结构，并提高对象组合的灵活性。结构性模式进一步分为类的结构性模式和对象的结构性模式，见表 4-5。类的结构性模式和对象的结构性模式的主要区别是：类的结构性模式通过继承关系来提供有效的接口，而对象结构性模式是通过对象合成或将对象包含在其他对象中的方式来构成更加复杂的结构。

（1）适配器模式（Adapter Pattern）：适配器模式分为类适配器和对象适配器，类适配器采用继承法方式将一个类的接口转换成客户期待的另外一个接口，从而使得原本因接口不匹配而无法一起工作的那些类可以一起工作。对象适配器采用组合方式来扩展接口。适配器可以根据参数返还一个合适的实例给客户端。

（2）桥接模式（Bridge Pattern）：它将抽象与实现解耦，使得二者可以独立地变化，将强关联变成弱关联。或者说桥接模式允许在一个软件系统的抽象和实现之间使用组合/聚合关系而不是继承关系，从而使两者可以独立地变化。桥接模式对客户端程序提供一个固定的接口，且允许开发人员修改实际的实现类，使接口与具体的实现类分离开来。

（3）复合模式（Composite Pattern）：它用来描述整体与部分的关系，可以将多个对象进行复合，其中每个对象可以是简单对象，也可以是复合对象。

（4）装饰模式（Decorator Pattern）：它能透明地扩展对象的功能，允许开发人员在运行时将特定的功能绑定在对象上。它是继承关系的一个替代方案，且比继承更灵活。它允许动态地给对象增加和撤消功能，如增加由一些基本功能的排列组合而产生的功能。

（5）门面模式（Facade Pattern）：它将复杂的类层次结构组织起来，通过一个简单的接口来获得层次结构中的数据，为子系统中的一组接口提供一个一致的界面。门面模式提供一个高层次的接口，使得子系统更易于使用。每一个子系统只有一个门面类，且此门面类只有一个实例（单例模式），但整个系统可以有多个门面类。

（6）轻量模式（Flyweight Pattern）：它通过将对象中的一部分数据保存在对象外，在调用对象中的方法时再将这些数据传回对象。它运用共享技术有效地支持大量细粒度的对象，大幅度地降低内存中对象的数量。客户端不可以直接创建被共享的对象，而应当使用一个工厂对象负责创建被共享的对象。

（7）代理模式（Proxy Pattern）：它利用一个简单的代理对象替代一个复杂的源对象，由代理对象控制对源对象的引用，当复杂源对象在需要的时候才会被加载到系统中，这样可以节约系统资源，提高系统的响应速度。在网络环境中这种模式很有用处。

某些情况下，客户不想或者不能够直接引用一个对象，代理对象可以在客户和目标对象之间直接起到中介的作用。客户端分辨不出代理主题对象与真实主题对象。代理模式可以并不知道真正的被代理对象，而仅仅持有一个被代理对象的接口，这时候代理对象不能够创建被代理对象，被代理对象必须有系统的其他角色代为创建并传入。

4.9.4 行为模式

行为模式是用来处理对象之间通信的模式。行为模式涉及算法和对象间职责的分配，不仅描述对象或类的模式，还描述了它们之间的通信。行为模式刻画了运行时刻难以跟踪的复杂的控制流，它帮助软件设计者在设计软件时把注意力从控制流转移到对象间的联系上来。

类的行为模式使用继承机制在类间分配行为。

（1）解释器模式（Interpreter Pattern）：给定一个语言后，解释器模式可以定义出其文法的一种表示，并同时提供一个解释器。客户端可以使用这个解释器来解释这个语言中的句子。语言是指任何解释器对象能够解释的任何组合。在解释器模式中需要定义一个代表文法的命令类的等级结构，也就是一系列的组合规则。每一个命令对象都有一个解释方法，代表对命令对象的解释。命令对象的等级结构中对象的任何排列组合都是一个语言。

（2）模板方法（Template Method）：定义一个抽象类骨架，将部分逻辑以具体方法实现，并声明一些抽象方法来迫使子类实现剩余的逻辑，它使得子类可以在不改变一个算法结构的前提下以不同的方式实现这些抽象方法。

（3）责任链（Chain of Responsibility）：为解除请求的发送者和接收者之间耦合，而使多个对象都有机会处理这个请求。将这些对象连成一条链，并沿着这条链传递该请求，直到有一个对象处理它。客户并不知道链上的哪一个对象最终处理这个请求，系统可以在不影响客户端的情况下动态地重新组织链和分配责任。处理者有两个选择：承担责任或者把责任推给下家。一个请求可以最终不被任何接收端对象所接受。

（4）命令模式（Command Pattern）：它将请求传递给特定的对象，即使在不知道服务器端如何处理请求的情况下也可以发送请求。命令模式把发出命令和执行命令分开，委派给不同的对象，允许请求方和发送方独立开来，使得请求方不必知道接收请求方的接口，更不必知道请求是怎么被接收、操作是否执行、何时被执行，以及是怎么被执行的。系统支持命令的撤消。

（5）迭代器模式（Iterator Pattern）：它在不知道数据的内部表现形式的前提下，通过标准的接口来遍历集合对象中的数据。多个对象聚集在一起形成的总体称之为集合对象，集合对象是能够包容一组对象的容器对象。迭代模式将迭代逻辑封装到一个独立的对象中，从而与集合本身隔开。每一个集合对象都可以有一个或一个以上的迭代对象，每一个迭代的迭代状态可以是彼此独立的。迭代模式简化了集合的界面。迭代算法可以独立于集合角色变化。

（6）中介者模式（Mediator Pattern）：它可以通过一个中间类来控制若干个类之间的通信，并且这些类相互之间不需要了解对方的信息而松散耦合。当某些对象之间的通信发生改变时，不会影响其他一些对象之间的通信，保证这些通信可以彼此独立地变化。中介者模式将多对多通信转化为一对多通信。

（7）备忘录模式（Memonto Pattern）：在不破坏封装性的前提下，捕获一个对象的内部状态，并外部化，存储起来，从而可以在将来合适的时候把这个对象还原到存储起来的状态。备忘录对象是一个用来存储另外一个对象内部状态快照的对象。

（8）观察者模式（Observer Pattern）：定义了一种一对多的依赖关系，让多个观察者对象同时监听某一个主题对象。这个主题对象在状态上发生变化时，会通知所有观察者对象，使它们能够自动更新自己。

（9）状态模式（State Pattern）：它允许一个对象在其内部状态改变的时候改变行为，它将一个类实例的变量保存在独立的内存空间中。状态模式需要对每一个系统可能取得的状态创立一个状态类的子类，当系统的状态变化时，系统便改变所选的子类。

（10）策略模式（Strategy Pattern）：它定义了一组算法，将每个算法都封装到具有共同接口的独立类中，并且使它们之间可以相互替换。策略模式使得算法可以在不影响到客户端的情况下发生变化。策略模式把行为类和环境类分开，环境类负责维持和查询行为类，各种算法在具体的策略类中提供。由于算法和环境独立开来，算法的增减、修改都不会影响到环境和客户端。

（11）访问者模式（Visitor Pattern）：其目的是封装一些施加于某种数据结构元素之上的操作，它允许在不改数据结构的前提下修改作用于这些数据结构的新操作。访问者模式适用于数据结构相对未定的系统，它把数据结构和作用于结构上的操作解耦，使得操作集合可以相对自由地演化。访问者模式使得增加新的操作变得很容易，就是增加一个新的访问者类。访问者模式将有关的行为集中到一个访问者对象中，而不是分散到一个个的节点类中。当使用访问者模式时，要将尽可能多的对象浏览逻辑放在访问者类中，而不是放到它的子类中。访问者模式可以跨过几个类的等级结构访问属于不同等级结构的成员类。

4.9.5　设计模式在接口中的应用

尽管学习并使用 Java 的人越来越多，然而不少程序员却一直徘徊在 Java 的语言层次，真正掌握体现 Java 思想核心的接口或抽象类的应用不是很多。

1. 定制服务模式

当一个系统能对外提供多种类型服务时，一种方式是设计粗粒度的接口，把所有的服务放在一个接口中声明，这种接口臃肿庞大，所有的使用者都访问同一个接口；还有一种方式是设计细粒度的接口，对服务精心分类，把相关的一组服务放在一个接口中，通过对接口的继承派生出新的接口，针对使用者的需求提供特定的接口。

向使用者提供的接口是一种承诺。细粒度的接口可以减轻软件提供商的软件维护成本。若某个细粒度的接口不得不发生变更，则只会影响到一小部分访问该接口的使用者。此外，细粒度的接口更有利于接口的重用，通过对接口的继承，可以方便地生成针对特定使用者的复合接口。

2. 适配器模式

松耦合系统之间通过接口来交互，当两个系统之间的接口不匹配时，可用适配器把一个系统的接口转换为与另一个系统匹配的接口。在面向对象技术中，可采用适配器模式来进行接口的转换。适配器模式需要有 Adapted（被适配者）和 Adapter（适配器）以及目标（Target）三个部分，其实现方式有继承实现方式和组合实现方式两种，如图 4-3 所示。

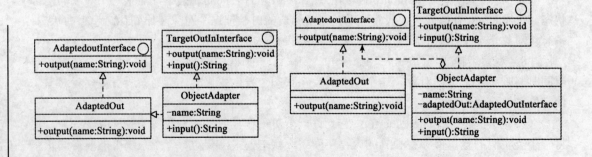

(a)继承实现方式　　　　　　　　　(b)组合实现方式

图 4-3　适配器的两种实现方式

（1）继承实现方式

如图 4-3（a）所示，TargetOutInInterface 是期待得到的接口，它有 output()和 input()两个服务；AdaptedOutInterface 是需要适配的接口，它只有 output()一个服务，而没有 input()服务，它被类 AdaptedOut 实现；ClassAdapter 是适配器，它是此模式的核心，它继承类 AdaptedOut，并实现接口 TargetOutInInterface，其中的 output()服务从类 AdaptedOut 中继承，只要实现 input()方法即可。它实现了把源接口转换成目标接口，是接口的转换器。

　　【例 4-29】　适配器的继承实现方式。

程序清单4-29：ClassAdapterDemo

```java
package e4_29;
import java.util.*;
public class ClassAdapterDemo {// 主类
    public static void main(String[] args) {
        ClassAdapter ca = new ClassAdapter();
        ca.output(ca.input());
    }
}
interface TargetOutInInterface {// ①目标适配器接口，有两个方法
    void output(String name);// 输出方法
    String input();// 输入方法
}
interface AdaptedOutInterface {// ②被转换接口，只有一个方法
    public void output(String name);
}
// ③被适配者，只有一个方法
class AdaptedOut implements AdaptedOutInterface {
    public void output(String name) {// 只有一个输出方法
        System.out.print("Your name  is " + name);
    }
}
// ④以继承方式创建类AdaptedOut的适配器
class ClassAdapter extends AdaptedOut implements TargetOutInInterface {
    private String name;
    public String input() {// 实现接口TargetOutInInterface中的抽象方法
        System.out.println("Please input your name:");
        Scanner sin = new Scanner(System.in);
        name = sin.next();
        return name;
    }
}
```

运行结果：
```
Please input your name:
张三
Your name  is 张三
```
　　（2）组合实现方式

　　如图 4-3（b）所示，TargetOutInInterface 是期待得到的接口，它有 output()和 input()两个服务；AdaptedOutInterface 是需要适配的接口，它只有 output()一个服务，而没有 input()服务，它被类 AdaptedOut 实现；ObjectAdapter 是适配器，它是此模式的核心，它通过类 ObjectAdapter 把接口 AdaptedOutInterface 组合起来，从而把 AdaptedOutInterface 的 API 和 TargetOutInInterface 的 API 衔接起来，实现把源接口转换成目标接口。

【例 4-30】 适配器的组合实现方式。

程序清单4-30: ObjectAdapterDemo.java

```java
package e4_30;
import java.util.*;
public class ObjectAdapterDemo {// 主类
    public static void main(String[] args) {
        ObjectAdapter oa = new ObjectAdapter();
        oa.output(oa.input());
    }
}
// ①目标适配器接口，有两个方法
interface TargetOutInInterface {
    void output(String name);// 输出方法
    String input();// 输入方法
}
interface AdaptedOutInterface {// ②被转换接口，只有一个方法
    public void output(String name);
}
// ③被适配者，只有一个方法
class AdaptedOut implements AdaptedOutInterface {
    public void output(String name) {// 只有一个输出方法
        System.out.print("Your name  is " + name);
    }
}
// ④以组合方式创建类AdaptedOut的适配器ObjectAdapter
class ObjectAdapter implements TargetOutInInterface {
    private String name;
    // 类ClassAdapter与接口AdaptedOutInterface是组合关系
    private AdaptedOutInterface adaptedOut;
    public ObjectAdapter() {// 构造方法
        this.adaptedOut = new AdaptedOut();
    }
    // 实现接口TargetOutInInterface中的抽象方法
    public void output(String name) {
        adaptedOut.output(name);
    }
    // 实现接口TargetOutInInterface中的抽象方法
    public String input() {
        System.out.println("Please input your name:");
        Scanner sin = new Scanner(System.in);
        name = sin.next();
        return name;
    }
}
```

运行结果:

```
Please input your name:
李四
Your name  is 李四
```

3. 默认适配器模式

在 java.awt.event 包中定义了许多事件监听接口，其中 WindowListener 和 MouseListener

接口分别用来响应用户发出的窗口事件和鼠标事件。MouseListener 接口定义如下：

```
public interface MouseListener extends EventListener  {
    void mouseClicked(MouseEvent e);
    void mouseEntered(MouseEvent e);
    void mouseExited(MouseEvent e);
    void mousePressed(MouseEvent e);
    void mouseReleased(MouseEvent e);
}
```

用户可以创建 MouseListener 接口的实现类，来响应各种鼠标事件。因为接口中的方法都是抽象的，所以实现类必须实现接口中所有的方法，否则就必须声明为抽象类。但有时用户可能只想处理单击鼠标键的事件，而忽略其他事件，此时 MouseListener 接口实现类的定义如下：

```
public class CMouseListener implements MouseListener {
    void mouseClicked(MouseEvent e){
        //... ...    处理单击鼠标事件
    }
    void mouseEntered(MouseEvent e) { }
    void mouseExited(MouseEvent e) { }
    void mousePressed(MouseEvent e) { }
    void mouseReleased(MouseEvent e) { }
}
```

从以上程序可以看出，尽管 CMouseListener 类实际上仅仅实现了 mousePressed( )方法，但不得不为其他的方法提供空的方法体。为了简化编程，JDK 为 MouseListener 提供了一个默适配器 MouseAdapter，它实现了 MouseListener 接口，为所有的方法提供空方法体。

```
public class MouseAdapter implements MouseListener {
    void mouseClicked(MouseEvent e){ }
    void mouseEntered(MouseEvent e) { }
    void mouseExited(MouseEvent e) { }
    void mousePressed(MouseEvent e) { }
    void mouseReleased(MouseEvent e) { }
}
```

用户自定义的 CMouseListener 监听器可以继承 MouseAdapter 类，在 CMouseListener 类中，只需要覆盖特定的方法，而不必实现所有的方法。

```
public class CMouseListener extends MouseAdapter {
    void mouseClicked (MouseEvent e) {
        //... ...    处理单击鼠标事件
    }
}
```

当 CMouseListener 类继承 MouseAdapter 适配器，可以简化编程，这是默认适配器模式的优点，其缺点是 CMouseListener 类不能再继承其他类，因为 Java 语言不允许一个类有多个直接的父类。

4. 标识类型模式

标识型接口是没有任何方法的接口，仅代表一种抽象类型。如：

public interface Fruit { } //接口 Fruit 中没有任何内容

接口 Fruit 中没有任何方法，它仅表示一种抽象类型，所有实现该接口的类意味着可以作为水果。JDK 中的典型的标识型接口有：①java.io.Serializable 接口，实现该接口类的实例可以被序列化；②java.rmi.Remote 接口，实现该接口类的实例可以作为远程对象。

5. 常量接口模式

在一个软件系统中经常会使用一些常量，一种流行的做法是把相关的常量放在一个专门的常量接口定义。例如：

```
package comsoft.math;
public interface MathConstants {
    public static final double PI = 3.1415926;
    public static final double E = 2.71828;
}
```

若类 Circle 需要访问以上 PI 常量，第一种方式采用 "MathConstants.PI" 的形式，如下：

```
import comsoft.math.*;
public class Circle {
    private double r;
    public Circle(double r) { this.r = r; }
    public double getCircumference() { return 2 * r * MathConstants.PI;   }
    public double getArea() { return r * r * MathConstants.PI;    }
}
```

第二种方式是让类 Circle 实现接口 MathConstants，如下：

```
import comsoft.math.*;
public class Circle implements MathConstants {
    private double r;
    public Circle(double r) { this.r = r; }
    public double getCircumference() { return 2 * r * PI;   }
    public double getArea() {    return r * r * PI;    }
}
```

第二种方式使得 Circle 类继承了 MathConstants 接口的常量，因此在程序中可以直接引用常量名，无需指定 MathConstants 接口名，简化了编程。但该方式违背了面向对象的封装思想，会削弱系统的可维护性。假若类 Circle 被 100 个其他类访问，则这些类都会访问 Circle.PI 常量。若取消了 MathConstants 接口，则需要修改的不仅有 Circle 类，还有其他要访问 Circle.PI 常量的 100 个类。

为了弥补上述常量接口模式的不足，在 JDK 1.5 中引入了 "import static" 语句，它允许类 A 直接访问另一个接口 B 或类 B 中的静态常量，而不必指定接口 B 或类 B 的名字，而且类 A 无需实现接口 B 或者继承类 B。如下面的类 Circle 通过 "import static MathConstants.*" 语句引入了接口 MathConstants 中的静态常量，则它无需实现接口 MathConstants，就能直接访问 PI 常量。

```
import static comsoft.math..MathConstants.*;
class Circle      {
    private double r;
    public Circle(double r) {
        this.r = r;
    }
    public double getCircumference() {
        return 2 * r * PI;
    }
    public double getArea() {
        return r * r * PI;
    }
}
```

import static 语句既可以简化 Circle 类的编程，又能防止 Circle 类继承并公开 MathConstants 中的静态常量。

习 题 四

一、填空题

1．在面向对象系统中，消息分为（   ）和（   ）两类。

2．类的访问控制符有（   ）和（   ）两种，（   ）类具有跨包访问性而（   ）类不能被跨包访问。

3．类成员的访问控制符有（   ）、（   ）、（   ）和默认四种。

4．public 类型的类成员可被（   ）、同一包中的（   ）和不同包中的（   ）的代码访问引用。

5．protected 类型的类成员可被（   ）、同一包中的（   ）和不同包中的（   ）的代码访问引用。

6．default 类型的类成员只能被（   ）、同一包中的（   ）的代码访问引用。

7．private 类型的类成员只能被其所在类中的代码访问引用，它只具有（   ）域访问性。

8．系统规定用（   ）表示当前类的构造方法，用（   ）表示直接父类的构造方法，在构造方法中两者只能选其一，且须放在第一条语句。

9．若子类和父类在同一个包中，则子类继承父类中的（   ）、（   ）和（   ）成员，将其作为子类的成员，但不能继承父类的（   ）成员。

10．若子类和父类不在同一个包中，则子类继承了父类中的（   ）和（   ）成员，将其作为子类的成员，但不能继承父类的（   ）和（   ）成员。

11．（   ）直接赋值给（   ）时，子类对象可自动转换为父类对象，（   ）赋值给（   ）时，必须将父类对象强制转换为子类对象。

12．Java 的多态性主要表现在（   ）、（   ）和（   ）三个方面。

13．重写后的方法不能比被重写的方法有（   ）的访问权限，重写后的方法不能比被重写的方法产生更多的异常。

14．Java 语言中，定义子类时，使用关键字（   ）来给出父类名。如果没有指出父类，则该类的默认父类为（   ）。

15．Java 语言中，重载方法的选择是在编译时进行的，系统根据（   ）、（   ）和参数顺序寻找匹配方法。

16．实现接口中的抽象方法时，必须使用（   ）的方法头，并且还要用（   ）修饰符。

17．接口中定义的数据成员均是（   ），所有成员方法均为（   ）方法，且没有（   ）方法。

18．this 代表（   ）的引用，super 表示的是当前对象的直接父类对象。

19．如果一个类包含一个或多个 abstract 方法，则它是一个（   ）类。

20．Java 不直接支持多继承，但可以通过（   ）实现多继承。类的继承具有（   ）性。

21．没有子类的类称为（   ），不能被子类重载的方法称为（   ），不能改变值的量称为常量，又称为（   ）。

22．一个接口可以通过关键字 extends 来继承（   ）其他接口。

23．接口中只能包含（   ）类型的成员变量和（   ）类型的成员方法。

24．一般地，内部类又分为定义在方法体外的（   ）和定义在方法体内的（   ）两种。

25．静态内部类可直接通过外部类名引用，其一般格式是（   ）。

26．匿名类一般分为（   ）和（   ）类两种。

27．面向对象的软件设计中，根据目的不同模式可分为（   ）、（   ）和（   ）三种。

二、简答题

1．什么是继承？什么是父类？什么是子类？继承的特性可给面向对象编程带来什么好处？什么是单继承？什么是多重继承？

2．如何创建一个类的子类？

3．若在一个 public 类中的成员变量及成员方法的访问控制符为 protected，则此类中的成员可供什么样的包引用？

4．什么是多态？使用多态有什么优点？Java 中的多态有哪几种？重载方法与覆盖方法分别属于哪种多态？

5．什么是重载方法？什么是覆盖方法？它们的主要区别是什么？

6．什么是成员变量的继承？什么是成员变量的覆盖？

7．举例说明什么是上转型对象，上转型对象的操作原则是什么？

8．简述接口定义的一般格式。

9．什么是接口？如何定义接口？接口与类有何区别？

10．一个类如何实现接口？实现某接口的类是否一定要重载该接口中的所有抽象方法？

11. 比较接口与抽象类的异同。

12. 什么是抽象类？什么是抽象方法？各自有什么特点？

13. 什么是最终类？什么是最终变量？什么是最终方法？

14. 简述内部类的类型。

15. 简述在外部类的内部与外部对实例成员类实例化的方法。

16. 简述定义语句匿名类和参数匿名的一般格式。

17. 什么是适配器模式？什么是装饰模式？

三、选择题

1. 下面关于类的继承性的描述中，错误的是（　　）。

A. 继承是在已有的基础上生成新类的一种方法

B. Java 语言要求一个子类只有一个父类

C. 父类中成员的访问权限在子类中将被改变

D. 子类继承父类的所有成员，但不包括私有的成员方法

2. 在成员方法的访问控制修饰符中，规定访问权限包含该类自身，同包的其他类和其他包的该类子类的修饰符是（　　）。

A. 默认　　　　　B. protected　　　　C. private　　　　D. public

3. 在类的修饰符中，规定只能被同一包类所使用的修饰符是（　　）。

A. public　　　　B. 默认　　　　　　C. final　　　　　D. abstract

4. 下列关于子类继承父类的成员描述中，错误的是（　　）。

A. 当子类中出现成员方法头与父类方法头相同的方法时，子类成员方法覆盖父类中的成员方法。

B. 方法重载是编译时处理的，而方法覆盖是在运行时处理的。

C. 子类中继承父类中的所有成员都可以访问。

D. 子类中定义有与父类同名变量时，在子类继承父类的操作中，使用继承父类的变量；子类执行自己的操作中，使用自己定义的变量。

5. 定义一个类名为"MyClass.java"的类，并且该类可被一个工程中的所有类访问，则下面哪些声明是正确的？（　　）

A. public class MyClass extends Object　　　　B. public class MyClass

C. private class MyClass extends Object　　　　D. class MyClass extends Object

6. 下列关于继承性的描述中，错误的是（　　）。

A. 一个类可以同时生成多个子类　　B. 子类继承了父类中除私有的成员以外的其他成员

C. Java支持单重继承和多重继承　　D. Java通过接口可使子类使用多个父类的成员

7. 下列关于抽象类的描述中，错误的是（　　）。

A. 抽象类是用修饰符abstract说明的　　　B. 抽象类是不可以定义对象的

C. 抽象类是不可以有构造方法的　　　　　D. 抽象类通常要有它的子类

8. 设有如下类的定义：

```
public class parent {
    int change() { }
}
```

class Child extends Parent { }

则，下面哪些方法可加入Child类中？（　　）

A．public int change(){ }　　　　　　B．int chang(int i){ }

C．private int change(){ }　　　　　　D．abstract int chang(){ }

9．下列关于构造方法的叙述中，错误的是（　　）。

A．构造方法名与类名必须相同　　　B．构造方法没有返回值，且不用 void 声明

C．构造方法只能通过 new 自动调用　D．构造方法不可以重载，但可以继承

10．下面叙述中，错误的是（　　）。

A．子类继承父类　　B．子类能替代父类　　C．父类包含子类　　D．父类不能替代子类

11．下列对多态性的描述中，错误的是（　　）。

A．Java 语言允许方法重载与方法覆盖　　B．Java 语言允许运算符重载

C．Java 语言允许变量覆盖　　　　　　　D．多态性提高了程序的抽象性和简洁性

12．下面关于接口的描述中，错误的是（　　）。

A．一个类只允许继承一个接口　　　B．定义接口使用的关键字是 interface

C．在继承接口的类中通常要给出接口中定义的抽象方法的具体实现

D．接口实际上是由常量和抽象方法构成的特殊类

13．欲构造 ArrayList 类的一个实例，此类继承了 List 接口，下列哪个方法是正确的？（　　）

A．ArrayList myList=new Object();　　B．ArrayList myList=new List();

C．List myList=new ArrayList();　　　D．List myList=new List();

14．下列哪些方法与方法 public void add(int a){ }为合理的重载方法？（　　）

A．public void add(char a)　　　　　　B．public int add(int a)

C．public void add(int a,int b)　　　　D．public void add(float a)

15．MAX_LENGTH 是 int 型 public 成员变量，变量值保持为常量 100，其定义是（　　）。

A．public int MAX_LENGTH=100;　　　　B．final public int MAX_LENGTH=100;

C．public final int MAX_LENGTH=100;　　D．final int MAX_LENGTH=100;

四、判断题

1．Java 语言中，构造方法是不可以继承的。（　　）

2．子类的成员变量和成员方法的数目一定大于等于父类的成员变量和成员方法的数目。（　　）

3．抽象方法是一种只有说明而无具体实现的方法。（　　）

4．Java 语言中，所创建的子类都应有一个父类。（　　）

5．调用 this 或 super 构造方法的语句必须放在第一条语句。（　　）

6．一个类可以实现多个接口，接口可以实现"多重继承"。（　　）

7．实现接口的类不能是抽象类。（　　）

8．使用构造方法只能给实例成员变量赋初值。（　　）

9．Java 语言不允许同时继承一个类并实现一个接口。（　　）

五、分析题

1．分析下面的程序，写出运行结果。

```
public class Exercises6_1 extends TT{
        public void main(String args[]){
        Exercises6_1 t = new Exercises6_1("Tom");
    }
    public Exercises6_1(String s){
        super(s);
        System.out.println("How do you do?");
    }
    public Exercises6_1(){
        this("I am Tom");
    }
}
class TT{
    public TT(){
        System.out.println("What a pleasure!");
    }
    public TT(String s){
        this();
        System.out.println("I am "+s);
    }
}
```

运行结果是：（　　　　　　　　　　　）

2．分析下面的程序，写出运行结果。

```
public class Exercises6_2 {
    private static int count;
    private String name;
    public class Student {
        private int count;
        private String name;
        public void Output(int count) {
            count++;
            this.count++;
            Exercises6_2.count++;
            Exercises6_2.this.count++;
            System.out.println(count + " " + this.count + " "
                    + Exercises6_2.count + " " + Exercises6_2.this.count++);
        }
    }
    public Student aStu() {
        return new Student();
```

```
    }
    public static void main(String args[]) {
        Exercises6_2 g3 = new Exercises6_2();
        g3.count = 10;
        Exercises6_2.Student s1 = g3.aStu();
        s1.Output(5);
    }
}
```

运行结果是：（   ）

3．分析下面的程序，写出运行结果。

```
class Exercises6_3 {
    class Dog {
        private String name;
        private int age;
        public int step;
        Dog(String s, int a) {
            name = s;
            age = a;
            step = 0;
        }
        public void run(Dog fast) {
            fast.step++;
        }
    }
    public static void main(String args[]) {
        Exercises6_3 a = new Exercises6_3();
        Dog d = a.new Dog("Tom", 3);
        d.step = 29;
        d.run(d);
        System.out.println(" " + d.step);
    }
}
```

运行结果是：（   ）

4．分析下面的程序，写出运行结果。

```
class Aclass {           void go() { System.out.println("Aclass");   }    }
public class Bclass extends Aclass {
    void go() { System.out.println("Bclass"); }
    public static void main(String args[]) {
        Aclass a = new Aclass();
        Aclass a1 = new Bclass();
```

```
        a.go();
        a1.go();
    }   }
```

运行结果是：（　　　　　　）

六、改错题

1. 找出下面代码的错误部分，说明错误类型及原因，并更正之。

```
public class Car {
    private String carName;
    public int mileage;
    private static final int TOP_SPEED = 200;
    abstract void alert();
    public static int getTopSpeed() {
        return TOP_SPEED;
    }
    public static void setCarName() {
        carName = "奥迪";
    }
    public static void setMileage() {
        mileage = 180;
    }
}
```

2. 下列代码不能编译的原因是：（　　　　）。

```
class A {
    private int x;
    public static void main(String args[]) {    new B(); }
    class B {    B() {System.out.println(x);    }
    }
}
```

七、编程题

1. 先在一个包中编写第一个类 ClassA，要求该类中具有四种不同访问权限的成员，再在另一个包中编写第二个类 ClassB，并在该类中编写一个方法以访问第一个类中的成员。总结类成员访问控制的基本规则。

2. 设计一个汽车类 Car，实现构造方法的重载，然后利用这些构造方法，实例化不同的对象，输出相应的信息。

3. 设计一个乘法类 Multiplication，在其中定义三个同名的 mul 方法：第一个方法是计算两个整数的积；第二个方法是计算两个浮点数的积；第三个方法是计算三个浮点数的积。然后以 Java Applet 程序方式调用这三个同名的方法 mul，输出其测试结果。

4. 已知编一个抽象类 AbstractShape 如下所示：

```
abstract class AbstractShape {
    final double PI=3.1415926;
        public abstract double getArea();
        public abstract double getGirth();
}
```

请编写 AbstractShape 类的一个子类,使该子类实现计算圆面积方法 getArea()和周长的方法 getGirth()。

5．按下列要求编程:

（1）编写一个抽象类,至少有一个常量和一个抽象方法。

（2）编写二个抽象类的子类,重写定义抽象类中的抽象方法。

（3）编写一个主类使用 3 个类,进行某种运算。

6．设计一个形状 Shapes 接口,在其中定义计算面积的 getArea( )方法和求周长的 getPerimeter( )方法,然后设计一个 Circle 类以实现 Shapes 接口中的两个方法,最后以 Java Application 程序方式测试前述接口及其实现类,输出其测试结果。

7．使用继承和接口技术,编写一个程序,求解几何图形（如直线、三角形、矩形、圆和多边形）的周长和面积。

8．使用继承和接口技术,编写一个程序,求解一元多次方程（如一元一次、一元二次和一元高次方程）的解。

9．使用内部类技术构造一个线性链表。

10．参照例 4-30 以组合方式创建某类的适配器。

实验四　Java 面向对象高级程序设计

一、实验目的

1．掌握 Java 中消息通信、访问控制、继承、多态性、抽象类、抽象方法、接口、内部类、匿名类等基本语法与语义知识。

2．熟练掌握使用继承、多态、接口、抽象类、内部类和包进行面向对象高级程序设计的基本方法与技术。

二、实验内容

1．编程计算三角形的面积和周长。有关要求如下:

（1）设计一个接口 InterfaceShape,其中有计算三角形的面积和周长的抽象方法;

（2）设计一个点类 Point,其中有必要的构造方法和一般的访问器方法(getXXX())和修改器方法(setXXX());

（3）通过实现 InterfaceShape 接口类的方式,并使用 Point 类,设计三角形 Triangle 类,其中有必要的构造方法和计算三角形的面积和周长的方法;

（4）设计一个主类 Shape,对 Point 类和 Triangle 类进行测试,计算三角形的面积和周长,并在屏幕上输出。

2．编写求解几何图形周长、面积的应用程序,要求如下:

（1）几何图形要求至少包含直线、三角形、矩形、圆等类型。

（2）能计算两个图形之间的距离（形心）。

3．编写求解一元多次方程的程序，要求如下：

（1）至少包括一元一次、一元二次、一元三次方程。

（2）至少设计两个接口。

（3）必须用到内部类和包。

（4）写出详细的编译运行过程。

4．编写并调试"习题四 编程题"中的"第 1、5、9、10 题"。

5．验证调试例 4-1 至例 4-30 中有关的例题。

第5章 Java 标准类库

【本章要点】

1．基本数据类型的包装类 Boolean、Character、Double、Float、Byte、Short、Integer、Long 等的应用。

2．java.lang 包中的 Object、System、Runtime 和 Math 等类的应用。

3．日期操作：包括 java.util 包中的 Date、Calendar 类和 java.text 包中 DateFormat、SimpleDateFormat 类。

4．java.util 包中有关集合框架接口及其实现类的应用。

5．Java 泛型技术的应用。

类库是 Java 语言的重要组成部分。Java 语言由语法规则和类库两部分组成。语法规则说明了 Java 程序的书写规范；类库则提供了 Java 程序与 JVM（Java 虚拟机）之间的接口，它是 Java 编程的 API（Application Program Interface），它可以帮助开发者方便、快捷地开发 Java 程序。本章主要介绍 java.lang 包和 java.util 包中一些常用的类和接口。

5.1 java.lang 包

java.lang 包是 Java 语言的核心类库，包含了运行 Java 程序必不可少的系统类。如基本数据类型、基本数学函数、字符串处理、线程、异常处理等。每个 Java 程序运行时，系统都会自动地引入 java.lang 包，这个包的加载是默认的。

5.1.1 Object 类

Object 类是 Java 程序中所有类的直接或间接父类。如果一个类在定义时没有指定继承谁，它的父类就是 Object 类。Object 类包含了所有 Java 类的公共属性，其中较主要的方法有：

- protected Object clone()   //创建并返回此对象的一个副本
- boolean equals(Object obj)   //比较某个其他对象是否与此对象相等
- public final Class getClass()   //返回一个对象的运行时类
- protected void finalize()   //当垃圾回收器确定不存在对该对象的更多引用时，由对象的垃圾回收器调用此方法
- public String toString()   //返回该对象的字符串表示

1．equals()方法与==运算符

equals()方法用来比较两个对象是否相同，如果相同，则返回 true，否则返回 false。

【例 5-1】　Object 类中 equals()方法的应用示例。

程序清单5-1：EqualsDemo.java

```
public class EqualsDemo {
    public static void main(String[] args){
        String name1=new String("Zhang San");
        String name2=new String("Zhang San");
        String name3="Li Si";
        String name4="Li Si";
        System.out.println(name1==name2);
        System.out.println(name1.equals(name2));
        System.out.println(name3.equals(name4));
    }
}
```

运行结果：

```
false
true
True
```

注意：==运算符用于基本数据类型，判断数据是否相等，也可以用于引用类型，当用于引用类型时表示是否引用同一个对象。

2. toString()方法

toString()方法用来返回对象的字符串表示。

【例 5-2】 Object 类中 toString()方法的应用示例。

程序清单5-2：**ToStringDemo.java**

```
class Student {
    String name;
    int age;
    public Student(String s, int i) {
        name = s;
        age = i;
    }
}
class GraduateStudent extends Student {
    public GraduateStudent(String s, int i) {
        super(s, i);
    }
    public String toString() {
        return name + "  " + age + "   ";
    }
}
public class ToStringDemo {
    public static void main(String[] args) {
        Student s = new Student("Tom", 26);
        GraduateStudent g = new GraduateStudent("Jim", 26);
        System.out.println(s);
        System.out.println(g);
    }
}
```

运行结果：

```
Student@d9f9c3
Jim  26
```

Student 类没有覆盖 toString()方法，所以 s 显示的结果为类名@内存地址。而 Graduate Student 覆盖了 toString()方法，所以 g 显示出来的信息更有意义。

5.1.2　基本数据类型的包装类

在 Java 中，基本数据类型不作为对象使用。这样做的原因是效率问题。因为处理对象需要额外的开销，如果将基本类型处理为对象，就会给语言带来负面影响。然而，许多 Java 的方法需要对象作为参数。Java 提供了将基本类型包装成对象的方法，对应的类称为包装类。

包装类提供构造方法、常量和处理不同类型的转换方法。包装类中提供的公有方法是类方法，不需要实例化一个包装类的对象再对它里面的方法进行调用。Java 为基本类型提供了 Boolean、Character、Double、Float、Byte、Short、Integer、Long 等包装类。所有这些类都在 java.lang 包中。它们的继承层次关系如图 5-1 所示。关于包装类的更多信息，参见 Java API 文档。

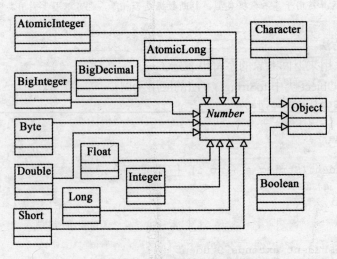

图 5-1　基本数据类型包装类的继承层次关系

1.　Number 类

由于数值包装类（Double、Float、Byte、Short、Integer、Long）非常相似，它们的通用方法都在一个名为 Number 的抽象父类中。Number 类定义了抽象的转换方法，用来将对象表示的数值转换为基本的数值类型（byte、double、float、int、long 和 short），这些方法在父类 Number 中实现：

- public byte byteValue()　//返回 byte 类型的数
- public short shortValue()　//返回 short 类型的数
- public int intValue()　//返回 int 类型的数
- public long longValue()　//返回 long 类型的数
- public float floatValue()　//返回 float 类型的数
- public double doubleValue()　//返回 double 类型的数

2.　数值包装类的构造方法

可以从基本的数据类型或从表示数值的字符串来构造数值包装对象。下面以 Integer 和

Double 类来说明问题。其他的包装类均类似。Integer 和 Double 类的构造方法为：

- public Integer(int value)
- public Integer(String s)
- public Double(double value)
- public Double(String s)

例如，可以使用下面的两种方法构造包装成 Double 对象：

- Double doubleNumber1 = new Double(11.3) ;
- Double doubleNumber2 = new Double("11.3") ;

同样可以使用下面的两种方法构造包装成 Integer 对象：

- Integer intNumber1 = new Integer(11) ;
- Integer intNumber2 = new Integer("11");

3.　类型转换方法

每个数值包装类都实现了 Number 类中定义的抽象方法 doubleValue、floatValue、intValue、longValue 和 shortValue，并覆盖 Object 类中定义的 toString()和 equals()方法。例如：

Double doubleNumber = new Double(11.3) ;

long j = doubleNumber.longValue();

将 doubleNumber 的 double 值转化后赋给 long 变量 j。同样地，

Integer intNumber = new Integer(11) ;

int i = intNumber.intValue();

将 intNumber 的 int 值赋给 i。

数值包装类有一个有用的静态方法 valueOf(String s)。该方法创建一个新的对象，并将它初始化为指定字符串表示的值。例如：

Double doubleNumber = Double.valueOf("11.2");

从 JDK1.2 开始，各个包装类中都提供了类方法 parseXXX( )将数值字符串转换为相应的基本数据类型。例如：

double d = Double.parseDouble("3.1415926");   //d 的值为 3.1415926

下面通过一个示例来说明如何使用这些包装类。

【例 5-3】　包装类的应用示例。

程序清单5-3: WrapperDemo.java

```java
public class WrapperDemo {
    public static void main(String[] args) {
        System.out.print("Double中的常量:");
        System.out.println(Double.NaN);// 输出Double中的常量
        double d1 = 77.3;
        Double D = new Double(d1);
        String s = D.toString();// 转化为字符串
        System.out.println(s);
        double d2 = D.doubleValue();// 提取简单类型值
        System.out.println(d2);
        double d3 = Double.parseDouble(s);
        System.out.println(d3);// 将字符串转化为double型数
    }
}
```

高等院校计算机系列教材

运行结果:

```
Double中的常量:NaN
77.3
77.3
77.3
```

若往一个向量类 Vector 的对象中存储一列整型数据，由于 Vector 里面存储的对象类型必须是 Object 而不是基本类型数据，反之，若从 Vetor 中将这些对象再取出来时，也要用相应基本类型的包装类中的 toxxValue()公有方法来将对象强制转换成相应的基本类型的数据。

【例 5-4】　包装类在向量类 Vector 中的应用示例。

程序清单5-4: **BoxingDemo.java**

```java
import java.util.*;
public class BoxingDemo {
    public static void main(String argv[]) {
        Vector v = new Vector();
        v.add(new Integer(100));
        v.add(new Integer(200));
        for (int i = 0; i < v.size(); i++) {
            Integer iw = (Integer) v.get(i);
            System.out.println(iw.intValue());
        }
    }
}
```

运行结果:

```
100
200
```

要指出的是，当对一个包装类赋值以后，将不能再改变它。

4. 基本类型的自动装箱

【例 5-5】　包装类的应用示例。

程序清单5-5: **AutoboxingDemo.java**

```java
import java.util.*;
public class AutoboxingDemo {
    public static void main(String argv[]) {
        Byte byteObj = 22; // 包装转换
        int i = byteObj; // 解包转换
        ArrayList al = new ArrayList();
        al.add(25); // 包装转换
        System.out.println(i);
        System.out.println(al.get(0));
    }
}
```

运行结果:

```
22
25
```

5.1.3　System 类

System 是一个功能强大、非常实用的特殊的类，它提供了标准输入/输出、运行时的系统信息等功能。它不能实例化，即不能创建 System 类的对象。它所有的属性和方法都是 static 的，引用时以 System 为前缀即可。

1. 用 System 类获取标准输入和输出流

System 类的属性有：系统的标准输入流、标准输出流和标准错误输出流。

- public static InputStream in;
- public static InputStream out;
- public static InputStream err;

通过这三个属性，Java 程序就可以从标准输入流读入数据并向标准输出流写出数据。通常情况下，标准输入流指的是键盘，标准输出流和标准错误输出流指的是屏幕。

char c=System.in.read();　//获取键盘的输入

System.out.println("HelloWorld!");　//向屏幕输出 HelloWorld!，并换行

2. 用 System 类的方法复制数组，获取时间和系统信息

在 System 类提供的方法中，除标准输入流、标准输出流和错误输出流外，还可以对外部定义的属性和环境变量的访问；加载文件和库的方法；以及复制数组的一些实用方法。下面列出了部分常用的 System 类方法。

- static void arraycopy(Object src, int srcPos, Object dest, int destPos, int length)　//从指定源数组中复制一个数组，复制从指定的位置开始，到目标数组的指定位置结束。
- static void exit(int status)　//终止当前正在运行的 Java 虚拟机。
- static long currentTimeMillis()　//返回自 1970 年 1 月 1 日午夜至今以毫秒为单位的时间。
- static Properties getProperties()　//确定当前的系统属性。
- static void setProperties(Properties props)　//将系统属性设置为 Properties 参数。

【例 5-6】　System 类的应用示例。

程序清单5-6: **SystemDemo.java**

```java
import java.util.*;
public class SystemDemo {
    public static void main(String[] args) {
        String[] s1 = { "Java", "C++", "Visual Basic" };
        String[] s2 = new String[s1.length];
        System.arraycopy(s1, 0, s2, 0, s1.length); // 拷贝数组
        for (int i = 0; i < s2.length; i++) {
            System.out.println(s2[i]);
        }// 获得当前时间
        System.out.println("当前时间为: " + new Date(System.currentTimeMillis()));
    }
}
```

运行结果：

```
Java
C++
Visual Basic
当前时间为:Sun Dec 23 18:22:43 CST 2007
```

5.1.4 Runtime 类

在每一个 Java 应用程序里，都有惟一的一个 Runtime 对象。通过这个 Runtime 对象，应用程序可以与其运行环境发生相互作用。该惟一的 Runtime 对象可以通过 Runtime 类的 getRuntime( )方法获得，应用程序不能创建自己的 Runtime 类实例。一旦获得了对当前对象的引用，就可以调用几个控制 Java 虚拟机的状态和行为的方法。由 Runtime 定义的常用方法有：

- static Runtime getRuntime()   //返回与当前 Java 应用程序相关的运行时对象。
- Process exec(String command)   //在单独的进程中执行指定的字符串命令。
- void exit(int status)   //通过启动虚拟机的关闭序列，终止当前正在运行的 Java 虚拟机。
- long freeMemory()   //返回 Java 虚拟机中的空闲内存量。
- void gc()   //运行垃圾回收器。

【例 5-7】   Runtime 类的应用示例。

程序清单5-7: **RuntimeDemo.java**

```
class RuntimeDemo{
    public static void main(String args[]){
        Runtime r = Runtime.getRuntime();
        long mem;
        //JVM 中可用的总内存
        mem= r.totalMemory();
        System.out.println("Total memory : " +mem);
        //垃圾收集后的空闲内存
        r.gc();
        mem=r.freeMemory();
        System.out.println("Free memory after garbage collection: " + mem);
        Process p = null;
        try{
            //执行Java 外部程序
            p = r.exec("notepad");
            //当前的可用空闲内存
            mem=r.freeMemory();
            System.out.println("Free memory after allocation : " + mem);
            Thread.sleep(1000);
            p.destroy();
        } catch (Exception e) {
            System.out.println("Error executing notepad.");
        }
    }
}
```

运行结果:
```
Total memory : 2031616
Free memory after garbage collection: 1895984
Free memory after allocation:1869016
```

5.1.5 Math 类

Math 类用来完成一些数学运算，它提供了若干实现不同标准数学函数的方法。这些方法都是 static 方法。所以在使用时不需要创建 Math 类的对象，而直接用类名做前缀，就可以很方便地调用这些方法。其主要的变量和方法有：

Math 类定义了两个 double 型常数：E（自然对数的底数）和 PI（圆周率）。

Math 类主要的方法有：指数、对数、三角函数和伪随机函数。

下面通过一个例子来说明 Math 类的使用。

【例 5-8】 Math 类的使用示例。

程序清单5-8: **MathDemo.java**

```java
public class MathDemo {
    public static void main(String[] args) {
        double d = 3.14;
        System.out.println("PI的大小为: " + Math.PI);
        System.out.println("2^3=" + Math.pow(2, 3));
        System.out.println("d的绝对值是: " + Math.abs(d));
        System.out.println("E的d次幂是: " + Math.exp(d));
        System.out.println("sin(Math.PI / 6)=" + Math.sin(Math.PI / 6));
        System.out.println("log(Math.E)=" + Math.log(Math.E));
        System.out.println("产生一个随机数: " + (int) (Math.random() * 100));
    }
}
```

运行结果：
```
PI的大小为: 3.141592653589793
2^3=8.0
d的绝对值是: 3.14
E的d次幂是: 23.103866858722185
sin(Math.PI / 6)=0.49999999999999994
log(Math.E)=1.0
产生一个随机数: 99
```

5.2 java.util 包

java.util 包中，提供了一些实用的方法和数据结构。例如，Java 提供日期(Data)类、日历(Calendar)类来产生和获取日期及时间，提供随机数(Random)类产生各种类型的随机数，还提供了堆栈(Stack)、向量(Vector)、位集合(Bitset)以及哈希表(Hashtable)等类来表示相应的数据结构。本节介绍几个日期时间实用工具类，包括 Data、Calendar 等。

5.2.1 Date 类

Date 类描述了一个精度为毫秒的特定时间实例。Java 在 Date 类中封装了有关日期和时间的信息，用户可以通过调用相应的方法来获取系统时间或设置日期和时间。

Date 支持的构造函数：

• Date () //用当前的日期和时间初始化对象。

• Date (long) //参数表示构造的日期对象到 1970 年 1 月 1 日 00:00:00 之间相隔的毫秒数。

Data 类中定义的较主要的方法有：

• after(Date) //测试该日期是否在某指定的日期之后。

• before(Date) //测试该日期是否在某指定的日期之前。

- equals(Object) //比较两个日期。
- getTime() //返回该日期表示的从 1970 年 1 月 1 日 00:00:00 起的毫秒数。
- setTime(long) //设置日期表示从 1970 年 1 月 1 日 00:00:00 起的毫秒数。
- toString() //返回该日期规范的字符串表示。

【例 5-9】 Date 类的应用实例。

程序清单5-9: **DateDemo.java**

```java
import java.util.Date;
public class DateDemo {
    public static void main(String args[]) {
        Date today = new Date();
        System.out.println(today.getTime());
        System.out.println("Today's date is :" + today);
        Date day1 = new Date(1140203030304L);
        System.out.println("Day1's date is: " + day1);
        if (day1.after(today))
            System.out.println("Day1晚于today ");
        else
            System.out.println("Day1晚于today ");
    }
}
```

运行结果:
```
1200273149015
Today's date is :Mon Jan 14 09:12:29 CST 2008
Day1's date is: Sat Feb 18 03:03:50 CST 2006
Day1晚于today
```

5.2.2　Calendar 类

抽象类 Calendar 提供了一组方法,允许将以毫秒为单位的时间转换为一组有用的分量,如:年、月、日、时、分、秒,并定义了一些用来表示各个时间分量的变量。

Calendar 类定义的一些常用的方法:

- static Calendar getInstance( ) //对默认的地区和时区，返回一个 Calendar 对象
- abstract void add(int field, int amount) //将 amount 加到由 field 指定分量
- final void clear( ) //对调用对象的所有时间分量置 0
- final int get(int field) //返回调用对象的一个分量的值。该分量由 field 指定。
- final Date getTime( ) //返回一个与调用对象的时间相等的 Date 对象
- final void set(int field, int val) //在调用对象中，将由 field 指定的日期和时间分量赋给由 val 指定的值。
- final void set(int year, int month,int day, int hours,int min, int sec) //设置调用对象的各种日期和时间分量。
- final void setTime(Date d) //设置调用对象的各种日期和时间分量。该信息从 Date 对象 d 中获得。

Calendar 类定义的一些常用的静态变量:

- YEAR //表示日期中的年
- MONTH //表示日期中的月
- DATE //表示日期中的日

- AM_PM　//值为 0 表示是上午时间，为 1 表示是下午时间
- HOUR　//表示小时
- MINUTE　//表示分
- SECOND　//表示秒
- MILLISECOND　//表示毫秒

【例 5-10】　Calendar 类的使用。

程序清单5-10:　**CalendarDemo.java**

```java
import java.util.Calendar;
public class CalendarDemo {
    public static void main(String[] args) {
        Calendar c = Calendar.getInstance();// 获得日历对象
        display(c); // 显示当前的日期的各个分量
        c.set(2007, 10, 1); // 设置日期和时间
        c.set(Calendar.HOUR, 5);
        c.set(Calendar.MINUTE, 10);
        c.set(Calendar.SECOND, 12);
        System.out.println("更新后时间: ");
        display(c);
        c.add(Calendar.DATE, 10); // 调整日期和时间
        c.add(Calendar.HOUR_OF_DAY, 10);
        System.out.println("调整后时间: ");
        display(c);
    }
    static void display(Calendar c) {
        System.out.print("日期: ");
        System.out.print(c.get(Calendar.YEAR) + "年");
        System.out.print(c.get(Calendar.MONTH) + 1 + "月");
        System.out.print(c.get(Calendar.DATE) + "日 ");
        System.out.print("时间: ");
        if (c.get(Calendar.AM_PM) == 0)
            System.out.print("AM ");
        else
            System.out.print("PM ");
        System.out.print(c.get(Calendar.HOUR) + ":");
        System.out.print(c.get(Calendar.MINUTE) + ":");
        System.out.println(c.get(Calendar.SECOND));
    }
}
```

运行结果:
日期: 2008年1月14日 时间: AM 9:17:15
更新后时间:
日期: 2007年11月1日 时间: AM 5:10:12
调整后时间:
日期: 2007年11月11日 时间: PM 3:10:12

5.3　java.text 包

5.3.1　DateFormat 类

java.text.DateFormat 类提供了一些输出时间的标准格式。

【例 5-11】　利用 DateFormat 类输出各种格式的日期。

程序清单5-11: **FormatDateDemo.java**

```java
import java.util.Date;
import java.text.DateFormat;
public class FormatDateDemo {
    public static void main(String[] args) {
        String str;
        Date date = new Date();// Date格式：Thu Jan 10 12:00:53 CST 2008
        System.out.println("Date格式:" + date);
        str = DateFormat.getDateInstance().format(date);
        System.out.println("缺省格式:" + str); // 缺省格式: 2008-1-10
        str = DateFormat.getDateInstance(DateFormat.FULL).format(date);
        System.out.println("完整格式:" + str);// FULL=0格式：2008年1月10日 星期四
        str = DateFormat.getDateInstance(DateFormat.LONG).format(date);
        System.out.println("长 格 式:" + str);// LONG=1格式：08-1-10
        str = DateFormat.getDateInstance(DateFormat.MEDIUM).format(date);
        System.out.println("中 格 式:" + str);// MEDIUM=2格式：2008-1-10
        str = DateFormat.getDateInstance(DateFormat.DEFAULT).format(date);
        System.out.println("默认格式:" + str);// DEFAULT=2格式: 2008-1-10
        str = DateFormat.getDateInstance(DateFormat.SHORT).format(date);
        System.out.println("短 格 式:" + str);// SHORT=3格式: 08-1-10
    }
}
```

运行结果:
```
Date格式:Thu Jan 10 12:05:09 CST 2008
缺省格式:2008-1-10
完整格式:2008年1月10日 星期四
长 格 式:2008年1月10日
中 格 式:2008-1-10
默认格式:2008-1-10
短 格 式:08-1-10
```

5.3.2 SimpleDateFormat 类

java.text.SimpleDateFormat 类是 java.text.DateFormat 类的子类,它允许用户自定义日期的输出格式。

【**例 5-12**】 利用 SimpleDateFormat 类自定义日期的输出格式。

程序清单5-12: **SimpleDateFormatDemo.java**

```java
import java.util.*;
import java.text.*;
public class SimpleDateFormatDemo {
    public static void main(String args[]) {
        Date date = new Date();
        SimpleDateFormat dateFm = new SimpleDateFormat("EEEE-MMMM-DD日-yy年");
        System.out.println(dateFm.format(date));
        dateFm = new SimpleDateFormat("yyyy年MM月dd日 EEEE");
        System.out.println(dateFm.format(date));
    }
}
```

运行结果:
```
星期四-一月-10日-08年
2008年01月10日 星期四
```

说明：上例中 SimpleDateFormat 类的对象 dateFm 调用 format 方法对 Date 对象进行格式化输出，其中格式的定制是由用户自定义的，EEEE（须大写）代表星期，MM/MMMM（须大写）代表月份，而 dd/DD（大小写等效）代表日，yyyy/yy（须小写）代表年份。

5.4　集合框架

java.util 包中包含了集合框架、事件模型、日期和时间设施、国际化和各种实用工具类（字符串标记生成器、随机数生成器和位数组）等。这些接口和类为实际应用开发提供了很大的方便。本节中我们主要介绍集合框架。

在 Java 2 出现之前，Java 提供了一些专门的类如 Vector、Stack 来存储和操作对象数组。尽管这些类非常有用，它们却缺少一个集中、统一的主题，而集合框架解决了这个问题。

集合是一系列对象的聚集，集合中的每个元素都是对象（基本数据类型则要使用其包装类才能作为集合的元素）。其最基本的接口是 Collection，它将一组对象以对象元素的形式组织在一起，在其子接口和实现该接口的类中分别实现不同的组织方式。Collection 接口是集合框架的基础。它声明了所有类集合都有的核心方法。

Collection 接口中常用的方法有：
- boolean add(Object obj)　//将 obj 加入到调用类集合中。如果 obj 被加入到类集中了，则返回 true；否则返回 false。
- void clear()　//删除所有元素。
- boolean contains(Object obj)　//若此类集合包含有指定的元素，则返回 true，否则返回 false。
- boolean isEmpty()　//如果此类集合不包含元素，则返回 true。
- Iterator iterator()　//返回在此类集合的元素上进行迭代的迭代器。
- boolean remove(Object obj)　//从此类集合中删除指定的元素 obj。
- int size()　//返回此类集合中的元素数。
- Object[] toArray()　//返回包含此类集合中所有元素的数组。

5.4.1　Set 接口与实现该接口的类

Set 接口定义了一个集合。它继承了 Collection 接口，而且它不允许集合中存在重复元素。实现 Set 接口的类如图 5-2 所示。

1. HashSet 类

HashSet 类实现 Set 接口。它创建一个集合，该集合使用散列表进行存储，它不保证集合的迭代顺序。此类允许使用 null 元素。

HashSet 的构造函数如下：
- HashSet( )　//构造一个空 set。
- HashSet(Collection c)　//构造一个包含指定 collection 中的元素的新 set。

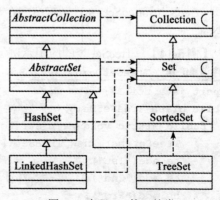

图 5-2 实现 Set 接口的类

● HashSet(int initialCapacity) //构造一个新的空 set，其底层 HashMap 实例具有指定的初始容量和默认的加载因子（0.75）。

● HashSet(int initialCapacity, float loadFactor) //构造一个新的空 set，其底层 HashMap 实例具有指定的初始容量和指定的加载因子。

【例 5-13】 HashSet 类的应用示例。

程序清单5-13: **HashSetDemo.java**

```java
import java.util.*;
public class HashSetDemo {
    public static void main(String[] args) {
        HashSet hs = new HashSet();
        hs.add("1st");
        hs.add("2nd");
        hs.add("3rd");
        hs.add("4th");
        hs.add("5th");
        hs.add("6th");
        hs.add("1st");
        System.out.println(hs);
    }
}
```

运行结果:

```
[6th, 5th, 3rd, 1st, 2nd, 4th]
```

从输出结果可以看出，HashSet 类不保证元素的顺序，并且也没有重复的元素。

2. TreeSet 类

TreeSet 类实现 Sorted 接口，此类中的元素使用树结构存储，并按照升序排列，访问和检索速度快。

HashSet 的构造函数如下：

● TreeSet( ) //构造一个新的空 set，该 set 根据其元素的自然顺序进行排序。

● TreeSet(Collection c) //构造一个包含指定 collection 元素的新 TreeSet，它按照其元素的自然顺序进行排序。

● TreeSet(Comparator c) //构造一个新的空 TreeSet，它根据指定比较器进行排序。

● TreeSet(SortedSet ss) //构造一个与指定有序 set 具有相同映射关系和相同排序的新 TreeSet。

【例 5-14】 TreeSet 类的应用示例。

程序清单5-14: **TreeSetDemo.java**

```java
import java.util.*;
public class TreeSetDemo {
    public static void main(String[] args) {
        TreeSet hs = new TreeSet();
        hs.add("1st");
        hs.add("2nd");
        hs.add("3rd");
        hs.add("4th");
        hs.add("5th");
        hs.add("6th");
```

```
        hs.add("1st");
        System.out.println(hs);
    }
}
```

运行结果:

```
[1st, 2nd, 3rd, 4th, 5th, 6th]
```

从输出结果可以看出，TreeSet 类的对象按照升序排列，并且也没有重复的元素。

5.4.2 List 接口与实现该接口的类

List 接口继承 Collection 并声明了一些新特征。List 中的元素可以通过它们在列表中的位置被访问。与 Set 接口不同，List 接口允许重复的元素。实现 List 接口的类如图 5-3 所示。

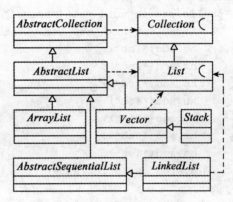

图 5-3 实现 List 接口的类

除了由 Collection 接口继承来的方法外，List 还定义了一些自己的方法，主要有:

• void   add(int index, Object obj) //在列表的指定位置 index 插入指定元素 obj。

• boolea   addAll(int index, Collection c)   //将 c 中的所有元素都插入到列表中的指定位置。

• Object   get(int index)   //返回列表中指定位置的元素。

• int indexOf(Object o)   //返回此列表中第一次出现的指定元素的索引；如果此列表不包含该元素，则返回 -1。

• int lastIndexOf(Object o)   // 返回此列表中最后出现的指定元素的索引；如果列表不包含此元素，则返回 -1。

• ListIterator listIterator( )   //返回此列表元素的列表迭代器（按适当顺序）。

• ListIterator listIterator(int index)   // 返回列表中元素的列表迭代器（按适当顺序），从列表的指定位置开始。

• Object remove(int index)   // 移除列表中指定位置的元素。

• Object set(int index, Object obj)   //用指定元素替换列表中指定位置的元素。

• List   subList(int fromIndex, int toIndex)   //返回列表中指定的 fromIndex（包括 ）和 toIndex（不包括）之间的部分视图。

• Object [ ] toArray( )   //返回按适当顺序包含列表中的所有元素的数组（从第一个元素到最后一个元素）。

1. ArrayList 类

ArrayList 类继承 AbstractList 接口并实现了 List 接口。ArrayList 支持可随需要而增长的数组。ArrayList 的对象以一个初始大小被创建，当元素个数超过了它的大小时，ArrayList 自动增大,当对象被删除后，就可以自动缩小。

ArrayList 有如下构造函数：

● ArrayList( )   // 构造一个初始容量为 10 的空列表。

● ArrayList(Collection c)   //构造一个包含指定 collection 的元素的列表，这些元素是按照该 collection 的迭代器返回它们的顺序排列的。

● ArrayList(int initialCapacity)   //构造一个具有指定初始容量的空列表。

【例 5-15】   ArrayList 类的应用示例。

程序清单5-15: **ArrayListDemo.java**

```java
import java.util.*;
public class ArrayListDemo {
    public static void main(String[] args) {
        ArrayList hs = new ArrayList();
        hs.add("1st");
        hs.add("2nd");
        hs.add("3rd");
        hs.add("4th");
        hs.add("5th");
        hs.add("6th");
        hs.add("1st");
        System.out.println(hs);
    }
}
```

运行结果:

```
[1st, 2nd, 3rd, 4th, 5th, 6th, 1st]
```

从输出结果可以看出，ArrayList 类的对象允许重复元素。

2. LinkedList 类

LinkedList 类是由 List 接口的链接列表实现。实现所有可选的列表操作，并且允许所有元素（包括 null）。除了实现 List 接口外，LinkedList 类还为在列表的开头及结尾 get、remove 和 insert 元素提供了统一的命名方法。这些操作允许将链接列表用做堆栈、队列或双端队列。

LinkedList 具有如下的两个构造函数：

● LinkedList( )   //构造一个空列表。

● LinkedList(Collection c)   //构造一个包含指定 collection 中的元素的列表，这些元素按其 collection 的迭代器返回的顺序排列。

【例 5-16】   LinkedList 类的应用示例。

程序清单5-16: **LinkedListDemo.java**

```java
import java.util.*;
public class LinkedListDemo {
    public static void main(String[] args) {
        LinkedList hs = new LinkedList();
        hs.add("1st");
        hs.add("2nd");
        hs.add("3rd");
        hs.add("4th");
        hs.add("5th");
        hs.add("6th");
```

高等院校计算机系列教材

```
        hs.add("1st");
        System.out.println(hs);
    }
}
```

运行结果：

```
[1st, 2nd, 3rd, 4th, 5th, 6th, 1st]
```

从输出结果可以看出，LinkedList 类的对象也允许重复的元素。

5.4.3　Map 接口与实现该接口的类

映射是一个存储关键字/值对的集合。给定一个关键字，可以得到它的值。关键字和值都是对象，每一对关键字/值叫做一项。关键字是惟一的，但值可以重复。

Map 接口是将键映射到值，一个映射不能包含重复的键；每个键最多只能映射一个值。实现 Map 接口的类如图 5-4 所示。

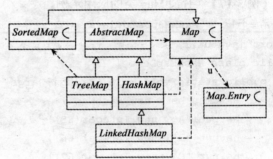

图 5-4　实现 Map 接口的类

Map 接口定义的主要方法:

• int size() //返回映射中关键字/值对的个数。

• boolean isEmpty() //判断映射是否为空。

• boolean containsKey(Object key) //判断映射中是否包含关键字 key。

• boolean containsValue(Object value); //判断映射中是否包含值 value。

• Object get(Object key) //返回与关键字 key 相关联的值。

• Object put(Object key, Object value) //将关键字/值对加入调用映射。

• Object remove(Object key) //删除关键字为 key 的项。

• void putAll(Map m) //将所有来自 m 的项加入映射。

• void clear() //从映射中删除所有关键字/值对。

• Set keySet() //返回一个包含调用映射中关键字的集合。

• Collection values() //返回一个包含调用映射中的值的集合。

• Set entrySet() //返回一个包含调用映射中的项的集合。

另外 Map 接口内部定义了一个接口 Entry:

```
interface Entry {
    Object getKey();
    Object getValue();
    Object setValue(Object value);
    boolean equals(Object obj);
    int hashCode();
}
```

该接口表示一个关键字/值对,我们可以将一个 Map 看成是一个 Entry 的 Set。

1. HashMap 类

HashMap 类是基于哈希表的 Map 接口的实现。此实现提供所有可选的映射操作,并允许使用 null 值和 null 键。此类不保证映射的顺序。

HashMap 的构造函数如下:

- HashMap( ) //构造一个具有默认初始容量和默认加载因子的空 HashMap。
- HashMap(int initialCapacity) //构造一个带指定初始容量的空 HashMap。
- HashMap(int initialCapacity, float loadFactor) //构造一个带指定初始容量和加载因子的空 HashMap。
- HashMap(Map m) //构造一个映射关系与指定 Map 相同的 HashMap。

【例 5-17】   HashMap 类的应用示例。

程序清单5-17:   **HashMapDemo.java**

```java
import java.util.*;
public class HashMapDemo {
    public static void main(String[] args) {
        HashMap hs = new HashMap();
        hs.put("A", new Integer(65));
        hs.put("B", new Integer(66));
        hs.put("C", new Integer(67));
        hs.put("D", new Integer(68));
        hs.put("E", new Integer(69));
        hs.put("F", new Integer(70));
        hs.put("G", new Integer(71));
        System.out.println(hs);
    }
}
```

运行结果:

{D=68, A=65, F=70, C=67, B=66, G=71, E=69}

从输出结果可以看出,HashMap 类不保证映射的顺序。

2. TreeMap 类

TreeMap 类使用树实现 Map 接口,此类保证了映射按照升序顺序排列关键字。根据使用的构造方法不同,可能会按照键的类的自然顺序进行排序,或者按照创建时所提供的比较器进行排序。

下面是 TreeMap 的构造函数:

- TreeMap( ) //构造一个空映射,该映射按照键的自然顺序排序。
- TreeMap(Comparator c) //构造一个空映射,该映射根据给定的比较器进行排序。
- TreeMap(Map m) //构造一个新映射,包含的映射关系与给定的映射相同,这个新映射按照键的自然顺序进行排序。
- TreeMap(SortedMap sm) //构造一个新的映射,包含的映射关系与给定的 SortedMap 相同,该映射按照相同的排序方式进行排序。

【例 5-18】　TreeMap 类的应用示例。

程序清单5-18:　**TreeMapDemo.java**

```java
import java.util.*;
public class TreeMapDemo {
    public static void main(String[] args) {
        TreeMap hs = new TreeMap();
        hs.put("F", new Integer(70));
        hs.put("G", new Integer(71));
        hs.put("D", new Integer(68));
        hs.put("E", new Integer(69));
        hs.put("A", new Integer(65));
        hs.put("B", new Integer(66));
        hs.put("C", new Integer(67));
        System.out.println(hs);
    }
}
```

运行结果:

{A=65, B=66, C=67, D=68, E=69, F=70, G=71}

　　从输出结果可以看出,TreeMap 类保证映射的顺序。

5.4.4　Iterator 接口和 ListIterator 接口

　　如果希望一个一个地获取集合中的元素,最简单的方法是使用迭代器。迭代器是一个实现 Iterator 接口或 ListIterator 接口的对象。Iterator 可以遍历类集中的元素。ListIterator 继承 Iterator,并允许双向遍历。

　　【例 5-19】　Iterator 接口的应用示例。

程序清单5-19:　**IteratorDemo.java**

```java
import java.util.*;
public class IteratorDemo {
    public static void main(String[] args) {
        ArrayList a = new ArrayList();
        int sum = 0;
        a.add(new Integer(123));
        a.add(new Integer(456));
        // 通过迭代器一个一个地获得集合中的元素
        for (Iterator i = a.iterator(); i.hasNext();) {
            sum += ((Integer) i.next()).intValue();
        }
        System.out.println(sum);
    }
}
```

运行结果:

579

5.4.5　Collections 类的算法应用

　　在 Collections 类中定义了一些用于类集和映射的算法,这些算法被定义为静态方法。其常用的方法有：

- static void sort (List list)　　//按自然顺序对 list 中的元素进行排序。
- static void Comparator reverseOrder()　　//返回一个逆向比较函数。
- static void sort (List list , Comparator c)　　//按 c 指定的顺序对 list 进行排序。
- static void reverse (List list)　　//将 list 中的元素逆向排序。
- static int binarySearch(List list, Object value)　　//折半查找。
- Static Object max (Collection c)　　//返回集合中的最大值。
- static Object min (Collection c)　　//返回集合中的最小值。
- static void swap(List list, int i, int j)　　//交换 list 中 i 和 j 两个位置的值。

【例 5-20】　Collections 类的使用。

程序清单5-20： **CollectionsDemo.java**

```java
import java.util.*;
class CollectionsDemo {
    public static void main(String args[]) {
        LinkedList<Integer> ll = new LinkedList<Integer>();
        ll.add(new Integer(-9));
        ll.add(new Integer(15));
        ll.add(new Integer(-15));
        ll.add(new Integer(9));
        System.out.println(ll);
        Comparator r = Collections.reverseOrder();
        Collections.sort(ll, r);
        System.out.println(ll);
        System.out.println("the position of 8 in list:"
                + Collections.binarySearch(ll, 8));
        System.out.println("Minimum: " + Collections.min(ll));
        System.out.println("Maximum: " + Collections.max(ll));
    }
}
```

运行结果：

```
[-9, 15, -15, 9]
[15, 9, -9, -15]
the position of 8 in list:-1
Minimum: -15
Maximum: 15
```

5.4.6　泛型（Generics）

1. Object 泛型

在 Java 5 之前，为了使类具有通用性，通常将参数类型和返回类型设置为 Object 类型，然后在获取这些返回类型时将其"强制"转换为原有的类型或者接口后调用其对象上的方法，称这种方式为"Object 泛型"。如例 5-21 所示，在 ObjectFoo 类中定义了一个 Object 类的成员 x，其构造方法的参数类型为 Object 类实现对成员 x 的初始化，在主方法中依次以 String 类、Double 类和 Object 类的对象作为构造方法 ObjectFoo(Object x)的实参，分别创建了三个 ObjectFoo 类的三个对象 strFoo、douFoo 和 objFoo，最后通过"强制"类型转换方式将 getX() 方法返回的不同类型的对象进行转换后打印输出，从而实现了类的通用性。

【例 5-21】 Object 泛型应用示例。

程序清单5-21: `ObjectFoo.java`

```java
public class ObjectFoo {
    private Object x;
    public static void main(String args[]) {
        ObjectFoo strFoo = new ObjectFoo("Hello Generics!");
        ObjectFoo douFoo = new ObjectFoo(new Double("88"));
        ObjectFoo objFoo = new ObjectFoo(new Object());
        System.out.println("strFoo.getX = " + (String) strFoo.getX());
        System.out.println("douFoo.getX = " + (Double) douFoo.getX());
        System.out.println("objFoo.getX = " + (Object) objFoo.getX());
    }
    public ObjectFoo(Object x) {this.x = x; }
    public Object getX() { return x; }
    public void setX(Object x) { this.x = x; }
}
```

运行结果:
```
strFoo.getX = Hello Generics!
douFoo.getX = 88.0
objFoo.getX = java.lang.Object@35ce36
```

2. Java 5 泛型

在"Object 泛型"中，必须进行强制类型转换且需事先知道每个 Object 的具体类型才能做出正确转换，否则若转换类型不对，如将"Hello Generics!"字符串强制转换为 Double，则编译时不会报错而在运行时就会产生运行时异常。如例 5-22 所示，可采用 Java 5 泛型来解决"Object 泛型"的不足。

Java 5 泛型类的基本语法是：class 类名< T > { ... }

其中，"<T>"代表一个通用的类名，可将 T 当做一个类型代表来声明成员、参数和返回值类型，"T"只是个名字，程序员可以自行定义。

【例 5-22】 Java 5 泛型的应用示例。

程序清单5-22: `GenericsFoo.java`

```java
public class GenericsFoo<T> {
    private T x;
    public static void main(String args[]) {
        GenericsFoo<String> strFoo = new GenericsFoo<String>("Hello Generics!");
        GenericsFoo<Double> douFoo = new GenericsFoo<Double>(new Double("88"));
        GenericsFoo<Object> objFoo = new GenericsFoo<Object>(new Object());
        System.out.println("strFoo.getX = " + strFoo.getX());
        System.out.println("douFoo.getX = " + douFoo.getX());
        System.out.println("objFoo.getX = " + objFoo.getX());
    }
    public GenericsFoo(T x) { this.x = x;   }
    public T getX() {     return x;  }
    public void setX(T x) { this.x = x; }
}
```

运行结果:
```
strFoo.getX = Hello Generics!
douFoo.getX = 88.0
objFoo.getX = java.lang.Object@35ce36
```

上例中"public class GenericsFoo<T>"声明了一个泛型类 GenericsFoo，此处对 T 没有任何限制，实际上相当于"public class GenericsFoo<T extends Object>"。

与"Object 泛型类"相比，使用泛型所定义的类在声明和构造实例时，可使用"<实际类型>"一并指定泛型类型持有者的真实类型。如：GenericsFoo<Double> douFoo = new GenericsFoo<Double>(new Double("88")); 若在构造对象的时候不使用尖括号指定泛型类型的真实类型，则在使用该对象时必须强制转换，如：GenericsFoo douFoo = new GenericsFoo(new Double("88")); 实际上，当构造对象时不指定类型信息时默认会使用 Object 类型，这也是要强制转换的原因。

3. 限制泛型与通配符泛型

限制泛型的基本语法是：class 类名< T extends 类|接口 > { … }

其中，关键字 extends 后面可是类或接口，此处 extends 应理解为 T 类型限定为实现"XX接口"的类型，或者 T 是继承了"XX 类"的类型。

例如："public class CollectionGenFoo <T extends Collection>"限定了构造此类实例时 T 是一个确定的实现了 Collection 接口的类型，然而实现 Collection 接口的类却很多，若针对每一种情况都写其实现类或其子类将是很麻烦的。因此为了克服这种被限制死了而不能动态地根据实例来确定实际类型的缺点，而引入了"通配符泛型"。

通配符泛型的基本语法是：< ? extends Collection >

其中，"？"代表未知类型，如"<? extends Collection>"表示这个类型是实现 Collection接口的任意类。

【例 5-23】 限制泛型与通配符泛型的应用示例。

程序清单5-23: **CollectionGenFoo.java**

```
package Generics.wildcard;
import java.util.*;
public class CollectionGenFoo<T extends Collection> {
    private T x;
    public static void main(String args[]) {
        CollectionGenFoo<ArrayList> listFoo1 = null;
        listFoo1 = new CollectionGenFoo<ArrayList>(new ArrayList());
        // 由于没有使用通配符泛型，下面两句编译时出错
        // CollectionGenFoo<Collection> listFoo2 = null;
        // listFoo2 = new CollectionGenFoo<ArrayList>(new ArrayList());
        // 以下使用了通配符泛型
        CollectionGenFoo<? extends Collection> listFoo3 = null;
        listFoo3 = new CollectionGenFoo<LinkedList>(new LinkedList());
        System.out.println("实例化成功！");
    }
    public CollectionGenFoo(T x) {this.x = x;  }
    public T getX() {   return x;}
    public void setX(T x) { this.x = x;}
}
```

运行结果：
实例化成功！

4. 泛型在集合框架的应用

集合框架中的每个元素都是对象，对于基本数据类型则要使用其包装类对象才能作为集合的元素。在 Java 5 之前由开发人员必须自己保证集合中元素的类型是合法的。例如：

```
List stringList=new LinkedList();
stringList.add(new Integer(1)); //向字符串列表中添加一个整形对象，编译器不会报错
Iterator listIterator=stringList.iterator();
While(listIterator.hasNext()) {
    //对于元素 new Integer(1)，运行时会抛出一个类型转换异常
String item=(String) listIterator.next();
}
```

在例 5-24 中通过泛型技术来改写例 5-19。

【例 5-24】 泛型在映射接口中的应用示例。

程序清单5-24: **GenericDemo.java**

```
import java.util.*;
public class GenericDemo {
    public static void main(String[] args) {
        ArrayList a = new ArrayList<Integer>();
        int sum = 0;
        a.add(new Integer(123));
        a.add(new Integer(456));
        for (Iterator<Integer> i = a.iterator(); i.hasNext();) {
            sum += i.next().intValue();
        }
        System.out.println(sum);
        TreeMap<Character, Integer> m = new TreeMap<Character, Integer>();
        String s = "ABCDEF";
        for (int i = 0; i < s.length(); i++) {
            char c = s.charAt(i);
            m.put(c, c + 0);
        }
        System.out.println(m);
    }
}
```

运行结果:
```
579
{A=65, B=66, C=67, D=68, E=69, F=70}
```

上述运行结果中花括号里的值被称为类型变量。参数化类型能够支持任何数量的类型变量。使用了泛型技术后，构造带有参数化类型的集合对象同样可以当做一个普通的集合对象来使用。此外，通过自动封箱使 map 能够直接存储和检索 char 和 int 值。

习　题　五

一、简答题

1. 计算调用下列方法的结果。

Math.sqrt(4);

Math.pow(4, 3);

Math.max(2, Math.min(3, 4));

2. 下列程序中构造了一个 set 并且调用其方法 add()，输出结果是（   ）。

```java
import java.util.*;
public class T1_2 {
    public int hashCode() {
        return 1;
    }
    public boolean equals(Object b) {
        return true;
    }
    public static void main(String args[]) {
        Set set = new HashSet();
        set.add(new T1_2());
        set.add(new String("ABC"));
        set.add(new T1_2());
        System.out.println(set.size());
    }
}
```

3. Collection 有哪几种主要接口？

4. 基本的集合接口有哪些？

5. 映射、集合和列表的含义是什么？

6. HashMap 类和 TreeMap 类有何区别？

7. HashSet 类和 Treeset 类有何区别？

8. ArrayList 类和 LinkedList 类有何区别？

二、选择题

1. 可实现有序对象的操作有哪些？（   ）

A. HashMap   B. HashSet   C. TreeMap   D. LinkedList

2. 迭代器接口（Iterator）所定义的方法是（   ）。

A. hasNext()   B. next()

C. remove()   D. nextElement()

3. 下列方法属于 java.lang.Math 类的有（方法名相同即可）（   ）。

A. random()   B. abs()   C. sqrt()   D. pow()

4. 指出正确的表达式有（   ）。

A. double a=2.0;   B. Double a=new Double(2.0);

C. byte A= 350;   D. Byte a = 120;

5. System 类在哪个包中？（   ）

A. java.awt   B. java.lang   C. java.util   D. java.io

6. 关于 Float，下列说法正确的是（   ）。

A. Float 在 java.lang 包中   B. Float a=1.0 是正确的赋值方法

C. Float 是一个类   D. Float a= new Float(1.0)是正确的赋值方法

三、判断题

1．Map 接口是自 Collection 接口继承而来。（　　）
2．集合 Set 是通过键-值对的方式来存储对象的。（　　）
3．Integer i = (Integer.valueOf("926")).intValue();（　　）
4．String s = (Double.valueOf("3.1415926")).toString();（　　）
5．Integer I = Integer.parseInt("926");（　　）
6．Arrays 类主要对数组进行操作。（　　）
7．在集合中元素类型必须是相同的。（　　）
8．集合中可以包含相同的对象。（　　）
9．枚举接口定义了具有删除功能的方法。（　　）

四、编程题

1．编程生成 10 个 1~100 之间的随机数，并统计每个数出现的概率。
2．使用 HashMap 类保存由学号和学生姓名所组成的键-值对，比如"200709188"和"John Smith"，然后按学号的自然顺序将这些键-值对一一打印出来。
3．编写一个程序，使用 Map 实现对学生成绩单的存储和查询，并将成绩排序存储到 TreeSet 中，求出平均成绩、最高分和最低分。
4．编写一个程序，实现将十进制整数转换为二进制、八进制和十六进制形式。
5．编写一个程序，在其中调用操作系统的注册表编辑器 "regedit.exe"。
6．使用 java.text.SimpleDateFormat 类将系统日期格式化为 "2007 年 8 月 20 日" 的形式输出。
7．编写程序实现：定义一个 Float 类型的数组，随机往其中填充元素，并打印该数组内容。

实验五　Java 标准类库应用

一、实验目的

1．掌握基本数据类型的包装类的应用。
2．掌握 java.lang 包中 System、Runtime、Math 等类的应用。
3．掌握 Java 中有关日期和日历类的应用。
4．掌握 Java 集合框架接口及其实现类的应用。
5．掌握 Java 泛型技术的应用。

二、实验内容

1．创建一个使用数学函数类 Math 的应用程序。
Math 类含有基本数学运算函数，如指数运算、对数运算、求平方根、三角函数、随机数等。
2．定义一个日期处理类，要求能实现如下功能：
（1）显示当前系统日期和时间。

（2）给定一个日期值，计算并显示若干天后的日期值。

（3）计算并显示两个日期之间相距的天数。

3．利用 Java 集合框架中的类，编写一个对学生信息（包括学号和总分）进行处理的类，要求实现如下功能：

（1）查找指定学号的学生的总分。

（2）求出总分最大值和最小值及其所对应的学生学号。

（3）求出所有学生的总分平均值。

4．调试习题五中编程题的第 4 题和第 6 题。

第6章 Java GUI 程序设计

【本章要点】

1. AWT 及其组件，AWT 布局管理器，AWT 事件处理机制。
2. Swing 的特性及其类层次结构，Swing 程序的一般结构、布局管理器与事件处理。
3. Swing 常用容器组件和基本组件及其应用。

用户界面是计算机的使用者与计算机系统交互的接口，用户界面功能是否完善，使用是否方便，将直接影响用户对软件的使用。图形用户界面可使用户与计算机的交互变得直观形象，操作更方便，目前大部分软件的用户界面均设计为图形用户界面。为了方便开发图形用户界面，Java 提供了 AWT(Abstract Window Toolkit，抽象窗口工具包)和 Swing 两个图形用户界面工具包，我们可以利用其提供的各种组件来设计美观、友好、功能强大的图形用户界面。

6.1 图形用户界面概述

图形用户界面（Graphics User Interface，GUI）指使用图形的方式，借助菜单、按钮等标准界面元素和鼠标操作，帮助用户方便地向计算机系统发出命令、启动操作，并将系统运行的结果同样以图形的方式显示给用户。图形用户界面画面生动、操作简便，省去了字符界面用户必须记忆各种命令的麻烦，深受广大用户的喜爱和欢迎，已经成为当前几乎所有应用软件的既成标准。但在编程中图形用户界面的跨平台移植是很困难的事情，如我们可以很容易地实现在不同软硬件平台的计算机上一对一地在窗口上添加按钮，但是要确保按钮对应的位置、大小和形状都相同却比较困难，因为不同操作系统的屏幕显示特征设置不同，如 Windows 屏幕设置为 1024×768，Macintosh 屏幕设置为 1180×900，Solaris 设置为 1600×1280，这样在不同的操作系统下用户发现相应的按钮会存在差别。

作为与平台无关的 Java 语言，为了方便图形用户界面的开发，设计了专门的类库 AWT 包和 Swing 包来生成各种标准图形界面元素和处理图形界面的各种事件，有效地实现图形用户界面的跨平台移植。Sun 公司在 JDK1.0 中提供了图形用户界面的类库 java.awt 包，AWT 在开始设计时确定的目标是希望构建一个通用的 GUI，利用它编写的程序能够在所有的平台上运行，以实现 Sun 公司提出的"一次编写，到处运行（Write Once, Run Anywhere）"，同时又能保留每个平台的界面显示风格（Look and Feel，L&F）。为了实现这个目标，AWT 把用户界面元素的创建和操作交给每个目标平台（Windows、Solaris、Macintosh 等）上的本地 GUI 工具箱来处理，即对 AWT 包中的每一个组件都引入一个具有本地平台显示风格的图形用户界面组件（对等组件），当程序运行时系统将自动创建一个 AWT 组件的对等组件，由它来负责执行该组件在本地的显示和管理工作，使得界面具有本地平台显示风格（L&F）。但是 AWT 非常依赖于运行时平台的本地用户界面组件，产生的图形用户接口在不同的平台上存在着不同的 bug，并且不能完全确保本地平台显示风格，而且它还限制访问操作系统中现有的高级

GUI 元素。

1997 年 Sun 公司同 Netscape 公司通力合作创建了新的图形用户界面库取名 Swing。Swing 与 AWT 的最大区别是，Swing 组件的实现没有采用任何本地代码，完全由 Java 语言实现，具有平台独立的 API 并且具有平台独立的实现。因此 Swing 组件不再受各种平台显示特征的限制，真正实现了 Sun 公司的"一次编写，到处运行"的目标。

Swing 包是在 AWT 包的基础上创建的，但 Swing 组件的先进性并不代表着能够完全取代 AWT 组件。AWT 的模式在很大的程度上影响 Swing 的模式，甚至某些机制是一致的，如 AWT 中的事件处理机制，在 Swing 中仍然使用。因此在学习 Swing 的同时，了解 AWT 是非常必要的。

6.2 AWT 及其组件

6.2.1 java.awt 包

Java 基础类（JFC）主要包括五个 API：AWT、Java2D、Accesssibility、Drag & Drop 和 Swing。它提供了帮助开发人员设计复杂应用程序的一整套应用程序开发包。其中，AWT 组件为各类 Java 应用程序提供了许多 GUI 工具。

AWT 是使用 Java 进行 GUI 设计的基础，AWT 包中包含了很多支持图形用户界面的类与接口，各类中封装了大量的方法，以方便用户进行图形用户界面的设计，这些类与接口的主要功能包括：用户界面组件；事件处理模型；图形和图像工具，包括形状、颜色和字体类；布局管理器，可以进行灵活的窗口布局而与特定窗口的尺寸和屏幕分辨率无关；数据传送类，可以通过本地平台的剪贴板来进行剪切和粘贴。AWT 包中主要类及其层次关系如图 6-1 所示。

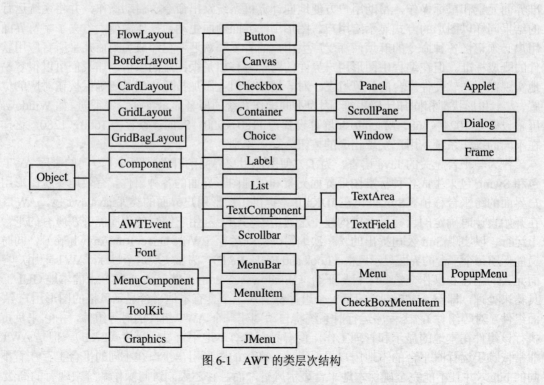

图 6-1　AWT 的类层次结构

1. AWTEvent 类

AWTEvent 类是 JDK1.1 中所有 AWT 事件的父类，它是一个抽象类，其中定义了 AWT 事件的一般模型和接口，在实际使用时不能直接使用这个类。

2. Font 类

用来表示字体的类，通过它可以在 GUI 中使用多种系统支持的字体。

3. Component 类

Component 类是一个抽象类，它是构成 Java 图形用户界面的基础。大多数组件都是 Component 类的子类或间接子类，Component 类中封装了组件通用的方法和属性，如图形的组件对象、大小、显示位置、前景色和背景色、边界、可见性等，因此许多组件类也就继承了 Component 类的成员方法和成员变量，相应的成员方法包括：getComponentAt(int x,int y)、getFont( )、getForeground( )、getName( )、getSize( )、paint(Graphics g)、repaint( )、update(Graphics g)、setVisible(boolean b)、setSize(Dimension d)、setName(String name)等。

4. Container 类

容器 Container 类是 Component 类的一个子类，因此容器本身也是一个组件，具有组件的所有性质，但它的主要功能是容纳其他组件和容器。

5. Graphics 类

Graphics 类是所有用来在组件上进行图形绘制时所用的图形上下文的父类，它提供了对组件进行图形绘制的一般方法的接口，一个 Graphics 对象中封装了用来进行图形绘制时必需的状态信息，包括：要绘制的组件对象、当前颜色、当前字体、当前逻辑点的操作功能，当前 XOR 方式的替代颜色。

6. 布局管理器类

FlowLayout、BorderLayout、GridLayout、CardLayout、GridBagLayout 是布局管理器类。布局管理器是 Java 语言中提供专门用来管理组件在容器中布局的工具，它负责组件在容器中的位置、大小等布局的管理，使用不同的布局管理器，组件在容器中的位置布局不同。

6.2.2 组件

组件是一个可以以图形化的方式显示在屏幕上并能与用户进行交互的对象，是 GUI 的基本组成元素。组成 GUI 的组件，如按钮（Button）、标签（Label）等，不能独立显示，必须通过 add( )方法将组件放在容器中才能显示出来。表 6-1 列出了 AWT 中的基本组件。

表 6-1　　　　　　　　　　　　　　　AWT 中的基本组件

基本组件	组件描述
Button	按钮
CheckBox	复选框，允许用户选择其中的条目
CheckBoxGroup	单选框，只能在一组选项中选择一项
Choice	下拉式列表，创建一个下拉式选择列表，只允许选择其中的一项
List	列表，支持单选和多选
Menu	菜单，一般包含多个菜单项
TextField	单行文本框，用来编辑显示单行文本

续表

基本组件	组件描述
Label	标签
Canvas	画布，用来画图的面板
TextArea	多行文本框，用来编辑显示一个文本块
ScrollBar	滚动条

6.2.3 容器

容器 Container 类是 Component 抽象类的一个子类，一个容器可以容纳多个组件，并使它们成为一个整体，同时容器本身也是一个组件，具有组件的所有性质，也可以放入另一个容器中。容器的主要功能是容纳其他组件和容器，简化图形化界面的设计，以整体结构来布置界面。所有的容器都可以通过 add() 方法向容器中添加组件。

AWT 提供了三种类型的容器：Window，Panel，ScrollPane，常用的有 Panel，Frame，Applet。Window 类是用来创建不包含其他对象的顶层窗口，Window 类的对象直接位于桌面上，要生成一个窗口，通常是创建 Window 的子类 Frame 的对象，而不直接创建 Window 对象。Applet 应用于 Applet 小程序，我们在第 7 章再详细介绍。下面简单介绍一下 Frame 类与 Panel 类。

1. Frame

在 Java 中，每一个 GUI 应用程序都必须至少有一个顶层窗口，顶层窗口也称为框架，在 AWT 中，对应的框架类是 Frame，它是 Window 类的子类，用来创建带有标题、菜单的全功能窗口。Frame 常用的构造方法有：

Frame( );   // 该方法用于创建一个不带标题的框架
Frame(String title);   // 该方法用于创建一个带有指定标题的框架

这两个方法创建的窗口默认初始大小为(0,0)，并且不可见，默认背景色为白色。为了使窗口显示出来，可调用其父类 Component 的方法 setSize(int width,int height) 来设置其大小；调用 setVisible (Boolean b) 方法将其设为可见；调用 setBackground(Color c) 方法来设置背景色。

2. Panel

Panel（面板）是一块无边框的容器，不能单独显示，必须添加到 Window 或 Frame 中，Panel 面板中可以放入基本组件。它是 Applet 的父类。

【例 6-1】 创建一个带有面板的框架。

程序清单6-1：FrameWithPanel.java

```
Import java.awt.*;
public class FrameWithPanel extends Frame {
    public static void main(String args[]) {
        FrameWithPanel fr = new FrameWithPanel("Hello !");
        fr.setSize(200, 200); // 设置Frame的大小
        fr.setBackground(Color.blue); // 设置Frame的背景色为蓝色
        fr.setLayout(new GridLayout(2, 1));
        Panel pan = new Panel();
        pan.setSize(200, 100); // 设置Panel的大小
        pan.setBackground(Color.yellow);// 设置Panel的背景色为黄色
        pan.add(new Button("确定"));
```

```
        fr.add(pan);
        fr.setVisible(true); // 设置Frame可见
    }
    public FrameWithPanel(String str) {
        super(str);
    }
}
```

运行结果: 如图6-2所示。

图6-2　例6-1运行结果

6.3　布局管理器

一个好的界面首先应该布局合理。为了实现跨平台的特性并获得动态的布局效果，Java 在容器中用专门的布局管理器来负责对容器内的组件进行布局管理。布局管理器决定容器的布局策略及容器内组件的排列顺序、组件大小与位置，以及当窗口移动或调整大小后组件如何变化等。每一种布局管理器对应一种布局策略，每个容器一般都有默认的布局管理器，该布局管理器可以通过 setLayout( ) 改变。当然 ，在需要人工排列或布局组件时，也可以使用 setLayout(null) 方法取消所有的布局方式，由用户自行安排组件的合适位置。

java.awt 包中共定义了五种布局管理器，分别为 FlowLayout、BorderLayout、GridLayout、CardLayout、GridBagLayout，这五个类都是 java.lang.Object 类的直接子类。下面对这几种常用的布局管理器进行介绍。

6.3.1　FlowLayout 布局管理器

FlowLayout 是 Panel 和 Applet 的默认布局管理器。容器内组件的放置规律是从左到右、从上到下逐行摆放。当组件不多时，使用这种策略非常方便，但是当容器内的 GUI 组件增加时，就显得高低参差不齐。

FlowLayout 的构造方法有三个，分别是：

（1）FlowLayout( )：组件居中摆放，组件之间水平和垂直间距为 5 个像素。

（2）FlowLayout(int align)：组件按参数指定的对齐方式摆放，组件之间水平和垂直间距为 5 个像素。参数 align 的取值必须是 FlowLayout.LEFT、FlowLayout.RIGHT 或 FlowLayout.CENTER，它们是 FlowLayout 类中定义的三个 public static final 类型的整型常量，其取值分别为：FlowLayout.LEFT=0，FlowLayout.RIGHT=1，FlowLayout.CENTER=2。

（3）FlowLayout(int align,int hgap,int vgap)：组件按参数指定的对齐方式摆放，组件之间的水平间距由 hgap 参数指定，垂直间距由 vgap 参数指定，间距单位为像素。

对于一个容器，可以使用下面的语句设定其布局管理器为 FlowLayout。

setLayout(new FlowLayout());

对于使用 FlowLayout 的容器，可以使用下面的语句来添加组件。

add(组件名);

【例 6-2】 FlowLayout 布局管理器应用示例。

程序清单6-2: FlowLayoutWindow.java

```java
import java.awt.*;
public class FlowLayoutWindow extends Frame {
    public static void main(String args[]) {
        FlowLayoutWindow window = new FlowLayoutWindow("FlowLayout");
        window.setLayout(new FlowLayout());
        window.add(new Label("按钮:"));
        String spaces = ""; // 用来改变按钮的大小变化
        for (int i = 1; i <= 6; i++) {
            window.add(new Button("按钮" + i + spaces));
            spaces += " ";
        }
        window.pack();// 窗口的大小设置为适合组件最佳尺寸与布局所需的空间
        window.setVisible(true);
    }
    public FlowLayoutWindow(String str) {
        super(str);
    }
}
```

运行结果：如图6-3所示。

(a) 例 6-2 的运行结果

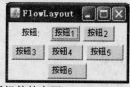

(b) 改变窗口大小后组件的布局

图6-3　FlowLayout示例

6.3.2　BorderLayout 布局管理器

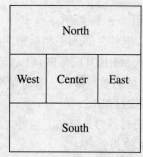

图 6-4　BorderLayout 示意图

BorderLayout 是 Window、Frame 和 Dialog 的缺省布局管理器。BorderLayout 布局管理器把容器分成 5 个区域：North，South，East，West 和 Center，各个区域的位置如图 6-4 所示。

BorderLayout 的构造方法有两个，分别是：

（1）BorderLayout()：组件之间没有水平间隙与垂直间隙。

（2）BorderLayout(int hgap,int vgap)：指定各组件之间的水平间隙和垂直间隙。

每向容器中添加一个组件都应该指明把这个组件放到哪个区域，否则组件将不能显示。我们可以调用 Container 类的下列

add( )方法来添加组件并指定其方位：

public Component add(String name,Component comp)　　//参数 name 指定方位

public void add(Component comp,Object constraints)　　//参数 constraints 指定方位

在 BorderLayout 类中,定义了 5 个表示方位的 public static final String 类型的常量：EAST、WEST、SOUTH、NORTH 和 CENTER，其值分别对应：“East”、“West”、“South”、“North”、“Center”。因此上述方法中参数 name 和 constraints 的取值集合是{ BorderLayout. EAST, BorderLayout. WEST，BorderLayout.SOUTH，BorderLayout. NORTH，BorderLayout. CENTER} 或{“East”，“West”，“South”，“North”，“Center” }。

> 注意：当显示窗口被用户改变时，容器中组件会根据最佳尺寸做适当的调整。BorderLayout 仅指定了五个区域的位置，如果容器中需要加入的组件超过五个，就必须使用容器的嵌套或改用其他的布局策略。若没有设置组件的相关位置，BorderLayout 将以 Center 作为默认值，当两个组件被安排在相同的位置时，将出现位置错误，但系统不给予提示。

【例6-3】 BorderLayout 布局管理器应用示例。

程序清单6-3: BorderLayoutWindow.java

```
import java.awt.*;
public class BorderLayoutWindow extends Frame {
    public static void main(String args[]) {
    BorderLayoutWindow window = new BorderLayoutWindow("BorderLayout");
        window.setLayout(new BorderLayout());
        window.add(new Button("North"), "North");
        window.add(new Button("South"), "South");
        window.add(new Button("East"), "East");
        window.add(new Button("West"), "West");
        window.add(new Button("Center"), "Center");
        window.pack();
        window.setVisible(true);
    }
    public BorderLayoutWindow(String str) {
        super(str);
    }
}
```

运行结果：如图6-5所示。

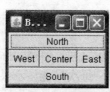

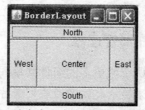

(a) 例 6-3 运行结果　　(b) 改变窗口大小后组件的布局

图6-5 BorderLayout示例

6.3.3 GridLayout 布局管理器

如果界面上需要放置的组件较多，且组件的大小又基本一致，如计算器、遥控器的界面，那么使用 GridLayout 布局管理器是最佳的选择。GridLayout 布局管理器把容器的空间划分为

若干行、列的网格区域，而每个组件按添加的顺序从左向右、从上向下地占据这些网格。

GridLayout 的构造方法有三个，分别如下：

①GridLayout( )：容器划分为一行、一列的网格。

②GridLayout(int rows,int cols)：容器划分为指定行、列数目的网格。注意当参数 rows 取 0 时，意味着任意数目的行；当参数 cols 取 0 时，意味着任意数目的列。

③GridLayout(int rows,int cols, int hgap,int vgap)：容器划分为指定行、列数目的网格，并且指定组件间的水平与垂直间隙。同样当参数 rows 取 0 时，意味着任意数目的行；参数 cols 取 0 时，意味任意数目的列。

【例 6-4】 GridLayout 布局管理器应用示例。

程序清单6-4：GridLayoutWindow.java

```java
import java.awt.*;
public class GridLayoutWindow extends Frame {
    public static void main(String args[]) {
        GridLayoutWindow window = new GridLayoutWindow("GridLayout");
        window.setLayout(new GridLayout(2, 3));
        String spaces = "";
        for (int i = 1; i <= 6; i++) {
            window.add(new Button("按钮" + i + spaces));
            spaces += "  ";
        }
        window.pack();
        window.setVisible(true);
    }
    public GridLayoutWindow(String str) {super(str); }
}
```

运行结果：如图6-6所示。

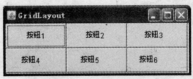

(a) 例 6-4 运行结果   (b) 改变窗口大小后组件的布局

图6-6 GridLayout示例

6.3.4 CardLayout 布局管理器

CardLayout 可以使两个或更多的组件共享同一显示空间，但是实际上同一时刻容器只能从这些组件中选出一个来显示，就像一系列卡片叠放，每次只能显示最上面的一张。

CardLayout 的构造方法如下：

①CardLayout( )：没有左右与上下边界间隙。

②CardLayout(int hgap,int vgap)：参数 hgap、vgap 指定组件距离左右、上下边界的间隙。

常用的 CardLayout 方法有：

public void first(Container parent);   //显示第一张卡片

public void next(Container parent);   //显示下一张卡片，如果当前卡片是最后一张，

则显示第一张

    public void previous(Container parent);   //显示前一张卡片

    public void last(Container parent);   //显示最后一张卡片

    public void show(Container parent,String name);   //显示指定名称的组件

当向一个设置为 CardLayout 布局管理器的容器中添加组件时，必须使用 Container 类的如下方法：

    public Component add(String name, Component comp);

其中参数 name 可以是任意的字符串，它可以标识被添加的组件 comp。

【例6-5】 CardLayout 布局管理器应用示例。

程序清单6-5: CardLayoutWindow.java

```java
import java.awt.*;
import java.awt.event.*;
public class CardLayoutWindow extends Frame implements ActionListener {
    Panel cards;
    CardLayout CLayout = new CardLayout();
    public CardLayoutWindow() {
        setLayout(new BorderLayout()); // 设置Frame为BorderLayout。
        // 创建摆放"卡片切换"按钮的panel,并添加到Frame中。
        Panel cp = new Panel();
        Button bt = new Button("卡片切换");
        bt.addActionListener(this);
        cp.add(bt);
        add("North", cp);
        cards = new Panel();// 创建承放多个卡片的Panel。
        cards.setLayout(CLayout); //设置为CardLayout。
        // 创建cards中的第一个panel及其组件。
        Panel p1 = new Panel();
        p1.add(new Button("Button 1"));
        p1.add(new Button("Button 2"));
        p1.add(new Button("Button 3"));
        // 创建cards中的另一个panel及其组件。
        Panel p2 = new Panel();
        p2.add(new TextField("TextField", 20));
        cards.add("Panel with Buttons", p1); // 把上述两个panel加到cards中。
        cards.add("Panel with TextField", p2);
        add("Center", cards); // 将cards放入Frame中。
    }
    public void actionPerformed(ActionEvent e) {
        CLayout.next(cards); //响应点击切换卡片按钮的事件，显示下一张卡片。
    }
    public static void main(String args[]) {
        CardLayoutWindow window = new CardLayoutWindow();
        window.setTitle("CardLayout");
        window.pack();
        window.setVisible(true);
    }
}
```

运行结果：如图6-7所示。

(a) 例 6-5 运行结果   (b) 单击"卡片切换"按钮后运行结果

图6-7　CardLayout示例

6.3.5　GridBagLayout 布局管理器

GridBagLayout 布局管理器是最灵活、最复杂的布局管理器，它是在 GridLayout 的基础上发展而来，但它不需要组件的尺寸大小一致，每个组件可以占有一个或多个网格单元，所占有的网格单元称为组件的显示区域，组件也可以按任意顺序添加到容器的任意位置，从而真正实现了自由地安排容器中的每个组件的大小和位置。

为了使用 GridBagLayout 布局管理器，必须构造一个 GridBagConstraints 对象，这个对象指定了组件显示的区域在网格中的位置，以及应该如何摆放组件，它通过设置下列 GridBag-Constraints 的变量来实现。

①gridx，gridy：指定组件左上角在网格中的行与列。容器中最左边列的 gridx=0，最上边行的 gridy=0。这两个变量的默认值为 GridBagConstraints.RELATIVE，表示对应的组件将放在前面放置组件的右边或下面。

②gridwidth，gridheight：指定组件显示区域所占的列数与行数，以网格单元而不是以像素为单位，默认值为 1。GridBagConstraints.REMAINDER 指定组件是所在行或列的最后一个组件，GridBagConstraints.RELATIVE 指定组件是所在行或列的倒数第二个组件。

③fill：指定组件填充网格的方式。它可以是如下的值：GridBagConstraints.NONE(默认值，组件的大小不改变)、GridBagConstraints.HORIZONTAL(组件横向充满显示区域，但不改变组件的高度)、GridBagConstraints.VERTICAL(组件纵向充满显示区域，但不改变组件的宽度)、GridBagConstraints.BOTH(组件横向、纵向充满其显示区域)。

④ipadx，ipady：指定组件显示区域的内部填充，即在组件最小尺寸之外需要附加的像素数，默认值为 0。因此，组件的宽度最少是它的最小宽度加上 ipadx×2，组件的高度最少是它的最小高度加上 ipady×2。

⑤insets：指定组件显示区域的外部填充，即组件与其显示区域边缘之间的空间。默认时，组件没有外部填充。

⑥anchor：指定组件在显示区域中的摆放位置。其值可以为：

GridBagConstraints.CENTER (默认值)、GridBagConstraints.NORTH、GridBagConstraints.NORTHEAST、GridBag Constraints. EAST、GridBagConstraints. SOUTHEAST、GridBagConstraints. SOUTH、GridBagConstraints. SOUTHWEST、GridBagConstraints. WEST、GridBagConstraints. NORTH WEST。

⑦weightx，weighty：用来指定在容器大小改变时，增加或减少的空间如何在组件间分配。默认值是 0，即所有的组件将聚拢在容器的中心，多余的空间将放在容器边缘与网格单元之间。每一列组件的 weightx 值指定为该列组件的 weightx 的最大值；每一行组件的 weighty 值

指定为该行组件的 weighty 的最大值。weightx 和 weighty 的取值一般在 0.0~1.0 之间，数值大表明组件所在的行或列将获得更多的空间。

【例 6-6】 GridBagLayout 布局管理器应用示例。

程序清单6-6: `GridBagLayoutWindow.java`

```java
import java.awt.*;
public class GridBagLayoutWindow extends Frame {
    public static void main(String args[]) {
        GridBagLayoutWindow window = new GridBagLayoutWindow("GridBagLayout");
        window.setLayout(new GridBagLayout());
        GridBagConstraints c = new GridBagConstraints();
        c.fill = GridBagConstraints.BOTH; // 组件充满显示区域。
        c.weightx = 1.0;
        window.addButton("Button1", c);
        window.addButton("Button2", c);
        window.addButton("Button3", c);
        c.gridwidth = GridBagConstraints.REMAINDER; // 到行结束。
        window.addButton("Button4", c);
        c.weightx = 0.0; // 恢复为缺省值。
        window.addButton("Button5", c);
        c.gridwidth = GridBagConstraints.RELATIVE; // 所在行的倒数第二个组件。
        window.addButton("Button6", c);
        c.gridwidth = GridBagConstraints.REMAINDER; // 到行结束。
        window.addButton("Button7", c);
        c.gridwidth = 1; // 恢复为缺省值。
        c.gridheight = 2;
        c.weighty = 1.0;
        window.addButton("Button8", c);
        c.weighty = 0.0; // 恢复为缺省值。
        c.gridwidth = GridBagConstraints.REMAINDER; // 到行结束。
        c.gridheight = 1; // 恢复为缺省值。
        window.addButton("Button9", c);
        window.addButton("Button10", c);
        window.pack();// 窗口的大小设置为适合组件最佳尺寸与布局所需的空间。
        window.setVisible(true);
    }
    public GridBagLayoutWindow(String str) {super(str); }
    private void addButton(String name, GridBagConstraints gbc) {
        Button button = new Button(name);
        add(button, gbc); // 按指定约束加入部件。
    }
}
```

运行结果：如图6-8所示。

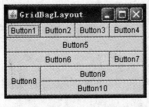

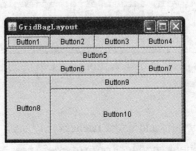

(a) 例 6-6 运行结果　　(b) 改变窗口大小后组件的布局

图6-8　GridBagLayout示例

6.4 事件处理

Java 的图形用户界面中，每当用户执行一个操作，如按下一个按钮、移动鼠标、选择一项菜单、点击一个图标等，都会触发一个对用户有影响的事件，应用程序一旦检测到这个事件，就根据事件的类型，调用相对应的事件处理方法对事件进行处理。

6.4.1 事件处理机制

JDK1.0 的事件处理采用基于层次模型的向上传递机制。这种模型中，当事件发生时首先将事件发送给产生事件的组件，如果该组件不对事件进行处理，则事件将自动传递到包含该组件的容器，因此事件将沿着组件间的包含关系层层向上传递。由于这种层层向上传递，一些无关或不重要的事件也会一层层地向上传递，会使得 CPU 浪费在处理一些无关的事件上，而且为了处理事件，程序员必须继承事件源组件对应的类或在它的容器中编写一个功能很强大的事件处理方法，因此这种方式并不能很好地满足系统开发的需要。

从 JDK1.1 及以上版本，采用了一种新的事件处理机制，称为委托方式或监听器方式。在这种方式下，Java 定义了许多不同的事件类，用来描述不同种类的事件，如描述按钮、文本域和菜单等组件动作的 ActionEvent 类；每一个可以触发事件的组件都被当做事件源，不同的事件源触发事件的种类不同，一个事件源可以触发多种事件；接收、控制和处理由事件源所触发事件的对象叫做监听器，每一种事件都对应专门的监听器。在委托方式事件处理模型中，需要事件源事先注册一个或多个监听器，当界面操作事件产生时，由于事件源本身不处理事件，该组件将把事件发送给能接收和处理该事件的监听器，委托相应的事件监听器来处理。

监听器是委托方式事件处理机制的重要组成部分。在 Java 中每类事件都定义了一个相应的监听器接口，该接口定义了接收和处理事件的方法。实现该接口的类，其对象可作为监听器注册。在图形用户界面中，需要响应用户操作的相关组件要注册一个或多个相应事件的监听器，该监听器中包含了能接收和处理事件的方法。在该类事件产生时，事件对象只向已注册的监听器报告。因此，委托方式的事件处理机制的实现包括下列两部分。

1. 定义监听器类，实现监听器接口

对于某种类型的事件 XXXEvent，要想接收并处理这类事件，必须定义相应的事件监听器类，该类需要实现与该事件相对应的接口 XXXListener。如：

```
public class MyClass implements ActionListener{
    ......
    // ActionListener接口中只定义了一个方法。
    public void actionPerformed(ActionEvent e)    {
        ...... //响应某个动作的代码。
    }
}
```

则 Myclass 将成为处理 ActionEvent 事件的监听器类，它的对象可以作为 Button 等组件的监听器注册。

2. 注册监听器

通过调用组件的 addXXXListener( )的方法，在组件上将监听器类的实例注册为监听器。
如：someComponent.addActionListener(new MyClass( ));

【例 6-7】 委托方式事件处理机制示例。

程序清单6-7: TestButton.java

```java
import java.awt.*;
import java.awt.event.*;
public class TestButton {
    public static void main(String args[]) {
        Frame f = new Frame("Test");
        f.setSize(200, 150);
        f.setLayout(new FlowLayout(FlowLayout.CENTER));
        Button b = new Button("Press Me!");
        b.addActionListener(new ButtonHandler()); // 注册点击鼠标事件监听器。
        f.add(b);
        f.pack();
        f.setVisible(true);
    }
}
class ButtonHandler implements ActionListener {// 定义ActionEvent监听器类。
    public void actionPerformed(ActionEvent e) {
        System.out.println("Action occurred");
        System.out.println("Button's label is:" + e.getActionCommand());
    }
}
```

运行结果：如图6-9所示。

图6-9 例6-7的运行结果

在例6-7中，创建Button对象时，这个对象可以通过addActionListener方法注册为ActionEvents的监听器。程序运行后，单击按钮，系统将调用监听器的actionPerformed()方法，显示两行字符串：

```
Action occurred
Button's label is:Press Me!
```

6.4.2 AWT 事件类与监听器接口

在Java中,定义了许多事件类和监听器接口,在java.util 包中定义了一个事件类 EventObject,所有具体的 AWT 事件类都位于 java.awt.event 包中, 并且继承 EventObject 类。事件类的层次结构如图 6-10 所示。

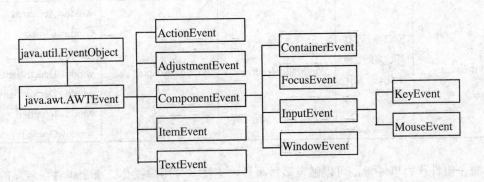

图 6-10 AWT 事件类的层次结构图

对于每种类型的事件都有一个相应监听器接口，监听器接口中定义了一个或多个处理事件的方法。实现监听器接口的类，其对象就可以作为接收并处理相应事件的监听器，每当特定的事件发生时，AWT 会决定调用相应的方法来处理。表 6-2 列出 AWT 事件类、对应的监听器接口与适配器类，以及监听器接口中所包含的方法。

表 6-2　　　　　　　　　　　事件与相应的监听器接口、方法、适配器

事件类	操作	监听器接口	适配器类	方法
ActionEvent	激活组件	ActionListener	无	actionPerformed
AdjustmentEvent	移动滚动条	AdjustmentListener	无	adjustmentValueChanged
ComponentEvent	组件移动、缩放、显示、隐藏等	ComponentListener	ComponentAdapter	componentHidden componentMoved componentResized componentShown
ContainerEvent	容器中增加或删除组件	ContainerListener	ContainerAdapter	componentAdded componentRemoved
FocusEvent	组件得到或失去聚集	FocusListener	FocusAdapter	focusGained focusLost
ItemEvent	条目状态改变	ItemListener	无	itemStateChanged
KeyEvent	键盘输入	KeyListener	KeyAdapter	keyPressed keyReleased keyTyped
MouseEvent	单击鼠标	MouseListener	MouseAdapter	mouseClicked mouseEntered mouseExited mousePressed mouseReleased
MouseMotionEvent	移动鼠标	MouseMotionListener	MouseMotionAdapter	mouseDragged mouseMoved
TextEvent	文本域或文本区值改变	TextListener	无	textValueChanged
WindowEvent	窗口激活、打开、关闭、最小化、最大化等	WindowListener	WindowAdapter	windowActivated windowClosed windowClosing windowDeactivated windowDeiconified windowIconified windowOpened

　　每个组件作为事件源，可以触发多种事件，支持多种用户操作。每个组件可触发的事件类型在表 6-3 中列出。

表 6-3	组件及其可触发的事件类型	
组件	可触发的事件类型	
Button	ComponentEvent FocusEvent KeyEvent MouseEvent MouseMotionEvent	ActionEvent
Canvas		
Checkbox		ItemEvent
Choice		ItemEvent
Component		
Container		ContainerEvent
Dialog		ContainerEvent、WindowEvent
Frame		ContainerEvent、WindowEvent
Label		
List		ActionEvent、ItemEvent
Panel		ContainerEvent
ScrollBar		AdjustmentEvent
ScrollPane		ContainerEvent
TextArea		TextEvent
TextField		TextEvent、ActionEvent
Window		ContainerEvent、WindowEvent
CheckboxMenuItem	ItemEvent	
MenuItem	ActionEvent	

6.4.3 事件处理方式

每个具体的事件都是某种事件类的实例，每个事件类对应一个事件监听器接口，如 ActionEvent 对应 ActionListener、MouseEvent 对应 MouseListener。同时 Java 为每个包含两个或两个以上方法的监听器接口提供了事件适配器。如果程序需要处理某种事件，就需要实现相应的事件监听器接口或创建适配器类的子类。常见的事件处理方式有以下几种方式。

1. 用容器类或者定义专门的类来实现监听器接口

由于 Java 支持一个类实现多个接口，因此最容易的方法是通过容器类实现监听器接口，容器中的组件将容器本身注册为监听器。当然我们也可以定义专门的类来实现监听器接口，这种方法可以使事件处理与创建 GUI 界面的代码相分离,但这样的类中无法直接访问组件(事件源)，而必须通过事件类的 getSource( )方法来获得事件源。例 6-8 是用容器类实现监听器接口的示例，例 6-9 是通过定义专门的类来实现监听器接口。

【例 6-8】 用容器类实现监听器接口的示例。

程序清单6-8: FrameCounter.java

```java
import java.awt.*;
import java.awt.event.*;
public class FrameCounter extends Frame implements ActionListener {
    private Button button = new Button("1");
    public FrameCounter(String title) {
        super(title);
        // 把FrameCounter本身的实例注册为Button的监听器。
        button.addActionListener(this);
```

高等院校计算机系列教材

```
            add(button);
            setSize(200, 100);
            setVisible(true);
    }
    // 实现ActionListener的actionPerformed( )方法。
    public void actionPerformed(ActionEvent event) {
            int count = Integer.parseInt(button.getLabel());
            // 把button上的标号值加1。
            button.setLabel(new Integer(++count).toString());
    }
    public static void main(String args[]) {
            new FrameCounter("Counter");
    }
}
```

运行结果：如图6-11所示。

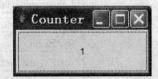

图6-11　例6-8的运行结果

例 6-8 程序运行时，用户单击按钮，就会触发一个 ActionEvent 事件，该事件被监听器监听，执行它的 actionPerformed( )方法，该方法负责把按钮标号值加 1。

【例 6-9】 通过定义专门的类实现监听器接口，完成例 6-8 程序的功能。

程序清单6-9：OuterCounter.java

```
import java.awt.*;
import java.awt.event.*;
public class OuterCounter extends Frame {
    private Button button = new Button("1");
    public OuterCounter(String title) {
            super(title);
            button.addActionListener(new OuterListener(1)); //注册监听器。
            add(button);
            setSize(200, 100);
            setVisible(true);
    }
    public static void main(String args[]) {
            new OuterCounter("Counter");
    }
}
class OuterListener implements ActionListener {
    private int step;// 决定Button上的标号值每次增加的步长。
    public OuterListener(int step) {
            this.step = step;
    }
    // 实现ActionListener的actionPerformed( )方法。
    public void actionPerformed(ActionEvent event) {
            Button button = (Button) event.getSource(); // 获得事件源。
```

```
        int count = Integer.parseInt(button.getLabel());
        // 把button上的标号值加step。
        button.setLabel(new Integer(step + count).toString());
    }
}
```

2. 采用事件适配器

如果实现一个监听器接口，就必须实现接口中所有的方法，不管这些方法是否使用，否则这个类必须声明为抽象类，这样给程序的开发者带来不便。为了编程的方便，AWT为每个包含两个或两个以上方法的监听器接口提供了适配器类，此适配器类实现了相应的监听器接口，但所有的方法体都是空的。监听器接口与对应的适配器类见表6-2。使用时，我们只要把自己的监听器类声明为相应适配器的子类，然后只重写需要的方法就可以了。

【例 6-10】 采用事件适配器，完成例6-8程序的功能。

程序清单6-10: AdapterCounter.java

```
import java.awt.*;
import java.awt.event.*;
public class AdapterCounter extends Frame {
    private Button button = new Button("1");
    public AdapterCounter(String title) {
        super(title);
        button.addMouseListener(new MyMouseListener(1)); //注册监听器。
        add(button);
        setSize(200, 100);
        setVisible(true);
    }
    public static void main(String args[]) {
        new AdapterCounter("Counter");
    }
}
class MyMouseListener extends MouseAdapter {
    private int step;
    public MyMouseListener(int step) {
        this.step = step;
    }
    public void MousePressed(MouseEvent event) {
        Button button = (Button) event.getSource(); // 获得事件源。
        int count = Integer.parseInt(button.getLabel());
        button.setLabel(new Integer(step + count).toString());
    }
}
```

例6-10中，如果采用监听器接口MouseListener，则要实现接口中定义的所有方法：mouseClicked( )、mouseReleased( )、mouseEntered( )、mouseExited( )和mousePressed( )。采用适配器类，则用监听器类MyMouseListener继承适配器类MouseAdapter，只需重写mousePressed( )方法就可以了。

注意：用户定义的监听器类只能继承一个适配器类，并且一旦从适配器继承就不能再继承其他类。在监听器类中，被重写的适配器方法不能有声明错误，否则就是定义一个新的方法，该方法将不能在事件发生时被系统自动调用。

3. 用内部类与匿名类的事件处理

内部类是被定义于另一个类中的类，使用内部类的主要原因在于：一个内部类的对象可直接访问外部类的成员方法和变量，包括私有成员；实现事件监听器时，采用内部类、匿名类编程非常容易实现其功能；编写事件驱动程序时，采用内部类很方便；而且可以避免继承适配器类时，适配器类限制监听器类对其他类的继承。因此内部类往往应用在事件处理机制中。

【例 6-11】 用内部类完成例 6-8 程序的功能。

程序清单6-11: InnerCounter.java

```java
import java.awt.*;
import java.awt.event.*;
public class InnerCounter extends Frame {
    private Button button = new Button("1");
    public InnerCounter(String title) {
        super(title);
        button.addMouseListener(new MyMouseListener(1)); //注册监听器。
        add(button);
        setSize(200, 100);
        setVisible(true);
    }
    public static void main(String args[]) {
        new AdapterCounter("Counter");
    }
    class MyMouseListener extends MouseAdapter {
        private int step;
        public MyMouseListener(int step) {
            this.step = step;
        }
        public void MousePressed(MouseEvent event) {
            int count = Integer.parseInt(button.getLabel());
            button.setLabel(new Integer(step + count).toString());
        }
    }
}
```

匿名类是一种特殊形式的内部类，是没有类名的类。在应用中，当一个内部类的类声明只是在创建此类对象时用一次，而且要产生的新类需继承一个已有的父类或实现一个接口时，才考虑用匿名类。由于匿名类本身无类名，因此它也就不存在构造方法，这就需要显式地调用父类的无参数构造方法，并且重写父类的方法。

【例 6-12】 用匿名类完成例 6-8 程序的功能。

程序清单6-12: AnnoymousCounter.java

```java
import java.awt.*;
import java.awt.event.*;
public class AnnoymousCounter extends Frame {
    private Button button = new Button("1");
    public AnnoymousCounter(String title) {
        super(title);
        button.addActionListener(new ActionListener() {// 定义匿名类。
            public void actionPerformed(ActionEvent event) {
```

```
                    int count = Integer.parseInt(button.getLabel());
                    button.setLabel(new Integer(++count).toString());
                }
            });//注册监听器，实现ActionListener的actionPerformed( )方法。
        add(button);
        setSize(200, 100);
        setVisible(true);
    }
    public static void main(String args[]) {new FrameCounter("Counter");}
}
```

4. 一个组件注册多个监听器

AWT 事件处理机制允许一个组件上注册多个监听器，而且多个监听器可以监听同一个事件。我们可以多次调用组件的 addXXXListener( )方法，来指定任意数量的不同监听器。当这些监听器监听事件发生时，系统将调用所有监听器的相关事件处理方法，这些方法的调用顺序是不确定的，与它们被注册到组件中的顺序无关。如果各监听器事件处理方法的调用顺序是比较重要的，则可以只注册一个监听器，由该监听器按照顺序调用其他监听器。

【例 6-13】　一个组件注册多个监听器示例。

程序清单6-13：TwoListener.java

```
import java.awt.*;
import java.awt.event.*;
public class TwoListener {
    private TextArea ta;
    public static void main(String args[]) {
        TwoListener two = new TwoListener();
        two.go();
    }
    public void go() {
        Frame f = new Frame("TwoListener");
        Button but1 = new Button("OK");
        Button but2 = new Button("Cancel");
        ta = new TextArea(6, 15);
        f.setLayout(new FlowLayout());
        f.add(but1);
        f.add(but2);
        f.add(ta);
        f.setSize(200, 150);
        ButListener1 b1 = new ButListener1();
        ButListener2 b2 = new ButListener2();
        but1.addActionListener(b1); // 注册两个事件监听器。
        but1.addActionListener(b2);
        but2.addActionListener(b1);
        but2.addActionListener(b2); // 同一事件监听器注册了两次。
        but2.addActionListener(b2);
        f.pack();
        f.setVisible(true);
    }
    class ButListener1 implements ActionListener {
        public void actionPerformed(ActionEvent event) {
            ta.append("First  " + event.getActionCommand() + "\n");
        }
```

```
        }
class ButListener2 implements ActionListener {
    public void actionPerformed(ActionEvent event) {
        ta.append("Second " + event.getActionCommand() + "\n");
    }
}
}
```

运行结果：如图6-12所示。

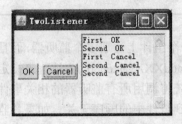

图6-12   例6-13的运行结果

6.5   Swing 简介

Swing 是 Sun 公司在 AWT 基础之上建立的，功能更强大，使用更方便的新一代 GUI 工具包。Swing 提供了丰富的组件，提供了独立于运行平台的 GUI 构造框架，在不同的平台上都能够具有一致的显示风格，并且能够提供本地窗口系统不支持的其他特性。Swing 与 AWT 的最大区别是 Swing 组件是 100%纯 Java 实现的轻量级组件，没有本地代码，不依赖操作系统的支持，因此 Swing 比 AWT 组件具有更强的实用性。

6.5.1   Swing 的特性

1. 组件的多样化

Swing 提供了许多新的图形界面组件。除了有与 AWT 类似的按钮(JButton)、标签(JLabel)等基本组件外，还增加了丰富的高层组件集合，如表格(JTable)、树(JTree)等。

2. 多种界面显示风格(Look and Feel，L&F)

在 AWT 组件中，由于控制组件外观的对等类与具体平台相关，使得 AWT 组件总是具有与本机操作系统相关的外观，如 AWT 程序在 Windows 操作系统上运行时，显示 Windows 风格的界面，在 UNIX 平台上运行时，就是 Motif 风格。在 Swing 中，可以根据不同用户的习惯，设置不同的界面显示风格。Swing 提供了三种显示风格，默认的风格是 Java 风格(也称 Metal 风格)，此外还有 Motif 风格和 Windows 风格，其中 Java 风格在任何平台上都有一致的显示效果。如图 6-13 显示了这三种风格，各种风格的差别主要是组件的形状与字体等不同。

3. 采用分离模型结构

MVC 模型是现有的编程语言中设计图形用户界面的一种通用思想，MVC 模型的三要素是 Model(模型)、View(视图)、Controller(控件)。Model 是程序所操纵数据的逻辑结构；View 是数据的可视化表示；Controller 是控制和执行对用户操作的响应，根据应用逻辑操纵模型中的数据。因此，MVC 的三个要素之间是相互独立又相互联系的，View 使用 Controller 指定其事件响应机制，Controller 在 View 事件的驱动下改变 Model 中的数据，而当 Model 发生改变时，它会通知所有依赖它的 View 做相应的调整。

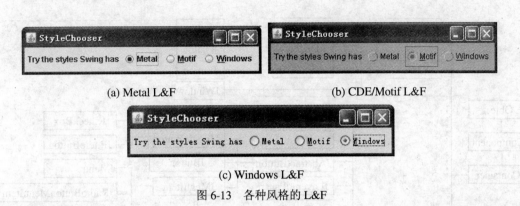

(a) Metal L&F　　　　　　　　(b) CDE/Motif L&F

(c) Windows L&F

图 6-13　各种风格的 L&F

大多数非容器 Swing 组件都采用了一种与 MVC 模型相近的分离模型结构，这种分离模型结构分为两部分：组件及与组件相关的数据模型(简称模型)，它把 MVC 模型中的 View 与 Controller 结合成一体作为 UI 组件。其数据模型一般用来存储组件的状态或数据，如按钮 JButton 对象有一个存储其状态的模型 ButtonModel 对象。组件的模型一般是自动设置的，因此很多情况下在程序中并不直接操纵组件的模型，不需要知道组件所使用的模型，如一般都使用 JButton 对象而不使用 ButtonModel 对象。使用这种分离模型结构，可以使程序员灵活地定义组件数据的存储和检索方式；方便组件之间进行数据和状态的共享；组件数据的变化将由模型自动传递到所有相关组件中，容易实现 GUI 与数据之间的同步等优点。

4．支持高级访问方式

所有 Swing 组件都实现了 Accessible 接口，提供对非常规高级访问方式的支持，使得一些辅助功能如屏幕阅读器等能够十分方便地从 Swing 组件中得到信息。

5．支持键盘操作

在 Swing 组件中，使用 JComponent 类的 registerKeyboardAction( )方法，为 Swing 组件提供热键，能使用户通过键盘操作来代替鼠标驱动 Swing 组件的相应动作。

6．设置边框

对 Swing 组件可以设置一个和多个边框。Swing 中提供了各式各样的边框供用户选用，用户也能建立组合边框或自己设计边框。一种空白边框可以增大组件，协助布局管理器对容器中的组件进行合理的布局。

7．使用图标

与 AWT 组件不同，许多 Swing 组件如按钮、标签等，除了使用文字外，还可以在组件上使用图标来修饰自己。

6.5.2　Swing 类层次结构

Swing 组件存放在 javax.swing 包中，Swing 组件都是 AWT 的 Container 类的直接子类和间接子类，图 6-14 说明了 Swing 组件的层次结构。

从图 6-14 可知，大部分 AWT 组件在 Swing 中都有等价的组件，它们在表示形式上差一个"J"，如在 AWT 中，按钮、标签、菜单组件分别为 Button、Label、Menu，而在 Swing 中对应的组件分别为 JButton、JLabel、JMenu。

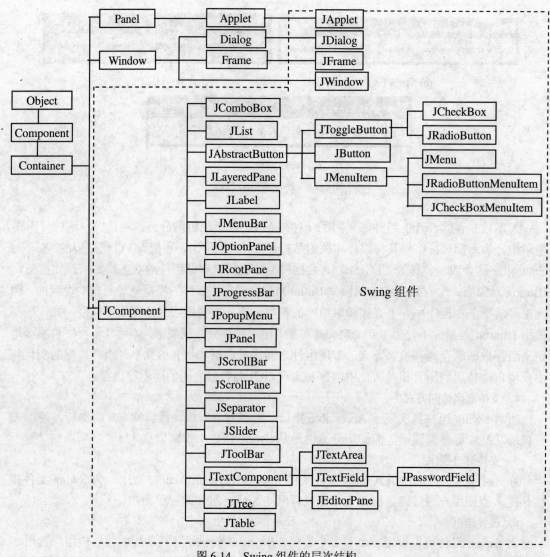

图 6-14　Swing 组件的层次结构

从继承关系来看,Swing 组件可以有两种类型的组件:顶层容器(JFrame、JDialog、JWindow和 JApplet)和轻量级组件。顶层容器组件不是由 JComponent 继承而来,而是从 AWT 的容器类 Frame、Dialog、Window 和 Applet 派生而来。这是因为 Swing 程序要在本地操作系统中显示窗口图形,就必须使用本地操作系统的窗口资源,也就是说使用本地代码来绘制窗口组件,AWT 的组件大多使用本地代码编写而成,因此它们继承 AWT 的容器类。在这四个容器组件中都有共同的 JRootPane 组件,它们共同构成了顶层容器组件。轻量级组件都是由 JComponent类继承而来,而且均由纯 Java 代码编写而成,这样很好地实现了跨平台性,并且使程序的运行简单快捷,从而节省系统的资源。

从功能上,Swing 组件可分为以下几种类型:

①顶层容器组件:主要包括 JFrame、JDialog、JWindow 和 JApplet 四个组件。

②中间层容器组件：包括 JPanel、JScrollPane、JSplitPane、JToolBar 等。

③特殊容器：在 GUI 中起特殊作用的中间层容器，包括 JInterFrame、JLayeredPane、JRootPane 等。

④基本组件：实现人机交互的组件，包括 JButton、JComboBox、JList、JMenu、JSlider、JTextField 等。

⑤不可编辑的信息显示组件：向用户显示不可编辑信息的组件，包括 JLabel、JProgressBar 等。

⑥可编辑信息的显示组件：向用户显示能被编辑的格式化信息的组件，包括 JColorChooser、JFileChooser、JTable、JTree、JTextArea 等。

在 Swing 组件中，除了顶层容器组件外，轻量级组件都是 JComponent 类的子类，JComponent 类是一个抽象类，它继承于 Container 类，提供了 Swing 组件需要的一般性功能与相应的方法。这些功能如下：

①组件提示信息：通过它的 setTooltipText(Sting text) 方法，可以向用户提供组件的帮助信息。当光标在组件上短暂停留时，该信息就会显示出来。

②组件边框设置：使用它的 setBorder(Border border) 方法，可以设置组件的外围边框；使用 Border 类的子类 EmptyBorder 对象可以在组件周围留出空白。

③可设置 L&F：每个 JComponent 对象有一个相应的 ComponentUI 对象，完成确定组件尺寸、绘制组件以及事件处理等工作。ComponentUI 对象依赖当前作用的 L&F，用 UIManger.setLookAndFeel( ) 方法可设置需要的 L&F。

④支持布局：通过设置组件最大、最小、推荐尺寸的方法和设置 X、Y 通过对齐参数值的方法指定布局管理器的约束条件，为布局提供支持。

⑤支持键盘导航：使用 registerKeyboardAction( ) 方法，能使用户用键盘代替鼠标来驱动组件。J 类的子类 AbstractButton 还提供了方法 setMnemonic( )，该方法指定的一个键值与当前 L&F 使用的特殊修饰共同构成"热键"。

⑥支持双缓冲：使用双缓冲技术能改进频繁变化的组件的显示效果。与 AWT 组件不同，JComponent 组件默认双缓冲区，不必自己重写代码。如果想关闭双缓冲区，可以在组件上施加 setDoubleBuffered(false) 方法。

⑦支持拖放：JComponent 类提供了设置组件传递句柄的方法。组件传递句柄是实现 Swing 组件之间通过拖放进行数据交换的基础。组件拖放中，组件 1 通过"拖"操作将组件数据打包并用传递句柄指向该包，组件 2 通过"放"操作将组件 1 传递句柄所指的数据包释放到组件 2 中，从而实现这两个组件之间的数据交换。

⑧支持高级访问方式：JComponent 类提供了相关的方法，支持一些辅助性的高级访问技术从 Swing 组件读取信息。

6.6　基于 Swing 的应用程序设计

6.6.1　Swing 应用程序的一般结构

为了很好地说明 Swing 应用程序的一般结构，首先我们看一个简单的程序。

【例 6-14】　显示单击按钮的次数。

程序清单6-14: SwingApplication.java

```java
import javax.swing.*;
import java.awt.*;
import java.awt.event.*;
public class SwingApplication {
    private static String labelPrefix = "Number of button clicks: ";
    private int numClicks = 0; // 计数器，记录单击次数。
    public Component createComponents() {
        final JLabel label = new JLabel(labelPrefix + "0    ");
        JButton button = new JButton("I'm a Swing button!");
        button.setMnemonic(KeyEvent.VK_I); // 设置按钮热键。
        button.addActionListener(new ActionListener() {// 注册事件监听器。
            public void actionPerformed(ActionEvent e) {// 定义事件处理方法。
                numClicks++;
                label.setText(labelPrefix + numClicks); // 显示单击按钮的次数。
            }
        });
        label.setLabelFor(button);
        JPanel pane = new JPanel();
        pane.setBorder(BorderFactory.createEmptyBorder(30, 30, 10, 30));
        pane.setLayout(new GridLayout(0, 1)); // 单列多行。
        pane.add(button);
        pane.add(label);
        return pane;
    }
    public static void main(String[] args) {
        try {
            UIManager.setLookAndFeel(UIManager
                .getCrossPlatformLookAndFeelClassName());// 设置窗口风格
        } catch (Exception e) {
        }
        // 创建顶层容器并向其中添加组件。
        JFrame frame = new JFrame("SwingApplication");
        SwingApplication app = new SwingApplication();
        Component contents = app.createComponents();
        frame.getContentPane().add(contents, BorderLayout.CENTER);
        frame.addWindowListener(new WindowAdapter() { // 注册事件监听器。
            public void windowClosing(WindowEvent e) {// 定义事件处理方法。
                System.exit(0);
            }
        });
        frame.pack();
        frame.setVisible(true);
    }
}
```

运行结果：如图6-15所示。

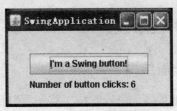

图6-15　例6-14运行结果

从例 6-14 的程序可知，Swing 应用程序的结构，一般包括如下部分：

①引入 Swing 包及其他程序包。

②设置 GUI 的外观显示风格 L&F。一般在 main( )方法中，在创建顶层容器之前设置 GUI 的外观显示风格。

③创建并设置顶层容器。创建 GUI 的顶层容器并进行布局管理器等设置。

④创建与添加组件，注册事件监听器，进行事件处理。创建设置所需要的 Swing 组件，并添加到容器中显示，对事件源组件注册事件监听器，实现事件处理。

⑤显示顶层容器，将整个 GUI 显示出来。

6.6.2 设置 L&F

AWT 组件不是跨平台的，它的外观取决于程序运行时的操作系统。与 AWT 相比，Swing 有不同的 L&F 可以选择，Swing 采用 UIManager 类管理 Swing 界面(包括界面中的所有 Swing 组件)的外观，它的静态方法 setLookAndFeel( )用来设置界面的 L&F，该方法有两种重载形式。

setLookAndFeel(LookAndFeel lookAndFeel)：lookAndFeel 对象代表某种 L&F。

setLookAndFeel (String className)：className 指定代表某种 L&F 的类的名字。

L&F 的设置可以在程序中进行，也可以通过命令方式或设置系统属性 swing.properties 等方式进行，设置 L&F 有以下几种方法：

（1）采用程序运行时所在操作系统组件的 L&F，具体做法如下：

```
UIManager.setLookAndFeel(UIManager.getSystemLookAndFeelClassName());
```

在这种情况下，Swing 组件就像 AWT 组件那样，在不同的操作系统中显示时，采用本地操作系统 L&F。

（2）在所有操作系统中保持同样的跨平台的 Metal L&F，这是 UIManager 采用的默认 L&F。

（3）为界面显式指定某种 L&F，如以下代码指定界面采用 Motif L&F。

```
UIManager.setLookAndFeel(com.sun.java.swing.plaf.motif.MotifLookAndFeel);
```

【例 6-15】 L&F 设置示例。

程序清单6-15: StyleChooser.java

```
import java.awt.*;
import java.awt.event.*;
import javax.swing.*;
public class StyleChooser extends JPanel {
    static JFrame frame;
    static String metal = "Metal";
    static String metalClassName ="javax.swing.plaf.metal.MetalLookAndFeel";
    static String motif = "Motif";
    static String motifClassName = "com.sun.java.swing.plaf.motif.MotifLookAndFeel";
    static String windows = "Windows";
    static String windowsClassName = "com.sun.java.swing.plaf.windows.WindowsLookAndFeel";
    JRadioButton metalButton, motifButton, windowsButton;
    public StyleChooser() {
        JLabel label = new JLabel("Try the styles Swing has");
        metalButton = new JRadioButton(metal);
        metalButton.setMnemonic('o');
```

```
        metalButton.setActionCommand(metalClassName);
        motifButton = new JRadioButton(motif);
        motifButton.setMnemonic('m');
        motifButton.setActionCommand(motifClassName);
        windowsButton = new JRadioButton(windows);
        windowsButton.setMnemonic('w');
        windowsButton.setActionCommand(windowsClassName);
        ButtonGroup group = new ButtonGroup(); // 将RadioButton归为一组。
        group.add(metalButton);
        group.add(motifButton);
        group.add(windowsButton);
      RadioListener myListener = new RadioListener(); // 为按钮注册事件监听器。
        metalButton.addActionListener(myListener);
        motifButton.addActionListener(myListener);
        windowsButton.addActionListener(myListener);
        add(label);
        add(metalButton);
        add(motifButton);
        add(windowsButton);
    }
    class RadioListener implements ActionListener {
        public void actionPerformed(ActionEvent event) {
            String lnfName = event.getActionCommand();
            try {
                UIManager.setLookAndFeel(lnfName);
                SwingUtilities.updateComponentTreeUI(frame);
                frame.pack();
            } catch (Exception e) {
                JRadioButton button = (JRadioButton) event.getSource();
                button.setEnabled(false);
                updateState();
            System.err.println("Could not load LookAndFeel:" + lnfName);
            }
        }
    }
    public void updateState() {
        String lnfName = UIManager.getLookAndFeel().getClass().getName();
        if (lnfName.indexOf(metal) >= 0)
            metalButton.setSelected(true);
        else if (lnfName.indexOf(windows) >= 0)
            windowsButton.setSelected(true);
        else if (lnfName.indexOf(motif) >= 0)
            motifButton.setSelected(true);
        else
            System.err.println("StyleChooser is using an unknown L&F:"   + lnfName);
    }
    public static void main(String args[]) {
        StyleChooser panel = new StyleChooser();
        frame = new JFrame("StyleChooser");
        frame.addWindowListener(new WindowAdapter() {
            public void windowClosing(WindowEvent event) {
```

```
            System.exit(0);
        }
    });
    frame.getContentPane().add("Center", panel);
    frame.pack();
    frame.setVisible(true);
    panel.updateState();
    }
}
```

例 6-15 利用基本的 RadioButton 组件建立了一个 StyleChooser 程序，可以根据自己的爱好选择自己喜欢的风格：Windows 风格、Metal 风格和 Motif 风格。程序运行的结果见图 6-13。

6.6.3 布局管理器

和 AWT 相同，为了容器中的组件能实现平台无关的自动合理排列，Swing 也采用了布局管理器来管理组件的排放、位置、大小等。

Swing GUI 是由顶层容器、中间层容器、基本组件三种层次的组件形成的，Swing GUI 程序中必须至少有一个顶层容器，但与 AWT 组件不同，Swing 组件不能直接添加到顶层窗口中，必须添加到一个与顶层容器相关联的内容面板（ContentPane）上。为了便于组件位置的规划，一般建立一个中间层容器（如 JPanel），存放所有组件，然后把中间容器放入顶层容器的内容面板中，或者将面板设置为顶层面板。所以在 Swing 中，设置布局管理器主要是针对内容面板的，只有当使用 JPanel 或向顶层容器的内容面板中添加组件时使用布局管理器。其他 Swing 容器使用特定的布局（如 JScrollPane 其特定布局管理器为 ScrollPanelLayout），不用对其布局进行设置。Swing 中提供的布局管理器，除了前面介绍的 FlowLayout、Border Layout、GridLayout、CardLayout、GridBagLayout 外，还增加了 BoxLayout 布局管理器。

BoxLayout 布局管理器将组件垂直放置成一列或水平排放成一行。其构造方法只有一个：

BoxLayout(Containe target,int axis);

参数 target 指定需要设置 BoxLayout 布局管理器的容器，axis 指定将要布局的类型。其值在 BoxLayout 类中定义，分别如下：BoxLayout.X_AXIS（从左到右横向布置组件）、Box Layout.Y_AXIS（从上到下纵向布置组件）、BoxLayout.LINE_AXIS（根据容器的 Component Orientation 属性，按照文字在一行中的排列方式布置组件）、BoxLayout.PAGE_AXIS（根据容器的 ComponentOrientation 属性，按照文本行在一页中的排列方式布置组件）。

【例 6-16】 BoxLayout 示例。

程序清单6-16：BoxLayoutWindow.java

```
import java.awt.*;
import java.awt.event.*;
import javax.swing.*;
public class BoxLayoutWindow extends JFrame {
    JButton jBut1, jBut2, jBut3, jBut4, jBut5;
    public BoxLayoutWindow() {
        Container con = this.getContentPane();
        con.setLayout(new BoxLayout(con, BoxLayout.Y_AXIS));
        jBut1 = new JButton("按钮1");
        jBut2 = new JButton("按钮2");
        jBut3 = new JButton("特殊按钮3");
```

```
        jBut4 = new JButton("按钮4");
        jBut5 = new JButton("更大的按钮5");
        con.add(jBut1);
        con.add(jBut2);
        con.add(jBut3);
        con.add(jBut4);
        con.add(jBut5);
        this.setTitle("BoxLayout");
        this.setBounds(100, 100, 200, 200);
        this.setVisible(true);
        this.setDefaultCloseOperation(JFrame.EXIT_ON_CLOSE);
    }
    public static void main(String args[]) {
        BoxLayoutWindow boxlayout = new BoxLayoutWindow();
    }
}
```

运行结果：如图6-16所示。

图6-16   例6-16运行结果

6.6.4　事件处理

　　Swing 包是在 AWT 包的基础上创建的，Swing 仍然使用基于监听器的事件处理机制。因此 Swing 中基本的事件处理仍然需要使用 java.awt.event 包中的类，另外 javax.swing.event 包中也增加了一些新的事件及监听器接口。表 6-4 是 Swing 中组件、事件及事件监听器接口之间的对应关系。表 6-5 是 Swing 提供的事件监听器接口及其方法。

表 6-4　　　　　　　　　　Swing 中组件、事件及事件监听器接口之间的对应关系

组件	可触发的事件	监听器接口
JButton JCheckBox JToggleButton JRadioButton	ActionEvent ChangeEvent ItemEvent	ActionListener ChangeListener ItemListener
JFileChooser	ActionEvent	ActionListener
JTextField JPasswordField	ActionEvent CaretEvent DocumentEvent UndoableEvent	ActionListener CaretListener DocumentListener UndoableListener

续表

组件	可触发的事件	监听器接口
JTextArea	CaretEvent	CaretListener
	DocumentEvent	DocumentListener
	UndoableEvent	UndoableListener
JTextPane JEditoPane	CaretEvent	CaretListener
	DocumentEvent	DocumentListener
	UndoableEvent	UndoableListener
	HyperlinkEvent	HyperlinkListener
JComboBox	ActionEvent	ActionListener
	ItemEvent	ItemListener
JList	ListSelectionEvent	ListSelectionListener
	ListDataEvent	ListDataListener
JMenuItem	ActionEvent	ActionListener
	ChangeEvent	ChangeListener
	ItemEvent	ItemListener
	MenuKeyEvent	MenuKeyListener
	MenuDragMouseEvent	MenuDragMouseListener
JMenu	MenuEvent	MenuListener
JPopupMenu	PopupMenuEvent	PopupMenuListener
JProgressBar	ChangeEvent	ChangeListener
JSlider	ChangeEvent	ChangeListener
JScrollBar	AdjustmentEvent	AdjustmentListener
JTable	ListSelectionEvent	ListSelectionListener
	TableModeEvent	TableModeListener
	TableColumnModelEvent	TableColumnModelListener
	CellEditorEvent	CellEditorListener
JTabbedPane	ChangeEvent	ChangeListener
JTree	TreeSelectionEvent	TreeSelectionListener
	TreeExpansionEvent	TreeExpansionListener
	TreeWillExpandEvent	TreeWillExpandListener
	TreemodeEvent	TreemodeListener
JTimer	ActionEvent	ActionListener

表 6-5　　　　　Swing 提供的事件监听器接口及其方法

监听器接口	方法
CaretListener	caretUpdate(CaretEvent e)
CellEditorListener	editingCanceled(ChangeEvent e)
	editingStopped(ChangeEvent e)
ChangeListener	stateChanged(ChangeEvent e)
DocumentListener	changedUpdate(DocumentEvent e)
	insertUpdate(DocumentEvent e)
	removeUpdate(DocumentEvent e)

监听器接口	方法
HyperlinkListener	hyperlinkUpdate(HyperlinkEvent e)
ListDataListener	contentsChanged(ListDataEvent e)
	intervalAdded(ListDataEvent e)
	intervalRemoved(ListDataEvent e)
ListSelectionListener	valueChanged(ListSelectionEvent e)
MenuDragMouseListener	menuDragMouseDragged(MenuDragMouseEvent e)
	menuDragMouseEntered(MenuDragMouseEvent e)
	menuDragMouseExited(MenuDragMouseEvent e)
	menuDragMouseReleased(MenuDragMouseEvent e)
MenuKeyListener	menuKeyPressed(MenuKeyEvent e)
	menuKeyReleased(MenuKeyEvent e)
	menuKeyTyped(MenuKeyEvent e)
MenuListener	menuCanceled(MenuEvent e)
	menuDeselected(MenuEvent e)
	menuSelected(MenuEvent e)
PopupMenuListener	popupMenuCanceled (PopupMenuEvent e)
	popupMenuWillBecomeInvisible(PopupMenuEvent e)
	popupMenuWillBecomeVisible(PopupMenuEvent e)
TableColumnModelListener	columnAdded(TableColumnModelEvent e)
	columnMarginChanged(ChangeEvent e)
	columnMoved(TableColumnModelEvent e)
	columnRemovedTableColumnModel (TableColumnModelEvent e)
	columnSelectionChanged(ListSelectionEvent e)
TableModeListener	tableChanged(TableModeEvent e)

6.7 Swing 常用组件

6.7.1 常用容器组件

1. JFrame

JFrame 是一个带有标题、边界、窗口状态调节按钮的顶层容器，它是构建 Swing GUI 应用程序的主窗口，也可以是附属于其他窗口的弹出窗口（子窗口）。JFrame 类有四个构造方法如下：

①JFrame( )：构造一个初始时不可见的 JFrame。

②JFrame(String title)：创建一个新的、初始不可见的、具有指定标题的 JFrame。

③JFrame(GraphicsConfiguration gc)：创建一个指定屏幕设备和空白标题，创建一个 JFrame。

④JFrame(String title, GraphicsConfiguration gc)：创建一个具有指定标题和指定屏幕设备的 JFrame。

新创建的 JFrame，其默认情况下是不可见的，这样我们有机会在显示 JFrame 之前进行一些操作。可以使用 setVisible(true)方法设置其可见。

Jframe 作为 Swing 的一个顶层容器类，Swing 组件不能直接添加到其上，而必须添加到一个与其相关联的内容面板上，这是 Swing 顶层容器均有的特性。因此在 JFrame 中添加组件有两种方式如下：

①用 getContentPane( )方法获得 JFrame 的内容面板，再使用 add( )方法向其中加入组件。如：frame.getContentPane( ).add(new JLabel("JFrame"));

②建立一个 JPane 或 JDesktopPane 等中间容器，把组件添加到中间容器中，再用 set ContentPane( )方法把该容器设置为 JFrame 的内容面板。如：

JPanel contentPane=new JPanel();

JButton b=new Button("确定");

contentPane.add(b);

frame.setContentPane(contentPane);

> **注意**：上面向 JFrame 中添加组件是对 JDK1.5 以前的版本而言的，在 JDK1.5 以后的版本，则可直接用 add( )方法向 JFrame 中添加组件，但添加的组件其实只是由系统自动添加到 JFrame 的 ContentPane 中，不需要由开发人员完成。

在 JFrame 容器中，我们可以调用下面的方法来设置关闭窗口时的处理。

public void setDefaultCloseOperation(int operation);

其中参数 operation 为一个整数，可以是以下常量：

- WindowConstrants.DO_NOTHING_ON_CLOSE：不做任何处理；
- WindowConstrants.HIDE_ON_CLOSE：隐藏窗口；
- WindowConstrants.DISPOSE_ON_CLOSE：关闭窗口，释放资源；
- JFrame.EXIT_ON_CLOSE：关闭窗口，结束程序运行，退出应用系统。

JFrame 窗口是带标题、边框以及用来关闭和最小化的按钮，我们可以使用下面的方法来设置是否使用当前 L&F 提供的容器修饰。

static void setDefaultLookAndFeelDecorated(boolean defaultLookAndFeelDecorated) ;

【例 6-17】　JFrame 使用示例。

程序清单6-17：JFrameDemo.java

```java
import java.awt.*;
import java.awt.event.*;
import javax.swing.*;
public class JFrameDemo {
    public static void main(String args[]) {
        // JFrame.setDefaultLookAndFeelDecorated(true);
        JFrame frame = new JFrame("JFrameDemo");
        frame.setDefaultCloseOperation(JFrame.EXIT_ON_CLOSE);
        JLabel label = new JLabel("Creating and Showing JFrame");
        frame.getContentPane().add(label);
        frame.setSize(200, 100);
        frame.setVisible(true);
    }
}
```

运行结果：如图6-17所示。

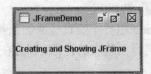 

(a)设置修饰时运行结果　　　(b)没设置 L&F 修饰时运行结果

图6-17　例6-17运行结果

2. 对话框类

对话框是一种特殊的窗口，用来显示一些提示信息，并获得程序运行下去所需要的数据。Swing 中有几个类支持对话框，包括简单标准的对话框 JOptionPane，提供文件打开、保存的对话框 JFileChooser，用户自定义对话框 JDialog 等。

对话框不能作为应用程序的主窗口，它没有最小化、最大化按钮，不能设置菜单条。每一个对话框都依赖一个窗口，它会随着窗口的关闭而关闭，窗口的最小化而隐藏，窗口的复原而再次显示。对话框可以分为模式和非模式两种，模式对话框在显示时将阻塞用户对其他窗口的操作，如 JOptionPane；非模式窗口在显示时并不阻塞用户对其他窗口的操作，如 JDialog。下面简单介绍 JOptionPane 和 JFileChooser。

（1）JOptionPane

JOptionPane 是非常简单而又常用的一个模式对话框类，它提供了很多现成的对话框样式，可以供用户直接使用。我们可以通过其构造方法来创建对话框，但通常不用构造方法来创建 JOptionPane 对象，而是通过其静态方法 showXxxDialog 产生四个简单的对话框。显示四种对话框的 showXxxDialog( )方法如下，它们都有自己的重载方法。

①int showMessageDialog(Component parentComponent,Object message,String title,int message Type,Icon icon)：消息对话框，显示提示信息，告诉用户发生了某种事情。

②int showConfirmDialog(Component parentComponent, Object message,String title,int option Type, int messageType,Icon icon)：确认对话框，询问确认信息，要求用户回答 YES、NO、CANCEL。

③int showInputDialog(Component parentComponent,Object message,String title,int message Type,Icon icon,Object[] selectionValues,Object initialselectionValue)：输入对话框，让用户输入信息。

④int showOptionDialog(Component parentComponent,Object message,String title,int option Type, int messageType,Icon icon,Object[] options,Object initialValue)：选项对话框，显示用户自定义对话框。

对以上参数进行说明如下：

parentComponent：对话框的父组件，必须是一个框架、一个框架中的组件或 null 值。

message：指明显示在对话框的标签中的信息。

title：对话框的标题。

optionType：指明出现在对话框底部的按钮集合，指定为四个标准集合：DEFAULT_OPTION、YES_NO_OPTION、YES_NO_CANCEL、OK_CANCEL_OPTION。

messageType：指定显示在对话框中的图标。有以下值可选：PLAIN_MESSAGE（无图标）、ERROR_MESSAGE（错误图标）、INFORMATION_MESSAGE（信息图标）、WARNING_

MESSAGE(警告图标)、QUESTION_MESSAGE(询问图标)。

icon：指定显示用户自定义图标。

options：指明设置用户自定义图标。

initialValue：指明选择的初值。

每一种方法都返回一个整数，代表用户的选择，取值：YES_OPTION、NO_OPTION、CANCEL-OPTION、OK_OPTION、CLOSED_OPTION，其中 CLOSED_OPTION 代表用户关闭了对话框，其他表示单击了按钮。

【例6-18】 JOptionPane 使用示例。

程序清单6-18: DemoInputDialog.java

```java
import java.awt.*;
import java.awt.event.*;
import javax.swing.*;
public class DemoInputDialog extends JFrame {
    JLabel jLabelMessage;
    public DemoInputDialog() {
        jLabelMessage = new JLabel();
        jLabelMessage.setHorizontalAlignment(SwingConstants.CENTER);
        jLabelMessage.setFont(new Font("宋体", Font.PLAIN, 28));
        this.add(jLabelMessage);
        this.setBounds(150, 150, 400, 200);
        this.setTitle("输入对话框应用示例");
        this.setVisible(true);
        this.setDefaultCloseOperation(EXIT_ON_CLOSE);
        String title = new String("输入对话框");
        String message = new String("请在下面输入内容");
        int messageType = JOptionPane.INFORMATION_MESSAGE;
        String inputMessage = (String) JOptionPane.showInputDialog(this,
                message, title, messageType);
        if (inputMessage != null && !inputMessage.equals(""))
            this.jLabelMessage.setText("你输入了: " + inputMessage);
        else
            this.jLabelMessage.setText("你没有输入任何内容! ");
    }
    public static void main(String args[]) { new DemoInputDialog(); }
}
```

运行结果：如图6-18所示。

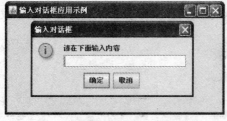

(a) 输入对话框

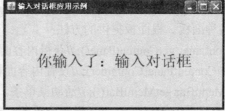

(b)输入内容后运行结果

图6-18　例6-18运行结果

（2）JFileChooser

JFileChooser 提供了标准的文件打开、保存对话框。它的构造方法有：

①JFileChooser( )：创建一个指向用户默认目录的文件对话框。

②JFileChooser(File currentDirectory)：创建一个指向给定目录的文件对话框。

使用构造方法创建 JFileChooser 的对象后，就要使用以下两个成员方法来显示文件的打开、关闭对话框。

①int showOpenDialog(Component parent)：显示文件打开对话框。

②int showSaveDialog(Component parent)：显示文件保存对话框。

这两个方法的返回值有三种情况：JFileChooser. CANCEL_OPTION(选择"撤销"按钮)、JFileChooser.APPROVE_OPTION(选择"打开"或"保存"按钮)、JFileChooser. ERROR_OPTION(出现错误)。

如果用户选择了某个文件，可以使用类方法 getSelectedFile( )获得所选择的文件名。

3. JPanel

在设计用户界面时，为了更合理地安排各组件在窗口中的位置，可以考虑将所需要的组件先排列在一个容器中，然后将其作为一个整体嵌入容器。JPanel 是这样一种中间层容器，它能容纳组件，将组件组合在一起，但它本身必须添加到其他容器中使用。JPanel 是一类无边框、不能被移动、放大、缩小或关闭的窗口，它的大小由包含在它里边的组件，包含它的那个容器的布局策略，以及该容器中的其他组件所决定。JPanel 的构造方法有：

- JPanel( )：默认为 FlowLayout 布局管理器。
- JPanel(LayoutManagerLayout)：创建指定布局管理器的 JPanel 对象。

4. JRootPane

根面板一般不在程序中显式创建，当创建一个内部窗口或任何一个顶层容器对象时，将得到一个 JRootPane 对象。根面板由玻璃面板(GlassPane)、内容面板(Content Pane)、分层面板(LayoutPane)和可选菜单条(MenuBar) 四部分组成。如图 6-19 所示玻璃面板是完全透明的，默认是不可见。如果实现了它的 paint( )方法，则该面板可实现某些操作，并且将拦截根面板的所有输入事件。分层面板包含了根面板和可选菜单条。内容面板是根面板中除菜单条外其他可见组件的容器。菜单条是可选的，它包含根面板容器的菜单，一般使用

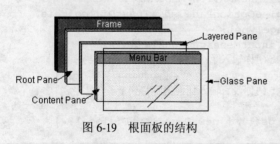

图 6-19　根面板的结构

setJMenuBar( )方法设置根面板容器的菜单。

对于一个 JRootPane 对象，可以使用 getXxxPane( )和 set XxxPane( )方法获取和设置根面板中的各种面板。根面板提供的方法：

- Container getContentPane(); //获得内容面板。
- setContentPane(Container); //设置内容面板。
- JMenuBar getMenuBar( ); //活动菜单条。
- setMenuBar(JMenuBar); //设置菜单条。
- JLayeredPane getLayeredPane(); //获得分层面板。
- setLayeredPane(JLayeredPane); //设置分层面板。
- Component getGlassPane(); //获得玻璃面板。
- setGlassPane(Component); //设置玻璃面板。

6.7.2　常用基本组件

1. 标签 JLabel

标签是所有组件中最简单的一个组件，它既可以显示文本也可以显示图像，用来显示提示信息，它不用响应用户输入。JLabel 的构造方法如下：

- JLabel(Icon icon)：使用左对齐图标创建一个标签。icon 指定了标签中的图标。
- JLabel(String text)：使用左对齐字符串创建一个标签。text 指定了标签中的文本。
- JLabel(String text,Icon icon,int horizontalAlignment)：同时使用文本和图标来创建标签。

horizontalAlignment 表示标签内容的水平对齐方式，其值可以在：LEFT、RIGHT、CENTER、LEADING、TRAILING 中取值。为了易于定位，建议使用 LEADING、TRAILING，而不使用 LEFT 和 RIGHT。

- JLabel(String text,int horizontalAlignment)
- JLabel(Icon icon,int horizontalAlignment)
- JLabel( )

JLabel 的构造方法可以指定初始文本或图标，以及内容的对齐，图标与文本的相对位置可以在创建标签时通过 setVerticalTextPosition( )和 setHorizontalTextPosition ( )方法进行设置。setText(String text)和 setIcon(Icon icon)方法能够在运行时设定标签的文本和图标。

2. 按钮 JButton

JButton 是 Swing GUI 中最常用的一个组件，按钮一般针对一个事先定义好的功能操作和一段应用程序，当用户单击该按钮的时候，系统就自动执行与该按钮相联系的程序，从而完成预先定义好的功能。JButton 的构造方法如下：

- JButton( )：创建没有标签和图标的按钮。
- JButton(Icon icon)：创建带有图标的按钮。
- JButton(String text)：创建带有标签的按钮。
- JButton(String text, Icon icon)：创建既有图标又有标签的按钮。

使用按钮时还会用到一些常用方法，如：setActionCommand( )设置动作命令，setMnemonic( )设置热键，getLabel( )获取按钮标签，setLabel( )设置按钮标签，setEnabled(Boolean b)设置按钮是否被激活等。

按钮触发的事件是 ActionEvent，因此需要实现 ActionListener 接口中的 actionPerFormed( )方法。注册事件监听器使用方法 addActionListener( )。确定事件源可以使用方法 getActionCommand( )或 getSource( )。

【例 6-19】　JLabel 与 JButton 使用示例。

程序清单6-19：JButtonDemo.java

```java
import javax.swing.*;
import java.awt.*;
import java.awt.event.*;
import java.util.*;
public class JButtonDemo extends JFrame implements ActionListener {
    JButton button1, button2, button3;
    JLabel label;
    JButtonDemo() {
        super("JButtonDemo");
```

```
        label = new JLabel("显示当前日期与时间", JLabel.CENTER);
        button1 = new JButton("日期[d]");
        button1.setMnemonic('d'); // 设置快捷键为d
        button1.setActionCommand("date"); // 设置动作命令为date
        button1.addActionListener(this); // 注册事件监听器
        button2 = new JButton("时间[t]");
        button2.setMnemonic('t'); // 设置快捷键为t
        button2.setActionCommand("time"); // 设置动作命令为time
        button2.addActionListener(this); // 注册事件监听器
        button3 = new JButton("退出[q]");
        button3.setMnemonic('q'); // 设置快捷键为q
        button3.setActionCommand("quit"); // 设置动作命令为quit
        button3.addActionListener(this); // 注册事件监听器
        getContentPane().add(label, BorderLayout.NORTH);
        getContentPane().add(button1, BorderLayout.WEST);
        getContentPane().add(button2, BorderLayout.CENTER);
        getContentPane().add(button3, BorderLayout.EAST);
    }
    public void actionPerformed(ActionEvent e) {
        Calendar c = Calendar.getInstance(); // 得到系统日历类的对象
        if (e.getActionCommand().equals("date")) {
            label.setText("今天是" + c.get(Calendar.YEAR) + "年"
            + c.get(Calendar.MONTH) + "月" + c.get(Calendar.DATE) + "日");
        label.setHorizontalAlignment(JLabel.LEFT);// 设置标签的文本左对齐
        } else if (e.getActionCommand().equals("time")) {
            label.setText("现在是" + c.get(Calendar.HOUR) + "时"
                    + c.get(Calendar.MINUTE) + "分" + c.get(Calendar.SECOND) + "秒");
        label.setHorizontalAlignment(JLabel.RIGHT);// 设置标签的文本右对齐
        } else
            System.exit(0);
    }
    public static void main(String args[]) {
        JFrame frame = new JButtonDemo();
        frame.setDefaultCloseOperation(JFrame.EXIT_ON_CLOSE);
        frame.pack();
        frame.setVisible(true);
    }
}
```

运行结果：如图6-20所示。

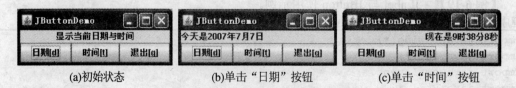

(a)初始状态　　　　　　(b)单击"日期"按钮　　　　　(c)单击"时间"按钮

图6-20　例6-19运行结果

3. 文本类组件

Swing 的文本类组件显示文本并允许用户对文本进行编辑。Swing 提供了五个文本组件：JTextField、JPasswordField、JTextArea、JEditorPane、JTextPane，它们都是 JTextComponent

类的子类，能够支持复杂的文本处理。下面我们主要介绍 JTextField、JPasswordField 和 Jtext
Area 三个组件。

（1）JTextField

JTextField 组件允许输入或编辑单行文本，一般情况下用来接收一些简短的信息。Jtext
Field 的构造方法有：

- JTextField( )：创建一个单行文本框。
- JTextField(int columns)：创建一个指定长度的单行文本框。
- JTextField(String text)：创建带有初始文本的单行文本框。
- JTextField(String text, int columns)：创建带有初始文本并且指定长度的单行文本框。

使用 JTextField 时的一些常用方法有：getText( )获取文本框中的文本，setText(String text)
设置文本框中显示的文本，getColumns( )获取文本框的列数。setColumns (int columns)设置文
本框的列数。

在 JTextField 文本框中按下回车键时，会产生 ActionEvent 事件，因此需要为其注册 Action
Listener 事件监听器，重写 actionPerform( )方法。

（2）JPasswordField

JPasswordField 组件允许输入或编辑单行文本，但在输入时，用户输入的文本并不真正
显示出来，而是显示回显符，如"＊"，以防止被他人看见用户输入的密码。JPasswordField
继承自 JTextField，它的构造方法与 JTextField 类似，参数相同。它的一些常用方法有：

- char[] getPassword( )：返回 JPasswordField 的文本内容。
- char getEchoChar( )：获取密码的回显字符。
- void getEchoChar(char c)：设置密码的回显字符。

【例6-20】　JTextField 与 JPasswordField 使用示例。

程序清单6-20：JTextDemo.java

```java
import javax.swing.*;
import java.awt.*;
import java.awt.event.*;
class JTextDemo extends JFrame implements ActionListener {
    public static final String NAME = "user"; // 设定用户名为"user"
    public static final String PASSWORD = "password";// 设定密码为"password"
    private JTextField textName;
    private JPasswordField textPassword;
    private JTextField textCheck;
    private JButton ok;
    private JButton cancel;
    public JTextDemo() {
        super("登录");
        Container c = getContentPane();
        JPanel panel = new JPanel();
        JLabel labelName = new JLabel("用户名：");
        textName = new JTextField(15);
        textName.addActionListener(this);
        panel.add(labelName);
        panel.add(textName);
        JLabel labelPassword = new JLabel("密　　码：");
```

```java
            textPassword = new JPasswordField(15);
            textPassword.setEchoChar('#'); // 设置回显字符
            textPassword.addActionListener(this);
            panel.add(labelPassword);
            panel.add(textPassword);
            ok = new JButton("确定");
            ok.addActionListener(this);
            panel.add(ok);
            cancel = new JButton("退出");
            cancel.addActionListener(new ActionListener() {
                public void actionPerformed(ActionEvent event) {
                    System.exit(1);
                }
            });
            panel.add(cancel);
            textCheck = new JTextField(20);
            textCheck.setEditable(false); // 设置验证文本框不可编辑
            panel.add(textCheck);
            c.add(panel);
        }
    public void actionPerformed(ActionEvent e) {
        String n = textName.getText();
        char[] s = textPassword.getPassword();
        String p = new String(s);
        if (e.getSource() == textName) {
            textCheck.setText("用户名为" + textName.getText());
            textPassword.grabFocus();// 密码框获得焦点
        } else {
            if (n.equals(NAME) && p.equals(PASSWORD)) {
                textCheck.setText("登录成功！");
                ok.grabFocus();
            } else {
                textCheck.setText("用户名与密码不正确！");
                textName.setText("");// 文本框清空
                textPassword.setText("");
                textName.grabFocus();
            }
        }
    }
    public static void main(String args[]) {
        JTextDemo frame = new JTextDemo();
        frame.setDefaultCloseOperation(JFrame.EXIT_ON_CLOSE);
        frame.setSize(280, 160);
        frame.setVisible(true);
    }
}
```

运行结果：如图6-21所示。

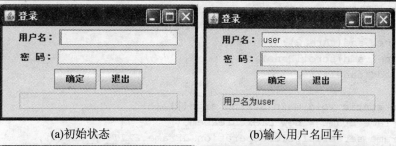

(a)初始状态 (b)输入用户名回车

 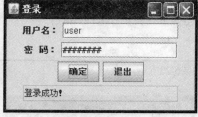

(c)用户名与密码不正确时 (d)用户名与密码正确时

图6-21 例6-20运行结果

（3）JTextArea

JTextArea 组件用来编辑多行文本，其主要的构造方法有：

- JTextArea( )：创建一个多行文本框。
- JTextArea(int rows,int columns)：创建一个指定行数和列数的多行文本框。
- JTextArea(String text)：创建带有初始文本的多行文本框。
- JTextArea(String text,int rows,int columns)：创建带有初始文本并且指定行数和列数的多行文本框。

JTextArea 默认不会自动换行，可以使用回车换行，也可以用方法 setLineWrap(Boolean wrap)设置是否允许自动换行。在 JTextArea 文本框中按回车键不会触发事件。

JTextArea 文本框不会自动产生滚动条，超过预设行数会通过扩展自身高度来适应。如果要产生滚动条从而使其高度不会变化，那么就需要配合使用 JScrollPane。将 JTextArea 文本框放入 JScrollPane 容器中，当文本超过预设行数时，容器就会出现滚动条。

【例 6-21】 JTextArea 使用示例。

程序清单6-21: JTextAreaDemo.java

```java
import java.awt.*;
import java.awt.event.*;
import javax.swing.*;
public class JTextAreaDemo extends JFrame {
    private JTextArea tArea1, tArea2, tArea3;
    public JTextAreaDemo() {
        super("JTextAreaDemo");
        Container c = getContentPane();
        JPanel panel = new JPanel();
        tArea1 = new JTextArea(3, 20); // 创建3行20列不能自动换行的文本域
        tArea2 = new JTextArea(3, 20);
        tArea2.setLineWrap(true); //设置自动换行
        tArea3 = new JTextArea(5, 20);
```

```
        JScrollPane scrollPane = new JScrollPane(tArea3); //创建滚动窗格
        panel.add(tArea1); // 将三种文本域添加到框架中
        panel.add(tArea2);
        panel.add(scrollPane);
        c.add(panel);
    }
    public static void main(String args[]) {
        JFrame frame = new JTextAreaDemo();
        frame.setDefaultCloseOperation(JFrame.EXIT_ON_CLOSE);
        frame.setSize(300, 250);
        frame.setVisible(true);
    }
}
```

运行结果：如图6-22所示。

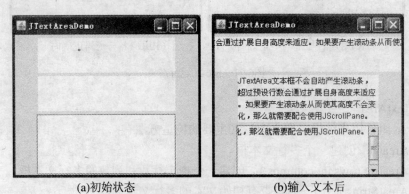

(a)初始状态   (b)输入文本后

图6-22　例6-21运行结果

4. 选择类组件

在 Swing 中常用的选择类组件有：JRadioButton、JCheckBox、JList、JComboBox 和 JSlider，下面我们分别介绍。

（1）JRadioButton

JRadioButton 组件是一组互斥的单选按钮，即一次只能选择其中的一个选项，选项的选取只需要单击即可。建立一个单选按钮比较容易，先创建一个 ButtonGroup 类型的对象，然后把 JRadioButton 组件用 add( )方法添加到 ButtonGroup 对象中。JRadioButton 组件一般触发 ActionEvent 事件，因此需要注册 ActionListener 监听器。

（2）JCheckBox

JCheckBox 组件是一种可以进行多项选择的组件，即能够选择组件中的多个选项，单击选项就可以选择或取消该选项。复选框 JCheckBox 的构造方法如下：

- JCheckBox( )：创建无文本和图像初始未选中的复选框。
- JCheckBox(Icon icon)：创建有图像无文本且初始未选中的复选框。
- JCheckBox(Icon icon,boolean selected)：创建有图像无文本且初始选中的复选框。
- JCheckBox(String text)：创建有文本无图像初始未选中的复选框。
- JCheckBox(String text,boolean selected)：创建有文本无图像初始选中的复选框。
- JCheckBox(String text, Icon icon)：创建有文本有图像初始未选中的复选框。

• JCheckBox(String text, Icon icon, boolean selected)：创建有文本有图像初始选中的复选框。

对复选框是否被选取可以通过 isSelected( )进行状态判断。

JCheckBox 复选框组件触发的事件是 ItemEvent 事件，因此需要注册实现 ItemListener 监听器，重写其中的 itemStateChanged( )来处理事件。

【例 6-22】 JRadioButton 与 JCheckBox 使用示例。

程序清单6-22: BRDemo.java

```java
import java.awt.*;
import java.awt.event.*;
import javax.swing.*;
public class BRDemo extends JFrame implements ItemListener, ActionListener {
    JTextField jtf;
    BRDemo() {
        super("BRDemo");
        setSize(200, 200);
        setVisible(true);
        Container contentPane = getContentPane();
        contentPane.setLayout(new FlowLayout());
        JCheckBox cb1 = new JCheckBox("C");
        cb1.addItemListener(this);
        contentPane.add(cb1);
        JCheckBox cb2 = new JCheckBox("C++");
        cb2.addItemListener(this);
        contentPane.add(cb2);
        JCheckBox cb3 = new JCheckBox("Java");
        cb3.addItemListener(this);
        contentPane.add(cb3);
        JRadioButton b1 = new JRadioButton("C");
        b1.addActionListener(this);
        contentPane.add(b1);
        JRadioButton b2 = new JRadioButton("C++");
        b2.addActionListener(this);
        contentPane.add(b2);
        JRadioButton b3 = new JRadioButton("Java");
        b3.addActionListener(this);
        contentPane.add(b3);
        ButtonGroup bg = new ButtonGroup();
        bg.add(b1);
        bg.add(b2);
        bg.add(b3);
        jtf = new JTextField(10);
        contentPane.add(jtf);
        validate();
        addWindowListener(new WindowAdapter() {
            public void windowClosing(WindowEvent e) {
                System.exit(0);
            }
        });
    }
```

```
public void itemStateChanged(ItemEvent ie) {
    JCheckBox cb = (JCheckBox) ie.getItem();
    jtf.setText(cb.getText());
}
public void actionPerformed(ActionEvent ae) {
    jtf.setText(ae.getActionCommand());
}
public static void main(String[] args) {new BRDemo(); }
}
```

运行结果：如图6-23所示。

(a)初始状态 　　　　(b)选取复选按钮 　　　　(c)选取单选按钮

图6-23　例6-22运行结果

（3）JList

JList 列表框组件支持从一个列表选项中选择一个或多个选项，默认状态下支持单选。JList 多用于大量选项的操作，当选项较多时，通常把 JList 放置在 JScrollPane 面板上，这样就可以提供有滚动条的列表。JList 的构造方法及常用成员方法如下：

- JList( )：创建一个空模型的列表框。
- JList(ListModel dataModel)：使用列表模型创建一个列表框。
- JList(Object[] listData)：使用数组对象创建一个列表框。
- JList(Vector listData)：使用 Vector 对象创建一个列表框。
- int getSelectedIndex( )：返回所选的第一个索引，如果没有选择项，则返回-1。
- void setselectedIndex(int index)：选择指定索引的条目。
- int[] getSelectedIndices( )：按升序返回指定被选择条目索引的数组。
- void setSelected Indices(int[] index)：选择指定索引数组的条目。

相对应的将以上方法中的 Index 替换为 Value，将 Indices 替换为 Values，则可返回所选择的条目内容和选择指定内容的条目。

JList 组件触发的是 ListSelectionEvent 事件，因此需要注册 ListSelectionListener 监听器，并实现其中的 valueChanged( )方法。

【例 6-23】　JList 使用示例。

程序清单6-23: JListDemo.java

```
import java.awt.*;
import java.awt.event.*;
import javax.swing.*;
import javax.swing.event.*;
public class JListDemo extends JFrame implements ListSelectionListener, ActionListener {
    JList list;
```

```
DefaultListModel listModel;
JButton addButton;
JTextField nameField;
JButton delButton;
public JListDemo() {
    super("JListDemo");
    addWindowListener(new WindowAdapter() {
        public void windowClosing(WindowEvent e) {
            System.exit(0);
        }
    });
    listModel = new DefaultListModel();
    listModel.addElement("Black");
    listModel.addElement("white");
    listModel.addElement("blue");
    // 创建一个列表框并将它加到JScrollPne中
    list = new JList(listModel);
// 限定列表框只能单选 list.setSelectionMode(ListSelectionModel.SINGLE_SELECTION);
    list.setSelectedIndex(0);
    list.addListSelectionListener(this);
    JScrollPane listScrollPane = new JScrollPane(list);
    addButton = new JButton("增加");
    addButton.addActionListener(this);
    delButton = new JButton("删除");
    delButton.addActionListener(this);
    nameField = new JTextField(10);
    nameField.addActionListener(this);
    String name = listModel.getElementAt(list.getSelectedIndex()).toString();
    nameField.setText(name);
    JPanel buttonPane = new JPanel();
    buttonPane.add(nameField);
    buttonPane.add(addButton);
    buttonPane.add(delButton);
    Container contentPane = getContentPane();
    contentPane.add(listScrollPane, BorderLayout.CENTER);
    contentPane.add(buttonPane, BorderLayout.SOUTH);
}
public void actionPerformed(ActionEvent e) {
    if (e.getSource() == delButton) {
        int index = list.getSelectedIndex();
        listModel.remove(index);
        int size = listModel.getSize();
        if (size == 0) {
            delButton.setEnabled(false);
        } else {
            if (index == listModel.getSize())
                index--;
            list.setSelectedIndex(index);
        }
    } else if (e.getSource() == addButton || e.getSource() == nameField) {
        // 添加元素
        if (nameField.getText().equals("")) {
```

```
            Toolkit.getDefaultToolkit().beep(); return;
        }
        int index = list.getSelectedIndex();
        int size = listModel.getSize();
        if (index == -1 || (index + 1 == size)) {
            listModel.addElement(nameField.getText());
            list.setSelectedIndex(size);
        } else {
            listModel.insertElementAt(nameField.getText(), index + 1);
            list.setSelectedIndex(index + 1);
        }
    }
}
// 当列表框中被选择的项改变时被调用
public void valueChanged(ListSelectionEvent e) {
    if (e.getValueIsAdjusting() == false) {
        if (list.getSelectedIndex() == -1) {
            delButton.setEnabled(false);
            nameField.setText("");
        } else {
            delButton.setEnabled(true);
            String name = list.getSelectedValue().toString();
            nameField.setText(name);
        }
    }
}
public static void main(String s[]) {
    JListDemo mainFrame = new JListDemo();
    mainFrame.pack();
    mainFrame.setVisible(true);
}
}
```

运行结果：如图6-24所示。

(a)初始状态

(b)增加条目后

图6-24 例6-23运行结果

（4）JComboBox

JComboBox 组合框可以看做是 JTextField 组件与 JList 组件的结合，使得用户可以在一组预定义的选项中选择条目，而且能够修改选项内容。它的构造方法有：

- JComboBox ( )：创建一个系统默认模型的组合框。
- JComboBox(ComboBoxModel aModel)：使用指定的 ComboBoxModel 模型创建一个组合框。
- JComboBox(Object[] items)：使用数组对象创建一个组合框。
- JComboBox(Vector items)：使用 Vector 对象创建一个组合框。

JComboBox 组合框在默认情况下是不可编辑的，可以使用 setEditable( )来设置其是否可被编辑。组合框的内容是可以动态变化的，可以使用 addItem( )方法把条目添加到列表的末尾；insertItemAt( )方法把新条目添加到列表的任何位置；removeItem( )方法和 removeItemAt( )方法删除指定的条目；removeAllItems( )方法删除所有的条目。

注意：条目的位置是从"0"开始的。

JComboBox 的事件处理分为两种：一种是取得用户所取的条目，需要注册 ItemListener 监听器；另一种是用户在 JComboBox 自行输入完毕后按下回车键，程序运行相对应的操作，需要注册 ActionListener 监听器。

【例 6-24】 JComboBox 使用示例。

程序清单6-24：JComboDemo.java

```java
import java.awt.*;
import java.awt.event.*;
import javax.swing.*;
public class JComboDemo extends JFrame implements ItemListener {
    JLabel jlb;
    ImageIcon france, germany, italy, japan;
    JComboDemo() {
        super("JComboDemo");
        setSize(300, 200);
        setVisible(true);
        Container contentPane = getContentPane();
        contentPane.setLayout(new FlowLayout());
        JComboBox jc = new JComboBox();
        jc.addItem("中国");
        jc.addItem("俄罗斯");
        jc.addItem("韩国");
        jc.addItem("美国");
        jc.addItem("联合国");
        jc.addItemListener(this);
        contentPane.add(jc);
        jlb = new JLabel(new ImageIcon("中国.jpg"));
        contentPane.add(jlb);
        validate();
        addWindowListener(new WindowAdapter() {
            public void windowClosing(WindowEvent e) {
                System.exit(0);
            }
        });
    }
    public void itemStateChanged(ItemEvent ie) {
        String s = (String) ie.getItem().toString();
```

```
        jlb.setIcon(new ImageIcon(s + ".jpg"));
    }
    public static void main(String args[]) { new JComboDemo(); }
}
```

运行结果：如图6-25所示。

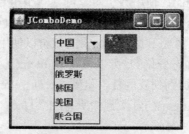

图6-25　例6-24运行结果

（5）JSlider

JSlider 滑块组件一般有一个连续的区间和可拖动的滑块，用户可以通过拖动滑块在一个区间范围内进行选择。JSlider 有水平和垂直两种形式，其构造方法有：

- JSlider( )：创建一个滑块，默认范围为 0~100，水平方向。
- JSlider(int orientateon)：创建范围为 0~100，初值为 50 的水平或垂直滑块。方向取值为 JSlider.HORIZONTAL(水平方向)和 JSlider.VERTICAL(垂直方向)。
- JSlider(int min,int max)：创建范围从 min 至 max，初值为 min 和 max 平均值的水平滑块。
- JSlider(int min,int max,int value)：创建范围从 min 至 max，初值为 value 的水平滑块。
- JSlider(int orientateon, int min,int max,int value)：创建范围从 min 至 max，初值为 value 的水平或垂直滑块。

调节 JSlider 滑块时会触发 ChangeEvent 事件，需要注册 ChangeListener 监听器。

【例 6-25】　JSlider 使用示例。

程序清单6-25：SliderDemo.java

```
import java.awt.*;
import java.awt.event.*;
import javax.swing.*;
import javax.swing.event.*;
public class SliderDemo extends JFrame {
    public static final int WIDTH = 400;
    public static final int HEIGHT = 280;
    public static final JLabel choosedLabel = new JLabel("Choosed number:");
    public static final JLabel choiceLabel = new JLabel("Please choose number:");
    private JTextField myTextField;
    private JPanel numberPanel;
    public SliderDemo() {
        setTitle("SliderExample");
        setSize(WIDTH, HEIGHT);
        Container contentPane = getContentPane();
        numberListener mynumberListener = new numberListener();
        numberPanel = new JPanel();// 建立容纳滑块的面板
        JSlider numberSlider = new JSlider();// 新建缺省样式的滑块
        numberSlider.addChangeListener(mynumberListener);
```

```
        numberPanel.add(choiceLabel);
        numberPanel.add(numberSlider);
        // 新建竖向滑块，并指定最大值和初始值。
        numberSlider = new JSlider(SwingConstants.VERTICAL, 0, 120, 20);
        numberSlider.addChangeListener(mynumberListener);
        numberPanel.add(numberSlider);
        JPanel textPanel = new JPanel();
        myTextField = new JTextField("", 15);
        textPanel.add(choosedLabel, BorderLayout.NORTH);
        textPanel.add(myTextField, BorderLayout.CENTER);
        contentPane.add(numberPanel, BorderLayout.NORTH);
        contentPane.add(textPanel, BorderLayout.CENTER);
    }
    private class numberListener implements ChangeListener {
        public void stateChanged(ChangeEvent event) {
            JSlider sourceSlider = (JSlider) event.getSource();
            myTextField.setText("" + sourceSlider.getValue());
        }
    }
    public static void main(String[] args) {
        SliderDemo frame = new SliderDemo();
        frame.setDefaultCloseOperation(JFrame.EXIT_ON_CLOSE);
        frame.setVisible(true);
    }
}
```

运行结果：如图6-26所示。

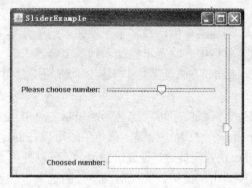

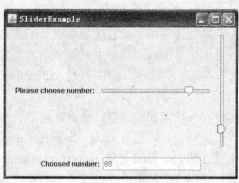

(a)初始状态   (b)拖动滑块后

图6-26 例6-25运行结果

5. 菜单组件

菜单是 GUI 中非常重要和常见的组件。Swing 的菜单组件包括：JMenuBar、JMenu、JMuneItem、JPopupMenu、JCheckBoxMenuItem、JRadioButtonMenuItem 和 JSeparator。菜单可分为下拉式菜单和弹出式菜单两种，下拉式菜单一般位于窗口的顶部，由菜单栏(JMenuBar)、菜单(JMenu)和菜单项(JMuneItem)构成，菜单项还可以再包含若干菜单项。弹出式菜单(Jpopup Menu)不使用时是不可见的，需要时单击鼠标右键就可以弹出菜单。

（1）JMenuBar

JMenuBar 组件是摆放菜单的容器，可以使用其构造方法 JMenuBar( )来创建菜单栏，但要把菜单栏加入到容器中，与其他组件不同的，它不使用 add( )方法，而使用专门设置菜单栏的方法 setJMenuBar(JMenuBar menubar)。菜单栏不响应事件。

（2）JMenu

菜单中包含若干菜单项，这些菜单项可随菜单添加到菜单栏中。如鼠标单击一个菜单时，就展开该菜单，在菜单中显示一列菜单项，点击其中一个菜单，就会产生一个动作事件。JMenu 的构造方法有：

- JMenu( )：创建一个没有文本的菜单。
- JMenu(String s)：创建一个有文本的菜单。
- JMenu (String s,Boolean b)：创建一个有文本的菜单,并指定其是否为分离式 (tear-off) 菜单。

将菜单添加到菜单栏中使用 add( )方法。菜单不响应事件。

（3）JMenuItem

一个菜单项是包含在菜单中的一个字符串。当鼠标或键盘按键选中时，就触发一个动作事件，菜单项可以是一个命令，也可以是另一个菜单(子菜单)。JMenuItem 的构造方法有：

- JMenuItem( )：创建一个空的菜单项。
- JMenuItem(String text)：创建一个具有指定文本的菜单项。
- JMenuItem(Icon icon)：创建一个有图标的菜单项。
- JMenuItem(String text, Icon icon)：创建一个具有指定文本和图标的菜单项。
- JMenuItem(String text,int mnemonic)：创建一个具有指定文本且有快捷键的菜单项。

将菜单项加入到菜单中使用 add( )方法。

（4）下拉式菜单的创建

下拉式菜单的创建过程如下：

①首先创建菜单栏、创建菜单以及子菜单、创建菜单项，并将菜单项加入到子菜单或菜单中，将子菜单加入到菜单中，将菜单加入到菜单栏中，将菜单栏加入到框架容器中。

②设置菜单项的使用状态：通过 setEnabled(Boolean b)方法设置菜单项是启用状态还是禁用状态。

③设置快捷键和加速器：快捷键显示为带有下画线的字母，加速器则显示为菜单项旁边的组合键。我们可以通过 setMnemonic(char mnemonic)设置快捷键，菜单项还可以在创建时利用构造方法 JMenuItem(String text,int mnemonic)设置快捷键。设置快捷键后，可以使用 Alt+快捷键打开相应的菜单，在打开菜单后可以直接单击快捷键，实现对菜单项的选取。加速器可以在不打开菜单的情况下选择菜单项，当按下加速器组合键，相应的菜单项就会被选中。加速器只能关联到菜单项，而不能关联到菜单，因为加速器从本质上讲是触发同菜单项相关联的事件监听器。可以利用方法 setAccelerator(KeyStroke keystroke)设置菜单项的加速器。

④注册事件监听器，实现监听器接口

【例 6-26】 下拉式菜单创建示例。

程序清单6-26: JMenuDemo.java

```java
import java.awt.*;
import java.awt.event.*;
import javax.swing.*;
public class JMenuDemo extends JFrame {
    JMenuBar menuBar;
```

```java
    JMenu menu, submenu;
    JMenuItem menuItem;
    JCheckBoxMenuItem cbMenuItem;
    JRadioButtonMenuItem rbMenuItem;
    public JMenuDemo() {
        super("JMenuDemo");
        addWindowListener(new WindowAdapter() {
            public void windowClosing(WindowEvent e) { System.exit(0); }
        });
        createMenu();
    }
    void createMenu() {
        menuBar = new JMenuBar(); // 生成菜单条
        setJMenuBar(menuBar);
        menu = new JMenu("有菜单项菜单"); // 创建第一个菜单
        menu.setMnemonic(KeyEvent.VK_A);
        menuBar.add(menu);
        menuItem = new JMenuItem("文本菜单项"); // 创建菜单项
        menuItem.setAccelerator(KeyStroke.getKeyStroke(KeyEvent.VK_1,
                ActionEvent.ALT_MASK));
        menu.add(menuItem);
        menuItem = new JMenuItem("图形菜单项", new ImageIcon("images/img.gif"));
        menuItem.setMnemonic(KeyEvent.VK_B);
        menu.add(menuItem);
        menuItem = new JMenuItem(new ImageIcon("images/img.gif"));
        menuItem.setMnemonic(KeyEvent.VK_D);
        menu.add(menuItem);
        menu.addSeparator(); // 创建单选菜单项
        ButtonGroup group = new ButtonGroup();
        rbMenuItem = new JRadioButtonMenuItem("单选菜单项一");
        rbMenuItem.setSelected(true);
        rbMenuItem.setMnemonic(KeyEvent.VK_R);
        group.add(rbMenuItem);
        menu.add(rbMenuItem);
        rbMenuItem = new JRadioButtonMenuItem("单选菜单项二");
        rbMenuItem.setMnemonic(KeyEvent.VK_O);
        group.add(rbMenuItem);
        menu.add(rbMenuItem);
        menu.addSeparator(); // 创建复选菜单项
        cbMenuItem = new JCheckBoxMenuItem("多选菜单项一");
        cbMenuItem.setMnemonic(KeyEvent.VK_C);
        menu.add(cbMenuItem);
        cbMenuItem = new JCheckBoxMenuItem("多选菜单项二");
        cbMenuItem.setMnemonic(KeyEvent.VK_H);
        menu.add(cbMenuItem);
        menu.addSeparator(); // 创建子菜单
        submenu = new JMenu("子菜单");
        submenu.setMnemonic(KeyEvent.VK_S);
        menuItem = new JMenuItem("子菜单菜单项一");
        menuItem.setAccelerator(KeyStroke.getKeyStroke(KeyEvent.VK_2,
                ActionEvent.ALT_MASK));
```

```
        submenu.add(menuItem);
        menuItem = new JMenuItem("子菜单菜单项二");
        submenu.add(menuItem);
        menu.add(submenu);
        menu = new JMenu("无菜单项菜单"); // 创建菜单
        menu.setMnemonic(KeyEvent.VK_N);
        menuBar.add(menu);
    }
    public static void main(String[] args) {
        JMenuDemo mainFrame = new JMenuDemo();
        mainFrame.setSize(450, 260);
        mainFrame.setVisible(true);
    }
}
```

运行结果：如图6-27所示。

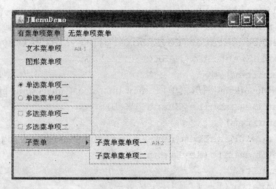

图6-27 例6-26运行结果

（5）JPopupMenu

JPopupMenu 是一种特殊形式的菜单，其性质和菜单几乎一样。但 JPopupMenu 创建的弹出菜单并不固定在窗口的任何位置，而是由鼠标指针与系统判断决定其在哪里出现。

JPopupMenu 的构造方法有：

- JPopupMenu( )：创建一个无标题的弹出式菜单。
- JPopupMenu(String label)：创建一个有标题的弹出式菜单。

创建弹出式菜单的过程为：先新建一个弹出式菜单，再使用 add( )方法加入菜单项，然后设置弹出触发器注册鼠标监听器，实现 mouseReleased 方法，显式地调用 show(Component invoker, int x,int y)方法来显示弹出式菜单。其中参数 invoker 表示弹出菜单在其空间中显示的组件，x、y 表示用于显示弹出菜单的调用者的坐标空间中的 X、Y 坐标。

【例 6-27】 弹出式菜单创建示例。

程序清单6-27：JPopupMenuDemo.java

```
import java.awt.*;
import javax.swing.*;
import java.awt.event.*;
public class JPopupMenuDemo extends JFrame {
    JMenu fileMenu;
    JPopupMenu jPopupMenuOne;
```

```
    JMenuItem openFile, closeFile, exit;
    JRadioButtonMenuItem copyFile, pasteFile;
    ButtonGroup buttonGroupOne;
    public JPopupMenuDemo() {
        jPopupMenuOne = new JPopupMenu();
        buttonGroupOne = new ButtonGroup();
        fileMenu = new JMenu("文件");
        openFile = new JMenuItem("打开");
        closeFile = new JMenuItem("关闭");
        fileMenu.add(openFile);
        fileMenu.add(closeFile);
        jPopupMenuOne.add(fileMenu);// 将fileMenu菜单添加到弹出式菜单中
        jPopupMenuOne.addSeparator();// 添加分割符
        copyFile = new JRadioButtonMenuItem("复制");
        pasteFile = new JRadioButtonMenuItem("粘贴");
        buttonGroupOne.add(copyFile);
        buttonGroupOne.add(pasteFile);
        jPopupMenuOne.add(copyFile);// 将copyFile添加到jPopupMenuOne中
        jPopupMenuOne.add(pasteFile);// 将pasteFile添加到jPopupMenuOne中
        jPopupMenuOne.addSeparator();
        exit = new JMenuItem("退出");
        jPopupMenuOne.add(exit);// 将exit添加到jPopupMenuOne中
        MouseListener popupListener = new PopupListener(jPopupMenuOne);
        this.addMouseListener(popupListener);// 向主窗口注册监听器
        this.setTitle("JPopupMenuDemo");
        this.setBounds(100, 100, 250, 150);
        this.setVisible(true);
        this.setDefaultCloseOperation(JFrame.EXIT_ON_CLOSE);
    }
    public static void main(String args[]) { new JPopupMenuDemo(); }
    class PopupListener extends MouseAdapter {
        JPopupMenu popupMenu;
        PopupListener(JPopupMenu popupMenu) { this.popupMenu = popupMenu; }
        public void mousePressed(MouseEvent e) { showPopupMenu(e); }
        public void mouseReleased(MouseEvent e) { showPopupMenu(e); }
        private void showPopupMenu(MouseEvent e) {
            if (e.isPopupTrigger())
                popupMenu.show(e.getComponent(), e.getX(), e.getY());
        }
    }
}
```

运行结果：如图6-28所示。

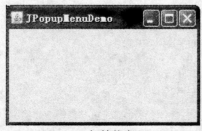
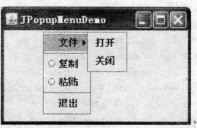

(a)初始状态   (b)单击鼠标右键后

图6-28 例6-27运行结果

6. 树 JTree

JTree 树组件能够以层次结构显示数据，如同 Windows 资源管理器的左半部分，通过点击可以"打开"、"关闭"文件夹，展开树状结构的图表数据。JTree 的分层结构以垂直方式显示数据，它的每一行只包含一个数据项，称为节点，最上面的节点是根节点，每个树只有一个根节点，所有的节点都是从根节点引出。节点可以有子节点，一般这样的节点称为枝节点；节点无子节点则称为叶节点。每一个节点都关联着一个描述该节点的文本标签和图标，文本标签是节点的字符串表示，图标指明该节点是否有叶节点，系统默认的情况下只显示根节点和与根节点直接相连的子节点。当点击这些子节点时，就可以打开下一层节点或叶节点。JTree 组件采用分离数据模型，它本身并不包含数据，只提供数据的视图，JTree 通过查询其数据模型获得显示的数据。

(1) JTree 的创建

JTree 的创建过程中，一般要用到 DefaultMutableTreeNode 类和 JTree 类。DefaultMutableTreeNode 类实现了 TreeNode 接口，是树中节点的一般模型，一个节点最多有一个父节点。DefaultMutableTreeNode 类提供了对节点进行操作的方法，包括通过 add(Object userObject) 方法创建子节点，树与子树节点的遍历等。另外该类还保存了对节点数据对象的引用，调用该类的 toString() 方法将返回数据对象的字符串表达。JTree 的创建过程如下：

首先使用 DefaultMutableTreeNode 类创建根节点，再生成该节点的各个子节点，直到整个树的结构生成完毕。然后再以树的根节点为参数调用 JTree 的结构方法 JTree(TreeNode root) 创建树。最后为了有效利用屏幕，将树放入一个滚动面板中。

(2) 节点选择操作的响应

树节点选择操作的响应只需实现树的选择操作监听器接口 TreeSelectionListener，并应用方法 addTreeSelectionListener() 把它注册到树组件对象上。

(3) JTree 的其他操作

对 JTree 组件还可以进行下列操作：通过 DefaultTreeCellRenderer 类定制树中使用的图标；通过使用树的数据模型，即 TreeModel 类的对象，可以对树进行编辑，如改变树节点的名称，增加或删除节点；使用 JTree 类的 getModel() 方法，获取树所使用 DefaultTreeModel 类型的数据模型，DefaultTreeModel 提供了插入/删除节点等很多对树数据模型进行操作的方法。

【例 6-28】 JTree 示例。

程序清单6-28: JTreeDemo.java

```java
import java.awt.*;
import java.awt.event.*;
import javax.swing.*;
import javax.swing.event.*;
import javax.swing.tree.*;
public class JTreeDemo extends JFrame {
    DefaultMutableTreeNode rootNode = createNode();
    JTree tree = new JTree(rootNode);
    JTextField textField = new JTextField();
    JScrollPane scrollPane = new JScrollPane();
    JButton button1 = new JButton();
    JButton button2 = new JButton();
    public JTreeDemo() {
        addWindowListener(new WindowAdapter() {
```

```
            public void windowClosing(WindowEvent e) { System.exit(0); }
        });
        setTitle("JTreeDemo");
        getContentPane().setLayout(null);
        scrollPane.setBounds(new Rectangle(12, 9, 221, 228));
        textField.setBounds(new Rectangle(10, 250, 90, 23));
        button1.setBounds(new Rectangle(105, 251, 60, 22));
        button1.setText("增加");
        button2.setBounds(new Rectangle(171, 251, 62, 22));
        button2.setText("删除");
        getContentPane().add(scrollPane, null);
        getContentPane().add(textField, null);
        getContentPane().add(button2, null);
        getContentPane().add(button1, null);
        scrollPane.getViewport().add(tree, null);
        // 添加TreeSelection事件监听器
        tree.addTreeSelectionListener(new TreeSelectionListener() {
            public void valueChanged(TreeSelectionEvent e) {
                // 获取当前节点的路径
                TreePath selectionPath = e.getPath();
                DefaultMutableTreeNode selectedNode;
                // 获取当前节点
                selectedNode = (DefaultMutableTreeNode) selectionPath.getLastPathComponent();
                textField.setText(selectedNode.toString());
            }
        });
        button1.addActionListener(new ActionListener() {
            public void actionPerformed(ActionEvent e) { addNode(); }
        });
        button2.addActionListener(new ActionListener() {
            public void actionPerformed(ActionEvent e) { removeNode(); }
        });
    }
    public static void main(String args[]) {
        JTreeDemo app = new JTreeDemo();
        app.setBounds(new Rectangle(100, 100, 255, 310));
        app.setVisible(true);
    }
    DefaultMutableTreeNode createNode() {
        // 创建节点
        DefaultMutableTreeNode rootNode = new DefaultMutableTreeNode("Java");
        DefaultMutableTreeNode books = new DefaultMutableTreeNode("Java书籍");
        DefaultMutableTreeNode tools = new DefaultMutableTreeNode("Java开发工具");
        // 添加字节点
        rootNode.add(books);
        rootNode.add(tools);
        books.add(new DefaultMutableTreeNode("Java高级实例编程"));
        books.add(new DefaultMutableTreeNode("Java编程思想"));
        books.add(new DefaultMutableTreeNode("Java编程详解"));
        tools.add(new DefaultMutableTreeNode("JBuilder"));
        tools.add(new DefaultMutableTreeNode("JCreator"));
```

```
        tools.add(new DefaultMutableTreeNode("NetBeans"));
        return rootNode;
    }
    void removeNode() {
        // 获取当前节点的路径
        TreePath selectedPath = tree.getSelectionPath();
        if (selectedPath != null) {
            DefaultMutableTreeNode selectedNode;
            DefaultTreeModel treeModel;
            // 获取当前节点
            selectedNode = (DefaultMutableTreeNode) selectedPath.getLastPathComponent();
            treeModel = (DefaultTreeModel) tree.getModel();
            // 删除节点
            treeModel.removeNodeFromParent(selectedNode);
        }
    }
    void addNode() {
        DefaultMutableTreeNode newNode;
        newNode = new DefaultMutableTreeNode(textField.getText());
        // 获取当前节点的路径
        TreePath selectedPath = tree.getSelectionPath();
        if (selectedPath != null) {
            DefaultMutableTreeNode selectedNode;
            DefaultTreeModel treeModel;
            // 获取当前节点
            selectedNode = (DefaultMutableTreeNode) selectedPath.getLastPathComponent();
            treeModel = (DefaultTreeModel) tree.getModel();
            // 增加节点
            treeModel.insertNodeInto(newNode, selectedNode, selectedNode.getChildCount());
        }
    }
}
```

运行结果：如图6-29所示。

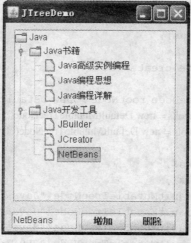

图6-29　例6-28运行结果

习 题 六

一、填空题

1．Swing 的事件处理机制包括（　　　）、事件和事件监听者。

2．Java 事件处理包括建立事件源、（　　　）和将事件源注册到监听器。

3．在 Swing 中，可以根据不同用户的习惯，设置不同的界面显示风格，Swing 提供了三种显示风格，分别是（　　）风格、（　　）风格和（　　）风格。

4．Swing 的顶层容器有（　　　）、JApplet、JWindow 和 JDialog。

5．（　　　）由一个玻璃面板、一个内容面板和一个可选择的菜单条组成。

二、简答题

1．试述 AWT 的事件处理机制。

2．什么是 Swing？它比 AWT 有什么优点？使用上有何区别？

3．布局管理器的作用是什么？在 JDK 中哪些常用布局管理器？各有何特点？

4．什么是容器组件？组件与容器有何区别？

5．试述 Swing 常用组件的创建与使用。

三、选择题

1．Swing 组件必须添加到 Swing 顶层容器相关的（　　　）。

A．分隔板上　　　　B．内容面板上　　　　C．选项板上　　　　D．复选框内

2．Panel 和 Applet 的默认布局管理器是（　　　）。

A．FlowLayout　　　B．CardLayout　　　C．BorderLayout　　　D．GridLayout

3．容器类 java.awt.container 的父类是（　　　）。

A．java.awt.Frame　B．java.awt.Panel　　C．java.awt.Componet　D．java.awt.Windows

4．哪些布局管理器使用的是组件的最佳尺寸？（　　　）

A．FlowLayout　　B．BorderLayout　　C．GridLayout　　D．CardLayout　　E．GridBagLayout

5．关于 AWT 和 Swing 说法正确的是（　　　）。

A．Swing 是 AWT 的子类　　　　　　　B．AWT 在不同操作系统中显示相同的风格

C．AWT 和 Swing 都支持事件模型　　　D．Swing 在不同的操作系统中显示相同的风格

6．关于使用 Swing 的基本规则，下列说法正确的是（　　　）。

A．Swing 组件可直接添加到顶级容器中　　　B．要尽量使用非 Swing 的重要级组件

C．Swing 的 Jbutton 不能直接放到 Frame 上　D．以上说法都对

7．在 Java 编程中，Swing 包中的组件处理事件时，下面（　　　）是正确的。

A．Swing 包中的组件也是采用事件的委托处理模型来处理事件的

B．Swing 包中的组件产生的事件类型，也都带有一个 J 字母，如 JMouseEvent

C．Swing 包中的组件也可以采用事件的传递处理机制

D．Swing 包中的组件所对应的事件适配器也是带有 J 字母的，如 JMouseAdapter

四、判断题

1．容器是用来组织其他界面成分和元素的单元，它不能嵌套其他容器。（　　　）

2．一个容器中可以混合使用多种布局策略。（　　）

3．在 Swing 用户界面的程序设计中，容器可以被添加到其他容器中去。（　　）

4．使用 BorderLayout 布局管理器时，GUI 组件可以按任何顺序添加到面板上。（　　）

5．在使用 BorderLayout 时，最多可以放入五个组件。（　　）

6．每个事件类对应一个事件监听器接口，每一个监听器接口都有相对应的适配器。（　　）

7．Java 中，并非每个事件类都只对应一个事件。（　　）

五、编程题

1．编写一个 JApplet 程序，包含一个 JLabel 对象，并显示用户的姓名。

2．JButton 与 Button 有何不同？编写一个图形界面的 Application 程序，包含一个带图标的 JButton 对象。当用户单击这个按钮时，Application 程序把其标题修改为"单击按钮"。

3．JPasswordField 是谁的子类？它有什么特点？编写 JApplet 程序接受并验证用户输入的账号和密码，一共提供 3 次输入机会。

4．编程包含一个单选按钮组和一个普通按钮，单选按钮组中包含三个单选，文本说明分别为"普通"、"黑体"和"斜体"。选择文本标签为"普通"的单选按钮时，普通按钮中的文字为普通字体，选择文本标签为"黑体"的单选按钮时，普通按钮中文字的字体为黑体，选择文本标签为"斜体"的单选按钮时，普通按钮中文字的字体为斜体。

5．编程包含一个下拉列表和一个按钮，下拉列表中有 10、14、18 三个选项。选择 10 时，按钮中文字的字号为 10，选择 14 时，按钮中文字的字号为 14，选择 18 时，按钮中文字的字号为 18。

实验六　GUI 编程技术

一、实验目的

1．了解图形用户界面编程的基本思想。

2．掌握使用布局管理器对组件进行管理的方法。

3．理解 Java 的事件处理机制，掌握为不同组件编写事件处理程序的方法。

4．了解 Java Swing 组件的使用方法。

5．掌握编写独立运行窗口界面的方法。

二、实验内容

1．在一个窗口中，在四个位置循环显示四种不同颜色的正方形，当鼠标点击时，停止循环显示，再次点击，恢复显示。

2．模拟 Windows 附件所带的计算器，编写一个简单的 Java 程序，实现加、减、乘、除等基本功能的简单计算器。

3．模仿 Notepad 记事本，实现一个简单的文本编辑器，在输入框中输入文字，单击保存按钮时，能自动保存文件。

4．验证调试例 6-1~例 6-28 中有关的例题。

第7章　Java Applet 及其应用

【本章要点】

1. Java Applet 运行原理，安全机制。
2. Java Applet 的生命周期，Applet 类的介绍。
3. Java Applet 的应用：在 Applet 中显示图像，播放声音以及图像和声音的协调处理。

　　Java 最初奉献给世人的就是 Applet，随即它就吸引了全世界的目光，Applet 运行于浏览器上，可以生成生动美丽的页面，进行友好的人机交互，同时还能处理图像、声音、动画等多媒体数据。Applet 在 Java 的成长过程中起到不可估量的作用，到今天为止，Applet 依然是 Java 程序设计最吸引人的技术之一。什么是 Applet，怎样编写 Applet 小程序，在本章中专门介绍 Applet 及其应用。

7.1　Applet 基础

7.1.1　Applet 概述

　　Java Applet 是用 Java 语言编写的一些小应用程序，它们可以直接嵌入到网页中，由支持 Java 的浏览器解释执行，使网页产生特殊的效果（如实现图形绘制，字体和颜色控制，动画和声音的播放等），大大提高了 Web 页面的交互能力和动态执行能力，使网页更加富有生气。

　　包含 Applet 的网页被称为 Java-powered 页，也可以称其为 Java 支持的网页，当用户访问这样的网页时,Applet 被下载到用户的计算机上执行，由于 Applet 是在用户的计算机上执行的，它的执行速度不受网络带宽或者 Modem 存取速度的限制，用户可以更好地欣赏网页上 Applet 产生的多媒体效果。

　　Java Applet 与一般的应用程序不同的是，Java Applet 只能通过使用该 Applet 的 HTML 文件，由支持 Java 的网页浏览器下载运行，或者通过 Java 开发工具的 appletviewer 来运行。Applet 小程序的执行离不开使用它的 HTML 文件，在含有 Applet 的 HTML 网页文件代码中，必须带有＜applet＞和＜/applet＞这样一对标记，当支持 Java 的网络浏览器遇到这对标记时，就将下载相应的 Applet 小程序代码并在本地计算机上执行。

7.1.2　Applet 的运行原理

　　Applet 工作原理是：编译好的字节码文件保存在某一服务器上，而另外一个嵌入了该字节码文件的 HTML 文件保存在同一个或另一个服务器上,当浏览器打开嵌有 Applet 的 HTML 文件时，会根据 Applet 的名字和位置自动将字节码从服务器上下载到本地，并利用浏览器本身的 java 解释器执行其字节码。下面编写和运行一个简单的 Java Applet 小程序。

高等院校计算机系列教材

【例 7-1】 在浏览器窗口显示字符串"Hello World!"

（1）编写源程序 HelloWorld.java。

程序清单7-1: HelloWorld.java

```java
import java.awt.*;
import java.applet.Applet;
public class HelloWorld extends Applet {
    public void paint(Graphics g) {
        g.drawString("Hello World!", 5, 35);
    }
}
```

（2）编译源程序 HelloWorld.java，生成相应的字节码文件 HelloWorld.class。

（3）编写 HTML 文件,将编译形成的字节码文件 HelloWorld.class 嵌入在 HelloWorld.html 网页中。

<HTML><TITLE> HelloWorld </TITLE>

 <APPLET CODE="HelloWorld.class" WIDTH=200 HEIGHT=100>

 </APPLET>

</HTML>

本例中，<APPLET>语句指明该 Applet 字节码类文件名和以像素为单位的窗口尺寸。虽然这里 HTML 文件使用的文件名为 HelloWorld.html，它对应于 HelloWorld.java 的名字，但

这种对应关系不是必须的，可以用其他任何名字(比如说 hello.html)命名该 html 文件。但是使文件名保持一种对应关系可给文件的管理带来方便。

（4）执行 HelloWorld.html。如果用 appletviewer 运行 HelloWorld.html,则需要输入如下的命令：

 appletviewer HelloWorld.html ←⏎

（5）执行结果如图 7-1 所示。

图 7-1 Applet 程序执行结果

7.1.3 Applet 的安全机制

由于 Applet 具有从远程服务器上下载而在本地机器上运行的特殊性，安全问题显得十分重要，为此，Applet 在运行时必须受到更多的限制。下面是浏览器在运行 Applet 程序时的安全策略：

（1）Applet 不能启动任何本地的可执行文件。

（2）Applet 只能与它们最初驻留的服务器通信，而不能与其他位于"网络"上客户机本地网络上的服务器通信。

（3）Applet 不能读写本地文件系统。

（4）Applet 只能获取本地计算机的部分非敏感性信息，如操作系统名称和版本号、文件及路径分隔符、换行符等，无法获得有关本地机器的其他信息，也无法获得使用者的名字和 E-mail 地址等。

（5）Applet 运行时弹出的窗口都会带有一些警告消息。

（6）Applet 可以通过数字签名(标明其作者和来源地)进行不同的安全授权。

7.1.4 Applet 的生命周期

Applet 的生命周期经历了 init()、start()、stop()、destroy()四个方法，图 7-2 描述了在 Applet 生命周期中四个方法得到调用的情况。

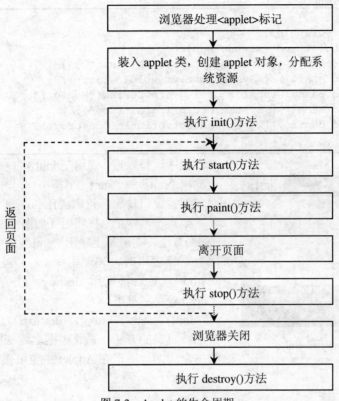

图 7-2 Applet 的生命周期

（1）init()方法：此方法的主要作用是为 Applet 的正常运行做一些初始化工作。当一个 Applet 被系统调用时，系统首先调用该方法。通常在该方法中完成从网页向 Applet 传递参数，添加用户界面的基本组件等操作。

（2）start()方法：系统在调用完 init()方法之后，将自动调用 start()方法。而且，每当用户离开包含该Applet的主页后又再返回时，系统又会再执行一遍 start()方法。这就意味着start()方法可以被多次执行，而不像 init()方法。因此，可把只希望执行一遍的代码放在 init()方法中。可以在 start()方法中开始一个线程，如继续一个动画、声音等。

（3）stop()方法：这个方法在用户离开 Applet 所在页面时执行，因此，它也是可以被多次执行的。它使你可以在用户并不注意 Applet 的时候，停止一些耗用系统资源的工作以免影响系统的运行速度，且并不需要人为地去调用该方法。如果 Applet 中不包含动画、声音等程序，通常也不必实现该方法。

（4）destroy()方法：Java 在浏览器关闭的时候才调用该方法。Applet 是嵌在 HTML 文件中的，所以 destroy()方法不关心何时 Applet 被关闭，它在浏览器关闭的时候自动执行。在 destroy()方法中一般可以要求收回占用的非内存独立资源。若在 Applet 仍在运行时浏览器被关闭，则系统将先执行 stop()方法，再执行 destroy()方法。

高等院校计算机系列教材

（5）paint(Graphics g)方法：在容器上显示某些信息，如文字、色彩、背景或图像等。在 Applet 生命周期内可以多次调用。比如改变浏览器窗口的大小，Applet 被其他页面遮挡，然后又重新放到最前面时，主类创建的对象都会自动调用 paint()方法。

【例 7-2】 演示 Applet 小程序的生命周期。

程序清单7-2:AppletDemo.java

```
import java.applet.*;
import java.awt.Graphics;
public class AppletDemo extends Applet {
    public void init() { System.out.println("init"); }
    public void start() { System.out.println("start"); }
    public void paint(Graphics g) { g.drawString("Hello !", 20, 30); }
    public void stop() { System.out.println("stop"); }
    public void destroy() { System.out.println("destroy"); }
}
```

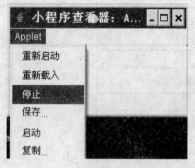

图 7-3　Applet 菜单显示

程序运行以后，调用了 init( )和 start( )方法，在屏幕上输出"init"和"start"字符串，同时调用 paint( )方法，在浏览器窗口输出字符串"Hello !"

当点击"停止"按钮时（如图 7-3 所示），则会调用 stop( )方法，在屏幕上输出"stop"字符串，当关闭小程序查看器窗口时，先调用 stop( )方法，在屏幕上输出"stop"，然后再调用 destroy( )方法，在屏幕上输出"destroy"字符串。

init()、start()、stop()、destroy()方法都是 Applet 类中已经定义的方法，系统根据上述规则自动执行 Applet 的生命周期。用户在 Applet 中也可重新定义这些方法。

7.2　Applet 类

Applet 小应用程序的实现主要依靠 java.applet 包中的 Applet 类，Applet 类是所有 Java Applet 的超类。所有的 Java 小应用程序都必须从该类继承。Applet 类为 Applet 小应用程序的执行，如启动、中止等提供了所有必需的支持。Applet 类的类层次结构如图 7-4 所示：

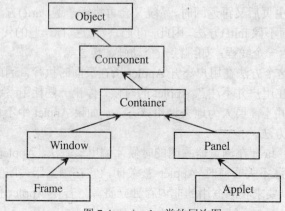

图 7-4　Applet 类的层次图

从图 7-4 可以看出，Applet 类实际上是 Panel 类的一个子类，它扩展了 AWT 类中的 Panel。依此类推，Panel 扩展了类 Container，Container 扩展了 Component。这样，Applet 为基于窗口的所有活动提供了支持。可以在 Applet 中建立标准的图形用户界面，如窗口、按钮、滚动条等。另外，Applet 类还提供了装载和显示图像的方法，以及装载和播放语音片断的方法。下面是 Applet 类构造方法及其一些常用方法：

1. Applet 类的构造函数

- public Applet() throws HeadlessException　//创建一个新的 Applet 对象

2. Applet 类中的方法

- void AccessibleContext destroy()　//由浏览器或 appletviewer 调用，通知此 Applet 它正在被回收，它应该销毁分配给它的任何资源。
- getAccessibleContext()　//获取与此 Applet 有关的 AccessibleContext。
- AppletContext getAppletContext()　//确定此 Applet 的上下文，上下文允许 Applet 查询和影响它所运行的环境。
- String AudioClip getAppletInfo()　//返回有关此 Applet 的信息。
- getAudioClip(URL url)　//返回 URL 参数指定的 AudioClip 对象。
- AudioClip getAudioClip(URL url, String name)　//返回由参数 URL 和 name 指定的 AudioClip 对象。
- URL getCodeBase()　//获得基 URL。
- URL getDocumentBase()　//获取嵌入了此 Applet 的文档的 URL。
- Image getImage(URL url)　//返回能被绘制到屏幕上的 Image 对象。
- Image getImage(URL url, String name)　//返回能被绘制到屏幕上的 Image 对象。
- Locale getLocale()　//如果已经设置，则获取 Applet 的语言环境。
- String getParameter(String name)　//返回 HTML 标记中命名参数的值。
- String[][] getParameterInfo()　//返回此 Applet 理解的关于参数的信息。
- void init()　//由浏览器或 appletviewer 调用，通知此 Applet 它已经加载到系统中。
- Boolean isActive()　//确定 Applet 是否处于激活状态。
- static AudioClip newAudioClip(URL url)　//从给定 URL 处获取音频剪辑。
- void play(URL url)　//播放在指定的绝对 URL 处的音频剪辑。
- void play(URL url, String name)　//播放给定 URL 和与其相关的说明符的音频剪辑。
- void resize(Dimension d)　//请求调整此 Applet 的大小。
- void resize(int width, int height)　//请求调整此 Applet 的大小。
- void setStub(AppletStub stub)　//设置此 Applet 的 stub。
- void showStatus(String msg)　//请求参数字符串显示在"status window"中。
- void start()　//通知此 Applet 它应该开始执行。
- void stop()　//通知此 Applet 它应该终止执行。

7.3　Applet 的应用

7.3.1　利用 Applet 显示图像

Java Applet 常用来显示存储在 GIF 文件中的图像。Java Applet 装载 GIF 图像非常简单，在 Applet 内使用图像文件时需定义 Image 对象。多数 Java Applet 使用的是 GIF 或 JPEG 格式的图像文件。Applet 使用 getImage( )方法把图像文件和 Image 对象联系起来。然后使用 Graphics 类的 drawImage( )方法用来显示 Image 对象。为了提高图像的显示效果，许多 Applet 都采用双缓冲技术：首先把图像装入内存，然后再显示在屏幕上。

1. 装载一幅图像

Java 把图像当做 Image 对象处理，所以装载图像时需首先定义 Image 对象，其格式是：Image picture; 然后用 getImage( )方法把 Image 对象和图像文件联系起来：

picture = getImage(getCodeBase(),"ImageFileName.gif");

getImage()方法有两个参数。第一个参数是对 getCodeBase 方法的调用，该方法返回 Applet 的 URL 地址，如 www.sun.com/Applet。第二个参数指定从 URL 装入的图像文件名。如果图文件位于 Applet 之下的某个子目录，文件名中则应包括相应的目录路径。

用 getImage 方法把图像装入后，Applet 便可用 Graphics 类的 drawImage 方法显示图像，其形式是：g.drawImage(picture,x,y,this);

该 drawImage 方法的参数指明了待显示的图像、图像左上角的 x 坐标和 y 坐标以及 this。第四个参数的目的是指定一个实现 ImageObServer 接口的对象，即定义了 imageUpdate( )方法的对象。

【例 7-3】 在 Applet 中显示图像。

程序清单7-3: ShowImage.java

```java
import java.awt.*;
import java.applet.*;
public class ShowImage extends Applet {
    Image picture; // 定义类型为Image的成员变量
    public void init() {
        picture = getImage(getCodeBase(), "image.jpg");// 装载图像
    }
    public void paint(Graphics g) {
        g.drawImage(picture, 0, 0, this); // 显示图像
    }
}
```

运行结果：如图7-5所示。

图 7-5　例 7-3 运行结果

编译之后运行该 Applet 时，图像不是一气呵成的。这是因为程序不是 drawImage( )方法返回之前把图像完整地装入并显示的。与此相反，drawImage( )方法创建了一个线程，该线程

与 Applet 的原有执行线程并发执行，它一边装入一边显示，从而产生了这种不连续现象。为了提高显示效果。许多 Applet 都采用图像双缓冲技术，即先把图像完整地装入内存然后再显示在屏幕上，这样可使图像的显示一气呵成。

2. 双缓冲技术（double-buffering）显示图像

为了提高图像的显示效果，许多 Applet 都采用双缓冲技术：首先把图像装入内存，然后再显示在 Applet 窗口中。Applet 可通过 imageUpdate 方法测定一幅图像已经装了多少在内存中。

【例7-4】   利用双缓冲图像技术显示图像。

程序清单7-4: BackgroundImage.java

```java
import java.awt.*;
import java.applet.*;
public class BackgroundImage extends Applet{// 继承Applet
    Image picture;
    Boolean imageLoaded = false;
    public void init() {
        picture = getImage(getCodeBase(), "image.jpg"); // 装载图像
        // 用方法createImage创建Image对象
        Image offScreenImage = createImage(getSize().width, getSize().height);
        // 获取Graphics对象
        Graphics offScreenGC = offScreenImage.getGraphics();
        offScreenGC.drawImage(picture, 0, 0, this); // 显示非屏幕图像
    }
    public void paint(Graphics g) {
        if (imageLoaded) {// 显示图像，第四参数为null,不是this
            g.drawImage(picture, 0, 0, null);
            showStatus("Done");
        } else
            showStatus("Loading image");
    }
    public boolean imageUpdate(Image img, int infoflags, int x, int y, int w, int h) {
        if (infoflags == ALLBITS) {
            imageLoaded = true;
            repaint();
            return false;
        } else
            return true;
    }
}
```

运行结果：如图7-6所示。

图7-6   例7-4运行结果

分析该 Applet 的 init()方法可知，该方法首先定义了一个名为 offScreenImage 的 Image 对象并赋予其 createImage 方法的返回值，然后创建了一个名为 offScreenGC 的 Graphics 对象并赋予其图形环境——非屏幕图像将由它来产生。因为这里画的是非屏幕图像，所以 Applet 窗口不会有图像显示。

每当 Applet 调用 drawImage 方法时，drawImage 将创建一个调用 imageUpdate 方法的线程。Applet 可以在 imageUpdate 方法里测定图像已有多少装入内存。drawImage 创建的线程不断调用 imageUpdate 方法，直到该方法返回 false 为止。

imageUpdate 方法的第二个参数 infoflags 使 Applet 能够知道图像装入内存的情况。该参数等于 ImageLoaded 设置为 true 并调用 repaint 方法重画 Applet 窗口。该方法最终返回 false，防止 drawImage 的执行线程再次调用 imageUpdate 方法。

该 Applet 在 paint 方法里的操作是由 ImageLoaded 变量控制的。当该变量变为 true 时，paint 方法便调用 drawImage 方法显示出图像。paint 方法调用 drawImage 方法时把 null 作为第四参数，这样可防止 drawImage 调用 imageUpdate 方法。因为这时图像已装入内存，所以图像在 Applet 窗口的显示可一气呵成。

7.3.2 利用 Applet 播放声音

图像格式各种各样，如 BMP、GIF 和 JPEG 等，声音文件也一样，格式种类繁多。.wav 和.au 是最常用的两种声音文件。目前 Java 仅支持.wav 和.au 文件。

在 Applet 中播放声音有两种方式：

1. 利用 Applet 类中的 play( )方法

该方法可以直接根据 URL 地址来播放声音。这个方法的定义如下：

public void play(URL url)

播放在指定的绝对 URL 处的音频剪辑。如果未找到音频剪辑，则不播放任何内容。参数 url 给出音频剪辑位置的绝对 url。

public void play(URL url,String name)

播放给定 URL 和与其相关的说明符的音频剪辑。如果未找到音频剪辑，则不播放任何内容。参数 url 给定音频剪辑基本位置的绝对 URL。Name 是相对于 url 参数的音频剪辑位置。如果声音文件与 Applet 的 HTML 文件在相同的目录下，则可以通过使用 getCodeBase()方法来获得该声音文件的 URL，play()只能进行简单的播放，只能一次将声音文件播放完，没有停止和连续播放的功能，所以，一般编写声音的程序都不采用这种方法。

2. 利用 AudioClip 对象播放声音文件

使用 play( )方法只能将声音播放一次，利用 AudioClip 对象可以循环播放声音文件。其过程如下：①首先定义 AudioClip 对象，利用 GetAudioClip( )方法把声音赋予 AudioClip 对象；②如果仅想把声音播放一遍，应调用 AudioClip 类的 play( )方法，如果想循环播放声音剪辑，应选用 AudioClip 类的 loop( )方法。

播放声音的 AudioClip 接口：AudioClip 接口用来在 Java Applet 内播放声音，该接口在 java.applet 包中有定义。

【例 7-5】 利用 AudioClip 类播放声音，装入一个名为 Sample.wav 的声音文件并播放。

程序清单7-5:SoundDemo.java

```java
import java.awt.*;
import java.applet.*;
public class SoundDemo extends Applet {
    AudioClip audioClip;
    public void paint(Graphics g) {
        // 创建AudioClip对象并用getAudioClip方法将其初始化
        audioClip = getAudioClip(getCodeBase(), "Sample.wav");
        g.drawString("Sound Demo! ", 5, 15);
        audioClip.loop(); // 使用AudioClip类的loop方法循环播放
    }
}
```

运行结果：如图7-7所示。

图 7-7　例 7-5 运行结果

编译并运行该 Applet,屏幕上将显示出一个 Applet 窗口并伴以音乐。关闭 Applet 时音乐终止。

3. Java Applet 实现声音和图像的协调

在有些情况下，可能需要在发生某事件时伴之以声音，尤其是在 Applet 中装载图像的同时播放声音，这样将大大地丰富 Applet 的内容。协调使用图像和声音是十分重要的。

【例 7-6】　演示声音和图像的协调。

程序清单7-6: Appt1.java

```java
import java.awt.*;
import java.applet.*;
import java.util.*;
public class Appt1 extends Applet implements Runnable {
    AudioClip audioClip;
    Thread ShapeThread = null;
    Random RandomNumber = new Random();
    Color ImageColor;
    public void init() {// 创建一个AudioClip对象
        audioClip = getAudioClip(getCodeBase(), "sample.wav");
    }
    public void start() {
        if (ShapeThread == null) {
            ShapeThread = new Thread(this);
            ShapeThread.start();
        }
    }
    public void run() {
```

```
        while (true) {// 把随机数转换为0~4之间的值
            switch (RandomNumber.nextInt(5)) {
                case 0: ImageColor = Color.black;        break;
                case 1: ImageColor = Color.blue;         break;
                case 2: ImageColor = Color.cyan;       break;
                case 3: ImageColor = Color.magenta; break;
                case 4: ImageColor = Color.orange;     break;
                default: ImageColor = Color.red;
            } try { ShapeThread.sleep(300); // 线程睡眠
            } catch (InterruptedException e) {
            }
            repaint();
        }
    }
    public void paint(Graphics g) {
        g.setColor(ImageColor);
        audioClip.play();// 播放声音
        switch (RandomNumber.nextInt(2)) { // 获取随机数与2整除的余数
          case 0: g.fillRect(25, 25, 200, 200); break;
        default: g.fillOval(25, 25, 200, 200); break;
        }
    }
}
```

运行结果：如图7-8所示。

图7-8 例7-6运行结果

该 Applet 的声音处理非常简单。它首先创建一个 AudioClip 对象并用 getAudioClip 把声音文件赋予该对象，然后用 AudioClip 类的 play 方法播放声音。该 Applet 使用 Random 对象产生随机数。它首先根据随机数确定颜色；然后在 paint() 内根据随机数确定画圆还是画方。Random 类的 nexsInt 函数返回一个随机整数（int 型）。该 Applet 把随机数转换为一个 0~4 之间的值（在 run 函数内）和一个 0~1 之间的值（在 paint 函数内）。

7.4 Applet 鼠标与键盘事件处理

7.4.1 Applet 鼠标事件处理

在图形用户界面中，通过鼠标进行交互操作是一种常见的操作，下面围绕 Applet 中的鼠标操作问题进行讨论。

在 Java Applet 内，鼠标操作将产生鼠标事件 MouseEvent，而鼠标事件的处理必须实现 MouseListener 接口和 MouseMotionListener 接口中的方法。MouseListener 接口中共有 5 个方法，主要是针对鼠标的按键与位置做检测，MouseMotionListener 接口中提供了 2 个方法，主要针对鼠标的坐标与拖动操作做处理。

MouseListener 接口中的主要方法如下：

- void mouseClicked(MouseEvent e)　//鼠标按键单击（按下并释放）时调用。
- void mouseEntered(MouseEvent e)　//鼠标进入时调用。
- void mouseExited(MouseEvent e)　//鼠标离开时调用。
- void mousePressed(MouseEvent e)　//鼠标按键按下时调用。
- void mouseReleased(MouseEvent e)　//鼠标按键释放时调用。

MouseMotionListener 接口中的方法如下：

- void mouseDragged(MouseEvent e)　//鼠标按键按下并拖动时调用。
- void mouseMoved(MouseEvent e)　//鼠标光标移动但无按键按下时调用。

鼠标事件类 MouseEvent 提供的获取发生鼠标事件坐标及点击次数的成员方法如下：

- int getClickCount()　//返回鼠标事件的单击次数。
- Point getPoint()　//返回 Point 对象，包含鼠标事件发生的坐标点。
- int getX()　//返回发生鼠标事件的水平 x 坐标。
- int getY()　//返回发生鼠标事件的垂直 y 坐标。

【例 7-7】　鼠标事件示例。

程序清单7-7: MouseTest.java

```java
Import java.awt.*;
import java.applet.*;
import java.awt.event.*;
public class MouseTest extends Applet implements MouseListener {
    String text = "";
    int x;
    int y;
    public void init() {
        x = 0;
        y = 0;
        addMouseListener(this);
    }
    public void paint(Graphics g) {
        g.drawString(text, x, y);
    }
    public void mousePressed(MouseEvent e) // 鼠标按键按下时的事件处理
    {
        x = e.getX();
        y = e.getY();
        text = "产生鼠标点击事件";
        repaint();
    }
    public void mouseReleased(MouseEvent e) // 鼠标按键释放时的事件处理
    {
```

```
        text = " ";
        repaint();
    }
    public void mouseEntered(MouseEvent e) {     }
    public void mouseExited(MouseEvent e) {     }
    public void mouseClicked(MouseEvent e) {     }
}
```

程序运行时，在 Applet 窗口中点击鼠标按键，则在光标处出现"产生鼠标点击事件"文本，释放鼠标按键时文本消失。运行结果如图 7-9 所示。

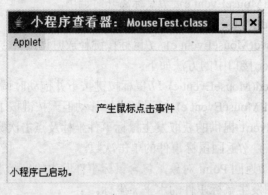

图 7-9　Applet 鼠标事件结果显示

7.4.2　Applet 键盘事件处理

与鼠标事件比起来，键盘产生的事件就简单多了，一般说来，我们关心的就是用户按下了什么键，再处理就行了，而不必像鼠标那样还具有移动的事件要处理。键盘事件的处理主要是实现了 KeyListener 接口中的方法：

- void keyPressed(KeyEvent e)　//按下键盘某个按键时调用的方法。
- void keyReleased(KeyEvent e)　//释放键盘某个按键时调用的方法。
- void keyTyped(KeyEvent e)　//键入某个键时调用的方法。

KeyEvent 类中的常用方法有：

- Char getKeyChar()　//返回引发键盘事件的按键相关联的 Unicode 字符。如果这个按键没有 Unicode 字符与之相对应，则返回 KeyEvent 类的第一个静态常量 KeyEvent.CHAR_UNDEFINED。
- static String getKeyText(int keyCode)　//返回引发键盘事件的按键的文本内容，如"HOME"、"F1"或"A"。
- int getKeyCode()　//返回与此事件中的键相关联的整数 keyCode。

【例 7-8】　将键盘按键的字符在 Applet 界面上显示出来。

程序清单7-8: KeyStrike.java

```
import java.awt.event.*;
import java.awt.Graphics;
import java.applet.*;
public class KeyStrike extends Applet implements KeyListener {
```

```java
char PressKey = 0;
int Outx = 5, Outy = 15; // 定义初始的输出位置
public void init() {
    addKeyListener(this);
}
public void keyPressed(KeyEvent e) {
    int key = e.getKeyCode();
    switch (key) { // 确定按下的键值
    case KeyEvent.VK_UP:
        Outy--;
        break;
    case KeyEvent.VK_DOWN:
        Outy++;
        break;
    case KeyEvent.VK_LEFT:
        Outx--;
        break;
    case KeyEvent.VK_RIGHT:
        Outx++;
        break;
    case KeyEvent.VK_HOME:
        Outx = 5;
        Outy = 15;
        break;
    case KeyEvent.VK_END:
        Outx = 5;
        Outy = getSize().height - 15;
        break;
    case KeyEvent.VK_PAGE_UP:
        Outy -= 5;
        break;
    case KeyEvent.VK_PAGE_DOWN:
        Outy += 15;
        break;
    default:
        PressKey = (char) e.getKeyCode();
        break;
    }
    PressKey = (char) key;
    repaint();
}
public void keyTyped(KeyEvent e) {   }
public void keyReleased(KeyEvent e) {   }
public void paint(Graphics g) {
    if (PressKey != 0)
        g.drawString("你按下了: " + PressKey + " 键", Outx, Outy);
}
}
```

运行结果：如图7-10所示。

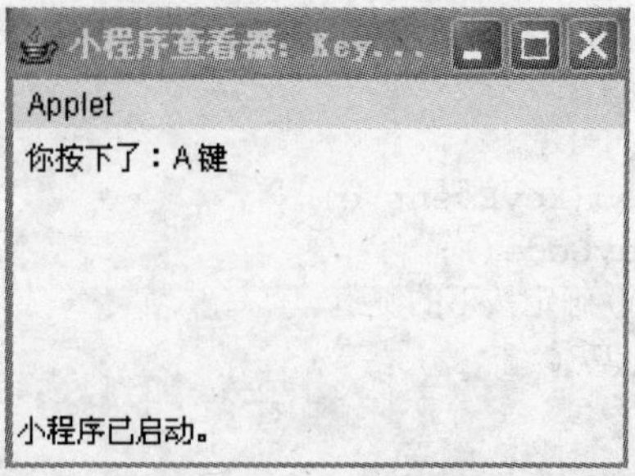

图 7-10　例 7-8 运行结果

程序中的 VK_UP、VK_DOWN 等为虚拟键码，它用于报告按下了键盘上的哪个按键。该程序在运行的时候先用鼠标在 Applet 区域中点一下，然后在键盘上面按键，每一次按的什么键，就可以在屏幕上面显示出来。

习　题　七

一、填空题

1．Applet 生命周期方法有 init()、（　　）、stop()和 destroy()。

2．与显示相关的 Applet 方法有（　　）、repaint()和 update()。

二、简答题

1．init()方法在 Java Applet 中起什么作用？

2．Java Applet 中的主要方法是哪几个？

3．Java Applet 生命周期包括哪几个阶段？

4．Java Applet 在安全性方面进行了哪些限制？

5．Java Applet 是怎样嵌入 HTML 文件中的？在 HTML 文件中至少有哪些说明？

6．Java Applet 和 Application 有何区别？是否可以将 Java Applet 改写成 Java Application 程序？

三、选择题

1．下列操作中，不属于 Applet 安全限制的是（　　）。

A．与同一个页面中的 Applet 通信　　B．加载本地库

C．运行本地可执行程序　　D．读写本地文件系统

2．为了向一个 Applet 传递参数，可以在 HTML 文件的 APPLET 标志中使用 PARAM 选项。在 Applet 程序中获取参数时，应使用的方法是（　　）。

A．getDocumentBase()　B．getParameter( )　C．getCodeBase　D．getImage()

3．下面关于 Applet 的说法正确的是（　　）。

A．Applet 能访问本地文件　　B．Applet 也需要 main 方法

C．Applet 必须继承自 java.awt.Applet　　D．Applet 程序不需要编译

4. 编译 Java Applet 源程序文件产生的字节码文件的扩展名为（　　　）。

A．java 　　　　B．class 　　　　C．html 　　　　D．exe

5. 在 Java Applet 程序用户自定义的 Applet 子类中，常常重载（　　　）方法在 Applet 的界面中显示文字、图形和其他界面元素。

A．start( ) 　　　　B．stop( ) 　　　　C．init( ) 　　　　D．paint( )

6. 在编写 Java Applet 程序时，若需要对发生的事件作出响应和处理，一般需要在程序的开头写上（　　　）语句。

A．import　java.awt.*; 　　　　B．import　java.applet.*;

C．import　java.io.*; 　　　　D．import　java.awt.event.*;

7. 在浏览器中执行 Applet 程序四个方法里最先执行的是（　　　）。

A．init() 　　　　B．start() 　　　　C．destroy() 　　　　D．stop()

四、判断题

1. Applet 的执行离不开一定的 HTML 文件。（　　　）

2. Applet 可以运行本地机器上的可执行程序（　　　）

3. Java Applet 不能够存取客户机磁盘上的文件。（　　　）

4. Applet 可以运行在浏览器中。（　　　）

5. Applet 的两个方法 getCodeBase( )和 getDocumentBase( )的返回值都是 URL 类的对象，且二者返回的都是相同的 URL 地址。（　　　）

6. Applet 是一种特殊的 Panel，它是 Java Applet 程序的最外层容器。（　　　）

7. Java Applet 是由独立的解释器程序来运行的。（　　　）

8. Java Applet 只能在图形界面下工作。（　　　）

五、编程题

1. 编写一个 Java Applet 程序，绘制直线、各种矩形、多边形、圆和椭圆等图形。

2. 编写 Applet 小程序，利用 Applet 显示一幅图像。

3. 编写 Applet 小程序，利用 Applet 连续不断地播放音乐。

4. 在上述编程题 2 的基础上编写 Applet 小程序，当鼠标经过该图像时播放一个声音。

实验七　Java Applet 应用

一、实验目的

1. 掌握 Java Applet 程序结构和开发过程。

2. 了解 Applet 运行机制。

3. 掌握了解键盘、鼠标事件响应处理以及 Applet 的一些简单应用。

二、实验内容

1. 设计一个实现秒表功能的 Applet 程序，其 GUI 界面如图 7-11 所示。

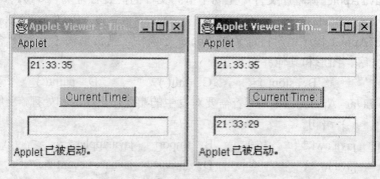

图 7-11

要求该程序能够完成以下功能：

①在界面上方的文本框中，按照"小时：分钟：秒"的顺序实时显示系统时间。

②当按下界面中间的"Current Time"按钮时，当前系统时间能够在界面下方的文本框中显示出来。

2．编写 Applet，在浏览器中显示图片文件，包括原图、缩小一半图、宽扁图和瘦高图。

3．编写 Applet 播放两段音乐，一段是连续播放的背景音乐，一段是独立的整段音乐。

4．在 Applet 上使用鼠标在屏幕上随意画直线和画点，用户点击"画线"按钮可画直线，点击"画点"按钮可画连续点，点击"清除"按钮可清除画面上的所有内容。

第 8 章　Java 异常处理技术

【本章要点】

1. 异常的概念，Java 中的异常类。
2. Java 异常处理机制。
3. 自定义异常类及其应用。
4. 断言机制的使用。
5. 记录日志。

在 Java 程序中，由于程序员的疏忽和环境因素的变化，经常会出现异常情况，导致程序运行时的不正常终止。为了保证程序的正常运行，及时有效地处理程序运行中的错误，Java 语言在参考 C++语言的一些异常处理方法和思想的基础上，提供了一套优秀的异常处理机制。通过异常处理机制，我们虽然对程序中所有的异常进行捕获和恰当地处理，但是在程序的运行过程中，仍然可能有 Bug 存在。为了简化程序的测试和调试，加强文档编制并提高基于 Java 的可维护性，有效地消除 Bug，JDK1.4 引入了断言机制，以便调试运行时对代码进行正确性检验；引入记录日志来跟踪运行程序存在的问题，记录程序的相关信息。本章主要介绍 Java 异常处理机制、断言机制、记录日志，以及程序的调试技术。

8.1　异常与异常类

8.1.1　异常的概念

程序运行时会发生许多的意外事件，如试图打开的文件不存在、网络连接中断、要加载的类找不到、数组下标越界、算术除 0 运算等，这些状态在程序编译时无法发现错误，等到程序运行时才会出现问题。针对这些情况，只要编写一些额外的代码就可处理，使得程序继续运行，Java 把这些非正常的意外事件称为异常（Exception，又称为"例外"）。

【例 8-1】　打印一个数组的所有值，产生一个数组下标越界异常。

程序清单8-1: ExceptionDemo1.java

```java
public class ExceptionDemo1 {
    public static void main(String args[]) {
        int i = 0;
        int a[] = { 1, 2, 3, 4 };
        for (i = 0; i < 5; i++)
            System.out.println("a[" + i + "]=" + a[i]);
    }
}
```

运行结果：

高等院校计算机系列教材

```
a[0]=1
a[1]=2
a[2]=3
a[3]=4
Exception in thread "main" java.lang.ArrayIndexOutOfBoundsException: 4
    at ExceptionDemo1.main(ExceptionDemo1.java:6)
```

粗略阅读例 8-1 程序，一般不容易发现程序中可能导致异常的代码，但运行的结果表明，程序运行中出现了异常，导致程序非正常终止。产生异常的语句是第 6 行，Java 发现这个异常后，由系统抛出 java.lang.ArrayIndexOutOfBoundsException（即数组越界）异常，用来表明出错的原因，并终止程序的执行。

8.1.2　Java 异常类

异常类是处理运行时错误的特殊类，Java 针对各种常见的异常定义了相应的异常类，每种异常类对应一种特定的运行错误。这些异常类详细的层次结构图如图 8-1 所示。

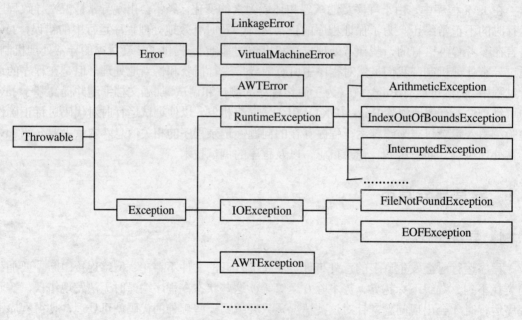

图 8-1　Java 异常类层次结构图

在 JDK 中，每个包中都定义了异常类，而所有的异常类都直接或间接地继承于 Throwable 类。Java 中只有 Throwable 类及其子类才能由异常处理机制进行处理。从图 8-1 中可以看出，类 Throwable 有两个直接子类：Error 和 Exception。

Error 类：指一些无法恢复的严重错误，如系统崩溃、虚拟机出错误、动态链接失败等，这类错误将导致应用程序中断，通常不由程序处理，用户也无法捕获。

Exception 类：指由程序和外部环境引起的错误，它是可以被捕获且可能恢复的异常情况，它包括 RuntimeException 类异常与其他 Exception 类异常。

RuntimeException 类：即运行时异常，表示编程时所存在的隐患或错误在运行期间所产

生的异常,如数组越界异常、空指针异常、除 0 运算等。Java 编译器允许对这类异常不进行
处理,而在运行期间抛出一个异常信息,告知程序员纠正错误。当然在必要的时候,程序员
也可以声明抛出或捕获运行时异常。正确设计与实现的程序不会产生 RuntimeException 类异
常,因此对于这类异常处理的策略是纠正错误。表 8-1 列出了常见的运行时异常。

表 8-1　　　　　　　　　　　常见的运行时异常

运行时异常	异常描述
ArrayStoreException	试图将错误类型的对象存储到一个对象数组时抛出此异常
ArithmeticException	当出现异常的运算条件时抛出此异常,如整数除以零
ClassCastException	当两个没有所属关系的类的实例进行类型转换时抛出此异常
IllegalArgumentException	当不合法的变量或者不适当的参数被传递给方法时抛出此异常
IndexOutOfBoundsException	索引越界
ArrayIndexOutOfBoundsException	数组索引小于 0 或者超过数组的最大长度时抛出此异常
StringIndexOutOfBoundsException	字符串索引小于 0 或者超过数组的最大长度时抛出此异常
NegativeArraySizeException	如果试图创建一个长度为负数的数组时抛出此异常
NullPointerException	当对象没有实例化就试图通过该对象的变量访问它时抛出此异常
SecurityException	由安全管理器抛出的异常,指示存在安全侵犯
UnsupportedOperationException	当不支持请求的操作时,抛出该异常

其他 Exception 类则为非运行时异常,这些异常通常由环境因素引起的,如文件不存在、
无效的 URL 等。Java 编译器要求 Java 程序必须捕获或声明所有的非运行时异常,表 8-2 列
出了常见的非运行时异常。

表 8-2　　　　　　　　　　　常见的非运行时异常

运行时异常	异常描述
CloneNotsupportedException	当试图克隆一个没有实现 Cloneable 接口的对象时抛出此异常
InterruptedException	当线程在很长一段时间内一直处于正在等待、休眠或暂停状态,而另一个线程用 Thread 类中的 interrupt 方法中断它时抛出该异常
ClassNotFoundException	当程序使用 Class 类中的 forName 方法,或者 ClassLoader 类中的 findSystemClass 方法和 loadClass 方法试图载入某个类而没有找到时抛出此异常
InstantiationException	当要被实例化的类是抽象类或接口时抛出此异常
IllegalAccessException	当某个方法试图载入其没有权限访问的类时抛出此异常
NoSuchMethodException	当某个特定的方法无法找到时抛出此异常
IOException	表示 I/O 操作时可能产生的各种异常

8.2　Java 异常处理机制

程序在运行的过程中产生异常,就会中断程序的正常执行,为了保证程序在出现异常时
依然能继续执行,就需要对异常进行处理。异常处理就是当程序运行发生不可预知的错误时,

程序能获得异常并进行处理，这种处理一般是提示用户出现错误、保存当前已完成的工作、尝试恢复到异常发生前的状态或对错误结果做一些善后处理，以便使程序继续执行。不同的程序设计语言提供了不同的异常处理机制。

  Java 作为一个完全面向对象的语言，对异常的处理也是采用面向对象方法。Java 首先针对各种常见的异常定义了相应的异常类，每个异常类代表了一种运行错误，类中包含了该运行错误的信息和处理错误的方法等内容。每当程序运行过程中，运行时系统随时对异常进行监控，若发生一个可以识别的运行错误时（即该错误与一个异常类相对应时），系统会生成一个相应的异常类对象，并把它交给运行时系统。我们把生成异常对象并把它提交给运行时系统的过程称为抛出（throw）异常。

  当 Java 运行时系统得到一个异常对象时，它会寻找相应的代码来处理这一异常。寻找的过程是从生成异常对象的代码开始，沿着方法的调用栈逐层回溯，直到找到能够处理这种异常的方法为止，然后运行时系统把当前异常对象交给这个方法进行处理，这一过程称为捕获（catch）异常。如果 Java 运行时系统找不到可以捕获异常的方法，则运行时系统将终止，相应的 Java 程序也将退出。

  Java 的异常处理机制就是由捕获异常和抛出异常两部分组成，并通过 try、catch、finally、throw、throws 这五个关键字完成的。在 Java 中，异常处理具体有两种方式：

  （1）使用 try-catch-finally 语句捕获并处理异常。

  （2）在方法的定义中通过 throws 子句声明异常，用 throw 语句将方法中产生的异常抛出。

8.2.1　try–catch–finally 语句

  try-catch-finally 语句捕获程序中产生的异常，然后针对不同的异常采用不同的程序进行处理。try-catch-finally 语句基本格式如下：

```
try{
        statements      //可能发生异常的语句
}
catch (ExceptionType1 ExceptionObject){
        Exception handling    //当 ExceptionType1 类型的异常抛出后异常处理语句
}
catch (ExceptionType2 ExceptionObject){
        Exception handling    //当 ExceptionType1 类型的异常抛出后异常处理语句
    }
......
finally{
        Finally handling    //最终运行的清理回收等善后处理的语句
}
```

  try-catch-finally 语句把可能产生异常的语句放入 try{ }语句块中，编译器知道可能会发生异常，于是用一个特殊结构评估块内所有语句。在 try{ }语句后紧跟一个或多个 catch 块，每一个 catch 块处理一种可能抛出的特定类型的异常。在运行时刻，如果 try{ }语句块中产生的异常与某个 catch 块处理的异常类型相匹配（匹配是指异常参数类型与实际产生的异常类型一致或是其父类），则将停止执行 try 中该行以下的语句，并跳转到 catch 中执行该 catch 语句块。finally{ }语句块，它可放于 try{ }或 catch 块之后，如果存在该语句块，try{ }语句块有无异常，它都会执行。finally{ }语句块一般用来进行一些善后清理工作，如关闭文件、释放其他系统资源等。

　　try-catch-finally 语句中，catch 语句可以有一个或多个，finally 语句可以省略。但是 try 语句后至少要有一个 catch 语句或 finally 语句。若程序中同时使用 catch 和 finally 块，则必须将 catch 块放在 try 块之后。

　　　　注意：从例 8-1 看出，在大多数情况下，系统定义的异常处理方法只会输出一些简单的信息，然后结束程序的执行，这样的处理方式在许多情况下并不符合我们的要求，我们可以充分使用 try-catch-finally 语句捕获某种类型的异常，并按我们的要求进行适当处理。

【例 8-2】 使用 try-catch-finally 语句对例 8-1 中产生的异常捕获并处理。

程序清单8-2：ExceptionDemo2.java

```java
public class ExceptionDemo2 {
    public static void main(String args[]) {
        int i = 0;
        int a[] = { 1, 2, 3, 4 };
        for (i = 0; i < 5; i++) {
            try {
                System.out.print("a[" + i + "]/" + i + "=" + (a[i] / i));
            } catch (ArrayIndexOutOfBoundsException e) {
                System.out.print("捕获数组下标越界异常!");
            } catch (ArithmeticException e) {
                System.out.print("捕获算术异常!");
            } catch (Exception e) {
                System.out.print("捕获" + e.getMessage() + "异常!");
            } finally {
                System.out.println(" finally i=" + i);
            }
        }
        System.out.println("继续!");
    }
}
```

运行结果：
```
捕获算术异常! finally i=0
a[1]/1=2 finally i=1
a[2]/2=1 finally i=2
a[3]/3=1 finally i=3
捕获数组下标越界异常! finally i=4
继续!
```

从运行结果分析：捕获异常的第一步是用 try{ }选定捕获异常的范围，由 try 所限定的语句在执行过程中可能会生成异常对象并抛弃。catch 语句只需要一个形式参数指明它所能够捕获的异常类型，这个类必须是 Throwable 的子类，运行时系统通过参数把被抛弃的异常对象传递给 catch 块。在 catch 块中是对异常对象进行处理的代码，与访问其他对象一样，可以访问一个异常对象的变量或调用它的方法。getMessage( )是类 Throwable 所提供的方法，用来得到有关异常事件的信息。

高等院校计算机系列教材

注意：

（1）捕获异常的顺序和 catch 语句的顺序有关，当捕获到一个异常时，剩下的 catch 语句就不再进行匹配。因此，在安排 catch 语句的顺序时，首先应该捕获最特殊的异常，然后再逐渐一般化，也就是一般先安排子类，再安排父类。否则，编译时编译器会提示错误。

（2）在例 8-2 中，最后一个 catch 语句的参数类型是 Exception，因为在 Java 中允许对象变量上溯造型，父类类型的变量可以指向子类对象，所以该异常处理块可以处理 Exception 及其所有子类表示的异常。这样用 catch 语句进行异常处理时，不仅可以使一个 catch 块捕获一种特定类型的异常，而且可以定义处理多种异常的通用 catch 块。

8.2.2 throws 语句和 throw 语句

在 Java 中，所有系统定义的运行时异常都可以由系统自动抛出，程序员也可以根据实际情况在程序中抛出一个异常。而用户自定义的异常不能由系统自动抛出，它必须在程序中明确抛出异常，我们可以通过使用 throws 语句和 throw 语句来实现抛出异常。

1. throws 语句

如果在方法中生成了一个异常，有两种选择：一是在方法内对异常进行捕获处理；二是该方法并不处理这一异常事件，而是在这个方法声明中使用 throws 声明抛弃异常，由调用它的方法来处理这一异常，使得异常对象可以从调用栈逐层回溯，直到有合适的方法捕获处理它为止。声明异常具体格式如下：

returnType methodName([paramList]) throws exceptionList

{　……　}

其中，exceptionList 是一个异常类列表，异常类之间用逗号分隔。这些异常类的来源有两种情况：一种是方法中调用了可能抛出的异常的方法而产生的异常，另一种是方法体中生成并抛出的异常。

在调用带异常的方法时，编译程序将检查调用者是否有异常处理代码，除非在调用者的方法声明中也声明抛出相应的异常，否则编译会给出异常未处理的错误提示。

【例 8-3】 采用声明抛出异常的方式进行异常处理。

程序清单8-3: ThrowsDemo.java

```java
public class ThrowsDemo {
    public static void throwOne() throws IllegalAccessException {
        System.out.println("Inside throwOne.");
        throw new IllegalAccessException("ThrowsDemo");
    }
    public static void main(String args[]) {
        try {
            throwOne();
        } catch (IllegalAccessException e) {
            System.out.println("Caught " + e);
        }
    }
}
```

运行结果：

```
Inside throwOne.
Caught java.lang.IllegalAccessException: ThrowsDemo
```

注意:

（1）一个方法只能抛出在方法声明中声明的异常，以及异常 RuntimeException 和它的子类。例如，如果在方法的声明中没有声明 IOException，那么这个方法就不能抛出这类异常。对于异常 RuntimeException、Error 和它的子类，即使在方法中没有声明，方法中产生这类异常时，方法也总能抛出它们。

（2）在编写类继承代码时要注意，子类在覆盖父类带 throws 子句的方法时，子类的方法声明中的 throws 子句不能出现父类对应方法的 throws 子句中没有异常类型，因此 throws 子句可以限制子类的行为。也就是说子类方法抛出的异常不会超过父类定义的范围。

对异常的处理，我们可以声明异常，将异常传给方法的调用者，调用者负责选择正确的处理方式；也可以使用 try-catch-finally 来捕获处理异常。一般而言，仅当方法缺少自我处理异常的信息、上下文或资源时，才声明异且常将异常信息传给调用者。即尽可能使用 try-catch-finally 去捕获处理异常，如果没有能力捕获处理异常就声明异常。

2. throw 语句

throw 语句用来直接抛出一个异常，后接一个可抛出的异常类对象。其格式如下：

throw ExceptionObject;

其中 ExceptionObject 必须是 Throwable 类或其子类的对象。

当 throw 语句执行时，它后面的语句将不执行，此时程序转向调用者程序，寻找与之相匹配的 catch 语句，执行相应的异常处理程序。如果没有找到相匹配的 catch 语句，则再转向上一层的调用程序。这样逐层向上，直到最外层的异常处理程序终止程序并打印出调用栈情况。

【例 8-4】 抛出异常示例。

程序清单8-4: ThrowDemo.java

```java
public class ThrowDemo {
    public static void demoproc() {
        try {
            throw new NullPointerException("demo");
        } catch (NullPointerException e) {
            System.out.println("Caught inside demoproc.");
            throw e; // 抛出异常
        }
    }
    public static void main(String args[]) {
        try {
            demoproc();
        } catch (NullPointerException e) {
            System.out.println("Recaught:" + e);
        }
    }
}
```

运行结果:

```
Caught inside demoproc.
Recaught:java.lang.NullPointerException: demo
```

该程序有两个机会处理相同的异常，在 demoproc 方法 try 语句块中创建了一个

NullPointException 实例，同时抛出异常，catch 语句块捕获处理异常的同时把异常抛出，抛出的异常又被 main 方法的 catch 语句块捕获处理。

8.3 自定义异常类

尽管系统定义的异常能够处理系统可以预见的又较常见的大多数运行错误，但有时还可能出现系统没有考虑到的异常。对于某个应用程序所特有的运行错误，则需要编程人员根据程序的特殊逻辑在用户程序里自己创建用户自定义的异常类和异常对象，这种用户自定义异常主要用来处理用户程序中特定的逻辑运行错误。那么何时需要自定义异常类呢？一般满足下列任何一种或多种情况时，就应该考虑自己定义异常类：

①Java 异常类体系中不包含所需要的异常类型；

②用户需要将自己所提供类的异常与其他人提供的异常进行区分；

③类中将多次抛出这种类型的异常；

④如果使用其他程序包中定义的异常类，将影响程序包的独立性与自包含性。

8.3.1 定义异常类

因为 Java 异常处理机制只能处理 Throwable 类或其子类的对象，在 Throwable 类的子类中 Error 是系统内部较严重的错误，一般不由程序处理，所以，一般自定义异常类以继承 Exception 类来实现。

注意: 一般不将自定义的异常类作为运行时异常类 RuntimeException 的子类，除非该类确实是一种运行时类型的异常。另外，从 Exception 类派生的自定义异常类的名字一般以 Exception 结尾。

Exception 类自己没有定义任何方法，它继承了 Throwable 类提供的方法，因此，所有的异常（包括自定义异常）都可以获得 Throwable 定义的方法，当然也可以在自定义的异常类里覆盖这些方法。表 8-3 列出了 Throwable 定义的几个常用方法。

表 8-3 　　　　　　　　　　Throwable 定义的几个常用方法

方　　法	描　　述
Throwable fillnStackTrace( )	返回一个包含完整堆栈轨迹的 Throwable 对象，该对象可能被再次引发
String getLocalizedMessage( )	返回一个异常的局部描述
String getMessage( )	返回一个异常的描述
void printStackTrace( )	显示堆栈轨迹
void printStackTrace(PrintStream s)	把堆栈轨迹输出到指定的输出流
void printStackTrace(PrintWriter s)	把堆栈轨迹输出到指定的 PrintWriter
String toString( )	返回此异常的简短描述

【例 8-5】 　自定义异常类示例。

程序清单8-5: OverflowException.java

```java
public class OverflowException extends Exception {
    public void printMsg() {
        System.out.println("exception: " + this.getMessage());
        this.printStackTrace();
```

```
        System.exit(0);
    }
}
```

程序中首先声明了一个自定义的异常类 OverflowException,它是 Exception 的子类，在其 priontMsg 方法中报告异常错误信息。

8.3.2　自定义异常的抛出与处理

定义了自定义异常类后，程序中的方法可以在恰当的时候将该异常抛出。异常抛出有两种方式：一是在方法内对异常进行捕获处理；二是在方法中不处理异常，将异常处理交给外部调用程序，这时要在方法声明中使用 throws 子句声明该方法可能抛出的未被处理的异常。

【例 8-6】　自定义异常的抛出和处理示例。程序 MyExceptionTest.java 中使用上例中自定义的异常类 OverflowException 及其中的 printMsg 方法。

程序清单8-6：MyExceptionTest.java

```
public class MyExceptionTest {
    public void calc(byte k) throws OverflowException {// 抛出异常
        byte y = 1, i = 1;
        System.out.print(k + "!=");
        for (i = 1; i <= k; i++) {
            if (y > Byte.MAX_VALUE / i)
                throw new OverflowException();
            else
                y = (byte) (y * i);
        }
        System.out.println(y);
    }
    public void run(byte k) { // 捕获并处理异常
        try {
            calc(k);
        } catch (OverflowException e) {
            e.printMsg();
        }
    }
    public static void main(String args[]) {
        MyExceptionTest a = new MyExceptionTest();
        for (byte i = 1; i < 10; i++)
            a.run(i);
    }
}
```

运行结果：
```
1!=1
2!=2
3!=6
4!=24
5!=120
6!=exception: null
OverflowException
    at MyExceptionTest.calc(MyExceptionTest.java:8)
    at MyExceptionTest.run(MyExceptionTest.java:17)
```

```
    at MyExceptionTest.main(MyExceptionTest.java:26)
```

8.4 断言机制

在设计和编写代码时，编程人员经常会对变量的值进行假设并且基于此编写代码，程序只有在假设成立的情况下代码才能正确运行。如下面的方法 methodA(int num)中，假设 num 从来不会是负数，但在调试时，我们还是要对 num 值进行检查，以避免让错误的数值进入计算操作中。

```java
private void method A(int num){
    if (num>=0)
        double y=Math.sqrt(num);
    else
        System.out.println("num is a negative number!");//This code will never be reached!
}
```

当程序调试完毕后，这些检验代码不会自动删除。如果程序中大量含有这种检查，会占用资源，影响程序运行的速度。断言机制允许在调试期间向代码中插入一些检查语句，当代码发布时，这些插入的检测语句将会自动地移走。

8.4.1 断言的使用

断言是 JDK 1.4 中新添加的功能，是 Java 中的一种新的错误检查机制，它提供了一种在代码中进行正确性检查的机制，用来简化测试和调试，加强文档编制并提高基于 Java 的可维护性。断言机制包括：assert 关键字，AssertionError 类，以及在 java.lang.ClassLoader 中增加了几个新的有关 assert 方法。

断言语句有两种常用形式：

①assert Expression1；

②assert Expression1：Expression2；

其中 Expression1 是一个条件表达式，如果它的值为 true，则没有任何问题，否则假设是错误的，则抛出一个不可控制异常 AssertionError。Expression2 在 Expression1 的值为 false 时传入给 AssertionError 对象的构造方法，并生成一个消息字符串，提示更多的调试信息。如我们使用断言重新编写 methodA(int num)方法，以验证其参数不是负数。

```java
private void method A(int num){
    assert num>=0: "num is a negative number!"
    double y=Math.sqrt(num);
}
```

从上例可以看出，断言不仅能在开发期间测试假设，而且在程序部署时，不留下任何开销或要追踪和删除的调试代码，使代码更加言简意赅。

对于 JDK1.4 以前的版本，assert 可作为标识符用，从 JDK1.4 版本开始，assert 是关键字，因此使用 JDK1.4 编译带断言的程序时就必须告诉编译器正在使用 assert 关键字。此时需要使用-source 1.4 选项，用法如下：

javac –source 1.4 MyClass.java

从 JDK1.5 开始，默认支持断言机制。

8.4.2　启用和禁用断言

1. 运行时启用断言

在默认情况下，断言是禁用的。在用 java 解释器解释运行程序时，可以用-enableassertions 或-ea 选项启用断言。如：

java –enableassertions MyApp 或 java –ea MyApp

注意：在启用或禁用断言时不必重新编译程序。启用或禁用断言是类加载器(ClassLoader)的功能。当断言被禁用时，类加载器将跳过断言代码，因此，不会降低程序运行速度。

2. 运行时禁用断言

在默认情况下是禁用断言的，似乎了解禁用断言的选项是没有必要的，但当某个程序运行时，对某些类、包启用，对其他的则禁用，这种有选择性地启用或禁用断言时，还需要用到禁用断言，因此了解禁用断言的命令选项是非常必要的。禁用断言的命令选项是-da 或-disableassertions。如：

java –disableassertions MyApp 或 java –da MyApp

3. 选择性地启用或禁用断言

- 不带参数：在除了系统类之外的所有类中启用或禁用断言。（如前面的几个例子）
- 带包名：在指定包以及同一个目录层次内这个包下的任何包中启用或禁用断言。
- 带类名：在指定的类中启用或禁用断言。

如：java –ea –da:mycompany.mylib… 　MyApp 　*//*启用断言，但在 mycompany.mylib 包及其所有子包内禁用断言。

java –ea:… –da: mycompany.mylib.MyClass MyApp *//*启用断言，但在 mycompany.mylib. MyClass 类禁用断言。

注意 1：当一个命令行使用多项 -ea -da 参数时，遵循两个基本的原则：后面的参数设定会覆盖前面参数的设定，特定具体的参数设定会覆盖一般的参数设定。

注意 2：有些类不是由类加载器加载，而是直接由 JVM 虚拟机加载的，对于那些没有类加载器的"系统类"，需要用 enablesystemassertions 或-esa 选项来启用断言，用 disablesystemassertions 或-dsa 选项来禁用断言。

8.4.3　适当地使用断言

在断言使用的过程中，并不是所有合法的断言使用都是适当的。在使用断言前，我们必须记住：断言失败是致命的、不可恢复的错误；断言检查只用于开发和测试阶段。因此在使用断言时，要注意下面事项：

（1）不使用断言验证命令行参数的正确性。因为 assert 语句的作用是保证程序内部的一致性，而不是用户与程序之间的一致性。

（2）可以用来断言验证传递给 private 方法参数的正确性，而不能用来断言验证传递给 public 方法参数的正确性。因为私有方法只是在类的内部被调用，因而是程序员可以控制的，可以预期它的状态是正确和一致的，对于公有方法，不管是否启用了断言，都必须检查其参数。

（3）断言语句不可以有任何边界效应，不要使用断言语句去修改变量和改变方法的返回值。

（4）不使用断言来检查从不会发生的情况。

（5）断言只应该用于在测试阶段确定程序内部的错误位置。

8.5 记录日志

在程序设计过程中，为了观察程序运行的过程，我们可能会通过插入 println()方法来显示程序运行的中间结果、解释程序的行为等，一旦程序能够正确运行，就要将这些语句从程序中删除，如果程序又出现了 bug，又需要把这些 println()方法放回原处。这是一个繁琐的工作，在 JDK1.4 中提供了记录日志 API，有效地解决了这个问题。

习　题　八

一、简答题

1. 什么是异常？简述 Java 的异常处理机制。

2. 系统定义的异常与用户自定义的异常有何不同？如何使用这两类异常？

3. 在 Java 的异常处理机制中，try 程序块、catch 程序块和 finally 程序块各起到什么作用？try-catch-finally 语句如何使用？

4. 说明 throws 与 throw 的作用。

5. 如何创建、抛出自定义异常？

二、选择题

1. 请问所有的异常类皆继承哪一个类？（　　　）

A. java.lang.Throwable　　　　B. java.lang.Exception

C. java.lang.Error　　　　　　D. java.io.Exception

2. 哪个关键字可以抛出异常？（　　　）

A. transient　　　B. throw　　　C. finally　　　D. catch

3. 对于已经被定义过可能抛出异常的语句，在编程时（　　　）。

A. 必须使用 try / catch 语句处理异常，或用 throw 将其抛出。

B. 如果程序错误，必须使用 try / catch 语句处理异常。

C. 可以置之不理。

D. 只能使用 try / catch 语句处理。

4. 下面程序段的执行结果是什么？（　　　）

```
public class Foo{
    public static void main(String[] args){
        try{
            return;}
        finally{System.out.println("Finally");
        }
```

```
            }
        }
```
A．编译能通过，但运行时会出现一个例外。　　B．程序正常运行，并输出 "Finally"。

C．程序正常运行，但不输出任何结果。　　D．因为没有 catch 语句块，所以不能通过编译。

5．下面是一些异常类的层次关系：

```
        java.lang.Exception
            └ java.lang.RuntimeException
                └ java.lang.IndexOutOfBoundsException
                    └ java.lang.ArrayIndexOutOfBoundsException
                        └ java.lang.StringIndexOutOfBoundsException
```

假设有一个方法 X，能够抛出两个异常，Array Index 和 String Index 异常，假定方法 X 中没有 try-catch 语句处理这些异常，下面哪个答案是正确的？（　　　）

A．方法 X 应该声明抛弃 ArrayIndexOutOfBoundsException 和 StringIndexOutOfBounds-Exception。

B．如果调用 X 的方法捕获 IndexOutOfBoundsException，则 ArrayIndexOutOfBounds-Exception 和 StringIndexOutOfBoundsException 都可以被捕获。

C．如果方法 X 声明抛弃 IndexOutOfBoundsException，则调用 X 的方法必须用 try-catch 语句捕获。

D．方法 X 不能声明抛弃异常。

6．下面的方法是一个不完整的方法，其中的方法 unsafe()会抛出一个 IOException，那么在方法的①处应加入哪条语句，才能使这个不完整的方法成为一个完整的方法？（　　　）

```
①  _____
②  { if(unsafe())    {//do something…}
③     else   if(safe())   {//do the other…}
④  }
```

A．public IOException methodName()　　B．public void methodName() throw IOException

C．public void methodName()　　　　D．public void methodName() throws IOException

E．public void methodName() throws Exception

7．如果下列的方法能够正常运行，在控制台上将显示什么？（　　　）

```
public void example( ){
    try{
        unsafe();
        System.out.println("Test1");
    }
    catch(SafeException e)
        {System.out.println("Test 2");}
    finally{System.out.println("Test 3");}
    System.out.println("Test 4");
}
```

A．Test 1　　　　B．Test 2　　　　C．Test 3　　　　D．Test 4

三、判断题

1. 捕获异常 try 语句后面通常跟有一个或多个 catch()方法用来处理 try 块内生成的异常事件。（　　）

2. 使用 try-catch-finally 语句只能捕获一个异常。（　　）

3. try-catch 语句不可以嵌套使用。（　　）

4. Error 类所定义的异常是无法捕获的。（　　）

5. IOException 异常是非运行时异常，必须在程序中抛弃或捕获。（　　）

6. 用户自定义异常类是通过继承 Throwable 类来创建的。（　　）

7. 当一个方法在运行过程中产生一个异常，则这个方法会终止，但是整个程序不一定终止运行。（　　）

四、程序填空

```
public class ServerTimedOutException extends Exception {
    private int port;
    public ServerTimedOutException(String message, int port) {
        super(message);
        this.port = port;
    }
    public int getPort() {
        return port;
    }
}
class Client {// 在下行横线处填上声明抛弃ServerTimedOutException例外的语句
    public void connectMe(String serverName) _____ {
        int success;
        int portToConnect = 80;
        success = open(serverName, portToConnect);
        if (success == -1) {
            // 在下行横线处填上抛出ServerTimedOutException例外的语句
            _____

        }
    }
    private int open(String serverName, int portToConnect) {
        return 0;
    }
}
```

五、编程题

1. 编写一个程序，从键盘读入 5 个整数存储在数组中，要求在程序中处理数组越界的异常。

2．编写 Java Aplication，求解从命令行以参数形式读入两个数之积，若缺少操作数或运算符，则抛出自定义异常 OnlyOneException 与 NoOperationException 并退出程序。

3．编写一个简单的计算器程序，能够计算两个变量进行四则运算的结果。在计算中及时捕获各种算术异常，保证在输入各种数字的时候程序才能够计算出结果。

4．定义一个邮件地址异常类，当用户输入的邮件地址不合法时，抛出异常（其中邮件地址的合法格式为**** @****，也就是说必须是在@符号左右出现一个或多个其他字符的字符串）。

实验八　Java 异常处理技术

一、实验目的

1．理解异常的概念。
2．了解 Java 异常类的层次关系。
3．掌握 Java 异常处理机制与方法。
4．掌握创建、抛出自定义异常类的方法。

二、实验内容

1．编程实现输入一个正整数，求该数的阶乘的程序。要求能捕捉输入数字格式异常（NumberFormatException），即当输入字符不是正整数时，能出现提示信息"输入数据格式不对，请重新输入一个正整数"。

2．编写 Java Aplication 程序，从单行文本框输入学生的成绩，设计一个异常类，当输入的成绩不在 0~100 之间时，抛出异常，程序捕捉这个异常，并作出相应的处理。

3．验证调试例 8-1~例 8-6 中有关的例题。

第9章 Java 多线程技术

【本章要点】

1．线程、进程和程序等基本概念，Java 线程的五个基本状态与生命周期，Java 线程的调度与优先级。

2．Java 线程的两种创建方式（继承 Thread 类与实现 Runnable 接口），线程的启动方法；Java 线程中 start()、run()、sleep()、isAlive()、interrupt()和 yield()等方法的应用。

3．线程的同步、通信及 wait()、notify()、notifyAll()等方法的应用。

4．线程的挂起、恢复、终止与死锁；计时线程、守护线程与线程联合的功能。

我们书写的程序一般是单线程的，即一个程序只有一条从头至尾的执行线索。如图 9-1（a）所示。然而现实世界中的很多过程都具有多条线索同时进行的特性。例如，一个网络服务器可能需要同时处理多个客户机的请求等。

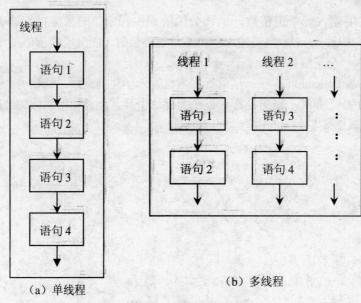

(a) 单线程   (b) 多线程

图 9-1 单线程与多线程

Java 语言的一大特性就是内置了对多线程的支持，多线程是指同时存在几个执行体，按几条不同的执行线索共同工作的情况。如图 9-1（b）所示。Java 的这一特性使得编程人员可以很方便地开发出具有多线程功能、能同时处理多个任务的功能强大的应用程序。执行多线程给人几个事件同时发生的感觉，当只有一个 CPU 时，在任何时刻计算机都只能执行一个线程，Java 快速地把 CPU 的使用权从一个线程切换到另一个线程，给人造成这些线程在同步执行的感觉。考察如下代码：

```java
class Nihao {
    public static void main(String args[]) {
        while(true) {
            System.out.println("nihao!");
        }
        while(true) {
            System.out.println("你好！");
        }
    }
}
```

这段代码在执行时会出现问题：第 2 个 while 语句永远没有机会执行。如果能在程序中创建两个线程，每个线程分别执行一个 while 循环，那么两个循环就都有机会执行，即一个线程中的 while 语句执行一段时间后，就会轮到另一个线程中的 while 语句执行一段时间。这是因为 Java 虚拟机（JVM）负责管理这些线程，这些线程将被轮流执行，使得每个线程都有机会使用 CPU 资源。

9.1　Java 多线程

9.1.1　程序、进程与多线程

程序是一段静态的代码，它是应用软件执行的脚本。进程是程序的一次动态执行过程，进程是操作系统分配内存、CPU 时间片等资源的单位，它对应了从代码加载至执行完毕的一个完整过程。这个过程也是进程本身从产生、发展至消亡的过程。线程是比进程更小的执行单位。一个进程在其执行过程中，可以产生多个线程，形成多条执行线索；每条线索，即每个线程也有它自身的产生、存在和消亡的过程，也是一个动态的概念。每个进程都有一段专用的内存区域，线程可以共享系统分配给进程的内存（包括代码与数据），并利用这些共享单元来实现数据交换、实时通信与必要的同步操作。多线程的程序能更好地表达和解决现实世界的具体问题，是计算机应用开发和程序设计的一个必然发展趋势。

多线程（Multithread）是这样一种机制，它允许在程序中并发执行多个指令流，每个指令流都称为一个线程，彼此间互相独立。线程又称为轻量级进程，它和进程一样拥有独立的执行控制，由操作系统负责调度，区别在于线程没有独立的存储空间，而是和所属进程中的其他线程共享一个存储空间，这使得线程间的通信比进程间的通信更为简单。

操作系统分时管理各个进程，按时间片轮流执行每个进程。对于单 CPU 的计算机，Java 的多线程就是在操作系统将每次分配给 Java 程序的 CPU 时间片，在若干个独立的可控制的线程之间轮流切换。如果计算机有多个 CPU 处理器，那么 JVM 就能充分利用这些 CPU，使得 Java 程序在同一时刻能获得多个时间片，Java 程序就可以获得真实的多线程。

每个 Java 程序都有一个默认的主线程。Java 应用程序总是从主类的 main 方法开始执行。当 JVM 加载代码，发现 main 方法之后，就会启动一个线程，这个线程称做"主线程"，该线程负责执行 main 方法。那么，在 main 方法的执行中再创建的线程，就称为程序中的其他线程。如果 main 方法中没有创建其他的线程，那么当 main 方法执行完最后一个语句，即 main 方法返回时，JVM 就会结束 Java 应用程序。如果 main 方法中又创建了其他线程，那么 JVM 就要在主线程和其他线程之间轮流切换，保证每个线程都有机会使用 CPU 资源，如图 9-2 所示。main 方法即使执行完最后的语句（主线程结束），JVM 也不会结束程序，JVM 一直要等到程序中的所有线程都结束之后，才结束 Java 应用程序。

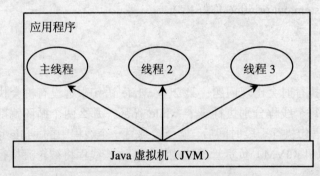

图 9-2 JVM 轮流调度主线程和其他线程

多线程和传统的单线程在程序设计上最大的区别在于，由于各个线程的控制流彼此独立，使得各个线程之间的代码是乱序执行的，由此带来线程调度、同步等问题需要解决。

9.1.2 Java 线程的状态与生命周期

Java 语言使用 Thread 类及其子类的对象表示线程，Java 线程具有动态的生命周期，从新建到消失，一个完整的周期要经历五种不同的状态：新建、就绪、运行、阻塞和死亡状态，各个状态及其状态间的转换是通过调用所需的方法来实现的，这五种状态之间的转换关系和转换条件如图 9-3 所示。

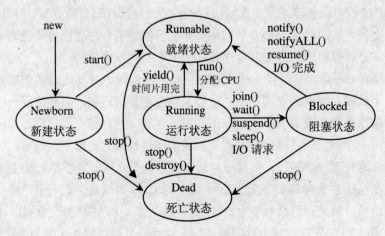

图 9-3 线程生命周期与状态转换图

1. 新建状态（Newborn）

新建状态也叫新生状态，当一个 Thread 类或其子类的对象被声明并创建时，新生成的线程对象处于新建状态。此时它已经有了相应的内存空间和其他资源，但该线程还未被调度。此时的线程既可以被调度，变成可运行的就绪状态；也可以被杀死，变成死亡状态。

2. 就绪状态（Runnable）

处于新建状态的线程由 start()方法启动后，就处于就绪状态，表示已具备了运行的条件。由于尚未分配到 CPU 资源，它将进入就绪队列等待 CPU 时间片的到来，一旦轮到它来享用 CPU 资源时，就将进入运行状态。处于就绪状态的线程什么时候可以真正运行，取决于系统的调度策略和当前就绪队列的情况。

3. 运行状态（Runniing）

运行状态表明线程正在运行，该线程已经拥有了对 CPU 的控制权。这个线程一直到运行完毕，除非该线程主动放弃 CPU 的控制权或者 CPU 的控制权被优先级更高的线程抢占。处于运行状态的线程在下列情况下将让出 CPU 的控制权：线程运行完毕、有比当前线程更高优先级的线程处于可运行状态、线程主动睡眠一段时间、线程在等待某一资源。

当 JVM 将 CPU 使用权切换给线程时，如果线程是采用 Thread 类的子类创建的，该类中的 run()方法就立刻执行。所以必须在子类中重写父类的 run()方法，Thread 类中的 run()方法没有具体内容，程序要在 Thread 类的子类中重写 run()方法，覆盖父类的 run()方法，run()方法规定了该线程的具体使命。在线程没有结束 run()方法之前，不要让线程再调用 start()方法，否则将发生 ILLegalThreadStateException 异常。

4. 阻塞状态（Blocked）

阻塞状态也叫挂起状态。正在运行的线程由于某种原因，如调用 join()、wait()、sleep()和 suspend()方法或等待 I/O 设备的使用权，则让出 CPU 并暂时中止自己的执行，进入阻塞状态。只有当引起阻塞的原因被解除时，如调用 notify()、notifyAll()和 resume()方法，或 I/O 操作完成时，才能转入就绪状态并再次排队。

阻塞（挂起）的具体原因：①JVM 将 CPU 资源从当前线程切换给其他线程，使本线程让出 CPU 的使用权，并处于中断状态。②线程使用 CPU 资源期间，执行 sleep(int millsecond)方法，使当前线程进入休眠状态。sleep(int millsecond)方法是 Thread 类中的一个类方法，线程一旦执行了 sleep(int millsecond)方法，就会立刻让出 CPU 的使用权，使当前线程处于中断状态。经过参数 millsecond 指定的毫秒数之后，该线程就重新进到线程队列中排队等待 CPU 资源，以便从中断处继续运行。③线程使用 CPU 资源期间，执行了 wait()方法，使得当前线程进入等待状态。等待状态的线程不会主动进到线程队列中排队等待 CPU 资源，必须由其他线程调用 notify()方法通知它，使得它重新进到线程队列中排队等待 CPU 资源，以便从中断处继续运行。有关 wait、notify 和 notifyAll 方法将在第 9.6 节和第 9.9 节中学习。④线程使用 CPU 资源期间，执行某个操作进入阻塞状态，如执行读/写操作引起阻塞。进入阻塞状态时线程不能进入排队队列，只有当引起阻塞的原因消除时，线程才重新进到线程队列中排队等待 CPU 资源，以便从原来中断处开始继续运行。

5. 死亡状态（Dead）

处于死亡状态的线程已经退出运行状态，并且不再进入就绪队列，也不能再被运行。线程死亡的原因有两个：一是正常运行的线程完成了它的全部工作，即执行完 run()方法中的全部语句，结束了 run()方法；二是线程被提前强制性地终止，即强制 run()方法结束。所谓死亡状态就是线程释放了实体，即释放分配给线程对象的内存。

现在，通过一个完整的例子来分析运行结果、阐述线程的状态。

【例 9-1】 创建两个线程，这两个线程在命令行窗口分别输出 12 个"hello"和"您好"；主线程在命令行窗口输出 12 个"Main-threat"的句子。

程序清单9-1: Example9_1.java

```java
public class Example9_1 {
    public static void main(String args[]) {
        Hello hello;
        Ninhao ninhao;
        hello = new Hello(); // 创建线程
        ninhao = new Ninhao();
        hello.start();
        ninhao.start();
        for (int i = 1; i <= 12; i++) {
            System.out.print(" Main-threat ");
        }
    }
}
class Hello extends Thread {
    public void run() {
        for (int i = 1; i <= 12; i++) {
            System.out.print(" hello ");
        }
    }
}
class Ninhao extends Thread {
    public void run() {
        for (int i = 1; i <= 12; i++) {
            System.out.print(" 您好 ");
        }
    }
}
```

运行结果（因机器环境、运行次数不同，结果不同）：

```
Main-threat hello 您好 Main-threat hello 您好 hello 您好 hello 您好
hello Main-threat hello Main-threat hello Main-threat Main-threat
Main-threat Main-threat Main-threat Main-threat Main-threat Main-threat
您好 您好 您好 hello hello hello hello hello 您好 您好 您好 您好 您好
```

每次运行结果不同，分析也就不一样。以下仅对上述运行结果进行分析。

（1）JVM 首先将 CPU 资源给主线程。主线程在使用 CPU 资源时执行了下面的 6 个语句：

Hello hello;

Ninhao ninhao;

hello = new Hello(); // 创建线程

ninhao = new Ninhao();

hello.start();

ninhao.start();

并将循环语句体循环执行 12 次，循环语句如下：

```
for (int i = 1; i <= 12; i++) {
    System.out.print(" Main-threat ");
}
```

首先输出的内容：

Main-threat

主线程没有将这 12 次 for 循环一直执行完，是因为主线程在使用 CPU 资源时，已经执行了如下代码：

hello.start();

ninhao.start();

那么，JVM 此时就知道已经有 3 个线程（主线程、hello 和 ninhao 线程）存在，需要在这三个线程之间轮流切换使用 CPU 资源。因而，在主线程使用 CPU 资源执行到 for 语句的第 1 次循环之后，JVM 就将 CPU 资源切换到 hello 线程，于是输出一个 "hello"。

（2）然后，CPU 在 hello、ninhao 和主线程之间切换。JVM 让 hello、ninhao 线程和主线程轮流使用 CPU 资源，接着输出如下结果：

您好　Main-threat　hello　您好　hello　您好　hello　您好　hello　Main-threat　hello
Main-threat　hello　Main-threat　Main-threat　Main-threat　Main-threat　Main-threat
Main-threat　Main-threat　Main-threat

此时，main 方法里的 12 次 for 循环全部结束，main 方法的 for 语句结束，主线程运行的 main 方法返回，即主线程结束。JVM 不再将 CPU 资源切换给主线程，但 Java 程序并没有结束，因为还存在两个线程（hello 和 ninhao）没有结束。

（3）JVM 在线程 hello 和线程 ninhao 之间切换，让 hello 线程和 ninhao 线程轮流使用 CPU 资源。直到 Hello 线程输出最后一个 "hello"，ninhao 线程输出最后一个 "您好"，所有线程都结束后，JVM 结束整个 Java 程序。

由于程序运行时机器环境和状态不相同，JVM 在将 CPU 时间片轮流分配给多个线程时，分配顺序会不一样。因而多线程程序在不同的计算机运行，或者在同一台计算机上多次运行时，结果不相同。

9.1.3　Java 线程的调度与优先级

处于就绪状态的线程，首先进入就绪队列排队等候 CPU 资源，同一时刻在就绪队列中的线程可能有多个。Java 虚拟机（JVM）中的线程调度器负责管理线程，调度器把线程的优先级分为 10 个级别，分别用 Thread 类中的类常量表示。每个 Java 线程的优先级都在常数 1 和 10 之间，即 Thread.MIN_PRIORITY 和 Thread.MAX_PRIORITY 之间。如果没有明确地设置线程的优先级别，每个线程的优先级都为常数 5，即 Thread.NORM_PRIORITY。

线程的优先级可以通过 setPriority(int grade) 方法调整，该方法需要一个 int 类型参数。如果此参数不在 1~10 的范围内，那么 setPriority 便产生一个 IllegalArgumenException 异常。getPriority 方法返回线程的优先级。需要注意的是有些操作系统只能识别 3 个级别：1，5，10。

通过前面的学习已经知道，在采用时间片的系统中，每个线程都有机会获得 CPU 的使用权，执行线程中的操作。当线程运行的时间到达后，即使线程没有完成自己的全部操作，Java

调度器也会中断当前线程的执行，把 CPU 的使用权切换给下一个排队等待的线程，当前线程将等待下一次 CPU 轮回时间片，然后从中断处继续执行。

Java 调度器（JVM）的任务是使高优先级的线程能始终运行，一旦时间片有空闲，则使具有同等优先级的线程以轮流的方式顺序使用时间片。也就是说，如果有 A、B、C、D 四个线程，A 和 B 的级别高于 C、D，那么，Java 调度器首先以轮流的方式执行 A 和 B，一直等到 A、B 都执行完毕才进入死亡状态，才会在 C、D 之间轮流切换。

在实际编程时，不提倡使用线程的优先级来保证算法的正确执行。要编写正确、跨平台的多线程代码，必须假设线程在任何时刻都有可能被剥夺 CPU 资源的使用权。

9.2　用 Thread 的子类创建线程

创建一个新的线程，就要指明这个线程所要执行的代码。Java 语言中，用 Thread 类或者 Thread 子类来创建线程对象。

这一节学习怎样用 Thread 子类创建线程对象，只要在创建的 Thread 类的子类中重写 run()，加入线程所要执行的代码即可。例 9-1 中的线程就是采用 Thread 类的子类创建的。

Thread 类最重要的方法是 run()，它被 Thread 类的方法 start()所调用，提供线程所要执行的代码。在编写 Thread 类的子类时，需要重写父类的 run()方法来规定线程的具体操作，否则线程就什么也不做，因为父类的 run()方法中没有任何操作语句，为了指定线程自己的代码，只需要在线程中覆盖它。

【例 9-2】　用 Thread 子类创建两个线程，这两个线程共享一个 StringBuffer 对象，两个线程在运行期间将修改 StringBuffer 对象中的字符。为了使结果尽量不依赖于当前 CPU 资源的使用情况，应当让线程主动调用 sleep()方法，让出 CPU 的使用权进入中断状态。sleep()方法是 Thread 类的静态方法，线程在占有 CPU 资源期间，通过调用 sleep()方法，来使自己放弃 CPU 资源，休眠一段时间。

程序清单9-2: Example9_2.java

```java
public class Example9_2 {
    public static void main(String args[]) {
        People person1, person2;
        StringBuffer str = new StringBuffer();
        person1 = new People("李四", str);
        person2 = new People("王五", str);
        person1.start();
        person2.start();
    }
}
class People extends Thread {
    StringBuffer str;
    People(String s, StringBuffer str) {
        setName(s); //调用从Thread类继承的setName方法为线程起名字
        this.str = str;
    }
    public void run() {
        for (int i = 1; i <= 3; i++) {
            str.append(getName() + ","); //将当前线程的名字尾加到str
```

```
            System.out.println("我叫" + getName() + ",名字是:" + str);
            try {
                sleep(200);
            } catch (InterruptedException e) {
            }
        }
    }
}
```

运行结果（因机器环境、运行次数不同，结果不同）：
我叫李四,名字是:李四,
我叫王五,名字是:李四,王五,
我叫王五,名字是:李四,王五,王五,李四,
我叫李四,名字是:李四,王五,王五,李四,
我叫李四,名字是:李四,王五,王五,李四,李四,王五,
我叫王五,名字是:李四,王五,王五,李四,李四,王五,

9.3　用实现 Runnable 接口方式创建线程

使用 Thread 子类创建线程的优点是可以在子类中增加新的成员变量，使线程具有某种属性，也可以在子类中新增加方法，使线程具有某种功能。但是 Java 不支持多继承，Thread 类的子类不能再扩展其他的类。创建线程的另一种方式是采用实现 Runnable 接口来创建线程。

9.3.1　Runnable 接口与目标对象

使用 Thread 类直接创建线程对象时，通常使用的构造方法是 Thread(Runnable target)，该构造方法中的参数是一个 Runnable 类型的接口，因此，在创建线程对象时必须向构造方法的参数传递一个实现 Runnable 接口类的实例，该实例对象称做所创线程的目标对象，当线程调用 start()方法后，一旦轮到它来享用 CPU 资源，目标对象就会自动调用接口中的 run()方法（接口回调），这一过程是自动实现的，用户程序只需要让线程调用 start()方法即可。也就是说，当线程被调度并转入运行状态时，所执行的就是 run()方法中所规定的操作。

线程间可以共享相同的内存单元（包括代码与数据），并利用这些共享单元来实现数据交换、实时通信与必要的同步操作。对于 Thread(Runnable target)构造方法创建的线程，轮到它来享用 CPU 资源时，目标对象就会自动调用接口中的 run()方法，因此，对于使用同一目标对象的线程，目标对象的成员变量自然就是这些线程共享的数据单元。另外，创建目标对象类在必要时还可以是某个特定类的子类。因此，使用 Runnable 接口比使用 Thread 的子类更具有灵活性。

【**例 9-3**】　采用 Runnable 接口方式创建两个线程（thread1 和 thread2），这两个线程使用同一目标对象，共享目标对象的成员变量 number。Thread1 负责递增 number，thread2 负责递减 number，而且递减的速度大于递增的速度。当 number 的值小于 80 时，线程 thread1 结束自己的 run()方法而进入死亡状态；当 number 的值小于 0 时，线程 thread2 结束自己的 run()方法而进入死亡状态。

程序清单9-3: Example9_3.java

```
public class Example9_3 {
    public static void main(String args[]) {
        Bank bank = new Bank();
```

```java
        bank.setMoney(200);
        Thread thread1, thread2;
        thread1 = new Thread(bank);
        thread1.setName("One");
        thread2 = new Thread(bank); // thread2和thread1的目标对象相同
        thread2.setName("Two");
        thread1.start();
        thread2.start();
    }
}
class Bank implements Runnable {
    private int number = 0;
    public void setMoney(int m) {
        number = m;
    }
    public void run() // 接口中的方法
    {
        while (true) {
            String name = Thread.currentThread().getName();
            if (name.equals("One")) {
                if (number <= 80) {
                    System.out.println(name + "进入死亡状态");
                    return; // thread1的run方法结束
                }
                number = number + 10;
        System.out.println("我是Thread " + name + ",当前number=" + number);
            }
            if (Thread.currentThread().getName().equals("Two")) {
                if (number <= 0) {
                    System.out.println(name + "进入死亡状态");
                    return; // thread2的run方法结束
                }
                number = number - 100;
        System.out.println("我是Thread " + name + "当前number=" + number);
            }
            try {
                Thread.sleep(800);
            } catch (InterruptedException e) {
            }
        }
    }
}
```

运行结果(因机器环境、运行次数不同，结果不同)：
我是Thread One,当前number=210
我是Thread Two当前number=110
我是Thread One,当前number=120
我是Thread Two当前number=20
One进入死亡状态
我是Thread Two当前number=-80
Two进入死亡状态

【**例 9-4**】 本例中共有 4 个线程 threadA、threadB、threadC 和 threadD，其中 threadA 和 threadB 的目标对象是 target1，threadC 和 threadD 的目标对象是 target2。threadA 和 threadB 共享 target1 的成员 number，threadA 和 threadB 在运行期间对 target1 的成员 number 进行递增 运算；而 threadC 和 threadD 共享 target2 的成员 number，threadC 和 threadD 在运行期间对 target2 的成员 number 进行递减运算。

程序清单9-4: Example9_4.java

```java
public class Example9_4 {
    public static void main(String args[]) {
        Thread threadA, threadB, threadC, threadD;
        TargetObject target1 = new TargetObject(),target2 = new TargetObject(); //线程的目标对象
        threadA = new Thread(target1); // 目标对象是target1的线程
        threadB = new Thread(target1);
        target1.setNumber(10);
        threadA.setName("add");
        threadB.setName("add");
        threadC = new Thread(target2); // 目标对象是target2的线程
        threadD = new Thread(target2);
        target2.setNumber(-10);
        threadC.setName("sub");
        threadD.setName("sub");
        threadA.start();
        threadB.start();
        threadC.start();
        threadD.start();
    }
}
class TargetObject implements Runnable {
    private int number = 0;
    public void setNumber(int n) {
        number = n;
    }
    public void run() {
        while (true) {
            if (Thread.currentThread().getName().equals("add")) {
                number++;
                System.out.println("当前number=" + number);
            }
            if (Thread.currentThread().getName().equals("sub")) {
                number--;
                System.out.println("当前number=" + number);
            }
            try {Thread.sleep(1200);
            } catch (InterruptedException e) {
            }
        }
    }
}
```

运行结果：

当前number=11
当前number=-11

```
当前number=12
当前number=-12
当前number=-13
当前number=13
当前number=14
当前number=-14
当前number=-15
当前number=15
当前number=-16
当前number=16
当前number=17
············
```

9.3.2 run( )方法中的局部变量

对于具有相同目标对象的线程，当其中一个线程享用 CPU 资源时，目标对象自动调用接口中的 run()方法，这时，run()方法中的局部变量被分配内存空间；当轮到另一个线程享用 CPU 资源时，目标对象会再次调用接口中的 run()方法，那么，run()方法中的局部变量会再次分配内存空间。也就是说，run()方法已经启动并运行了两次，分别运行在不同的线程中，即运行在不同的时间片内。不同线程的 run()方法中的局部变量互不干扰，一个线程改变了自己的 run()方法中局部变量的值，不会影响其他线程的 run()方法中的局部变量。

【例 9-5】 关于 run 方法中局部变量的例子。

程序清单9-5: Example9_5.java

```java
public class Example9_5 {
    public static void main(String args[]) {
        Move move = new Move();
        Thread lisi, wangwu;
        lisi = new Thread(move);
        lisi.setName("李四");
        wangwu = new Thread(move);
        wangwu.setName("王五");
        lisi.start();
        wangwu.start();
    }
}
class Move implements Runnable {
    public void run() {
        String name = Thread.currentThread().getName(); //局部变量name
        StringBuffer str = new StringBuffer(); // 局部变量str
        for (int i = 1; i <= 3; i++){    // 局部变量i
          if (name.equals("李四")) {
        str.append(name);
        System.out.println(name + "线程的局部变量:i=" + i + ",str=" + str);
        } else if (name.equals("王五")) {
        str.append(name);
        System.out.println(name + "线程的局部变量:i=" + i + ",str=" + str);
            }
            try {
                Thread.sleep(800);
```

```
            } catch (InterruptedException e) {
            }
        }
    }
}
```

运行结果（因机器环境、运行次数不同，结果不同）：
王五线程的局部变量:i=1,str=王五
李四线程的局部变量:i=1,str=李四
李四线程的局部变量:i=2,str=李四李四
王五线程的局部变量:i=2,str=王五王五
王五线程的局部变量:i=3,str=王五王五王五
李四线程的局部变量:i=3,str=李四李四李四

9.3.3　在线程中启动其他线程

　　线程通过调用 start()方法将启动该线程，使之从新建状态进入就绪队列排队。一旦轮到它来享用 CPU 资源时，就可以脱离创建它的主线程，开始自己的生命周期。在前面的例子中，都是在主线程中启动的其他线程。实际上，也可以在任何一个线程中，启动另外一个线程。

　　【例 9-6】　本例用两个线程共同完成 1+2+…+100 的计算。一个线程计算完 1+2+…+50 后，启动另一个线程接着计算+51+52+…+100。

程序清单9-6: Example9_6.java

```java
public class Example9_6 {
    public static void main(String args[]) {
        ComputerSum computer = new ComputerSum();
        Thread thread1;
        thread1 = new Thread(computer);
        thread1.setName("李四");
        thread1.start();
    }
}
class ComputerSum implements Runnable {
    int i = 1, sum = 0; // 线程共享的数据
    public void run() {
        Thread thread = Thread.currentThread();
        System.out.println(thread.getName() + "开始计算:");
        while (i <= 100) {
            sum = sum + i;
            System.out.print(" " + sum);
            if (i == 50) {
System.out.println(thread.getName() + "的任务完成了! i=" + i);
Thread thread2 = new Thread(this); // thread2与 thread1的目标对象相同
                thread2.setName("王五");
                thread2.start(); // 启动线程thread2
                i++; // 死亡之前将i变成51
                return; // thread1死亡
            }
            i++;
            try {   Thread.sleep(200);
            } catch (InterruptedException e) {
            }
        }
    }
}
```

高等院校计算机系列教材

运行结果：
李四开始计算：
 1 3 6 10 15 21 28 36 45 55 66 78 91 105 120 136 153 171 190 210 231 253 276
300 325 351 378 406 435 465 496 528 561 595 630 666 703 741 780 820 861 903 946
990 1035 1081 1128 1176 1225 1275李四的任务完成了！i=50
王五开始计算：
 1326 1378 1431 1485 1540 1596 1653 1711 1770 1830 1891 1953 2016 2080 2145 2211
2278 2346 2415 2485 2556 2628 2701 2775 2850 2926 3003 3081 3160 3240 3321 3403
3486 3570 3655 3741 3828 3916 4005 4095 4186 4278 4371 4465 4560 4656 4753 4851
4950 5050

9.4 线程的常用方法

1. start()方法和 stop()方法

线程调使用 start()方法将启动它创建的新线程，使之从新建状态进入就绪队列排队，一旦轮到新线程享用 CPU 资源时，它就可以脱离创建它的线程，独立开始自己的生命周期。

stop()方法的功能是强迫线程终止执行。

2. run()方法

Thread 类的 run()方法与 Runnable 接口中的 run()方法，其功能和作用相同，都用来定义线程对象被调度之后所执行的操作，都是系统自动调用，而用户程序不得引用的方法。系统的 Thread 类中，run()方法没有具体内容，所以用户程序需要创建自己的 Thread 类的子类，并重写 run()方法，来覆盖原来的 run()方法。当 run()方法执行完毕，线程就变成死亡状态，所谓死亡状态就是线程释放了实体，即释放分配给线程对象的内存。在线程没有结束 run()方法之前，不要让线程再调用 start()方法，否则，将发生 ILLegalThreadStateException 异常。

3. sleep()方法

线程的调度执行，是按照其优先级的高低顺序进行的。当高级别的线程未死亡时，低级线程就没有机会获得 CPU 资源。有时，优先级高的线程需要优先级低的线程做一些工作来配合它，或者优先级高的线程需要完成一些费时的操作，此时优先级高的线程应该让出 CPU 资源，使优先级低的线程有机会执行。为了达到这个目的，优先级高的线程可以在它的 run()方法中调用 sleep 方法，放弃 CPU 资源，休眠一段时间。休眠时间的长短由 sleep 方法的参数决定，millsecond 是毫秒为单位的休眠时间。如果线程在休眠时被打断，JVM 就抛出 InterruptedException 异常。因此，必须在 try-catch 语句块中调用 sleep 方法。

4. yield()方法

yield()方法的功能，使当前线程让出 CPU 的使用权，让出的时间不可设定。暂停一下，线程进入就绪状态，让同级别的线程进入可执行状态。实际上，yield()方法对应了如下操作：先检测当前是否有相同优先级的线程处于可运行状态，如有，则把 CPU 的使用权交给此线程，否则，继续运行原来的线程。所以 yield()方法称为"退让"，它把运行机会让给了同等优先级的其他线程。

另外，sleep()方法允许较低优先级的线程获得运行机会，但 yield()方法执行时，当前线程仍处在可运行状态，所以，不可能使较低优先级的线程此时获得 CPU 使用权。在一个运行系统中，如果较高优先级的线程没有调用 sleep 方法，又没有受到 I/O 阻塞，那么，较低优先级线程只能等待所有较高优先级的线程运行结束，才有机会运行。

在线程的 run 方法中，我们使用 yield 方法的主要原因是，当我们认为 run 方法中需要完成的事情已经做完，便让出 CPU 的时间给其他线程。举例如下：

```java
public class SampleThread extends Thread {
    private static int counter = 5;
    public    void run() {
        while(true) {
            System.out.println("Now we print the counter value : " + counter);
            if(counter-- == 0) return;
            yield();        // 这里我们使用了 yield()方法
        }
    }
}
```

5. isAlive()方法

线程处于"新建"状态时，线程调用 isAlive()方法返回 false。当一个线程调用 start()方法，并占有 CPU 资源后，该线程的 run()方法就开始运行。在线程的 run()方法结束之前，即没有进入死亡状态之前，线程调用 isAlive()方法返回 true。当线程进入"死亡"状态后（实体内存被释放），线程仍可以调用方法 isAlive()，这时返回的值是 false。

需要注意的是，一个已经运行的线程在没有进入死亡状态时，不要再给线程分配实体，由于线程只能引用最后分配的实体，先前的实体就会成为"垃圾"，并且不会被垃圾收集机收集。如：Thread   thread=new Thread(target);
  thread.start();

如果线程 thread 已经占有 CPU 资源进入了运行状态，再执行如下代码：
  thread=new Thread(target);

那么，先前的实体就会成为"垃圾"，并且不会被垃圾收集机收集。因为 JVM 认为那个"垃圾"实体正在运行状态，如果突然释放，可能引起错误。

现在来分析以下线程分配实体的过程，执行如下代码：
Thread thread=new Thread(target)
Thread.start();
执行代码后的内存示意图如图 9-4 所示，再执行如下代码：
thread=new Thread(target);
执行代码后的内存示意图如图 9-5 所示。

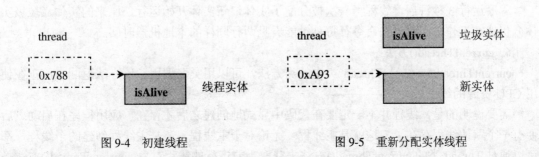

图 9-4　初建线程　　　　　　　图 9-5　重新分配实体线程

现在来看一个例子，先创建一个线程，过一段时间后该线程又被分配了实体，新实体又开始运行。这时，垃圾实体与新实体同时在工作。

【例 9-7】　设计一个程序，先创建一个线程，每隔 1 秒钟在命令行窗口输出本地机器的时间；3 秒钟后，该线程又被分配了实体。查看运行结果。

程序清单9-7: Example9_7.java

```java
import java.util.Date;
public class Example9_7 {
    public static void main(String args[]) {
        TestThread7 test7 = new TestThread7();
        Thread thread = new Thread(test7);
        thread.start();
    }
}
class TestThread7 implements Runnable {
    int time = 0;
    public void run() {
        while (true) {
            System.out.println(new Date());
            time++;
            try {
                Thread.sleep(800);
            } catch (InterruptedException e) {
            }
            if (time == 3) {
                Thread thread = Thread.currentThread();
                thread = new Thread(this);
                thread.start();
            }
        }
    }
}
```

运行结果(不同日期、时间运行结果不同)：
```
Sun Dec 23 23:49:37 CST 2007
Sun Dec 23 23:49:38 CST 2007
Sun Dec 23 23:49:38 CST 2007
Sun Dec 23 23:49:39 CST 2007
Sun Dec 23 23:49:39 CST 2007
Sun Dec 23 23:49:40 CST 2007
Sun Dec 23 23:49:40 CST 2007
............
```

程序运行 3 秒钟后，线程再一次被分配了实体，新实体开始运行，原来的实体（垃圾实体）仍然在工作，因此，在命令行每秒钟能看见两行同样的本地机器时间。

6. currentThread()方法

currentThread()方法是 Thread 类中的类方法，可以用类名调用，该方法返回当前正在使用 CPU 资源的线程。

需要说明的是，线程并不一定要在代码中显式地创建之后才存在，应用程序在启动之后便有一个默认线程存在了，这就是主线程。无论对于主线程，还是主线程创建的子线程，都可以通过 Thread 类的 currentThread()方法来获取当前运行的线程对象，currentThread()方法是

Thread 类的静态方法，这意味着无须创建 Thread 对象便可以调用该方法。在获取线程对象之后，还可以通过 Thread 类的 getId()方法获取该线程在整个 Java 虚拟机中惟一的标识。

以下的代码行先获取当前的线程对象，继而获取当前线程对象的标识：

System.out.println(Thread.currentThread().getId());

线程 ID 是一个正的长整型数，在创建该线程时生成。线程 ID 是惟一的，并在线程的生命周期内保持不变。线程被终止后，该线程 ID 可以被重新分配给其他的线程。

线程的名称可以在创建线程时指定，无论线程处于何种运行状态，均可以调用 Thread 类的 setName()方法改变线程名称（主线程的名称也可以被改变）。如果创建线程时没有指定任何名称，Java 虚拟机会以 "Thread-序号" 的规则为线程命名，例如 "Thread-0"，主线程默认以 "main" 为线程的名称。线程的名称可以通过 Thread 类的 getName()方法获得。

以下代码片段先显示出主线程的名称，然后将主线程的名称改变为 "MyThread"，再显示出来：

System.out.println("主线程的原名称是："+Thread.currentThread().getName());

Thread.currentThread().setName("MyThread");

System.out.println("主线程的新名称是："+Thread.currentThread().getName());

运行结果如下：

主线程的原名称是：main

主线程的新名称是：MyThread

7. interrupt()方法

interrupt()方法的功能，是中断线程。若当前线程没有中断它自己（这在任何情况下都是允许的），则该线程的 checkAccess 方法就会被调用，这可能抛出 SecurityException 异常。若线程在调用 Object 类的 wait()、wait(long)或 wait(long, int)方法，或者该类的 join()、join(long)、join(long, int)、sleep(long)或 sleep(long, int)方法过程中受阻，则其中断状态将被清除，它还将收到一个 InterruptedException 异常。若该线程在可中断通道上的 I/O 操作中受阻，则该通道将被关闭，该线程的中断状态将被设置并且该线程将收到一个 ClosedByInterruptException 异常。若该线程在一个 Selector 中受阻，则该线程的中断状态将被设置，它将立即从选择操作返回，并可能带有一个非零值，就好像调用了选择器的 wakeup 方法一样。若以前的条件都没有保存，则该线程的中断状态将被设置。若当前线程无法修改该线程，则抛出 SecurityException 异常。

通过调用 isInterrupted 方法，能够确定该线程是否被中断。可以使用 interrupt()方法来 "唤醒" 休眠中的线程。当一些线程调用 sleep()方法处于休眠状态时，一个占有 CPU 资源的线程，可以让休眠的线程调用中断方法 interrupt()，这时程序会抛出 InterruptedException 异常，使得原来休眠的线程结束休眠，重新排队等待 CPU 资源。

【例 9-8】　使用 interrupt()中断的线程方法，让一个线程唤醒另一休眠线程的程序，两线程分别是 student 和 teacher，其中 student 准备休眠一段时间后再开始上课，teacher 在输出 3 句 "上课" 后，唤醒了休眠的线程 student。

程序清单9-8: Example9_8.java

```
public class Example9_8 {
    public static void main(String args[]) {
        ROOM room = new ROOM();
        room.student.start();
```

高等院校计算机系列教材

```
        room.teacher.start();
    }
}
class ROOM implements Runnable {
    Thread teacher, student;
    ROOM() {
        teacher = new Thread(this);
        student = new Thread(this);
        teacher.setName("李老师");
        student.setName("王五");
    }
    public void run() {
        if (Thread.currentThread() == student) {
            try {
                System.out.println(student.getName() + "正在打瞌睡，没听课.");
                Thread.sleep(1000 * 60 * 60);
            } catch (InterruptedException e) {
                System.out.println(student.getName() + "被老师叫醒了.");
            }
            System.out.println(student.getName() + "开始听课.");
        } else if (Thread.currentThread() == teacher) {
            for (int i = 1; i <= 3; i++) {
                System.out.println("上课!");
                try {
                    Thread.sleep(500);
                } catch (InterruptedException e) {
                }
            }
            student.interrupt(); // 吵醒student
        }
    }
}
```

运行结果(每次运行，输出顺序可能不同)：
王五正在打瞌睡，没听课.
上课!
上课!
上课!
王五被老师叫醒了.
王五开始听课.

9.5　GUI 线程

当 Java 程序包含图形用户界面（GUI）时，Java 虚拟机在运行应用程序时会自动启动更多的线程。其中有两个重要的线程：AWT-EventQuecue 和 AWT-Windows。AWT-EventQuecue 线程负责处理 GUI 事件，AWT-Windows 线程负责将窗体或组件绘制到桌面。JVM 要保证各个线程都有使用 CPU 资源的机会，如程序中发生 GUI 界面事件时，JVM 就会将 CPU 资源切换给 AWT-EventQuecue 线程，AWT-EventQuecue 线程就会来处理这个事件，当单击了程序中的按钮，触发 ActionEvent 事件，AWT-EventQuecue 线程就立刻排队等候执行处理事件的代码。

【例 9-9】　　本例是一个具有图形用户界面的带滚动字幕的小字典，当用户在一个文本框中输入英文单词后按 Enter 键时，另一个文本框显示汉语解释。程序中的一个线程对象 move 负责滚动地显示"!!! 欢迎使用滚动字典!!!"。用户在第一个文本框里输入 boy 或 girl 后，单击按钮"查询滚动字典"，在第二个文本框中显示"男孩子"或"女孩子"，同时唤醒休眠的 move 线程，加快字模的滚动速度。通过在第一个文本框中输入 die 单词来结束这个线程，即让线程结束 run()方法，进入死亡状态。

程序清单9-9: Example9_9.java

```java
import java.awt.*;
import java.awt.event.*;
import javax.swing.*;
public class Example9_9 {
    public static void main(String args[]) {
        new ThreadFrame();
    }
}
class ThreadFrame extends JFrame implements ActionListener, Runnable {
    JTextField text1, text2;
    boolean boo;
    JLabel label = new JLabel("！！！欢迎使用滚动字典！！！");
    JButton fast = new JButton("查询滚动字典");
    Thread scrollWord = null;
    ThreadFrame() {
        setLayout(new FlowLayout());
        scrollWord = new Thread(this);
        text1 = new JTextField(10);
        text2 = new JTextField(10);
        label.setFont(new Font("仿宋体_GB2312", Font.BOLD, 24));
        add(text1);
        add(text2);
        add(fast);
        add(label);
        text1.addActionListener(this);
        fast.addActionListener(this);
        setBounds(100, 100, 400, 210);
        setVisible(true);
        validate();
        setDefaultCloseOperation(JFrame.EXIT_ON_CLOSE);
        scrollWord.start(); // 在AWT-Windows线程中启动scrollWord线程
    }
    public void run() {
        while (true) {
            int x = label.getBounds().x;
            int y = 50;
            x = x + 5;
            label.setLocation(x, y);
            if (x > 380) {
                x = 10;
                label.setLocation(x, y);
```

```
            }
            try {Thread.sleep(200);
            } catch (InterruptedException e) {
            }
            if (boo) {
                return; // 结束run方法，导致scrollWord线程死亡
            }
        }
    }
    public void actionPerformed(ActionEvent e) {
        if (text1.getText().equals("girl")) {
            text2.setText("女孩子");
        } else if (text1.getText().equals("boy")) {
            text2.setText("男孩子");
        } else if (text1.getText().equals("die")) {
            boo = true;
        } else {
            text2.setText("没有该单词");
        }
        if (e.getSource() == fast) {
            scrollWord.interrupt(); // 吵醒休眠的线程，以便加快字模的滚动
        }
    }
}
```

运行结果：如图9-6所示。

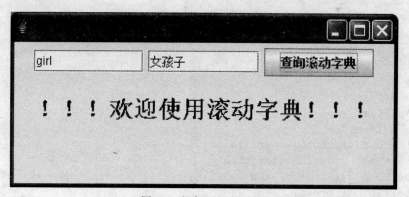

图9-6　程序9-9运行结果

【例 9-10】　一个图形用户界面的程序，当用户单击界面上的"start"按钮时，线程开始工作，每隔一秒钟显示一次当前时间；单击"stop"按钮后，线程就结束生命，释放了实体（即释放线程对象的内存）。每当单击"start"按钮时，都让线程调用 isAlive()方法来判断线程是否还有实体，如果线程是死亡状态，就再分配实体给线程。

程序清单9-10: Example9_10.java

```
import java.awt.event.*;
import java.awt.*;
import java.util.Date;
import javax.swing.*;
public class Example9_10 {
```

```java
    public static void main(String args[]) { new Win(); }
}
class Win extends JFrame implements Runnable, ActionListener {
    Thread showTime = null;
    JTextArea text = null;
    JButton buttonStart = new JButton("Start"), buttonStop = new JButton("Stop");
    boolean die;
    Win() {
        showTime = new Thread(this);
        text = new JTextArea();
        add(new JScrollPane(text), BorderLayout.CENTER);
        JPanel p = new JPanel();
        p.add(buttonStart);
        p.add(buttonStop);
        buttonStart.addActionListener(this);
        buttonStop.addActionListener(this);
        add(p, BorderLayout.NORTH);
        setVisible(true);
        setSize(400, 250);
        validate();
        setDefaultCloseOperation(JFrame.EXIT_ON_CLOSE);
    }
    public void actionPerformed(ActionEvent e) {
        if (e.getSource() == buttonStart) {
            if (!(showTime.isAlive())) {
                showTime = new Thread(this);
                die = false;
            }
            try {
                showTime.start(); // 在AWT-EventQueue线程中启动showTime线程
            } catch (Exception e1) {
                text.setText("线程没有结束run方法之前,不要再调用start方法");
            }
        } else if (e.getSource() == buttonStop) {
            die = true;
        }
    }
    public void run() {
        while (true) {
            text.append("\n" + new Date());
            try {
                Thread.sleep(1000);
            } catch (InterruptedException ee) {
            }
            if (die == true)  return;
        }
    }
}
```

运行结果: 如图9-7所示。

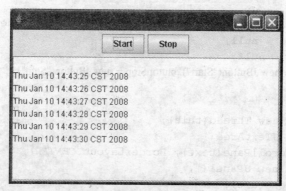

图9-7 程序9-10运行结果

当把一个线程委派给一个组件事件时要非常小心，如单击一个按钮让线程开始运行，那么当这个线程在执行完 run()方法之前，客户可能会随时再次单击该按钮，这时就会发生 ILLegalThreadStateException 异常。

需要格外注意的是，当一个线程没有进入死亡状态时，不要再给线程分配实体，由于线程只能引用最后分配的实体，先前的实体就会成为"垃圾"，并且不会被垃圾收集机收集。所以，在上面的例 9-10 中，每当单击"start"按钮时，都让线程调用 isAlive()方法，判断线程是否还有实体，如果线程是死亡状态就再分配实体给线程。

9.6 线程的同步

9.6.1 用同步方法实现线程同步

如果应用程序是单线程的应用程序，就不用考虑两个线程在同一时间使用相同资源所引发的冲突问题。但如果应用程序是多线程的，一个 Java 程序的多线程之间可以共享数据，就存在两个或更多个线程同时使用相同且有限资源的可能性，资源的冲突必须避免。当两个或多个线程同时访问同一个变量，并且一个线程需要修改这个变量时，应对这样的问题作出处理，否则可能发生混乱。如一个工资管理人员正在修改雇员的工资表，而一些雇员同时正在领取工资，如果容许这样做，必然会引起混乱。因此，工资管理人员正在修改工资表时（包括他中途休息一会儿），将不容许任何雇员领取工资，也就是说这些雇员必须等待。

多线程的同步，就是使多个访问同一个数据的线程，要按序进行，以避免数据出错。当一个线程处理某数据时，其他欲访问该数据的线程必须等待，直至前一线程处理该数据完毕。

Java 采用 synchronized 关键词来实现同步。在声明一个类时，采用 synchronized 修饰的方法是同步方法。Java 中有一个同步模型监视器，负责管理线程中的同步方法。其原理是：赋予该对象惟一的一把"钥匙"（也叫"同步锁"），当多个线程进入对象，只有取得对象钥匙的线程，才可以访问同步方法，其他线程必须等待，直到该线程用 wait()方法放弃这把钥匙，并执行 notifyAll()方法通知所有的因使用这个同步方法而处于等待的线程，让它们结束等待。其他等待的线程抢占该钥匙，抢到钥匙的线程才可以执行，没有抢到钥匙的线程仍被阻塞，继续等待。

在处理线程同步时，要做的第一件事就是在方法声明中把要修改数据的方法用关键字 synchronized 修饰。一个方法在声明时使用了 synchronized 修饰，当一个线程 A 使用这个方法时，其他线程想使用这个方法时就必须等待，直到线程 A 使用完该方法。线程同步，就是若干个线程都需要使用一个 synchronized 修饰的方法。

【例 9-11】 编写具有 kuaiji(会计)线程与 chuna(出纳)线程的两线程同步程序，会计和出纳共同拥有一个账本，并且都可以使用存取方法对账本进行访问，会计使用存取方法时，向账本上写入存钱记录；出纳使用存取方法时，向账本写入取钱记录。当会计正在使用账本时，出纳被禁止使用，反之也是这样。例如，会计每次使用账本时，在账本上存入 120 万元，但在存入这笔钱时，每写入 40 万元就喝口茶，那么他喝茶休息时（注意，此时存钱事件还没结束），出纳仍不能使用账本。从星期一到星期四会计和出纳都要使用账本，试设计一程序处理这一账本事务，要保证其中一人使用账本时，另一个人将必须等待。

程序清单9-11: Example9_11.java

```java
import java.awt.*;
import java.awt.event.*;
public class Example9_11 {
    public static void main(String args[]) { new FrameMoney(); }
}
class FrameMoney extends Frame implements Runnable, ActionListener {
    int money = 100;
    TextArea text1, text2;
    Thread kuaiji, chuna; // 定义会计线程kuaiji,出纳线程chuna
    int weekDay;
    Button startShowing = new Button("开始演示");
    FrameMoney() {
        kuaiji = new Thread(this);
        chuna = new Thread(this);
        text1 = new TextArea(10, 12);
        text2 = new TextArea(10, 12);
        setLayout(new FlowLayout());
        add(startShowing);
        add(text1);
        add(text2);
        setVisible(true);
        setSize(400, 220);
        validate();
        addWindowListener(new WindowAdapter() {
            public void windowClosing(WindowEvent e) { System.exit(0); }
        });
        startShowing.addActionListener(this);
    }
    public void actionPerformed(ActionEvent e) {
        if (!(chuna.isAlive()) && !(kuaiji.isAlive())) {
            kuaiji = new Thread(this);
            chuna = new Thread(this);
            text1.setText(null);
            text2.setText(null);
            money = 100;
        }
        try {kuaiji.start();
             chuna.start();
        } catch (Exception exp) {
```

```
        }
    }
    public synchronized void fetch(int number) { // 定义存取方法fetch
        if (Thread.currentThread() == kuaiji) {
            for (int i = 1; i <= 3; i++) // 会计使用存取方法存入120元，存入40元稍歇一下
            {   money = money + number;
                text1.append("账上有" + money + "万\n");
                try {
                    Thread.sleep(1000); // 这时出纳仍不能使用存取方法
                } // 因为会计还没使用完存取方法
                catch (InterruptedException e) {
                }
            }
        } else if (Thread.currentThread() == chuna) {
            for (int i = 1; i <= 2; i++) // 出纳使用fetch方法取出40元，取出20元稍歇一下
            {   money = money - number / 2;
                text2.append("账上有" + money + "万\n");
                try {
                    Thread.sleep(1000); // 这时会计仍不能使用存取方法
                } // 因为出纳还没使用完存取方法
                catch (InterruptedException e) {
                }
            }
        }
    }
    public void run() {
        String weekDay[] = { "星期一", "星期二", "星期三", "星期四" };
        if (Thread.currentThread() == kuaiji) {
            for (String day : weekDay) // 从星期一到星期四会计要使用账本
            {   text1.append("今天是" + day + "\n");
                fetch(40);
            }
        } else if (Thread.currentThread() == chuna) {
            for (String day : weekDay) // 从星期一到星期四出纳要使用账本
            {   text2.append("今天是" + day + "\n");
                fetch(40);
            }
        }
    }
}
```

运行结果(每次运行，显示的数据不一样)：如图9-8所示。

图9-8　程序9-11运行结果

上述程序中，kuaiji（会计）这个线程先开始，然后 chuna（出纳）线程开始，单击按钮 start 后，两个线程的目标对象会分别执行 run()方法，在 run()方法中，调用了存取方法，对账本操作。在 kuaiji（会计）线程占有 CPU 资源期间，调用存取方法使得账本上钱的数目变化，星期一分 3 次存入了 120 万元，会计存入 40 万元，就主动休眠 1000 毫秒，这时，chuna（出纳）线程将占有 CPU 资源，并调用存取方法，由于该方法是一个同步方法，而且会计还没有使用完该方法，这样就导致出纳进入中断状态，等待会计调用完该方法。当星期一会计使用完存取方法后，出纳马上占有 CPU 资源使用存取方法，分 2 次取走 40 万元。

9.6.2 wait()等方法在线程同步中的应用

通过上一节的学习，已经知道当一个线程正在使用一个同步方法时（用 synchronized 修饰的方法），其他线程就不能使用这个同步方法。对于同步方法，有时涉及某些特殊情况，例如，当在一个售票窗口排队购买电影票时，如果你给售票员的钱不是零钱，而售票员又没有零钱找给你，那么你就必须等待，并允许你后面的人先买票，以便售票员获得零钱给你。如果第 2 个人仍没有零钱，那么你必须等待，并允许后面的人买票。

当一个线程使用的同步方法中用到某个变量，而此变量又需要其他线程修改后才能符合本线程的需要，那么可以在同步方法中使用 wait()方法。使用 wait()方法可以中断方法的执行，使本线程等待，暂时让出 CPU 的使用权，并允许其他线程使用这个同步方法。其他线程如果在使用这个同步方法时不需要等待，那么它使用完这个同步方法的同时，应当用 notifyAll()方法，通知所有的由于使用这个同步方法而处于等待的线程结束等待。曾中断的线程就会从刚才的中断处继续执行这个同步方法，并遵循"先中断先继续"的原则。如果使用 notify()方法，那么只是通知处于等待中的某一个线程结束等待。wait()、notify()和 notifyAll()都是 Object 类中的 final 方法，被所有的类继承且不允许重写的方法。

下面的例题以两个人买电影票来模拟同步方法。

【例 9-12】 张三（Zhangsan）和王五（Wangwu）买电影票，售票员（Ticketsaler）李小姐（sisterLi）只有两张 5 元的钱，电影票要 5 元钱一张。张三拿一张 20 元的人民币排在王五的前面要买一张票，王五拿一张 5 元的人民币要买一张票。采用多线程模拟排队买票过程。

程序清单9-12: Example9_12.java

```java
import java.awt.*;
import java.awt.event.*;
import javax.swing.*;
public class Example9_12 {
    public static void main(String args[]) { new MyFrame(); }
}
class MyFrame extends JFrame implements Runnable, ActionListener {
    Ticketsaler sisterLi;
    Thread Zhangsan, Wangwu;
    static JTextArea text;
    JButton startBuy = new JButton("开始买票");
    MyFrame() {
        sisterLi = new Ticketsaler();
        Zhangsan = new Thread(this);
        Wangwu = new Thread(this);
```

```java
        text = new JTextArea(10, 30);
        startBuy.addActionListener(this);
        add(text, BorderLayout.CENTER);
        add(startBuy, BorderLayout.NORTH);
        setVisible(true);
        setSize(350, 150);
        validate();
        setDefaultCloseOperation(JFrame.EXIT_ON_CLOSE);
    }
    public void actionPerformed(ActionEvent e) {
        try {
            Zhangsan.start();
            Wangwu.start();
        } catch (Exception exp) {
        }
    }
    public void run() {
        if (Thread.currentThread() == Zhangsan) {
            sisterLi.sales_princ(20);
        } else if (Thread.currentThread() == Wangwu) {
            sisterLi.sales_princ(5);
        }
    }
}
class Ticketsaler {
    int number5 = 2, number10 = 0, number20 = 0;
    String s = null;
    public synchronized void sales_princ(int money) {
        if (money == 5) { // 如果使用该方法的线程传递的参数是5,就不用等待
            number5 = number5 + 1;
            s = "给您入场券，您的钱正好";
            MyFrame.text.append("\n" + s);
        } else if (money == 20) {
            while (number5 < 3) {
                try { wait(); // 如果使用该方法的线程传递的参数是20须等待
                } catch (InterruptedException e) {
                }
            }
            number5 = number5 - 3;
            number20 = number20 + 1;
            s = "给您入场券， " + " 您给我20，找您15元。";
            MyFrame.text.append("\n" + s);
        }
        notifyAll();
    }
}
```

运行结果：如图9-9所示。

图9-9 例9-12运行结果

本例中，尽管张三排在王五的前面，他拿一张 20 元的人民币要买一张电影票（5 元钱一张票），可售票员李小姐只有两张 5 元的钱，无法找零；而排在后面的王五拿一张 5 元的人民币买票，则刚好不用找零，因此，售票员小姐先让王五买票，然后再给张三买票。

【例 9-13】 用两个线程来玩猜数字游戏，第一个线程负责随机给出 0~50 之间的一个整数，第二个线程负责猜出这个数，每当第二个线程给出自己的猜测后，第一个线程就会提示"猜小了"、"猜大了"或"猜对了"。第二个线程首先要等待第一个线程设置好要猜测的数。第一个线程设置好猜测数之后，两个线程还要互相等待，其原则是，第二个线程给出自己的猜测后，等待第一个线程给出的提示；第一个线程给出提示后，等待给第二个线程给出猜测，如此进行，直到第二个线程给出正确的猜测后，两个线程进入死亡状态。

程序清单9-13: Example9_13.java

```
public class Example9_13 {
    public static void main(String args[]) {
        Number number = new Number();
        number.giveNumberThread.start();
        number.guessNumberThread.start();
    }
}
class Number implements Runnable {
    final int SMALLER = -1, LARGER = 1, SUCCESS = 8;
    int realNumber, guessNumber, min = 0, max = 50, message = SMALLER;
    boolean pleaseGuess = false, isGiveNumber = false;
    Thread giveNumberThread, guessNumberThread;
    Number() {
        giveNumberThread = new Thread(this);
        guessNumberThread = new Thread(this);
    }
    public void run() {
        for (int count = 1; true; count++) {
            setMessage(count);
            if (message == SUCCESS) return;
        }
    }
    public synchronized void setMessage(int count) {
        if (Thread.currentThread() == giveNumberThread && isGiveNumber == false) {
            realNumber = (int) (Math.random() * 50);
            System.out.println("随机给您一个0至49之间的数,猜猜是多少? ");
            isGiveNumber = true;
```

```java
            pleaseGuess = true;
    }
    if (Thread.currentThread() == giveNumberThread) {
        while (pleaseGuess == true)
            try { wait(); // 让出CPU使用权，让另一个线程开始猜数
            } catch (InterruptedException e) {
            }
      if (realNumber > guessNumber) { // 结束等待后，根据另一个线程的猜测给出提示
          message = SMALLER;
          System.out.println("猜小了");
      } else if (realNumber < guessNumber) {
          message = LARGER;
          System.out.println("猜大了");
      } else {
          message = SUCCESS;
          System.out.println("恭喜您，猜对了");
      }
          pleaseGuess = true;
    }
    if (Thread.currentThread() == guessNumberThread && isGiveNumber == true) {
    while (pleaseGuess == false)
        try {
            wait(); // 让出CPU使用权，让另一个线程给出提示
        } catch (InterruptedException e) {
        }
    if (message == SMALLER) {
        min = guessNumber;
        guessNumber = (min + max) / 2;
System.out.println("我第" + count + "次猜这个数是:" + guessNumber);
    } else if (message == LARGER) {
        max = guessNumber;
        guessNumber = (min + max) / 2;
System.out.println("我第" + count + "次猜这个数是:" + guessNumber);
        }
        pleaseGuess = false;
    }
    notifyAll();
    }
}
```

运行结果（每次运行结果不一样）：
随机给您一个0至49之间的数，猜猜是多少？
我第1次猜这个数是:25
猜小了
我第2次猜这个数是:37
猜大了
我第3次猜这个数是:31
猜小了
我第4次猜这个数是:34
猜小了
我第5次猜这个数是:35
恭喜您，猜对了

9.7 线程间的通信

Java 不同线程间进行通信，是采用管道流来实现的。一个线程发送数据到输入管道，另一个线程从输出管道中读数据。管道用来把一个线程或代码块的输出连接到另一个线程或代码块的输入。

管道输入流作为一个通信管道的接收端，管道输出流作为发送端。在使用管道之前，管道输出流和管道输入流必须进行连接。下面有两种连接的方法。

9.7.1 管道的创建与使用

Java 提供了两个特殊的专门类，专门用于处理管道：即 PipedInputStream 类和 PipedOutputStream 类，它们位于 java.io 包中。PipedInputStream 类是 InputStream 的子类，表示一个通信管道的接收端，一个线程通过它读取数据；PipedOutputStream 类是 OutputStream 的子类，表示一个通信管道的发送端，一个线程通过它发送数据。这两个类一起使用可以提供数据的管道流。

创建一个管道流，必须先创建一个 PipedOutputStream 对象，再创建一个 PipedInputStream 对象，例如：

PipedOutputStream pipeout = new PipedOutputStream();

PipedInputStream pipein = new PipedInputStream();

创建一个管道后，就可以像操作文件一样对管道进行数据的读写。

9.7.2 基于管道的线程通信

应用程序由 3 个线程组成：主线程（Example9_14），以及由主线程启动的两个二级线程（ythread 和 zthread），它们使用管道来处理数据。数据文件 input.txt 内容如下：

xero,xoo,xoom.

【例 9-14】 利用管道来实现线程间的通信

程序清单9-14: Example9_14.java

```java
import java.io.*;
public class Example9_14 {
    public static void main(String[] args) { //创建一个主线程
        Example9_14 pipeapp = new Example9_14();
            //为input.txt文件创建输入流fileln
        try { FileInputStream xfileln = new FileInputStream("input.txt");
            //启动将输入数据"x"改变到"y"的线程ythread
            InputStream ylnpipe = pipeapp.changetoy(xfileln);
            //启动数据从"y"改变到"z"的线程zthread
            InputStream zlnpipe = pipeapp.changetoz(ylnpipe);
            System.out.println();
            System.out.println("Here are the results: ");
            System.out.println();
            DataInputStream inputstream = new DataInputStream(zlnpipe);
            String str = inputstream.readLine(); //每次读一行
            while (str != null) {
                System.out.println(str);
```

高等院校计算机系列教材

```
                str = inputstream.readLine();
            }
            inputstream.close();  //关闭输入流
        } catch (Exception e) {
            System.out.println(e.toString());
        }
    }
    public InputStream changetoy(InputStream inputstream) {
        try { DataInputStream xfileln = new DataInputStream(inputstream);
            PipedOutputStream pipeout = new PipedOutputStream(); //创建一个新的管道
            PipedInputStream pipeln = new PipedInputStream(pipeout);
            //输出管道定位到printstream
            PrintStream printstream = new PrintStream(pipeout);
            Ythread ythread = new Ythread(xfileln, printstream);
            ythread.start();
            return pipeln;
        } catch (Exception e) { System.out.println(e.toString());}
        return null;
    }
    public InputStream changetoz(InputStream inputsteam) {
        try {
            DataInputStream yfileln = new DataInputStream(inputsteam);
            PipedOutputStream pipeout2 = new PipedOutputStream();
            PipedInputStream pipeln2 = new PipedInputStream(pipeout2);
            PrintStream printstream2 = new PrintStream(pipeout2);
            Zthread zthread = new Zthread(yfileln, printstream2);
            zthread.start();
            return pipeln2;
        } catch (Exception e) { System.out.println(e.toString());
        }
        return null;
    }
}
```

程序清单9-14-1: Ythread.java

```
import java.io.*;
public class Ythread extends Thread {
    DataInputStream xfileln;
    PrintStream printstream;
    Ythread(DataInputStream xfileln, PrintStream printstream) {
        this.xfileln = xfileln;
        this.printstream = printstream;
    }
    public void run() {
        try { String xstring = xfileln.readLine();
            while (xstring != null) {
                String ystring = xstring.replace('x', 'y');
                //每读一行数据,完成一次转换
                printstream.println(ystring);
                printstream.flush();  //确保所有缓冲区的数据完全进入管道的输出端
                xstring = xfileln.readLine();
            }
```

```
        printstream.close();
    } catch (IOException e) { System.out.println(e.toString()); }
    }
}
```

程序清单9-14-2: Zthread.java

// Zthread.java与Ythread.java大致相同，只需将Ythread.java中的'x'改为'y'，'y'改为'z'即可。

Example9_14的运行结果：

```
Here are the results:
zero,zoo,zoom.
```

　　程序的功能是从 input.txt 文件中读取数据，使用管道传输数据。第一次是利用线程 ythread 将文件 input.txt 中的"x"变换为"y"，第二次利用线程 zthread 将"y"变成"z"，然后在屏幕上显示修改后的内容。

　　上例还用到了 FileInputStream 类和 FileOutputStream 类，它们都位于 java.io 中。FileInputStream 类主要用来创建一个能从文件顺序地读取字节的输入流，FileOutputStream 类主要用来创建一个能向文件顺序地写入字节的输出流。详细情况请参看第 10 章有关内容。

9.8　线程的死锁

　　在 Java 编程中，由于线程可进入阻塞状态，也因为对象可拥有 synchronized()函数，致使只有在同步锁被释放时，才能够访问对象。因此，可能会出现线程 A 陷入对线程 B 的等待，而线程 B 同样会陷入对线程 C 的等待，依此类推，整个等待最后又回到线程 A，于是各线程便陷入一个彼此等待的轮回中，任何线程都动弹不得，这种现象便称为死锁。一旦发生下面 4 种情况之一，就会导致死锁发生。

　　（1）相互排斥：一个线程永远占有某一共享资源。

　　（2）循环等待：线程 A 等待线程 B，线程 B 又在等待线程 C，而线程 C 又在等待线程 A。

　　（3）部分分配：资源被部分分配。例如，线程 A 和线程 B 都需要访问一个文件，并且都要用到打印机，线程 A 获得了文件资源，线程 B 获得了打印机资源，但是两个线程不能获得全部资源。

　　（4）缺少优先权：一个线程访问了某个资源，但是一直不释放该资源，即使该线程处于阻塞状态。

　　如果上面 4 种情形都不出现，系统就不会发生死锁。

　　就语言本身来说，未直接提供防止死锁的帮助措施；需要我们在编程时谨慎地设计，从而避免死锁。

　　【例 9-15】　死锁实例，线程 deadtest1 采用 synchronized()方法，在锁住资源 resource1 以后，又试图得到资源 resource2；同样，线程 deadtest2 在锁住资源 resource2 以后，又试图得到资源 resource1。这样两个线程都不放弃已得到的资源，又都想得到对方不放弃的资源，死锁就形成了。

程序清单9-15: Example9_15.java

```
public class Example9_15 {
    public static void main(String[] args) {
        final Object resource1 = "resource1";
```

```
        final Object resource2 = "resource2";
        // deadtest1 在锁住resource1以后，试图再去锁住resource2
        Thread deadtest1 = new Thread() {
            public void run() {
                // 锁住 resource 1
                synchronized (resource1) {
                    System.out.println("Thread 1: 锁住 resource 1");
                    try {
                        Thread.sleep(100);
                    } catch (InterruptedException e) {
                    }
                    synchronized (resource2) {
                        System.out.println("Thread 1: 锁住 resource 2");
                    }
                }
            }
        };
        // deadtest2 在锁住resource2以后，试图再去锁住resource1
        Thread deadtest2 = new Thread() {
            public void run() { // 锁住 resource 2
                synchronized (resource2) {
                    System.out.println("Thread 2: 锁住 resource 2");
                    try { Thread.sleep(100);
                    } catch (InterruptedException e) {
                    }
                    synchronized (resource1) {
                        System.out.println("Thread 2: 锁住 resource 1");
                    }
                }
            }
        };
        // 按计划进行，会发生死锁。程序永远不会终止.
        deadtest1.start();
        deadtest2.start();
    }
}
```

出现如下运行结果（但程序永远不会自动终止）：
```
Thread 1: 锁住 resource 1
Thread 2: 锁住 resource 2
```

9.9 线程的挂起、恢复和终止

前面学习了线程同步问题，即几个线程都需要调用一个同步方法，一个线程在使用同步方法时，可能根据问题的需要，必须使用 wait()方法使本线程等待，暂时让出 CPU 的使用权，并允许其他线程使用这个同步方法。其他线程使用这个同步方法时如果不需要等待，那么它用完这个同步方法的同时，应当执行 notifyAll()方法通知所有的由于使用这个同步方法而处于等待的线程结束等待。

但有时两个线程并不是同步的，即不涉及都需要调用一个同步方法，线程也可能需要暂时挂起。所谓挂起一个线程就是让线程暂时让出 CPU 的使用权限，暂时停止执行，但停止执行的持续时间不确定，因此不能使用 sleep()方法暂停线程。挂起一个线程需要使用 wait()方法，即准备挂起的线程调用 wait()方法，主动让出 CPU 的使用权限，暂停执行。

那么怎样恢复这样的线程继续执行呢？所谓恢复线程，就是让曾挂起的线程恢复执行，即从曾中断处继续执行。如果线程没有目标对象，为了恢复该线程，其他线程在占有 CPU 资源期间，让挂起的线程自己调用 notifyAll()方法，使挂起的线程继续执行。

终止线程就是让线程结束 run()方法的执行，进入死亡状态。

【例 9-16】 一个 thread 线程每隔一秒钟输出一个整数，输出 5 个整数后，该线程挂起；主线程每隔一秒钟输出一个整数，输出 10 个整数后，让 thread 的目标对象调用 notifyAll()方法，使得 thread 线程继续执行。

程序清单9-16: Example9_16.java

```java
class GUAQI implements Runnable {
    int i = 0;
    String name;
    public void run() {
        while (true) {
            i++;
            System.out.println(name + "i=" + i);
            if (i == 5) {
                try {   HangThread();
                } catch (Exception e) { }
            }
            try { Thread.sleep(1000);
            } catch (Exception e) { }
        }
    }
    public synchronized void HangThread() throws InterruptedException {
        wait();
    }
    public synchronized void ResumeThread() {
        notifyAll();
    }
}
public class Example9_16 {
    public static void main(String args[]) {
        int m = 0;
        GUAQI target = new GUAQI (); // 线程的目标对象
        target.name = "王五";
        Thread thread = new Thread(target);
        thread.setName(target.name);
        thread.start();
        while (true) {
            m++;
            System.out.println("我是主线程,m=" + m);
            if (m == 10) {
                System.out.println("让" + thread.getName() + "继续工作");
                try { target. ResumeThread(); // 主线程占有CPU资源期间
```

```
            } // 让thread的目标对象调用notifyAll()
            catch (Exception e) {     }
            break;
        }
        try { Thread.sleep(800);
        } catch (Exception e) { }
    }
}
}
```

运行结果（每次运行结果，可能不同）：
```
王五i=1
我是主线程,m=1
我是主线程,m=2
王五i=2
我是主线程,m=3
王五i=3
我是主线程,m=4
王五i=4
我是主线程,m=5
王五i=5
我是主线程,m=6
我是主线程,m=7
我是主线程,m=8
..........
```

【例 9-17】 在图形用户界面（GUI）中，通过单击"线程开始"按钮启动线程，该线程负责移动一个标签；通过单击"线程挂起"按钮挂起该线程，单击"线程恢复"按钮恢复该线程；通过单击"线程终止"按钮终止线程。

程序清单9-17: Example9_17.java

```java
import java.awt.*;
import java.awt.event.*;
import javax.swing.*;
public class Example9_17 {
    public static void main(String args[]) {
        Win2 win = new Win2();
    }
}
class Win2 extends JFrame implements Runnable, ActionListener {
    Thread moveOrStop;
    JButton begin, block, restart, dead;
    JLabel moveLabel;
    boolean move = false, die = false;
    Win2() {
        moveOrStop = new Thread(this);
        begin = new JButton("线程开始");
        block = new JButton("线程挂起");
        restart = new JButton("线程恢复");
        dead = new JButton("线程终止");
        begin.addActionListener(this);
        block.addActionListener(this);
        restart.addActionListener(this);
```

```
        dead.addActionListener(this);
        moveLabel = new JLabel("注意观察线程的运动!!!");
        moveLabel.setBackground(Color.cyan);
        setLayout(new FlowLayout());
        add(begin);
        add(block);
        add(restart);
        add(dead);
        add(moveLabel);
        setSize(400, 150);
        validate();
        setVisible(true);
        setDefaultCloseOperation(JFrame.EXIT_ON_CLOSE);
    }
    public void actionPerformed(ActionEvent e) {
        if (e.getSource() == begin) {
            try { move = true;
                moveOrStop.start();
            } catch (Exception event) { }
        } else if (e.getSource() == block) {
            move = false;
        } else if (e.getSource() == restart) {
            move = true;
            restart_thread();
        } else if (e.getSource() == dead) {
            die = true;
        }
    }
    public void run() {
        while (true) {
            while (!move) { // 如果 move是false,挂起线程
             try {  block_thread();
                } catch (InterruptedException e1) { }
            }
            int x = moveLabel.getBounds().x;
            int y = moveLabel.getBounds().y;
            y = y + 2;
            if (y >= 200)   y = 10;
            moveLabel.setLocation(x, y);
            try { moveOrStop.sleep(200);
             } catch (InterruptedException e2) {     }
            if (die == true) {return; // 终止线程
             }
        }
    }
    public synchronized void block_thread() throws InterruptedException {    wait();   }
    public synchronized void restart_thread() {notifyAll(); }
}
```

运行结果：图9-10所示。

高等院校计算机系列教材

图9-10　例9-17运行结果

　　yield()方法的作用是暂停当前正在执行的线程（暂停的时间不能设置），让其他同优先级的一个线程执行。

　　【例 9-18】　　利用 yield()方法对线程的状态进行控制。

程序清单9-18: Example9_18.java

```java
public class Example9_18 {
    public Example9_18() {  }
    public static void main(String[] args) {
        TestThreadMethod test1 = new TestThreadMethod("test1");
        TestThreadMethod test2 = new TestThreadMethod("test2");
        test1.start();test2.start();
    }
}
```

程序清单9-18-1: TestThreadMethod.java

```java
public class TestThreadMethod extends Thread{
    public TestThreadMethod() {     }
    public static int shareVar = 0;
    public TestThreadMethod(String name){super(name);}
    public synchronized void run(){
        for(int i=0; i<4; i++){
            System.out.print(Thread.currentThread().getName());
            System.out.println(" : " + i);
            Thread.yield();
        }
    }
}
```

运行结果（每次运行的结果可能不一样）

```
test1 : 1
test2test1 : 2
 : 1
test1 : 3
test2 : 2
test2 : 3
```

9.10　计时器线程

　　Java 提供了一个很方便的 Timer 类，该类在 javax.swing 包中。当某些操作需要周期性地执行，就可以使用计时器。可以使用 Timer 类的构造方法：Timer(int delay, ActionListener listener) 创建一个每 delay 毫秒将通知其侦听器的 Timer。这样就创建了一个计时器，其中的参数 delay

的单位是毫秒，确定计时器每隔 delay 毫秒"震铃"一次，参数 listener 是计时器的监视器。计时器发生震铃的事件是 ActionEvent 类型事件。当震铃事件发生时，监视器就会监视到这个事件，监视器就回调 ActionListener 接口中的 actionPerformed 方法。因此当震铃每隔 delay 毫秒发生一次时，方法 actionPerformed 就被执行一次。当让计时器只震铃一次时，可以让计时器调用 setReapeats(Boolean listener)方法，参数 listener 的值取 false 即可。当使用 Timer(int delay，ActionListener listener)创建计时器时，对象 listener 就自动地成了计时器的监视器，不必像其他组件那样，如按钮，使用特定的方法获得监视器，但负责创建监视器的类必须实现接口 ActionListener。如果使用 Timer(int delay)创建计时器，计时器必须再调用 addActionListener(ActionListener listener)方法获得监视器。另外，计时器还可以调用 setInitialDelay(int depay)设置首次震铃的延时，如果没有使用该方法进行设置，首次震铃的延时为 delay。

计时器创建后，使用 Timer 类的方法 start()启动计时器，即启动线程。使用 Timer 类的方法 stop()停止计时器，即挂起线程，使用 restart()重新启动计时器，即恢复线程。

【例 9-19】　在 GUI 界面中单击"开始计时"按钮启动计时器，并将时间显示在文本框中，同时移动文本框在容器中的位置；单击"暂停计时"按钮暂停计时器；单击"继续计时"按钮重新启动计时器。

程序清单9-19: Example9_19.java

```java
import java.awt.*;
import java.awt.event.*;
import javax.swing.*;
import javax.swing.Timer;
public class Example9_19 {
    public static void main(String args[]) {
        TimeWin Win = new TimeWin();
    }
}
class TimeWin extends JFrame implements ActionListener {
    JTextField text;
    JButton bStart, bStop, bContinue;
    Timer time;
    int n = 0, start = 1;
    TimeWin() {
        time = new Timer(800, this);// TimeWin对象做计时器的监视器。
        text = new JTextField(10);
        bStart = new JButton("开始计时");
        bStop = new JButton("暂停计时");
        bContinue = new JButton("继续计时");
        bStart.addActionListener(this);
        bStop.addActionListener(this);
        bContinue.addActionListener(this);
        setLayout(new FlowLayout());
        add(bStart);
        add(bStop);
        add(bContinue);
        add(text);
        setSize(400, 150);
        validate();
        setVisible(true);
```

```
        setDefaultCloseOperation(JFrame.EXIT_ON_CLOSE);
    }
    public void actionPerformed(ActionEvent e) {
        if (e.getSource() == time) {
            java.util.Date date = new java.util.Date();
            String str = date.toString().substring(11, 19);
            text.setText("时间: " + str);
            int x = text.getBounds().x;
            int y = text.getBounds().y;
            y = y + 2;
            text.setLocation(x, y);
        } else if (e.getSource() == bStart) {
            time.start();
        } else if (e.getSource() == bStop) {
            time.stop();
        } else if (e.getSource() == bContinue) {
            time.restart();
        }
    }
}
```

运行结果：图9-11所示。

图9-11 例9-19运行结果

9.11 线程的联合

一个线程 A 在占有 CPU 资源期间，可以让其他线程调用 join()方法和本线程联合，如：B.join()；此时称 A 在运行期间联合了 B。如果线程 A 在占有 CPU 资源期间一旦联合 B 线程，那么 A 线程将立刻中断执行，一直等到它联合的线程 B 执行完毕，A 线程再重新排队等待 CPU 资源，以便恢复执行。如果 A 准备联合的 B 线程已经结束，那么 B.join()不会产生任何效果。

【例 9-20】 以生产者与顾客两个线程为例，编程实现两线程联合。

程序清单9-20: Example9_20.java

```
public class Example9_20 {
    public static void main(String args[]) {
        ThreadJoin threadjoin = new ThreadJoin();
        threadjoin.customer.start();
    }
}
class ThreadJoin implements Runnable {
```

```
        Car car;
        Thread customer, carMaker;
        ThreadJoin() {
            customer = new Thread(this);
            customer.setName("顾客");
            carMaker = new Thread(this);
            carMaker.setName("空调制造厂");
        }
    public void run() {
        if (Thread.currentThread() == customer) {
         System.out.println(customer.getName() + "等" + carMaker.getName() + "生产空调");
            try { carMaker.start();
                carMaker.join(); // 线程customer开始等待carMaker结束
            } catch (InterruptedException e) {
            }
         System.out.println(customer.getName() + "买了一台5匹的空调: " + car.name+ " 价格:" +
car.price);
        } else if (Thread.currentThread() == carMaker) {
         System.out.println(carMaker.getName() + "开始生产空调,请等...");
            try {
                carMaker.sleep(2000);
            } catch (InterruptedException e) {
            }
            car = new Car("格力牌5匹空调", 8800);
            System.out.println(carMaker.getName() + "生产完毕");
        }
    }
}
class Car {
    float price;
    String name;
    Car(String name, float price) {
        this.name = name;
        this.price = price;
    }
}
```

运行结果：

顾客等空调制造厂生产空调
空调制造厂开始生产空调,请等...
空调制造厂生产完毕
顾客买了一台5匹的空调：格力牌5匹空调价格:8800.0

9.12　守护线程

　　Java 有两种线程："守护线程 Daemon" 与 "用户线程 User"（也叫非守护线程）。
　　我们之前看到的例子都是用户线程，守护线程是一种 "在后台提供通用性支持" 的线程，
它并不属于程序本体。线程默认是用户(user)线程。
　　一个线程调用 void setDaemon(boolean on)方法可以将自己设置成一个守护(Daemon)线

高等院校计算机系列教材

程，如：

thread.setDaemon(true);

当程序中的所有用户线程都已结束运行时，即使守护线程的 run()方法中还有需要执行的语句，守护线程也会立刻结束运行。可以用守护线程做一些不很严格的工作，当线程随时结束时不会产生什么不良的后果。如果要将一个线程设置为守护线程，必须在运行之前设置。

【例 9-21】 编程显示守护线程。

程序清单9-21: Example9_21.java

```java
public class Example9_21 {
    public static void main(String args[]) {
        Daemon threada = new Daemon();
        threada.Athread.start();
        threada.Bthread.setDaemon(true);
        threada.Bthread.start();
    }
}
class Daemon implements Runnable {
    Thread Athread, Bthread;
    Daemon() {
        Athread = new Thread(this);
        Bthread = new Thread(this);
    }
    public void run() {
        if (Thread.currentThread() == Athread) {
            for (int i = 0; i < 8; i++) {
                System.out.println("A线程, i=" + i);
                try { Thread.sleep(1000);
                } catch (InterruptedException e) { }
            }
        } else if (Thread.currentThread() == Bthread) {
            while (true) {
                System.out.println("线程B是守护线程 ");
                try { Thread.sleep(1000);
                } catch (InterruptedException e) { }
            }
        }
    }
}
```

运行结果(每次运行的结果可能不一样)：
线程B是守护线程
A线程，i=0
A线程，i=1
线程B是守护线程
线程B是守护线程
A线程，i=2
A线程，i=3
线程B是守护线程
A线程，i=4
线程B是守护线程
线程B是守护线程
A线程，i=5
线程B是守护线程

A线程，i=6
A线程，i=7
线程B是守护线程
线程B是守护线程

习 题 九

一、简答题

1．线程与进程有什么关系？

2．线程有几种状态，引起线程中断的主要原因有哪些？

3．一个线程执行完 run()方法后，进入了什么状态？该线程还能再调用 start()方法吗？

4．建立线程的方法有哪几种？Runnable 接口在线程创建中的作用？

5．Runnable 接口中包括哪些抽象方法？Thread 类有哪些主要的成员变量和方法？

6．线程在什么样的状态时，调用 isAlive()方法返回的值是 false？

7．在多线程中引入同步机制的原因是什么？

8．在什么方法中可以使用 wait()、notify()及 notifyAll()方法？

9．线程调用 interrupt()的作用是什么？线程什么时候会发生死锁？

10．线程联合有什么功能？线程分为哪两类？

二、选择题

1．运行下列程序，会产生什么结果？（　　）

```
1) public class Exercises3_1 extends Thread implements runable {
2)     public void run() {
3)         System.out.println("this is run()");
4)     }
5)     public static void main(String args[]) {
6)         Thread t = new Thread(new Exercises3_1());
7)         t.start();
8)     }
9) }
```

A．第一行会产生编译错误　　　　B．第六行会产生编译错误

C．第六行会产生运行错误　　　　D．程序会运行和启动

2．线程在生命周期中要经历五种状态，若线程当前是新建状态，则它可以到达的下一个状态是（　　）。

A．运行状态　　　B．可运行状态　　　C．阻塞状态　　　D．终止状态

3．下列关于 Java 多线程并发控制机制的叙述中，错误的是（　　）。

A．Java 中没有提供检测与避免死锁的专门机制，但应用程序可以采用某些策略防止死锁的发生

B．共享数据的访问权限都必须定义为 private

C．Java 中对共享数据操作的并发控制是采用加锁技术

D．线程之间的交互，提倡采用 suspend()/resume()方法

4．哪个关键字可以对象加互斥锁？（　　）

A．transient　　　　B．serialize　　　　C．synchronized　　　　D．static

5．下面哪些方法可用于创建一个可运行的多线程类？（　　）

A．public class T implements Runable { public void run(){ …} }

B．public class T extends Thread { public void run(){ …} }

C．public class T implements Thread { public void run(){…} }

D．public class T implements Thread { public int run(){….} }

E．public class T implements Runable { protected void run(){…} }

6．下面哪些方法可以在任何时候被任何线程调用？（　　）

A．sleep()　B．yield()　C．synchronized(this)　D．notify()　E．wait()　F．notifyAll()

7．下列哪些情况可以终止当前线程的运行？（　　）

A．当创建一个新线程时　　　　　　B．当该线程调用 sleep()方法时

C．抛出一个异常时　　　　　　　　D．当一个优先级高的线程进入就绪状态时

三、判断题

1．一个 Java 多线程的程序不论在什么计算机上运行，其结果始终是一样的。（　　）

2．Java 线程有五种不同的状态，这五种状态中的任何两种状态之间都可以相互转换。
（　　）

3．所谓线程同步就是若干个线程都需要使用同一个 synchronized 修饰的方法。（　　）

4．使用 Thread 子类创建线程的优点是可以在子类中增加新的成员变量，使线程具有某种属性；也可以在子类中新增加方法，使线程具有某种功能。但是，Java 不支持多继承，Thread 类的子类不能再扩展其他的类。（　　）

5．Java 虚拟机(JVM)中的线程调度器负责管理线程，调度器把线程的优先级分为 10 个级别，分别用 Thread 类中的类常量表示。每个 Java 线程的优先级都在常数 1 和 10 之间，即 Thread.MIN_PRIORITY 和 Thread.MAX_PRIORITY 之间。如果没有明确地设置线程的优先级别，每个线程的优先级都为常数 8。（　　）

6．当线程类所定义的 run( )方法执行完毕，线程的运行就会终止。（　　）

7．线程的启动是通过引用其 start()方法而实现的。（　　）

四、编程题

1．请采用实现 Runnable 接口的多线程技术，用 50 个线程，生成 10000 个[1-1000]间的随机整数。

2．运用多线程技术在上下分割的两个窗口中，分别从左到右与从右到左移动字符串。

实验九　多线程编程技术

一、实验目的

1．掌握创建新线程的两种方式。

2．掌握线程的几种常用方法的应用。

3．掌握线程同步方法的应用。

4．掌握线程挂起与恢复，线程的联合。

二、实验内容

1．用 Thread 的子类创建一个具有两线程的 Java 应用程序。

2．用 Thread 类直接创建一个三线程的 Java 应用程序，三个线程分别显示各自的时间。

3．编写一个 Java 应用程序，要求有 3 个线程：studentl、student2 和 teacher，其中线程 studentl 准备"睡"20 分钟后再开始上课，线程 student2 准备"睡"一小时后再开始上课。teacher 在输出 4 句"上课"后，"唤醒"了休眠的线程 studentl；线程 studentl 被"唤醒"后，负责再"唤醒"休眠的线程 student2。

4．编写一个 Java 多线程应用程序，模拟三个人排队买票，张三、李四和王五买电影票，售票员只有三张 10 元的钱，电影票 10 元钱一张。张三拿 50 元一张的人民币排在李四的前面买票，李四排在王五的前面拿一张 20 元的人民币买票，王五拿一张 10 元的人民币买票。

5．编写一个 Java 应用程序，在主线程中再创建 3 个线程："客车司机"、"乘客"和"售票员"。要求线程"客车司机"占有 CPU 资源后立刻联合线程"乘客"，也就是让线程"客车司机"一直等到线程"乘客"上车后才能开车；而线程"乘客"占有 CPU 资源后立刻联合线程"售票员"，也就是让线程"乘客"向线程"售票员"购票后才能下车。

第10章 Java 输入输出技术

【本章要点】

1．Java 中流的概念，流式输入/输出机制。

2．Java 中文件和目录的操作：File 类、RandomAccessFile 类。

3．常用的字节流和字符流：文件输入/输出流（FileInputStream 和 FileOutputStream），标准输入/输出流、Scanner 类，管道流，FileReader 类和 FileWriter 类。

4．对象串行化。

输入（Input）/输出（Output）系统，简称为 I/O 系统，使用任何语言编写的程序都会涉及输入/输出，输入/输出是一种非常重要的操作。一种最常见的情况是数据输入来自键盘，而数据输出输送到显示器上。对于输入/输出问题，Java 将之抽象化为流（Stream）对象来解决，对不同的输入/输出问题，提供了相应的流对象解决的方案。

10.1 流式输入/输出基础

在 Java 类库中，I/O 流部分的内容是非常庞大的，因为它涉及的领域非常广泛：包含有标准输入/输出、文件操作、网络上的数据流、字符串流、对象流、zip 文件流，等等。在本小节中对 Java 流式输入/输出作一个介绍。

10.1.1 流的概念

什么是流，流是数据的有序序列。它既可以是未加工的原始二进制数据，也可以是经过一定编码处理后的符合某种规定格式的特定数据，如字节流序列、字符流序列等。

当程序需要读取数据时，就会开启一个通向数据源的输入流，这个数据源可以是磁盘文件、键盘或网络套接字。类似地，当程序需要写入数据的时候，就会开启一个通向目的地的输出流。这个目的地可以是控制台、磁盘文件或相连的网络。输入流、输出流分别如图 10-1、图 10-2 所示。

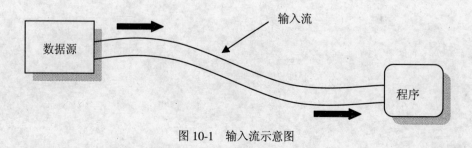

图 10-1　输入流示意图

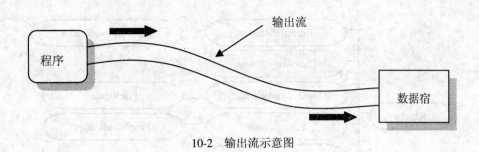

10-2　输出流示意图

10.1.2　字节流和字符流

Java 的输入/输出类库包 java.io 提供了若干输入流和输出流类。根据读写数据类型的不同，输入/输出流类可分为两种：字节流和字符流。字节流用于读写字节类型的数据，可分为表示输入流的 InputStream 类，表示输出流的 OutputStream 类。字符流用于读写 Unicode 字符（16 位），它包括表示输入流的 Reader 类，表示输出流的 Writer 类。java.io 包中的字节输入/输出流和字符输入/输出的类层次结构分别如图 10-3、图 10-4 所示。

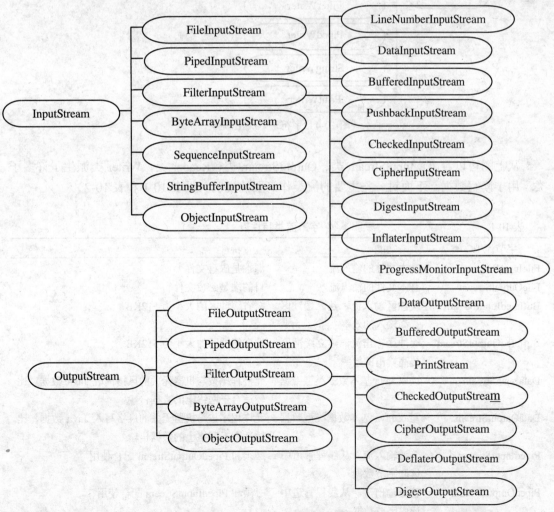

图 10-3　字节输入/输出流类

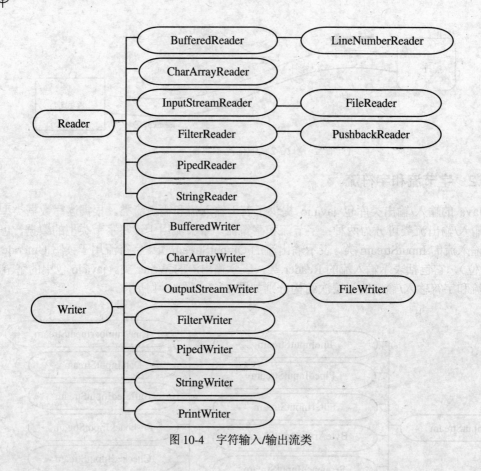

图 10-4　字符输入/输出流类

从上图可以看出，InputStream 类、OutputStream 类、Reader 类、Writer 类派生了许多子类，用于读写数据。下面对一些主要的流类作简要的说明（见表 10-1 和表 10-2）。

表 10-1　　　　　　　　　　　　　　字节流类特性表

字节流 I/O 类	功能	特性
FileInputStream	基本文件的输入流	源端是磁盘文件
FileOutputStream	基本文件的输出流	目的端是磁盘文件
BufferedInputStream	缓冲区输入流，建立缓冲区提高输入的效率	缺省缓冲区的大小为 512KB
BufferedOutputStream	缓冲区输出流，建立缓冲区提高输出的效率	缺省缓冲区的大小为 512KB
DataInputStream	读取 Java 基本数据类型数据	允许程序按与机器无关的风格读取 Java 数据，比较适合于网络上的数据传输
DataOutputStream	写入 Java 基本数据类型数据	允许程序按与机器无关的风格写入 Java 数据，比较适合于网络上的数据传输
PipedInputStream	管道输入流，从线程管道中读取字节数据	必须和 PipedOutputStream 配合使用
PipedOutputStream	管道输出流，从线程管道中读取字节数据	必须和 PipedInputStream 配合使用

表 10-2　　　　　　　　　　　　　字符流类特性表

字符流 I/O 类	功能	特性
FileReader	读取字符文件	从本地文件系统中读取字符序列
FileWriter	写入字符文件	从本地文件系统中读取字符序列
InputStreamReader	输入流读取器	连接字节输入流，把字节流转换成字符流
OutputStreamWriter	输出流写入器	连接字节输出流，把字节流转换成字符流
BufferedReader	缓冲区读取器	缓冲数据的访问，在处理大块数据时以提高效率
BufferedWriter	缓冲区写入器	缓冲数据的访问，在处理大块数据时以提高效率
PipedReader	管道读取器，从线程管道读取字符序列	与 PipedWriter 配合使用
PipedWriter	管道写入器，写入字符序列到线程管道	与 PipedReader 配合使用

10.2　目录和文件操作

在正式了解 Java 如何处理文件输入/输出之前，要先了解一下在 Java 中如何表示一个文件。本小节也将简单地介绍随机文件存取，初步了解文件的输入/输出。

10.2.1　File 类

无论学习哪种语言都要接触到文件系统，要经常和文件打交道，Java 也不例外，在 Java 中，File 类就用来专门处理文件，并获取文件的有关信息（如文件名称、文件长度、文件的最后修改时间等）。通过 File 类，可以建立与磁盘文件的联系；可以用来获取或设置文件或目录的属性，但不支持从文件里读取数据或者往文件里写数据。

File 类的实例可以表示文件和目录是不可变的，也就是说，一旦创建，File 对象表示的抽象路径名将永不改变。File 实例除了用做一个文件或目录的抽象表示之外，它还提供了不少相关操作方法：可以用它来对文件系统做一些查询与设置的动作。要注意的是，不管是文件还是目录，在 Java 中都是以 File 的实例来表示。创建一个 File 类实例的构造方法有如下 4 个：

- public File(String filename)
- public File(String parent, String filename)
- public File(File f, String filename)
- File(URI uri)

其中，filename 是文件名，parent 是路径名字符串，f 是代表某目录的 File 对象。使用 File(String filename) 创建文件时，该文件被认为是与当前应用程序在同一个目录中。

下面的例子创建了 4 个引用文件的对象：f1、f2、f3 和 f4。第一个 File 对象是由仅有一个文件名参数的构造方法生成的，表示当前目录下一个 autoexec.bat 文件。第二个 File 对象有两个参数——路径和文件名，表示 D:\myfile 目录下的 autoexec.bat 文件。第三个 File 对象的参数包括指向 f1 文件的路径及文件名，它与 f2 一样，指向了相同的文件。第四个用一个 URI 参数构造一个文件。

File f1 = new File("autoexec.bat");

File f2 = new File("D:\\myfile","autoexec.bat");

File f3 = new File(new File("D:\\myfile"),"autoexec.bat");

File f4 = new File("file:///D:/myfile/autoexec.bat");

注意：Java 约定用 UNIX 和 URL 风格的斜线作为路径分隔符。在 Windows/DOS 中可用 "/" 或转义字符 "\\" 作为路径分隔符。

1. 文件的属性

File 类定义了很多获取 File 对象标准属性的方法，使用 File 类的下列方法可以获得文件本身的一些信息以及对文件的操作：

- public boolean exists()　//测试此抽象路径名表示的文件或目录是否存在。
- public long length()　//返回由此抽象路径名表示的文件的长度。
- public String getName()　//返回由此抽象路径名表示的文件或目录的名称。
- public String getParent()　//返回此抽象路径名的父路径名的路径名字符串。
- public String getPath()　//将此抽象路径名转换为一个路径名字符串。
- public String getAbsolutePath()　//返回抽象路径名的绝对路径名字符串。
- public boolean isDirectory()　//测试此抽象路径名表示的文件是否是一个目录。
- public boolean isFile()　//测试此抽象路径名表示的文件是否是一个标准文件。
- public boolean isHidden()　//测试此抽象路径名指定的文件是否是一个隐藏文件。
- public boolean delete()　//删除此抽象路径名表示的文件或目录。
- public boolean createNewFile()　//检查文件是否存在，当不存在此文件时，创建由此抽象路径名指定的一个空文件。

【例 10-1】　利用 File 类获得文件的属性信息。

程序清单10-1: FileDemo.java

```
import java.io.File;
class FileDemo {
    static void p(String s) { System.out.println(s); }
    public static void main(String args[]) {
        File f1 = new File("/java/a.txt");
        p("File Name:" + f1.getName());
        p("Path:" + f1.getPath());
        p("Abs Path:" + f1.getAbsolutePath());
        p("Parent:" + f1.getParent());
        p(f1.exists() ? "exists" : "does not exist");
        p(f1.canWrite() ? "is writeable" : "is not writeable");
        p(f1.canRead() ? "is readable" : "is not readable");
        p("is" + (f1.isDirectory() ? " " : "not " + "a directory"));
        p(f1.isFile() ? "is normal file" : "might be a named pipe");
        p(f1.isAbsolute() ? "is absolute" : "is not absolute");
        p("File last modified:" + f1.lastModified());
        p("File size:" + f1.length() + "Bytes");
    }
}
```

运行结果:
```
File Name:a.txt
Path:\java\a.txt
Abs Path:D:\java\a.txt
Parent:\java
does not exist
is not writeable
is not readable
Is not a directory
might be a named pipe
is not absolute
File last modified:0
File size:0Bytes
```

2. 目录

Java 中的 File 类既可以代表文件也可以代表目录,目录是一种特殊的文件。File 对象调用如下的方法就可以创建一个目录:

- public boolean mkdir()   //创建此抽象路径名指定的目录。
- public boolean mkdirs()   //创建此抽象路径名指定的目录树。

如果 File 对象代表一个目录,则调用下面的方法可以列出目录下的文件和子目录:

- public String[] list()   //以字符串形式返回此目录下的所有文件和目录。
- public File[] listFiles()   //以 File 对象形式返回此目录下的所有文件和目录。

有时若需要列出目录下指定类型的文件,比如.txt、.java 等扩展名的文件,则可以使用下列的方法:

- public String[] list(FilenameFilter filter)   //以字符串形式返回此目录中由参数 filter 文件名过滤器包含的文件。
- public File[] listFiles(FileFilter filter)   //以 File 对象形式返回此目录中由参数 filter 文件过滤器包含的文件。

其中 FilenameFilter 是一个接口,只有一个抽象方法:

- public   boolean accept(File dir, String name)

参数 dir 是指被找到的文件所在的目录,name 是指文件的名称。它用来测试指定文件是否应该包含在某一文件列表中。实现此接口的类实例可用于把该方法的返回值为真的文件过滤出来。

【例 10-2】   列出当前目录中带过滤器的文件名清单。

程序清单10-2: FileFilterDemo.java

```java
import java.io.*;
public class FileFilterDemo implements FilenameFilter {
    private String prefix = " ", suffix = " "; // 文件名的前缀、后缀
    public FileFilterDemo(String filterstr) {
        filterstr = filterstr.toLowerCase();
        int i = filterstr.indexOf('*');
        int j = filterstr.indexOf('.');
        if (i > 0)
            prefix = filterstr.substring(0, i);
        if (j > 0)
```

```
            suffix = filterstr.substring(j + 1);
        }
    public static void main(String args[]) throws Exception {
        // 创建带通配符的文件名过滤器对象
        Appt1 FileFilterDemo = new FileFilterDemo("w*abc.txt");
        File f1 = new File("");
        File curdir = new File(f1.getAbsolutePath(), "");// 当前目录
        System.out.println(curdir.getAbsolutePath());
        String[] str = curdir.list(filter);// 列出带过滤器的文件名清单
        for (int i = 0; i < str.length; i++)
            System.out.println("\t" + str[i]);
    }
    public boolean accept(File dir, String filename) {
        boolean yes = true;
        try {
            filename = filename.toLowerCase();
            yes = (filename.startsWith(prefix)) && (filename.endsWith(suffix));
        } catch (NullPointerException e) {
        }
        return yes;
    }
}
```

运行结果（样本输出）：
```
D:\11\chapter10
Write1.txt
Write2.txt
```

程序运行时，列出当前目录中符合过滤条件 "w*.txt" 的文件名清单。

10.2.2　随机访问文件

在正式介绍如何使用 Java 的输入/输出相关类来进行文件存取前，先简单地通过使用 java.io.RandomAccessFile 来存取文件，以认识一些文件存取时所必须注意的概念与事项。

文件的存取通常是顺序的，每在文件中存取一次，文件的读取位置就会相对于目前的位置前进一次。然而有时必须指定文件的某个区段进行读取或写入的动作，也就是进行随机存取，即要能在文件中随意地移动读取位置。这时可以使用 RandomAccessFile 类，使用它的 seek() 方法来指定文件存取的位置，从一条记录随意跳转到另外一条记录，实现对文件内容进行随机的读/写。RandomAccessFile 类的声明为：

public class RandomAccessFile extends Object implements DataInput, DataOutput

从声明中可以看出，RandomAccessFile 类直接继承于 Object 类，并且同时实现了 DataInput 接口和 DataOutput 接口，DataInput 接口中定义的方法主要包括从流中读取基本类型的数据、读取一行数据，或者读取指定长度的字节数。如：readBoolean( )、readInt( )、readLine( )、readFully( ) 等。DataOutput 接口中定义的方法主要是向流中写入基本类型的数据，或者写入一定长度的字节数组。如：writeChar( )、writeDouble( )、write( ) 等。因此 RandomAccessFile 类可以读写基本数据类型的数据、读写字符串。

RandomAccessFile 类有两个构造方法，可以用来创建 RandomAccessFile 类对象：

- RandomAccessFile(File file, String mode)
- RandomAccessFile(String name, String mode)

第一个参数是 File 对象（或字符串），指定了文件名。第二个参数 mode 指明了访问模式，它的取值有："−r"只读；"−rw"读写；"−rws"同步读写（等同于读写，但是写操作的内容都被直接写入物理文件，包括文件内容和文件属性）；"−rwd" 数据同步读写（等同于读写，但任何内容的写操作都直接写入物理文件，对文件属性内容的修改不是这样）。

要想实现对文件内容进行随机的读/写，文件指针是重要的，Java 中提供了如下的方法对文件指针进行操作：

- public long getFilePointer( )　//获得当前的文件指针。
- public void seek(long pos)　//移动文件指针到指定的位置。
- public int skipBytes(int n)　//使文件指针向前移动指定的 n 个字节。

除了文件指针操作的方法外，RandomAccessFile 类提供了读写数据的方法：

- public int read()　//读取一个数据字节，以整数形式返回此字节。
- public long length()　//返回此文件的长度。
- public final String readUTF()　//从文件中读取一个字符串。
- public final String readLine()　//从此文件读取文本的下一行。
- public final boolean readBoolean()　//从此文件读取一个 boolean。
- public final void writeUTF(String str)　//使用 modified UTF-8 编码以与机器无关的方式将一个字符串写入该文件。
- public void write(int b)　//从当前文件指针开始写入指定的字节。
- public final void writeChar(int v)　//按双字节值从文件指针的当前位置开始将 char 写入文件。
- public final void writeChars(String s)　//按字符序列将一个字符串写入该文件。
- public final void writeBoolean(boolean v)　//按单字节值将 boolean 写入该文件。

利用这些读写数据的方法，可以对文件内容进行随机的读写。需注意的是，文件读写操作完成以后，可以调用 close( )方法来关闭此随机存取文件流并释放与该流关联的所有系统资源。下面程序首先写入数据到文件末尾中，然后从文件开始处读取文件内容。

【例 10-3】 利用 RandomAccessFile 类对象实现文件的随机读写。

程序清单10-3: RandomAccessFileDemo.java

```
import java.io.*;
public class RandomAccessFileDemo {
    public static void main(String args[]) throws IOException {
        // 以读和写的方式创建RandomAccessFile对象
        RandomAccessFile f = new RandomAccessFile("myfile.txt", "rw");
        System.out.println("File length:" + (f.length()) + "B");
        System.out.println("File Pointer Position:" + f.getFilePointer());
        f.seek(f.length()); // 将文件指针定位到文件末尾处
        f.writeBoolean(true);
        f.writeBoolean(false);
        f.writeChar('a');
        f.writeChars("Hello!!");
        System.out.println("File length:" + (f.length()) + "B");
        f.seek(0); // 将文件指针定位到文件起始处
```

```
            System.out.println("kkk::" + f.readBoolean());
            System.out.println("kkk::" + f.readBoolean());
            while (f.getFilePointer() < f.length()) {
                System.out.print(f.readChar());
            }
            f.close();
        }
    }
```

运行结果:
```
File length:0B
File Pointer Position:0
File length:18B
kkk::true
kkk::false
aHello!!
```

10.3 字节流类

10.3.1 文件输入/输出流

文件读写是最常见的 I/O 操作,在 Java 语言中,通过文件流来连接磁盘文件,实现磁盘文件内容的读写。文件流有文件输入流(FileInputStream)和文件输出流(FileOutputStream),它们都是抽象类 InputStream 类和 OutputStream 类的具体子类。文件的读写工作包括打开文件输入流或输出流,文件读或写操作,关闭文件输入流或输出流 3 个步骤。

1. 打开文件输入流或输出流

为了读取文件,可以利用 FileInputStream 类构造方法来打开一个到达该文件的输入流(源就是这个文件,输入流指向这个文件)。其构造方法如下:

- public FileInputStream(String name) throws FileNotFoundException
- public FileInputStream(File file) throws FileNotFoundException
- public FileInputStream(FileDescriptor fdObj)

第一个构造方法通过路径名 name 来指定文件的位置,如果指定的文件不存在,或者它是一个目录,而不是一个常规文件,抑或因为其他某些原因而无法打开进行读取时,则抛出 FileNotFoundException。第二个构造方法用一个 File 对象来指定文件名,第三个构造方法则需要指定一个文件描述符(FielDescriptor)。例如,为了读取一个名为 openFile.txt 的文件,建立一个文件输入流对象,代码如下:

FileInputStream rf = new FileInputStream("openFile.txt");

或者

File　f＝new File("openFile.txt");

FileInputStream rf = new FileInputStream(f);

同样,利用 FileOutputStream 类的构造方法即可打开一个文件输出流,用来对文件进行写操作。

- public FileOutputStream(String name)
- public FileOutputStream(String name, boolean append)

- public FileOutputStream(File file)
- public FileOutputStream(File file,boolean append)

构造方法中，参数 append 若为 true，则将字节写入文件末尾处，而不是写入文件开始处。这四个方法中如果该文件不存在，抑或其他某些原因而无法打开它，则抛出 FileNotFoundException 异常。

2. 文件读或写操作

输入/输出流的惟一目的就是提供通往数据的通道，程序可以通过这个通道读写数据，FileInputStream 提供了读取数据的方法：

- public int read()　　//从输入流中读取一个数据字节。
- public int read(byte[] b)　　//从输入流中将最多 b.length 个字节的数据读入一个字节数组中。
- public int read(byte[] b,int off,int len)　　//从输入流中将最多 len 个字节的数据读入一个字节数组中。

read 方法从输入流中顺序读取源中的单个字节数据，该方法返回字节值（0～255 之间的一个整数），如果已经到达文件末尾而没有更多的数据时，则返回 -1。只要不关闭流，read 方法每次调用都顺序地读取源中的其余内容。同样地，利用 FileOutputStream 类的 write 方法可以向文件中写入数据。

- public void write(int b)　　//将指定字节写入此文件输出流。
- public void write(byte[] b)　　//将 b.length 个字节从指定字节数组写入文件输出流中。
- public void write(byte[] b,int off,int len)　　//将指定字节数组中从偏移量 off 开始的 len 个字节写入此文件输出流。

3. 关闭文件输入流或输出流

虽然 Java 在程序结束时自动关闭所有打开的流，但是当我们使用完流后，显式地关闭任何打开的流仍是一个良好的习惯。通过调用 close()方法可以关闭此文件输入流并释放与此流有关的所有系统资源。下面的实例说明了文件输入/输出流的应用。

【例 10-4】 从文件 OpenFile.txt 中读取文件信息，显示在屏幕上并保存在文件 write.txt 中。

程序清单10-4: OpenFile.java

```java
import java.io.*;
import static java.lang.System.out; //静态引用
public class OpenFile {
    public static void main(String args[]) {
        try { // 创建输入流对象
            FileInputStream rf = new FileInputStream("openFile.txt");
            FileOutputStream wf = new FileOutputStream("write.txt");
            int n = 512;
            byte buffer[] = new byte[n];
            while((rf.read(buffer, 0, n) != -1) && (n > 0))//读取输入流
            {
                out.print(new String(buffer));
                wf.write(buffer, 0, buffer.length); // 写入输出流
            }
            out.println();
```

高等院校计算机系列教材

```
        rf.close(); // 关闭输入流
        wf.close(); // 关闭输出流
    } catch (IOException ioe) {
        out.println(ioe);
    } catch (Exception e) {
        out.println(e);
    }
  }
}
```

运行结果：（假如 OpenFile.txt 中保存的信息为"I love java program！"）
```
I love java program!
```
　　静态引用使我们可以像调用本地方法一样调用一个引入的方法，当我们需要引入同一个类的多个方法时，只需写为"import static java.lang.System.*"即可。

　　值得注意的是，当使用文件输入/输出流进行文件读写时，可能会出现异常。比如，试图打开的文件不存在，就会出现 I/O 异常，所以程序必须使用 try-catch 异常处理机制来检测并处理这个异常。

　　下面的程序说明了怎样读取单个字节、字节数组，以及字节数组的子界。它阐述了怎样运用 available()判定剩余的字节个数及怎样用 skip()方法跳过不必要的字节。该程序读取它自己的源文件，该源文件必定在当前目录中。

　　【例 10-5】　演示 FileInputStream 类的使用。

程序清单10-5: FileInputStreamDemo.java

```java
import java.io.*;
public class FileInputStreamDemo {
    public static void main(String args[]) throws Exception {
        int size;
        InputStream f = new FileInputStream("FileInputStreamDemo.java");
        System.out.println("Total Available Bytes:" + (size = f.available()));
        int n = size / 40;
        System.out.println("First" + n + "bytes of the file one read()at a time");
        for (int i = 0; i < n; i++) {
            System.out.print((char) f.read());
        }
        System.out.println("\nStill Available:" + f.available());
        System.out.println("Reading the next " + n + " with one read(b[])");
        byte b[] = new byte[n];
        if (f.read(b) != n) {
            System.err.println("couldn't read" + n + "bytes.");
        }
        System.out.println(new String(b, 0, n));
        System.out.println("\nStill Available:" + (size = f.available()));
        System.out.println("Skipping half of remaining bytes with skip()");
        f.skip(size / 2);
        System.out.println("Still Available:" + f.available());
        System.out.println("Reading" + n / 2 + "into the end of array");
        if (f.read(b, n / 2, n / 2) != n / 2) {
            System.err.println("couldn't read" + n / 2 + "bytes.");
        }
```

```
    System.out.println(new String(b, 0, b.length));
    System.out.println("\nStill Available:" + f.available());
    f.close();
    }
}
```

运行结果:

```
Total Available Bytes:1272
First31bytes of the file one read()at a time
import java.io.*;
public cla
Still Available:1241
Reading the next 31 with one read(b[])
ss FileInputStreamDemo {
    publ
```

这个例子说明了怎样读取数据的三种方法,怎样跳过输入以及怎样检查流中可以获得数据的数目。

10.3.2 BufferedInputStream 类和 BufferedOutputStream 类

前面说的文件输入/输出流效率并不高,因为进行每个读取操作时都要从数据源读取数据(例如从磁盘文件中读取),如果从磁盘文件中一次读取一个字节,则进行读取操作的次数等于文件中的字节数,I/O 操作通常会造成大量的开销,更有效的方法是读取一组字节,而不是一次读取一个字节。BufferedInputStream 类和 BufferedOutputStream 类提供了缓冲功能,可以减少进行的输入/输出次数,从而提高应用程序性能。创建缓冲输入/输出流对象的构造方法如下:

- public BufferedInputStream(InputStream in)
- public BufferedInputStream(InputStream in, int size)
- public BufferedOutputStream(OutputStream out)
- public BufferedOutputStream(OutputStream out,int size)

上面的构造方法中,参数 size 用来指定缓冲区的字节大小,如果不指定缓冲区的字节大小则缺省的缓冲区大小为 512KB。

BufferedInputStream 类和 BufferedOutputStream 类不允许生成新流,而是对现有的流提供缓冲功能。例如,可以生成 BufferedOutputStream,用下列代码写入磁盘文件:

FileOutputStream　fos＝new　　FileOutputStream("myfile.txt");

BufferedInputStream　bos=new　　BufferedInputStream(fos,1000);

这个代码生成的 bos 对象对流 fos 提供了缓冲功能,在内存中有 1 000 个字节的缓冲区。将字节写入这个流中时,它们先存放在缓冲区中,直到缓冲区满,缓冲区满后,写入磁盘文件中,这个过程可以重复。由于每写入 1 000 个字节只发生一个输出操作,因此这个方法比一次写入一个字节有效得多。使用 BufferedInputStream 时应当在数据写入之后调用 flush( )方法,这样就可以把当前存放的任何数据立即写入,而不是等待缓冲区满,因为没有更多的写入数据,缓冲区永远也不能放满。

缓冲流类分别覆盖了其父类读、写数据的各个 read 方法和 write 方法。下面来看一个简单的实例。

【例 10-6】 复制 BuffferedStreamDemo.java 的内容至 BufferedStreamDemo.txt 文件并显示输出。

程序清单10-6: BufferedStreamDemo.java

```java
import java.io.*;
public class BufferedStreamDemo {
    public static void main(String[] args) {
        try {
            byte[] data = new byte[1];
            File srcFile = new File("BufferedStreamDemo.java");
            File desFile = new File("BufferedStreamDemo.txt");
BufferedInputStream bufferedInputStream = new BufferedInputStream(    new FileInputStream(srcFile));
BufferedOutputStream bufferedOutputStream = new BufferedOutputStream(new FileOutputStream(desFile));
            System.out.println("复制文件: " + srcFile.length() + "字节");
            while (bufferedInputStream.read(data) != -1) {
                bufferedOutputStream.write(data);
            }
            // 将缓冲区中的数据全部写出
            bufferedOutputStream.flush();
            System.out.println("复制完成");
            // 显示输出BufferedStreamDemo.txt文件的内容
bufferedInputStream = new BufferedInputStream(new FileInputStream(new File("BufferedStreamDemo.txt")));
            while (bufferedInputStream.read(data) != -1) {
                String str = new String(data);
                System.out.print(str);
            }
            bufferedInputStream.close();
            bufferedOutputStream.close();
        } catch (ArrayIndexOutOfBoundsException e) {
            System.out.println("using: java useFileStream src des");
            e.printStackTrace();
        } catch (IOException e) {
            e.printStackTrace();
        }
    }
}
```

运行结果:

```
复制文件: 1301字节
复制完成
import java.io.*;
public class BufferedStreamDemo {
    ..........
```

缓冲区流类除了可以提高性能外，还提供了标记读取位置（mark 方法）和重置标记（reset 方法）、跳过指定的字节数（skip 方法）等方法。

10.3.3 标准流和扫描器

1. 标准流

Java 语言包中有一个类 System，这个类没有公开的构造器，因此我们并不能创建这个类的对象实例，但在这个类中提供了 3 个有用的静态类字段：

- public final static InputStream in;
- public final static PrintStream out;
- public final static PrintStream err;

System 类的这 3 个静态字段就是系统的标准流：System.in 表示系统的标准输入流，通常的环境下标准输入流指向键盘输入；System.out 表示系统的标准输出流，通常环境下指向屏幕输出；System.err 表示系统的标准错误输出流，通常环境下也指向屏幕输出。

在程序中，这 3 个标准的输入/输出流不需要我们显式地打开就可以正式使用，它由系统负责打开，如果程序不再使用，也不需要关闭。下面通过实例来说明标准流的使用。

【例 10-7】 从键盘输入字符，然后以整数和字符两种方式输出字符。

程序清单10-7: CharInput.java

```java
import java.io.*;
import static java.lang.System.*;
public class CharInput {
 public static void main(String args[]) throws IOException {
    byte buffer[] = new byte[100]; // 设置输入缓冲区
    int count = in.read(buffer); // 读取标准输入流
    for (int i = 0; i < count; i++){ // 输出buffer元素值
        out.print(" " + buffer[i]);
    }
    out.println();
    for (int i = 0; i < count; i++){ // 按字符方式输出buffer
        out.print((char) buffer[i]);
    }
    out.println("count = " + count); // buffer实际长度
  }
}
```

运行结果:
```
键盘输入: I love java
 73 32 108 111 118 101 32 106 97 118 97 13 10
I love java
count = 13
```

本例中用 in.read(buffer)从键盘输入一行字符，存储在缓冲区 buffer 中，count 保存实际读入的字节个数，再以整数和字符两种方式输出 buffer 中的值。read 方法在 java.io 包中，要抛出 IOException 异常。

System.out 和 System.err 都用于输出，通常情况下，Syetem.out 用于程序输出一般信息，而 System.err 用于输出错误信息和其他需要引起用户立即注意的信息。在系统中，System.out 具有缓冲机制，而 System.err 是没有缓冲的，这是两者之间的一个重要区别。

2. 扫描器

从 Java 5.0 版本开始，新增加了 Scanner 类。Scanner 类是一个可以使用正则表达式来分析基本类型和字符串的简单文本扫描器。这个类不仅使用方便，功能更是强大。

Scanner 类使用分隔符模式将其输入分解为标记，默认情况下该分隔符模式与空白相匹配。然后可以使用不同的 next 方法将得到的标记转换为不同类型的值。下面是它的构造方法及其一些常用的方法：

（1）构造方法

• public Scanner(File source)　//构造一个新的 Scanner，它生成的值是从指定文件扫描的。

• public Scanner(InputStream source)　//构造一个新的 Scanner，它生成的值是从指定的输入流扫描的。

• public Scanner(String source)　//构造一个新的 Scanner，它生成的值是从指定字符串扫描的。

（2）读取用户在命令行输入的各种数据类型

• public String next()　//查找并返回来自此扫描器的下一个完整标记。

• public boolean nextBoolean()　//扫描解释为一个布尔值的输入标记并返回该值。

• public byte nextByte()　//将输入信息的下一个标记扫描为一个 byte。

• public double nextDouble()　//将输入信息的下一个标记扫描为一个 double。

• public int nextInt()　//将输入信息的下一个标记扫描为一个 int。

• public float nextFloat()　//将输入信息的下一个标记扫描为一个 float。

• public String nextLine()　//扫描器执行当前行，并返回跳过的输入信息。

• public long nextLong()　//将输入信息的下一个标记扫描为一个 long。

• public short nextShort()　//将输入信息的下一个标记扫描为一个 short。

nextByte(),nextDouble(),nextInt()，nextShort()，nextLong()等方法执行时都会造成堵塞，等待用户在命令行输入数据且按回车确认。

（3）其他常用方法

• public boolean hasNext()　//如果此扫描器的输入中有另一个标记，则返回 true。

• public boolean hasNext(String pattern)　//如果下一个标记与从指定字符串构造的模式匹配，则返回 true。

• public boolean hasNextDouble()　//如果通过使用 nextDouble() 方法，此扫描器输入信息中的下一个标记可以解释为默认基数中的一个 double 值，则返回 true。

• public Scanner useDelimiter(String pattern)　//将扫描器的分隔模式设置为从指定 String 构造的模式。

• public void close()　//关闭扫描器。

【例 10-8】　利用 Scanner 类简单地读取数据。

程序清单10-8: ScannerTest1.java

```java
import java.util.*;
public class ScannerTest1 {
    public static void main(String[] args) {
        System.out.print("请输入浮点型数: ");
        Scanner scanner = new Scanner(System.in);
        double a = scanner.nextDouble();
        System.out.println(a);
    }
}
```

运行结果：

请输入浮点型数：14.23 ↵

14. 23

　　运行时输入一个任意的数，然后输出这个数。程序中 new Scanner(System.in)是利用标准输入流创建扫描器实例，nextDouble()方法是将输入信息的下一个标记扫描为一个 double，实现从控制台输入数字的功能，如果要输入字符串，则可以用 String a=scanner.next()（注意不是 nextString()）。

【例 10-9】　利用 Scanner 直接扫描文件。

程序清单10-9: ScannerTest2.java

```java
import java.util.*;
import java.io.*;
public class ScannerTest2 {
    public static void main(String[] args) throws IOException {
        double sum = 0.0;
        int count = 0;
        FileWriter fout = new FileWriter("text.txt");
        fout.write("2 2.2 3 3.3 4 4.5 done");// 往文件里写入这一字符串
        fout.close();
        FileReader fin = new FileReader("text.txt");
        // 注意这里的参数是FileReader类型的fin
        Scanner scanner = new Scanner(fin);
        while (scanner.hasNext()) {// 如果有内容
            if (scanner.hasNextDouble()) {// 如果是数字
                sum = sum + scanner.nextDouble();
                count++;
            } else {
                String str = scanner.next();
                if (str.equals("done")) {
                    break;
                } else {
                    System.out.println("文件格式错误!");
                    return;
                }
            }
        }
        fin.close();
        System.out.println("文件中数据的平均数是:" + sum / count);
    }
}
```

运行结果:

文件中数据的平均数是:3. 1666666666666665

　　这段程序的功能是将"2 2.2 3 3.3 4 4.5 done"写入文件 scanner 读取文件中的数直到 done 结束，并求出数字的平均值，比较有意思的是 scanner 会自动将空格作为分隔符区分不同数字。当然也可以通过 scanner.useDelimiter(String pattern) 来设置不同的分隔符，比如 scanner.useDelimiter(",*");

10.3.4 管道输入/输出流

像自来水管道一样，Java 中的数据也可以通过管道流来传送。管道流也是数据传输的一种形式，主要用于线程间的通信。java.io 包中提供了两个实现管道通信的类：管道输出流 PipedOutputStream 类和管道输入流 PipedInputStream 类。数据通过管道输出流输送数据到管道（数据发送端），管道输入流则从通信管道的另一端读取数据（数据接收端）。管道数据流的这两个类一定是成对出现的，同时使用并相互连接，这样才能够形成一个数据通信的管道。

1. PipedInputStream 类的构造方法

- public PipedInputStream( )
- public PipedInputStream(PipedOutputStream src)

创建尚未连接的 PipedInputStream 对象，在使用之前必须将其连接到 PipedOutputStream。以使其连接到管道输出流 src。写入 src 的数据字节稍后将用做此流的输入。

2. PipedOutputStream 类的构造方法

- public PipedOutputStream()
- public PipedOutputStream(PipedInputStream snk)

创建尚未连接到管道输入流的管道输出流。在使用之前必须将其连接到管道输入流（既可由接收者连接，也可由发送者连接）。写入此流的数据字节稍后将用做 snk 的输入。

3. 管道连接方法

- public void connect(PipedOutputStream src) throws IOException
- public void connect(PipedInputStream snk) throws IOException

connect()方法使此管道输入流连接到管道输出流。如果此对象已经连接到其他某个管道输出流，则抛出 IOException 异常。如果 src 为未连接的管道输出流，snk 为未连接的管道输入流，则可以通过以下任一调用使其连接：

snk.connect(src)　　或：　　src.connect(snk)

这两个调用的效果相同。下面用实例来说明管道流的使用。

【例 10-10】　设输入管道 in 与输出管道 out 已连接，Send 线程向输出管道 out 发送数据，Receive 线程从输入管道 in 中接收数据。

程序清单10-10: PipedStream.java

```java
import java.io.*;
public class PipedStream {
    public static void main(String args[]) {
        PipedInputStream in = new PipedInputStream();
        PipedOutputStream out = new PipedOutputStream();
        try {
            in.connect(out);
        } catch (IOException ioe) {
        }
        Send s1 = new Send(out, 1);
        Send s2 = new Send(out, 2);
        Receive r1 = new Receive(in);
        Receive r2 = new Receive(in);
        s1.start();
        s2.start();
        r1.start();
```

```
            r2.start();
        }
    }
    class Send extends Thread {// 发送线程
        PipedOutputStream out;
        static int count = 0; // 记录线程个数
        int k = 0;
        public Send(PipedOutputStream out, int k) {
            this.out = out;
            this.k = k;
            count++; // 线程个数加1
        }
        public void run() {
            System.out.print("\r\nSend" + this.k + ": " + this.getName() + " ");
            int i = k;
            try {
                while (i < 10) {
                    out.write(i);
                    i += 2;
                    sleep(1);
                }
                if (Send.count == 1) // 只剩一个线程时
                {
                    out.close(); // 关闭输入管道流
                    System.out.println(" out closed!");
                } else
                    Send.count--; // 线程个数减1
            } catch (InterruptedException e) {
            } catch (IOException e) {
            }
        }
    }
    class Receive extends Thread {// 接收线程
        PipedInputStream in;
        public Receive(PipedInputStream in) {
            this.in = in;
        }
        public void run() {
            System.out.print("\r\nReceive: " + this.getName() + " ");
            try {
                int i = in.read();
                while (i != -1) // 输入流未结束时
                {
                    System.out.print(i + " ");
                    i = in.read();
                    sleep(1);
                }
                in.close(); // 关闭输入管道流
            } catch (InterruptedException e) {
            } catch (IOException e) {
                System.out.println(e);
```

```
        }
    }
}
```

运行结果:
```
Send1: Thread-0
Receive: Thread-2 1
Send2: Thread-1
Receive: Thread-3 2 3 4 5  out closed!
6 7 8 9
```

10.4   字符流

字节流用于读写字节类型的数据,是一种低层次的输入/输出操作,而在大多数的数据处理中包含的是字符类型的数据,涉及字符数据的读写。在 Java 语言中,字符编码采用的是 16 位的 Unicode 编码,字节流不能直接操作 Unicode 字符,比如汉字在文件中占用两个字节,读取不当就会出现乱码现象,我们需要在 Unicode 字符与自然平台字符编码方式之间进行转换,所以 Java.io 包中提供了 Reader 类和 Writer 类,以及以其为父类的一些派生子类专门用来读写字符。

10.4.1   字节流和字符流的转换

如果用 FileInputStream 和 FileOutputStream 流对象读取中文的文本文件时,在屏幕上将不能够正确显示,若将它们连接上 InputStreamReader 和 OutputStreamWriter,就能够在屏幕上显示。InputStreamReader 类和 OutputStreamWriter 类是 Reader 类和 Writer 类的具体实现子类。它们分别用来连接字节流 InputStream 和 OutputStream 对象,将字节流转换为字符流。

1.   OutputStreamWriter 类构造方法

- public OutputStreamWriter(OutputStream out,String charsetName)
- public OutputStreamWriter(OutputStream out)
- public OutputStreamWriter(OutputStream out,Charset cs)
- public OutputStreamWriter(OutputStream out, CharsetEncoder enc)

其中参数 charsetName 是受支持的字符集名称,cs 是给定的字符集,enc 是字符集编码器。

2.   OutputStreamWriter 类常用的写入方法

- public void write(int c)   写入单个字符,参数 c 是指定要写入字符的编码值。
- public void write(char[] cbuf,int off,int len)   写入字符数组的某一部分。
- public void write(String str,int off,int len)   写入字符串的某一部分。

可以用下列代码将字符串 String 用平台的缺省字符编码方式写入文件:
```
String stuff="hello";
FileOutputStream fos=new FileOutputStream("test.txt");
```

```
OutputStreamWriter osw=new OutputStreamWriter(fos);
for(int i=0; i<stuff.length(); i++)    {
    osw.write(stuff.charAt(i));
}
```

调用 write( )时，OutputStreamWriter 将两字节的 Unicode 字符用平台的缺省字符编码方式变成一个或几个字节序列，将数据写入到 FileOutputStream 中。相反，InputStreamReader 用平台的缺省字符编码方式编码的字符处理输入字节流，并将其转换为 Unicode 字符值。

3. InputStreamReader 类构造方法

- public InputStreamReader(InputStream in)
- public InputStreamReader(InputStream in, String charsetName)
- public InputStreamReader(InputStream in, Charset cs)
- public InputStreamReader(InputStream in,CharsetDecoder dec)

4. InputStreamReader 类常用的读取方法

- public int read() throws IOException
- public int read(char[] cbuf,int offset,int length)

read 方法返回所读取字符的 Unicode 编码值，如果读取的数据已到达流的末尾，则返回 -1，若发生 I/O 错误，则会抛出 IOException 异常。

【例 10-11】　编写应用程序，读取文本文件，并在屏幕上显示文件的内容。

程序清单10-11: Test.java

```java
import java.io.*;
public class Test {
    public static void main(String[] args) {
        try {
            FileInputStream fin = new FileInputStream("d1.txt");
            InputStreamReader in = new InputStreamReader(fin);
            int n;
            while ((n = in.read()) != -1) {
                char ch = (char) n;
                System.out.print(ch);
            }
            fin.close();
            in.close();
            FileOutputStream fout = new FileOutputStream("d2.txt");
            OutputStreamWriter out = new OutputStreamWriter(fout);
            char[] ch = { 'j', 'a', 'v', 'a', '程', '序', '设', '计' };
            String str = "我喜欢java语言";
            out.write(ch);
            out.write(str);
            out.flush();
            fout.close();
            out.close();
        } catch (FileNotFoundException e) {
            System.err.println(e);
```

```
        } catch (IOException e) {
            System.err.println(e);
        }
    }
}
```

10.4.2 字符文件读写

FileReader 和 FileWriter 类是用来读取字符文件的便捷类，它们是 InputStreamReader 类和 OutputStreamWriter 类的子类。其构造方法如下：

- public FileReader(File file)
- public FileReader(String fileName)
- public FileWriter(File file)
- public FileWriter(String fileName)

下面是一段创建 FileReader 对象的代码，可以使用该对象读取 student.txt 文件。

FileReader fr= new FileReader("student.txtx");

FileReader 类读写方法与 FileInputStream 和 FileOutputStream 的读写方法类似，只不过读写的是 16 位字符而不是 8 位的字节数据。下面程序是用 FileReader 类和 FileWriter 类进行数据读写的一个简单实例。

【例 10-12】 将文件 xanadu.txt 中的内容复制到文件 characteroutput.txt 中。

程序清单10-12: CopyCharacters.java

```
import java.io.FileReader;
import java.io.FileWriter;
import java.io.IOException;
public class CopyCharacters {
    public static void main(String[] args) throws IOException {
        FileReader inputStream = null;
        FileWriter outputStream = null;
        try { inputStream = new FileReader("xanadu.txt");
            outputStream = new FileWriter("characteroutput.txt");
            int c;
            while ((c = inputStream.read()) != -1) {
                outputStream.write(c);
            }
        } finally {
            if (inputStream != null) {
                inputStream.close();
            }
            if (outputStream != null) {
                outputStream.close();
            }
        }
```

```
    }
}
```

10.4.3 BufferedReader 类和 BufferedWriter 类

一个文件的读写，通过缓冲区可减少对硬盘的输入/输出动作，提高文件存取的效率。java.io.BufferedReader 与 java.io.BufferedWriter 类各拥有字符缓冲区。当 BufferedReader 在读取文本文件时，会先尽量从文件中读入字符数据并置入缓冲区，而之后若使用 read()方法，会先从缓冲区中进行读取。如果缓冲区数据不足，才会再从文件中读取，使用 BufferedWriter 时，写入的数据并不会先输出至目的地，而是先存储至缓冲区中。如果缓冲区中的数据满了，才会进行一次对目的地进行写出。如果缓冲区中的数据不足，也可以使用 flush( )方法实现对缓冲区中的数据进行输出。

BufferedReader 类的两个构造方法：

- BufferedReader(Reader inputStream)
- BufferedReader(Reader inputStream,int bufSize)

BufferedWriter 类的两个构造方法：

- BufferedWriter(Writer outputStream)
- BufferedWriter(Writer outputStream,int bufSize)

构造方法中的第一种形式创建一个默认缓冲区长度的缓冲字符流。第二种形式，缓冲区长度由 bufSize 传入。

下面的程序从标准输入流 System.in 中直接读取用户输入，用户每输入一个字符，System.in 就读取一个字符。为了能一次读取一行用户的输入，可以使用 BufferedReader 来对用户输入的字符进行缓冲。数据读取的 readLine()方法将会在读取到用户的换行字符时，再一次将整行字符串传入。

System.in 是一个字节流，为了转换为字符流，可使用 InputStreamReader 为其进行字符转换，然后再使用 BufferedReader 为其增加缓冲功能。例如：

BufferedReader reader=new BufferedReader(new InputStreamReader(System.in));

【例 10-13】 使用 BufferedReader 与 BufferedWriter 类，在文字模式下输入字符，并且将输入的字符存储到指定的文件中，如果要结束程序，输入 quit 字符串。

程序清单10-13: BufferedReaderWriterDemo.java

```
import java.io.*;
public class BufferedReaderWriterDemo {
    public static void main(String[] args) {
        try { // 缓冲System.in输入流
            BufferedReader bufReader = new BufferedReader(new InputStreamReader(System.in));
            File f=new File("./a.txt");
            // 缓冲FileWriter字符输出流
            BufferedWriter bufWriter = new BufferedWriter(new FileWriter(f));
            String input = null;
            // 每读一行进行一次写入动作
```

```
        while (!(input = bufReader.readLine()).equals("quit")) {
            bufWriter.write(input);
            // newLine()方法写入与操作系统相依的换行字符
            bufWriter.newLine();
        }
        bufReader.close();
        bufWriter.close();
    } catch (ArrayIndexOutOfBoundsException e) {
        System.out.println("没有指定文件");
    } catch (IOException e) {
        e.printStackTrace();
    }
    }
}
```

由于换行字符依操作系统不同而有所区别，不管是哪种情况，可以使用 newLine()方法，由执行环境根据当时的操作系统决定输出哪一种换行字符。

10.5 对象串行化

10.5.1 对象串行化概述

有时候，我们可能需要将对象的状态保存下来，然后在需要时再将对象恢复过来。但在一个程序运行的时候，其中的变量数据是保存在内存中的，程序一旦结束，这些数据将不会被保存。怎样才能将对象的状态保存下来呢？一种可行的解决办法就是将数据写入文件，在想要恢复的时候再从文件中获得数据。

在 Java 语言中，提供了这样一种所谓的对象串行化机制，用来实现对象状态的保存。这种对象串行化机制就是将程序中对象的状态转化为一个字节流，存储在文件中，作为这个对象的一个复制，之后再从文件中把对象读取出来重新建立。要实现对象的串行化，需要利用 Java 中的读写对象流。

10.5.2 读写对象流

对象串行化和反串行化过程需要利用对象输出流（ObjectOutputStream）和对象输入流（ObjectInputStream），通过对象输出流将对象状态保存下来(将对象保存到文件中，或者通过网络传送到其他地方)，再通过对象输入流将对象状态恢复。对象输出流中的方法 writeObject( )用于对象的串行化，它写出了重构一个类对象所需要的信息：对象的类、类的标记和非 transient 的对象成员，如果对象包含其他对象的引用，则这些对象也会被串行化。

并非所有的对象都需要或者可以串行化，一个对象如果能够串行化就将其称为是可串行化的，所有需要实现对象串行化的对象必须首先实现 Serializable 接口，这个接口中不含有任何的方法声明，是个空接口。其定义如下：

public   interface   Serializable{　}

实现 Serializable 接口，不需要编写任何的实现代码。这个接口只是一个特殊的标记，用来表示一个类可以被串行化。如果一个类可以串行化，它的所有子类都可以串行化。

不参与串行化的数据可以用关键字 transient 来修饰。比如，通常出于安全性的考虑，某些不宜公开的数据（如用户的密码）用 transient 来修饰，能够使其不被串行化。用 static 修饰的静态成员变量与类对象无关，串行化过程也与之无关。有些对象，如 Thread、FileInputStream、FileOutputStream 等对象，其对象状态也是瞬时的，也不能进行串行化。

　　对象输入流 ObjectInputStream 中的 readObject( ) 方法从字节流中反串行化对象，也就是将对象恢复过来，每次调用 readObject( ) 方法都返回流中下一个对象，对象的字节流并不包含类的字节码，只是包含类名及其签名，当 readObject( ) 读取对象时，Java 虚拟机需要装载指定的类，如果找不到这个类，则此方法会抛出 ClassNotFoundException 异常。下面的程序说明了怎样实现对象串行化和反串行化。

【例 10-14】　对象串行化和反串行化过程的演示。

程序清单10-14: StudentSerial.java

```java
import java.io.*;
class Student implements Serializable {
    int id;
    String name;
    int age;
    String department;
    public Student(int id, String name, int age, String department) {
        this.id = id;
        this.name = name;
        this.age = age;
        this.department = department;
    }
    public int getId() {
        return this.id;
    }
    public String getName() {
        return this.name;
    }
    public int getAge() {
        return this.age;
    }
    public String getDepartment() {
        return this.department;
    }
}
public class StudentSerial {
    public static void main(String args[]) {
        Student stu = new Student(981036, "Liu Ming", 18, "CSD");
        try {
            System.out.println("Write object state into file...");
            FileOutputStream fo = new FileOutputStream("data.dat");
            ObjectOutputStream so = new ObjectOutputStream(fo);
            so.writeObject(stu);
            so.close();
        } catch (IOException e) {
            System.out.println(e);
        }
        System.out.println();
```

```
try {
    System.out.println("Read object state from file...");
    FileInputStream fi = new FileInputStream("data.dat");
    ObjectInputStream si = new ObjectInputStream(fi);
    stu = (Student) si.readObject();
    System.out.println("Student ID: " + stu.getId());
    System.out.println("Student Name: " + stu.getName());
    System.out.println("Student Age: " + stu.getAge());
    System.out.println("Student Department: " + stu.getDepartment());
    si.close();
} catch (IOException e) {
    System.out.println(e);
} catch (ClassNotFoundException ce) {
    System.out.println(ce);
}
}
}
```

运行结果:

```
Read object state from file...
Student ID: 981036
Student Name: Liu Ming
Student Age: 18
Student Department: CSD
```

类 Student 是一个记录学生信息的类。首先它实现了接口 Serializable,这就标志着它可以被串行化。之后在 main( )方法里 ObjectOutputStream so = new ObjectOutputStream(fo);新建一个对象输出流包装一个文件流,表示对象序列化的目的地是文件 data.dat。然后用方法 writeObject 开始写入。想要还原的时候也很简单,ObjectInputStream si= new ObjectInputStream(fi));新建一个对象输入流以文件输入流对象 fi 为参数,之后调用 readObject( )方法就可以恢复 Student 对象。

对象串行化有一个神奇之处,就是它能够建立一张对象网,将当前要序列化的对象中所持有的引用指向的对象都包含起来一起写入到文件,更为奇妙的是,如果你一次序列化了好几个对象,它们中相同的内容将会被共享写入。这的确是一个非常好的机制,它可以用来实现深层拷贝。

习 题 十

一、简答题

1. 什么叫流?简述流的分类。
2. 能否将一个对象写入一个随机访问文件?
3. BufferedReader 流能直接指向一个文件对象吗?为什么?
4. 字节流和字符流之间有什么区别?
5. 简述可以用哪几种方法对文件进行读写。
6. 从字节流到字符流的转化过程中,有哪些注意事项?

二、选择题

1．实现字符流的写操作类是（　　　），实现字符流的读操作类是（　　　）。

A．FileReader　　　B．Writer　　　C．FileInputStream　　　D．FileOutputStream

2．要从"file.dat"文件中读出第 10 个字节到变量 c 中，下列哪个方法适合？（　　　）

A．FileInputStream in=new FileInputStream("file.dat"); int c=in.read();

B．RandomAccessFile in=new RandomAccessFile("file.dat"); in.skip(9); int c=in.readByte();

C．FileInputStream in=new FileInputStream("file.dat"); in.skip(9); int c=in.read();

D．FileInputStream in=new FileInputStream("file.dat"); in.skip(10); int c=in.read();

3．构造 BufferedInputStream 的合适参数是哪些？（　　　）

A．BufferedInputStream　　　B．BufferedOutputStream　　　C．FileInputStream

D．FileOuterStream　　　　　E．File

4．在编写 Java　Application 程序时，若需要使用到标准输入输出语句，必须在程序的开头写上（　　　）语句。

A．import　　java.awt.*；　　　　　B．import　　java.applet.Applet；

C．import　　java.io.*；　　　　　　D．import　　java.awt.Graphics；

5．下列流中哪个不属于字符流？（　　　）

A．InputStreamReader　　　　　　B．BufferedReader

C．FilterReader　　　　　　　　　D．FileInputStream

6．字符流与字节流的区别在于（　　　）。

A．前者带有缓冲，后者没有　　　B．前者是块读写，后者是字节读写

C．二者没有区别，可以互换使用　D．每次读写的字节数不同

三、判断题

1．文件缓冲流的作用是提高文件的读/写效率。（　　　）

2．通过 File 类可对文件属性进行修改。（　　　）

3．IOException 必须被捕获或抛出。（　　　）

4．Java 系统的标准输入对象是 System.in，标准输出对象有两个，分别是标准输出 System.out 和标准错误输出 System.err。（　　　）

5．对象串行化机制是指将程序中对象的状态转化为一个字节流，存储在文件中。（　　　）

6．Serializable 接口是个空接口，它只是一个表示对象可以串行化的特殊标记。（　　　）

四、编程题

1．使用 File 类列出某一个目录下创建日期晚于 2007-8-10 的文件。

2．使用 File 类创建一个多层目录 d:\java\ch10\src。

3．读取一个 Java 源程序，输出并统计其中所用的关键字。

4．编写应用程序，使用文件输出流向文件中分别写入如下类型的数据：int、double 和字符串。

5．编写应用程序，列出指定目录下的所有文件和目录名，然后将该目录下的所有文件后缀名为.txt 的文件过滤出来显示在屏幕上。

高等院校计算机系列教材

6. 写一程序,读入命令行第一个参数指定的文本文件,将其所有字符转换为大写后写入第二个参数指定的文件中。

实验十　Java 输入输出技术

一、实验目的

1. 了解流式输入/输出的基本原理。
2. 掌握文件的基本输入/输出操作，能够在文件中读取与保存数据。
3. 掌握对象的串行化。

二、实验内容

1. 编写程序，将键盘上输入的字符在屏幕上显示出来。

2. 编程接受用户输入的一个文件名（可以包括路径名），检查这个文件是否存在、是否可读、是否可写，并将结果在屏幕上输出。

3. 编写一个程序，使用户能输入学生的姓名和成绩，要求将每个姓名和成绩加在文件里。用户通过"Done"结束输入，并将整个记录输出至屏幕。

4. 编写一个实现文件拷贝功能的应用程序，源文件名和目标文件名从命令行得到，格式如"Jcopy SourceFile DestinationFile"。

5. 编写程序，将保存在本地机当前文件夹中的 f1.html 文本文件的内容在屏幕上显示出来，然后将其另存为 f1.txt 文件。

6. 建立一个文本文件，输入英语短文，编写一个程序统计该文件中英文字母的个数，并将结果写入另外一个文本文件。

7. 设计一个类，用于表示学生的学号，姓名，班级，所学的物理、数学成绩，并串行化该类，创建应用程序来存储和还原该类的串行化对象。

第11章 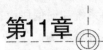 网络编程技术

【本章要点】

1. 网络通信基础：OSI/RM、TCP/IP 协议体系结构；IP 地址与端口号；Java 网络编程类。
2. 基于 URL、Socket、Datagram 和 MulticastSocket 的网络通信编程。
3. 基于 RMI 的分布式编程。

Java 作为 Internet 上最流行的网络编程语言，它与生俱来就具有强大的网络功能，其应用程序编程接口（Application Programining Interface，API）包含了很多与网络相关的类和方法，对网络通信提供了全面的支持。通过它们可以方便快捷地编写与网络相关的程序，与服务器建立各种形式的连接和传输通道，访问 Internet 和 Web 上的信息资源，实现计算机之间的通信。目前，基于 Java 的网络编程主要集中在以下几方面：

（1）Applet 程序：又称为 Java 小程序，它嵌套在超文本标记语言（HyperText Markup Language，HTML）文件（网页）中，通过网络下载其代码到本地浏览器的 JVM 中执行。

（2）基于应用层 HTTP（Hypertext Transfer Protocol, 超文本传送协议）协议的 URL 通信程序：它使用 java.net.URL 类来获取 Web 文件，实现 Web 访问。

（3）基于传输层 TCP 协议的 Socket 通信程序：它使用 java.net.Socket 类和 java.net.ServerSocket 类，实现基于 TCP 套接字（Socket，端口）的可靠的 C/S（Client/Server）模式网络通信编程。

（4）基于传输层 UDP 协议的 Datagram 通信程序：它使用 java.net.DatagramPacket 类和 java.net.DatagramSocket 类，提供基于 UDP 的不可靠的通信机制，如多媒体组播服务。

（5）基于 Java RMI（Remote Method Invocation，远程方法调用）的分布式应用程序：它使用 java.rmi.*包中的类实现各种分布式计算。

（6）基于 JDBC 的网络数据库程序：它使用 JDBC（Java Database Connectivity，Java 数据库连接）机制，通过网络访问关系型数据库。

（7）基于 Servlet/JSP（Java Server Page，Java 服务器网页）Web 服务器程序：使用 Servlet/JSP 技术，实现 Web 服务器端的动态网页编程。

（8）基于 EJB（Enterprise Java Bean，企业级 JavaBean）的应用服务器程序：使用 EJB 技术规范，实现 B/A/S（Browser/Application/Server）模式的 EJB 应用服务器端的编程。

本章在介绍网络通信基础知识的基础上，主要介绍基于应用层 HTTP 的 URL 通信、基于传输层 TCP 协议的 Socket 通信、基于传输层 UDP 协议的 Datagram 通信和基于 Java RMI 的分布式网络应用。

高等院校计算机系列教材

11.1 网络通信基础

计算机网络是把地理位置分散、具有独立功能的计算机，用通信线路和通信设备连接起来，以实现资源共享与网络通信的复合系统。计算机网络由硬件系统、软件系统和通信协议组成。网络按覆盖的地理范围分为 LAN（局域网：几十米至数公里）、MAN（城域网：几十公里至数百公里）和 WAN（广域网：数百公里以上，甚至上万公里）。

网络通信是指物理上位于两台计算机上的两个进程之间通过网络交换信息的过程。网络通信的核心是协议。协议是指通信双方进程在通信过程中，为交换信息，实现通信，必须共同遵守的一系列约定和规则。网络协议由语义、语法和时序三部分组成，语义定义"做什么"（进程之间交换的操作原语），语法定义"如何做"（进程之间所交换的消息的格式），时序定义"何时做"（进程之间交换消息所必须遵循的先后顺序）。通信双方的进程只要遵循同一协议，即可以相互交换信息，而不管这两个进程是用什么样的语言编写的。

11.1.1 OSI / RM 协议体系结构

国际标准化组织给出了一个通用的参考协议，称 ISO OSI / RM （Open System Interconnect / Reference Model，开放式系统互联参考模型），如图 11-1 所示。

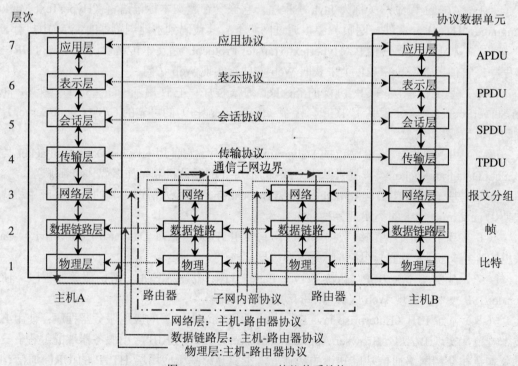

图 11-1　ISO OSI/RM 协议体系结构

OSI / RM 模型共由 7 层构成，其各层的基本功能是：

①物理层：是 ISO OSI/RM 的最低层，它提供物理链路，实现比特流的透明传输。

高等院校计算机系列教材

②数据链路层：为穿越物理链路的信息提供可靠的传输手段，为数据块（帧）发送提供必要的同步、差错控制和流控制，其数据传输的基本单位是帧。

③网络层：为更高层次提供独立于数据传输和交换技术的系统连接，并负责建立、维持和结束连接，其传输的基本单位是分组，其基本任务包括路由选择、拥塞控制和网络互联等。

④传输层：为不同系统的会话实体建立端—端之间透明、可靠的数据传输，并提供端点间的错误校正和流控制，其传输的基本单位是报文。

⑤会话层：为应用程序间的通信提供控制结构，包括建立、管理、终止连接（任务）。

⑥表示层：提供应用进程在数据表示（语法）差异上的独立性，完成数据格式转换，数据加密/解密、数据压缩/解压

⑦应用层：是最靠近用户的一层，提供给用户对 OSI 环境的访问和分布式信息服务，应用层以下各层均通过应用层向应用进程提供服务。

OSI / RM 模型遵循的两个基本原则是：①由于通信一般是在两个计算机之间发生，因此协议一般是由位于发送方和接收方的两个程序模块实现。②采用分层模型，在每一个层次上，定义对等实体之间的通信协议。

OSI / RM 模型实现通信的基本原理是：①层间通过"接口"实现下层为上层服务，上层使用下层提供的服务；②对等层通过"对等层协议"实现虚通信。

11.1.2　TCP/IP 协议体系结构

OSI/RM 模型一般被作为网络研究使用。目前 Internet 中使用最广泛的是 TCP/IP 协议，它是以 TCP（Transmission Control Protocol，传输控制协议）和 IP（Interconnection Protocol，互连网协议）为代表的协议集，被广泛用于解决计算机网络的互连问题，成为了事实上的工业标准。TCP/IP 协议体系结构分为 4 个独立的层次，其结构如图 11-2 所示。Java 语言对 TCP/IP 协议提供了全面的支持。

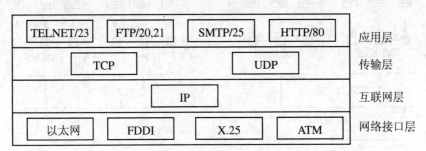

图11-2　TCP/IP协议体系结构

TCP 协议：是支持面向连接（在客户端和服务器进程之间需要建立连接）的，"可靠"的字节流传输服务；它支持流量控制（发送数据的速度绝不超过接收的速度）和拥塞控制（当网络超负荷时，束紧发送端口减缓发送速度），但不提供实时性和最小带宽承诺。

UDP 协议：是非面向连接（在客户端和服务器进程之间不需要建立连接）的，"不可靠"的数据传输服务；它不提供连接建立、可靠性保证、流量控制、拥塞控制、实时性和最小带宽承诺。

11.1.3 IP 地址与端口号

1. IP 地址

IP 地址是网络通信的重要概念，当前 IPv4 版本的地址由 32 个比特来表示，IPv6 版本的地址由 128 个比特来表示。一个 IP 地址可代表 Internet 上某台计算机，根据 IP 地址就可以与其对应的计算机进行通信。IPv4 地址是由点 "." 分隔的 4 个 0~255 的数字组成，比如 192.168.1.128。IP 地址由专门的国际机构负责其定义和分配使用，目前 IP 地址分为 A、B、C、D、E 五类。由于数字所表示的 IP 地址难记易忘，通常用符号化的域名来表示。域名服务器提供域名与 IP 地址之间相互转换服务，如域名 www.hnrk.net.cn 对应 212.194.120.3 这样的 IP 地址。

2. 端口号（套接字）

虽然通过 IP 地址或域名实现了对网络中特定计算机的寻址，但这还不足以完成实际的通信。若接收端计算机的应用层有多个进程（运行中的程序），则发送到该计算机的数据包具体递交给哪个进程处理呢？通常借助于端口号来解决这个问题。端口号（Port Number）是存在于传输层与应用层的接口编号，它是用 16 个比特的地址来标识，可提供 64K（0~65535）个端口号。如应用层 HTTP 协议的默认端口号是 80，FTP 协议的默认端口号是 20/21 等。需要指出的是，端口号具有本地意义，只用来标识本计算机应用层中的各进程，不同计算机中的相同端口号之间没有固定联系，实际上，端口是一个抽象的定位符。

因此，在数据包接收端的计算机中，将根据传输层所收到的数据包的端口号进行判断，并将该数据包递交给合适的应用层进程来处理。端口在进程间通信所起的作用如图 11-3 所示。

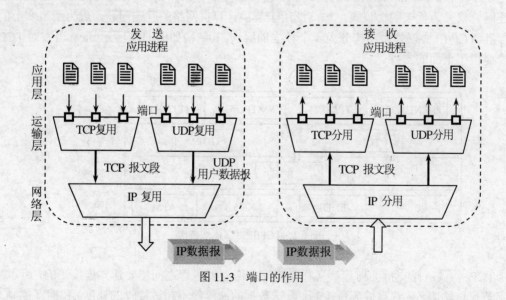

图 11-3　端口的作用

11.1.4 Java 中所涉及的网络应用类

Java 网络编程主要处理应用层的任务，但应根据传输层所选协议（TCP 或 UDP）的不同而选用不同的网络 API 完成实际的网络通信任务。这些基本网络类主要包含在 java.net.* 包中，本章所涉及的类如表 11-1 所示：

高等院校计算机系列教材

表 11-1　　　　　　　　　　　　　java.net 包中实现主要网络功能的类

类名	描述
java.net.URL	根据 URL 值访问网络资源。
java.net.URLConnection	根据 URL 值实现双向通信。
java.net.Socket	创建客户端 Socket 类的对象。
java.net.ServerSocket	创建服务器端 Serversocket 类的对象。
java.net. DatagramPacket	创建一个待发送或接收的数据报对象。
java.net. DatagramSocket	创建一个用来发送或接收数据报的数据报套接字对象。
java.net.MulticastSocket	多播数据报套接字类，它用来发送和接收 IP 多播包。

11.2　基于 HTTP 的 URL 通信

11.2.1　URL 简介

URL（Uniform Resource Locater，统一资源定位器）的值表示网络上某个资源（如打印机、文件）的地址，实现了对网络资源的定位，其值由五部分组成，格式如下：

<应用协议>: //<主机名>:[端口号]/<文件名>#[引用]

其中，①应用协议：指明获取资源所使用的应用层协议，如 HTTP、FTP、FILE 等。②主机名：指定资源所在的计算机，它既可以是 IP 地址，如 127.0.0.1，也可以是主机名或域名，如 localhost 和 www.sun.corn。③端口号：用来区分不同的网络服务，指定建立到远程主机 TCP 连接的端口号，若未指定该端口号，则使用协议默认的端口，如 http 协议的默认端口为 80。④文件名：是包括该文件的完整路径。⑤引用：是资源内的某个引用，用来定位显示文件内容的位置，如 http://java.sun.com/index.html#chapter3。注意：实际中并非所有的 URL 都包含这些元素，对于多数的协议、主机名和文件名是必需的，而端口号和文件内部的引用则是可选的。

11.2.2　URL 类

1. URL 类的构造方法

为了表示 URL，Java 中定义了 URL 类。URL 类有 6 个构造函数，其中常用的有 4 个（用"*"号标记），如表 11-2 所示。

表 11-2　　　　　　　　　　　　　　　URL 类的构造方法

构造方法	功能
* URL(String spec) throws MalformedURLException	·根据 spec 指定的完整 URL 地址创建 URL 对象。
* URL(String protocol, String host, int port, String file)	·根据 protocol、host、port 号和 file 创建 URL 对象。
·URL(String protocol, String host, int port, String file, URLStreamHandler handler) ~	·根据 protocol、host、port 号、file 和 handler 创建 URL 对象。
* URL(String protocol, String host, String file) ~	·根据指定的 protocol、host 和 file 创建 URL 对象。
* URL(URL context, String spec) ~	·通过指定的上下文，对给定的 spec 进行解析创建 URL。
·URL(URL context, String spec, URLStream Handler handler) ~	·通过指定的上下文,用指定的处理程序对 spec 进行解析来创建 URL 对象。

说明：使用 URL 构造方法创建对象时，若参数有错误，则会产生一个非运行时异常 MalformedURLException，表 11-2 中的"~"表示"throws MalformedURLException"，所以在构造 URL 对象时必须捕获异常并进行相应处理。

举例：以访问湖南人文科技学院主页（http://www.hnrku.net.cn/rwweb/index.asp）为例，其 URL 的构造方式如下：

（1）new URL("http://www.hnrku.net.cn/rwweb/index.asp");

（2）new URL("http", "www.hnrku.net.cn", 80, "/rwweb/index.asp");

（3）new URL("http", "www.hnrku.net.cn", 80, "/rwweb/index.asp", null); //使用协议的默认流处理程序

（4）new URL("http", "www.hnrku.net.cn", "/rwweb/index.asp"); //HTTP 默认端口为 80

（5）URL url = new URL("http://www.hnrku.net.cn/rwweb/");

new URL(url, "index.asp"); //多用于访问同一主机上不同路径的文件

（6）new URL(url, "index.asp", null); //使用协议的默认流处理程序

2. URL 类的常用方法

URL 类的常用方法及功能如表 11-3 所示：

表 11-3　　　　　　　　　　　　URL 类的常用方法及功能

常用方法	功能
·public String getAuthority()	·获得 URL 实例的授权部分
·public Object getContent()	·获得 URL 实例的内容
·public int getDefaultPort()	·获得 URL 实例所关联协议的默认端口号
·public String getFile()	·获得 URL 实例的文件名
·public String getHost()	·获得 URL 实例的主机名
·public String getPath()	·获得 URL 实例的路径部分
·public int getPort()	·获得 URL 实例的端口号
·public String getProtocol()	·获得 URL 实例的协议名称
·public tring getQuery()	·获得 URL 实例的查询部分
·public String getRef()	·获得 URL 实例的锚点（"引用"）
·public String getUserInfo()	·获得 URL 实例的 userInfo 部分
* public URLConnection openConnection()	·返回一个 URLConnection 对象
·public URLConnection openConnection(Proxy proxy)	·通过指定的代理建立连接，返回 URLConnection 对象
* public InputStream openStream()	·返回一个用于从该连接读入的 InputStream
·public boolean sameFile(URL other)	·比较两个 URL 实例，但不包括片段部分

说明：一旦拥有了 URL 对象，就可以使用 getAuthority()、getDefaultPort()、getFile()、getHost()、getPath()、getPort()、getProtocol()、getQuery()、getRef()和 getUserInfo()等方法获取 URL 的各种属性。在这些 URL 属性获取方法中，若某些属性不存在，这些方法就返回 null 或-1。

【例 11-1】 URL 类对象的创建及使用。

程序清单11-1: URLDemo.java

```
package url;
import java.net.*;
```

```
public class URLDemo {
    public static void main(String[] args) {
        try {
            URL url = new URL("http://www.hnrku.net.cn/rwweb/index.asp");
            System.out.println("Authority is " + url.getAuthority());
            System.out.println("Default port is " + url.getDefaultPort());
            System.out.println("File is " + url.getFile());
            System.out.println("Host is " + url.getHost());
            System.out.println("Path is " + url.getPath());
            System.out.println("Port is " + url.getPort());
            System.out.println("Protocol is " + url.getProtocol());
            System.out.println("Query is " + url.getQuery());
            System.out.println("Ref is " + url.getRef());
            System.out.println("User Info is " + url.getUserInfo());
        } catch (MalformedURLException me) {
            me.printStackTrace();
        }
    }
}
```

运行结果:
```
Authority is www.hnrku.net.cn
Default port is 80
File is /rwweb/index.asp
Host is www.hnrku.net.cn
Path is /rwweb/index.asp
Port is -1
Protocol is http
Query is null
Ref is null
User Info is null
```

11.2.3　使用 URL 类实现单向通信

创建 URL 对象后,调用其 openStream()实例方法即可访问指定的 Web 资源。openStream() 方法与指定的 URL 建立连接并返回一个 InputStream 类的对象,然后通过 I/O 操作就可以用字节流的方式读取 Web 页面。

【例 11-2】　通过 URL 对象打印湖南人文科技学院主页。

程序清单11-2: URLAccessWeb.java

```
package url;
import java.net.*;
import java.io.*;
public class URLAccessWeb {
    public static void main(String[] args) {
        try {
            URL url = new URL("http://www.hnrku.net.cn/rwweb/index.asp");
            // 打开URL对象的字节输入流
            InputStream is = url.openStream();
            // 将字节输入流包装成字符输入流
            InputStreamReader isr = new InputStreamReader(is);
            // 将字符输入流包装成带缓存功能的字符输入流
```

```
        BufferedReader br = new BufferedReader(isr);
        String line;
        // 循环读入行并打印
        while ((line = br.readLine()) != null)
            System.out.println(line);
        br.close();// 关闭输入流
    } catch (MalformedURLException me) {
        me.printStackTrace();
    } catch (IOException ioe) {
        ioe.printStackTrace();
    }
}
}
```

运行结果：

    其执行结果是将湖南人文科技学院的主页源代码打印出来，限于篇幅，此处不一一列出。

11.2.4 使用 URLConnection 类实现双向通信

    【例 11-2】显示了利用 openStream()以字节流的形式读取资源的方法，在实际应用中，不仅需要读取服务器中的数据，而且要能将信息发送到服务器中去，即要求能够实现同网络资源的双向通信，使用 URLConnection 类可以解决此问题。

    URLConnection 类也是定义在 java.net 包中，URLConnection 类的对象可以与指定 URL 建立动态连接，可以向服务器发送请求读取数据，同时也能将数据写回服务器。创建 URLConnection 类的对象，一般使用 URL 对象的 URLConnection()方法来返回，URLConnection 类是以 HTTP 协议为中心的类，其中很多方法只有在处理 HTTP 的 URL 时才起作用。

    1. URLConnection 类的常用方法及作用（如表 11-4 所示）

表 11-4	URLConnection 类的常用方法及功能
常用方法	功能
·public int getContentLength()	·获取资源文件的长度(content-length 头字段的值)
·public String getContentType()	·获取资源文件的类型(content-type 头字段的值)
·public long getDate()	·获取资源文件的创建日期(date 头字段的值)
·public String getHeaderField(int n)	·获取第 n 个头字段的值
·public String getHeaderField(String name)	·获取指定的头字段的值
* public InputStream getInputStream()	·获取从此打开的连接读取的"输入流"
·public long getLastModified()	·获取 last-modified 头字段的值
* public OutputStream getOutputStream()	·获取写入到此连接的"输出流"
·public Permission getPermission()	·获取一个权限对象，其代表建立此对象表示的连接所需的权限
·public void setDoInput(boolean doinput)	·将此 URLConnection 的 doInput 字段的值设置为指定的值
·public void setDoOutput(boolean dooutput)	·将此 URLConnection 的 doOutput 字段的值设置为指定的值

    2. 使用 URLConnection 类的几个关键操作

    （1）建立连接

URL url = **new** URL("http://www.hnrku.net.cn");

URLConnection urlConn = url.openConnection();

（2）向服务器端写数据

PrintStream ps = new PrintStream(urlConn.getOutputStream());

ps.println(string_data);

（3）从服务器端读数据

DataInputStream dis = new DataInputStream(urlConn.getInputStream());

dis.readLine();

下面的例子中 Java 程序访问 CGI 程序，并传给它 10 个数据，CGI 程序接收后，排序并传送回来。这个例子重点在于演示连接的建立、数据流的建立、Java 如何发数据、如何接收数据，至于 CGI 程序如何实现不是本书讨论的范围。

【例 11-3】 调用 URL 对象的 openConnection()方法创建 URLConnection 对象，实现与服务器的数据发送与接收。

程序清单11-3：URLConnectionDemo.java

```java
package url;
import java.net.*;
import java.io.*;
import java.util.Date;
public class URLConnectionDemo {
    public static void main(String[] args) throws MalformedURLException,    IOException {
        // 建立指向网络中cgi的URL对象
        URL url = new URL("http://localhost/ch11/test.cgi");
        // 使用url对象的openConnection()方法，来获取URLConnection类的对象
        URLConnection urlConn = url.openConnection();
        // 使用urlConn对象的getContentType()方法获取资源文件的类型，并显示
        System.out.println("ContentType: " + urlConn.getContentType());
        // 使用urlConn对象的getContentLength()方法获取资源文件的长度
        System.out.println("ContentLength: " + urlConn.getContentLength());
        // 使用urlConn对象的getDate()方法获取资源文件创建的时间
        System.out.println("Date: " + new Date(urlConn.getDate()));
        // 使用urlConn对象的getLastModified()方法获取资源文件最后一次被修改的时间
        System.out.println("LastModified: "+ new Date(urlConn.getLastModified()));
        // 向服务器输出数据
        urlConn.setDoOutput(true);
        PrintStream outps = new PrintStream(urlConn.getOutputStream());
        outps.println("ABCDEFGHIJKL");
        outps.close();
        // 从服务器读取数据
        DataInputStream indis = new DataInputStream(urlConn.getInputStream());
        String inputLine;
        while ((inputLine = indis.readLine()) != null) {
            System.out.println(inputLine);
        }
        indis.close();
    }
}
```

11.2.5 简单网页浏览器的设计

在学习了 URL 方式访问指定服务器资源方法的基础上，进一步使用 URL 方式编写程序

实现简单的网页浏览器。

【例 11-4】 简单的网页浏览器。

程序清单11-4: //SimpleBrowserDemo.java

```java
package url;
import java.awt.*;
import java.awt.event.*;
import java.applet.*;
import java.net.*;
public class SimpleBrowserDemo extends Applet implements ActionListener {
    Button buttonBrowser;// 浏览按钮
    URL url; // URL类对象url
    TextField textURL;// TextField类对象textURL
    public SimpleBrowserDemo() {
        buttonBrowser = new Button("浏览"); // 创建 "游览" 按钮
        textURL = new TextField(40); // 创建URL地址栏输入框
        add(new Label("输入网址: ")); // 创建标签并加入applet页面中
        add(textURL); // 将按钮及地址栏输入框加入到applet页面中
        add(buttonBrowser);
        buttonBrowser.addActionListener(this);
    }
    public void actionPerformed(ActionEvent e) { // 单击按钮事件处理
        if (e.getSource() == buttonBrowser) {
            try {// 创建URL类的对象url
                url = new URL(textURL.getText().trim());
            } catch (MalformedURLException me) {
                textURL.setText("不正确的网址: " + url);
            }
            getAppletContext().showDocument(url);// 利用浏览器浏览网页
        }
    }
}
//BrowserDemo.html
<HTML>
<BODY>
    <Applet code="SimpleBrowserDemo.class" height=600 width=600>
    </Applet>
</BODY>
</HTML>
```

运行结果: 图11-1所示。

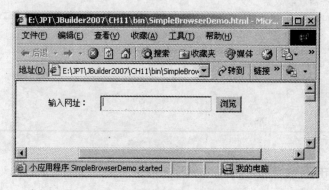

图 11-1 简单的网页浏览器

11.3　基于 TCP 的 Socket 通信

基于 TCP 的 Socket（套接字）通信是通过指定 IP 地址以及端口号，采用 C/S（Client/Server）模式建立 TCP 协议下的两个通信进程之间的连接，实现可靠的双向通信，任何一方既可以接受请求，也可以向另一方发送请求。Java 中提供了用于实现客户端套接字的 Socket 类和用于实现服务器端套接字的 ServerSocket 类，它们封装了网络数据通信的底层细节，可以方便快捷地实现网络通信编程。

11.3.1　Socket 类与 ServerSocket 类

1. Socket 通信原理

网络中基于 Socket 通信的两个进程间建立连接时，会将其中一个进程作为客户端，而另一个进程作为服务器端。

（1）基于 Socket 通信的 C/S 模型

使用 ServerSocket 类和 Socket 类实现通信的 C/S 模型如图 11-2 所示。

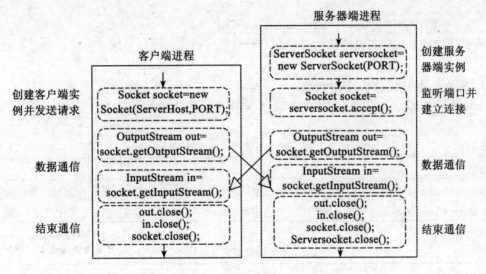

图 11-2　使用 ServerSocket 类和 Socket 类实现通信的 C/S 模型

基于 Socket 通信的基本算法是：

Step1：使用商定一致的端口分别创建 Socket 类和 ServerSocket 类对象；

Step2：服务器端 ServerSocket 类对象使用阻塞方法 accept() 监视端口；

Step3：打开连接到客户端 Socket 类对象的输入/输出流，向服务器端 ServerSocket 类对象发送相应请求，服务器接受客户请求并返回客户端 Socket 类的对象，从而建立连接；

Step4：通信双方按照一定的协议对 Socket 对象进行读/写操作。

Step4：关闭 Socket。

（2）客户端进程

它会按给定的服务器端的地址及端口号，建立客户端套接字 Socket 类的对象，并向服务

高等院校计算机系列教材

器端发送请求，等待服务器的响应。建立客户端套接字的关键算法代码如下所示：

```
try { // 创建客户端Socket类的对象socket,服务器地址取本地，端口号为55558
    Socket socket = new Socket("localhost", 55558);
} catch (UnknownHostException e) {e.printStackTrace();}
catch (IOException e) {e.printStackTrace();}
```

（3）服务器端进程

它会按与客户端商定的端口号建立服务器端套接字 ServerSocket 类的对象，然后用 ServerSocket 对象的阻塞方法 accept()监听该端口号中是否有客户端发送的请求。若没有请求，则服务器进程会处于等待状态并一直监听端口；一旦接收到客户端发送的请求，accept()方法就会获取返回该客户端对象，从而在服务器端保存与客户端的连接，接下来就可利用该连接实现与客户端之间的数据交换。建立服务器端套接字及端口监听的关键算法代码如下所示：

```
try {
// 以55558为服务端口，创建服务器端的serversocket对象，以监听该端口上的连接
    ServerSocket serversocket = new ServerSocket(55558);
// 创建Socket类的对象socket,用于保存连接到服务器的客户端socket对象
    Socket socket = serversocket.accept();
} catch (IOException e) {e.printStackTrace();}
```

需要指出的是，服务器的端口号和客户端进程中指定的端口号应该一致，否则不能建立连接。

2. Socket 类的构造方法与常用方法

Socket 类的部分构造方法与常用方法如表 11-5 和表 11-6 所示。

表 11-5	Socket 类的构造方法
构造方法	功能
·Socket(InetAddress address, int port)	·创建一个流套接字并将其连接到指定 IP 地址的指定端口号
·Socket(String host, int port)	·创建一个流套接字并将其连接到指定主机上的指定端口号

表 11-6	Socket 类的常用方法及功能
常用方法	功能
·public void close()	·关闭此套接字
·public InetAddress getInetAddress()	·返回套接字连接的地址
* public InputStream getInputStream()	* 返回此套接字的输入流
·public InetAddress getLocalAddress()	·获取套接字绑定的本地地址
·public int getLocalPort()	·返回此套接字绑定到的本地端口
* public OutputStream getOutputStream()	* 返回此套接字的输出流
·public int getPort()	·返回此套接字连接到的远程端口

3. ServerSocket 类的构造方法与常用方法

ServerSocket 类的部分构造方法与常用方法如表 11-7 和表 11-8 所示。

表 11-7   ServerSocket 类的构造方法

构造方法	功能
· ServerSocket(int port)	·创建绑定到特定端口的服务器套接字
·ServerSocket(int port, int backlog)	·用 backlog 创建服务器套接字,将其绑定到指定的本地端口号
·ServerSocket(int port, int backlog, InetAddress bindAddr)	·使用指定的端口、侦听 backlog 和要绑定到的本地 IP 地址创建服务器

表 11-8   ServerSocket 类的常用方法及功能

常用方法	功能
* public Socket accept()	* 侦听并接受到此套接字的连接
·public void close()	·关闭此套接字
·public InetAddress getInetAddress()	·返回此服务器套接字的本地地址
·public int getLocalPort()	·返回此套接字在其上侦听的端口

11.3.2 简单服务器程序

下面根据图 11-2 所示的"使用 ServerSocket 类和 Socket 类实现通信的 C/S 模型"设计一个简单的基于 Socket 的通信系统。该系统由服务器端程序与客户端程序两部分组成,其基本功能分别是:

（1）服务器端程序

它的任务是监听 C/S 双方约定的端口（55558），等待并接收客户请求,接受客户请求后建立一个至客户端的基于套接字的连接,然后利用该连接返回到客户端的 Socket 对象,创建一个服务器端输入流 InputStream 和一个服务器端输出流 OutputStream,同时将它们分别包装成便于操作与刷新的 BufferedReader 输入流和 PrintWriter 输出流。然后,服务器端从 InputStream 读入客户端输出的数据,用 OutputStream 向客户端输出数据,直到接收到客户端的数据终止标志"结束"为止,最后关闭连接,释放网络资源,结束本次通信。

（2）客户端程序

首先创建客户端 Socket 对象后,然后在约定端口向服务器端发送请求,待服务器端接受请求后建立基于套接字的连接,然后利用该连接的 Socket 对象,创建一个客户端输入流 InputStream 和一个客户端输出流 OutputStream,同时将它们分别包装成便于操作与刷新的 BufferedReader 输入流和 PrintWriter 输出流。然后,客户端从 InputStream 读入服务器端输出的数据,用 OutputStream 向服务器端输出数据,直到发送完数据终止标志"结束"为止,最后关闭连接,释放网络资源,结束本次通信。

【例 11-5】 基于 Socket 的简单服务器程序。

程序清单11-5: SimpleServerSocketDemo.java

```
package socket;
import java.io.*;
import java.net.*;
public class SimpleServerSocketDemo {
    public static void main(String[] args) throws IOException {
        new SimpleServerSocket();
    }
```

```
}
class SimpleServerSocket {
    final static int PORT = 55558;// 服务器端与客户端使用的通信端口
    ServerSocket serversocket;// 服务器ServerSocket类的对象引用
    Socket socket = null;// 客户端Socket类的对象引用socket
    BufferedReader in;// 服务器端输入流
    PrintWriter out;// 服务器端输出流
    public SimpleServerSocket() {
        int count = 0;
    try {// 以PORT为服务端口，创建服务器端ServerSocket类的serversocket对象，以监听该
端口上的连接
            serversocket = new ServerSocket(PORT);
            System.out.println("服务器正常启动! \n" + serversocket);
            // 用阻塞方法accept()获取并保存连接到服务器的客户端Socket类的对象
            socket = serversocket.accept();
            System.out.println("与客户端建立连接! \n" + socket);
            // 创建并包装服务器端获取的socket对象的输入流
            in = new BufferedReader(new InputStreamReader(socket
                .getInputStream()));
            // 创建并包装服务器端获取的socket对象的输出流
            // PrintWriter流能自动刷新输出缓冲区（println()结束时）
        out = new PrintWriter(new BufferedWriter(new OutputStreamWriter(socket.getOutputStream())),
true);
            while (true) {
                String str = in.readLine();// 从客户器端读入数据
                if (str.equals("结束"))
                    break;
                System.out.println("Echoing: " + str);
                out.println("From Server " + ++count);// 向客户器端输出数据
            }
        } catch (IOException e) {
            e.printStackTrace();
        } finally {
            {// 关闭连接，释放网络资源
            out.close();
            try {
                in.close();
                socket.close();
                serversocket.close();
            } catch (IOException e) {
                e.printStackTrace();
            }
            System.out.println("服务器端正常关闭连接! ");
            }
        }
    }
}
```

运行方法：在待运行类的主目录下编写并运行 SimpleServerSocketDemo.bat 文件，其内容如下：
java socket.SimpleServerSocketDemo
Pause

运行结果：如图11-3所示。

图 11-3　例 11-5 中服务器端的输出结果

程序分析：

①服务器端程序与客户端程序都使用同样的端口号（55558），服务器端程序在本地机器上运行其 ServerSocket 只需要一个端口号，而不需要 IP 地址。

②服务器端 ServerSocket 类的实例调用 accept()方法时，会陷入阻塞状态，直到某个客户端程序请求与它建立连接。连接正常建立后，accept()将返回一个客户端 Socket 类的实例，即本次 C/S 套接字连接的实例，它是一个可读写的双向管道。

③必须将 ServerSocket 构造方法、accept()方法和 I/O 流操作方法等放在一个 try-finally 代码块，以确保无论什么方式结束，ServerSocket、Socket 和 I/O 流都能被正确关闭。若 ServerSocket 对象创建失败，则抛出 IOException 异常，并由 finally 块确保无论正常与否结束通信，均会关闭连接、释放网络套接字等资源。由于套接字使用了重要的非内存资源，因此要特别谨慎，必须以显式方式将它们及时清除。

④当程序中利用标准输出流 System.out 将 ServerSocket 类构造的实例和 accept()方法返回的 Socket 类的实例打印输出时，自动调用了它们的 toString()方法，其结果如下：

ServerSocket [addr=0.0.0.0/0.0.0.0,port=0,localport=55558]

Socket [addr =/127.0.0.1,port=3024,localport=55558]

⑤数据交换部分：服务器端的输入流 InputStream 和输出流 OutputStream 是从 Socket 类的实例创建的。它采用装饰模式，先利用两个"转换器"类 InputStreamReader 和 OutputStreamWriter，将 InputStream 和 OutputStream 对象分别转换成为 Reader 和 Writer 对象。再利用类 BufferedReader 和 PrintWriter，将 Reader 和 Writer 对象分别转换成为 BufferedReader 和 PrintWriter 对象，以方便读写与刷新操作。如构造方法 PrintWriter(Writer out, boolean autoFlush)中的"autoFlush"为"true"时，则 PrintWriter 类的 out 对象每次调用 println()结束时会自动刷新输出缓冲区（但不适用于 print()语句），使输出流中的信息能即时通过网络传递出去。

11.3.3　简单客户端程序

根据 11.3.2 节中基于 Socket 的通信系统中对客户端程序功能的分析，其实现代码如例 11-6 所示。

【例 11-6】　基于 Socket 的简单客户端程序。

程序清单11-6：SimpletClientSocketDemo.java

```java
package socket;
import java.net.*;
import java.io.*;
public class SimpletClientSocketDemo {
    public static void main(String[] args) throws IOException {
        new SimpletClientSocket();
    }
}
class SimpletClientSocket {
    Socket socket = null;// 客户端Socket类的对象引用socket
    BufferedReader in;// 客户端输入流
    PrintWriter out;// 客户端输出流
    public SimpletClientSocket() throws IOException {
        try {// 获取Localhost地址
            InetAddress ClientIP = InetAddress.getByName(null);
            System.out.println("ClientIP = " + ClientIP);
            // 创建客户端Socket类的对象socket,服务器地址取本地，端口号为55558
            socket = new Socket(ClientIP, SimpleServerSocket.PORT);
            // 输出客户端套接字信息
            System.out.println("socket = " + socket);
            // 创建并包装客户端socket对象的输入流
            in = new BufferedReader(new InputStreamReader(socket
                    .getInputStream()));
            // 创建并包装客户端socket对象的输出流,
            // PrintWriter流能自动刷新输出缓冲区（println()结束时)
            out = new PrintWriter(new BufferedWriter(new
OutputStreamWriter(socket.getOutputStream())), true);
            for (int i = 1; i < 10; i++) {// 数据交换
                out.println("From Client " + i);// 向服务器端输出数据
                System.out.println(in.readLine());// 从服务器端读入数据
            }
            out.println("结束");// 客户端向服务端输出通信结束标志
        } catch (UnknownHostException e) {
            e.printStackTrace();
        } catch (IOException e) {
            e.printStackTrace();
        } finally {// 关闭连接，释放网络资源
            out.close();
            in.close();
            socket.close();
            System.out.println("客户端正常关闭连接！");
        }
    }
}
```

运行方法：在待运行类的主目录下编写并运行 SimpletClientSocketDemo.bat 文件，其内容如下：

    java socket.SimpletClientSocketDemo
    pause

运行结果：如图11-4所示。

图11-4　例11-6中客户端的输出结果

程序分析：

①客户端使用本地主机（Localhost）地址与位于同一台机器中的服务器程序建立连接，因此可在一台物理机器中完成测试,若将客户端程序与服务器端程序分布在一个物理网络中，则可在客户端 Socket 对象中指定服务器的 IP 地址，即可实现通信。

②客户端程序中获得本地主机 IP 地址的 InetAddress 的途径有三种：使用 null、使用 localhost，或者直接使用保留地址 127.0.0.1。若向 getByName( )传递一个 null，则默认寻找 localhost，并生成特殊的保留地址 127.0.0.1。注意：在创建名为 socket 的套接字时，同时使用了 InetAddress 以及端口号。

③服务器程序启动后在本地主机（127.0.0.1）上为其分配端口 55558。一旦客户端程序发出请求，当前机器中的下一个可用端口就会分配给客户端程序（此处为 3024），并同时告知与其连接的服务程序。此例中，服务器端进程获取的客户端套接字如下所示：

Socket [addr = 127.0.0.1,port=3024,localport =55558]

它表示服务器进程已接受来自 IP 为 127.0.0.1 机器的 3024 端口的客户端进程的连接，同时监听其本地的 55558 端口，而在客户端输出的套接字如下所示：

Socket [addr = localhost/127.0.0.1,port=55558,localport=3024]

它表示客户端进程已用其本地端口 3024 与 127.0.0.1 机器上的 55558 端口建立了连接。

④数据交换：创建好客户端 Socket 对象后，调用其 getInputStream()和 getOutputStream()方法分别创建客户端的输入流 InputStream 和输出流 OutputStream，并与服务器端程序一样采用装饰模式，最终将它们分别转换成为 BufferedReader 输入流和 PrintWriter 输出流，以方便读写与刷新操作。为了测试通信正常与否，此处，客户端输出流通过发送"From Client"加数字的字符串数据来初始化通信，而客户端输入流则从服务器输出流中接收"From Server"加数字的字符串行，写入 System.out 后，在屏幕打印输出。最后，为终止数据交换，客户端输出

流通过向服务器端输入流发送"结束"字符串，以结束本次通信，释放套接字连接资源。

⑤在客户端程序中同样采用 try-finally 块，以确保由 Socket 代表的网络资源能得到正确的清除。套接字建立的"专用"连接会一直持续到明确断开连接为止（除非某端或中间链路出现故障而崩溃）。在连接未拆除前，参与连接的双方都被锁定在通信中，且无论是否有数据传递，连接都会连续处于开放状态。因此，每次通信结束时，若不及时拆除连接将会增加网络的额外开销，甚至使资源耗尽，导致系统崩溃。

11.3.4 基于多线程的服务器程序

例 11-5 中的 SimpleServerSocketDemo 尽管能正常工作，但每次只能为一个客户端程序提供服务。实际应用中，要求服务器能同时处理多个客户端的请求。解决此问题的关键就是将多线程处理机制应用到网络通信中来。如图 11-5 所示是在图 11-2 的基础上改进而来的基于 Socket 的多线程 C/S 通信模型，它可应用于对例 11-5 与例 11-6 的改造，从而实现响应多客户请求的数据通信，提高服务器的并发性能。

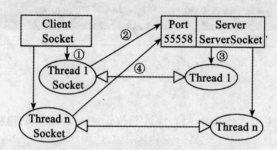

图 11-5　基于 Socket 的多线程 C/S 通信模型

其基本思想是：在服务器程序中创建单个 ServerSocket 的实例，并循环调用其 accept( ) 方法以等候一个新连接。一旦 accept( ) 返回一个客户端线程的 Socket 的实例，就用该 Socket 实例新建一个服务线程，为该特定的客户端线程服务。客户端程序采用多线程技术能创建多个 Socket 实例的线程，并能控制其活动线程的总数量，以防止服务器过载和网络拥塞。

例 11-7 是基于多线程的服务器程序，它是对例 11-5 的改进，它与 SimpleServerSocketDemo.java 很相似，只是为一个特定的客户端线程提供服务的所有操作都被移入一个独立的线程类 MultithreadServerSocket 中。

【例 11-7】　基于多线程的服务器程序。

程序清单11-7: MultithreadServerSocketDemo.java

```
package socket;
import java.io.*;
import java.net.*;
public class MultithreadServerSocketDemo {// 主类
    final static int PORT = 55558;// 服务器端与客户端使用的通信端口
    public static void main(String[] args) {
        ServerSocket serversocket = null;// 服务器端套接字引用
        Socket socket = null;// 客户器端套接字引用
try {// 以PORT为服务端口，创建服务器端ServerSocket类的对象，以监听该端口上的连接
        serversocket = new ServerSocket(PORT);
```

```java
            System.out.println("服务器正常启动！\n" + serversocket);
            while (true) {
            // 以循环方式，用accept()获取并保存多个连接到服务器的客户端Socket类的对象
                socket = serversocket.accept();
                try {// 使用多线程类完成对客户端的请求响应，实现数据交换
                    new MultithreadServerSocket(socket);
                } catch (IOException e) {
                    e.printStackTrace();
                    socket.close();
                }
            }
        } catch (IOException e) {
            e.printStackTrace();
        } finally {
            try {
                serversocket.close();
            } catch (IOException e) {
                e.printStackTrace();
            }
            System.out.println("服务器端正常关闭连接！");
        }
    }
}
class MultithreadServerSocket extends Thread {// 定义多线程类
    private Socket msocket = null;// 客户端Socket类的对象引用socket
    private BufferedReader in;// 服务器端输入流
    private PrintWriter out;// 服务器端输出流
    public MultithreadServerSocket(Socket socket) throws IOException {
        msocket = socket;
        // 创建并包装服务器端获取的socket对象的输入流
        in= new BufferedReader(new InputStreamReader(msocket.getInputStream()));
        // 创建并包装服务器端获取的socket对象的输出流
       out = new PrintWriter(new BufferedWriter(new OutputStreamWriter(msocket
            .getOutputStream())), true);
        start();// 启动线程
        System.out.println("\n与客户端线程" + this.getName() + "建立连接！\n" + socket);
    }
    public void run() {// 线程体
        try {
            int count = 0;
            while (true) {
                String strin = in.readLine();// 从客户器端读入数据
                if (strin.equals("结束"))
                    break;
                System.out.println("Echoing: " + strin);
                out.println("From Server " + ++count);// 向客户器端输出数据
            }
        } catch (IOException e) {
            e.printStackTrace();
        } finally {
            {// 关闭连接，释放网络资源
```

```
        try {
            out.close();//
            in.close();//
            msocket.close();
            System.out.println("正常关闭线程: " + this.getName());
        } catch (IOException e) {
            e.printStackTrace();
        }
    }
}
}
```

运行方法： 在待运行类的主目录下编写并运行 MultithreadServerSocketDemo.bat 文件，其内容如下：
java socket.MultithreadServerSocketDemo
pause

运行结果： 如图11-6所示。

图11-6　例11-7中服务器端输出的部分结果

程序分析：

① 一旦有新的客户端 Socket 线程请求建立一个连接时，服务器端的
MultithreadServerSocket 线程会取得由 accept( )返回的 Socket 对象。然后与例 11-5 一样，创
建一个 BufferedReader 输入流和一个 PrintWriter 输出流。最后，它调用 Thread 的 start( )方法
进行服务线程的初始化，然后调用 run( )完成数据交换。数据交换操作与例 11-5 相同。

②套接字的清除必须进行谨慎的设计。此例中，ServerSocket 套接字是在 MultithreadServerSocket 外部创建的，所以清除工作可以"共享"。若 MultithreadServerSocket 构造方法失败，则只需向调用者抛出一个异常即可，然后由调用者负责线程的清除。但若构造方法成功，则必须由 MultithreadServerSocket 对象负责线程的清除，这是在它的 run( )里进行的。

11.3.5　基于多线程的客户端程序

为了验证服务器代码确实能为多个客户端提供服务，下面这个程序将使用线程创建许多客户端，并与相同的服务器建立连接。每个线程的"存在时间"都是有限的。一旦到期，就留出空间以便创建一个新线程。允许创建的线程的最大数量是由 final int MAXTHREADS 决定的。这个值很关键，若把它设得很大，线程便有可能耗尽资源，产生不可预知的程序错误。基于多线程的客户端程序如例 11-8 所示，它是对例 11-6 的改进。

【例 11-8】　基于多线程的客户端程序。

程序清单11-8: MultithreadClientSocketDemo.java

```java
package socket;
import java.net.*;
import java.io.*;
public class MultithreadClientSocketDemo {// 主类
    static final int MAXTHREADS = 10;// 客户端最多线程数
    public static void main(String[] args) {
        try {// 获取Localhost地址
            InetAddress ClientIP = InetAddress.getByName(null);
            System.out.println("ClientIP: " + ClientIP);
            while (true) {// 客户端总的线程数不超过"MAXTHREADS"
                if (MultithreadClientSocket.getTcount() < MAXTHREADS)
                    new MultithreadClientSocket(ClientIP);
                Thread.sleep(100);
            }
        } catch (InterruptedException e) {
            e.printStackTrace();
        } catch (IOException e) {
            e.printStackTrace();
        }
    }
}
class MultithreadClientSocket extends Thread {
    private Socket socket = null;// 客户端Socket类的对象引用socket
    private BufferedReader in;// 客户端输入流
    private PrintWriter out;// 客户端输出流
    private static int count = 0;
    private int tid = count++;
    private static int tcount = 0;// 客户端的总线程计数器
    public static int getTcount() {// 求当前总线程数
        return tcount;
    }
    public MultithreadClientSocket(InetAddress Clientip) {// 定义多线程类
        System.out.println("\n创建客户端线程: " + tid);
```

```
        tcount++;// 总线程数增1
        try {// 创建客户端Socket类的对象socket,服务器地址取本地, 端口号为55558
        socket = new Socket(Clientip, MultithreadServerSocketDemo.PORT);
            // 输出客户端套接字信息
            System.out.println("socket = " + socket);
            // 创建并包装客户端socket对象的输入流
            in = new BufferedReader(new InputStreamReader(socket
                    .getInputStream()));
            // 创建并包装客户端socket对象的输出流
        out = new PrintWriter(new BufferedWriter(new OutputStreamWriter(
                    socket.getOutputStream())), true);
            start();// 启动线程
        } catch (IOException e1) {
            e1.printStackTrace();
            try {// 关闭连接，释放网络资源
                in.close();
                out.close();
                socket.close();
            } catch (IOException e2) {
                e2.printStackTrace();
            }
            System.out.println("客户端线程正常关闭连接！");
        }
    }
    public void run() {// 线程体
        try {
            for (int i = 1; i <=5; i++) {
            // 向服务器端输出数据
            out.println("From Client Thread " + tid + ": " + i);
            System.out.println(in.readLine());// 从服务器端读入数据
            }
            out.println("结束");
        } catch (IOException e) {
            e.printStackTrace();
        } finally {
            try {
                socket.close();
            } catch (IOException e) {
                e.printStackTrace();
            }
            tcount--;
        }
    }
}
```

运行方法：在待运行类的主目录下编写并运行MultithreadClientSocketDemo.bat文件，其内容是：

java socket.MultithreadClientSocketDemo

pause

运行结果：如图11-7所示。

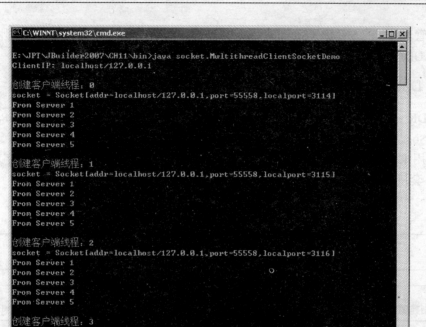

图11-7　例11-8中客户端输出的部分结果

程序分析：

①MultithreadClientSocket 构造方法用于获取一个 InetAddress，并用它创建一个客户端的套接字实例。然后用 Socket 实例创建输入流 InputStream 和输出流 OutputStream 对象，再用 start( )执行线程的初始化，并调用 run( )，其数据交换与例 11-6 相同。

②线程的"存在时间"是有限的，最终都会结束。在套接字创建好以后，在构造方法完成之前，假若构造方法失败，套接字会被清除。否则，为套接字调用 close()的责任便落到了run( )方法上。

③tcount 跟踪计算目前存在的 MultithreadClientSocket 对象的数量。它将作为构造方法的一部分增值，并在 run( )退出时减值。在 MultithreadClientSocketDemo.main( )中线程的数量会被检查。若数量太多，则多余的暂不创建。方法随后进入"休眠"状态。因此一旦部分线程最后被终止，则多出的那些线程就可以创建了。

11.4　基于 UDP 的 Datagram 通信

前面介绍的基于 TCP 的 Socket 套接字编程是面向连接的、可靠的、端到端的通信。但实际应用中有时只需要发送和接收一些独立的信息，且不需要传输层协议提供可靠性保证。对此，传输层的用户数据报协议（User Datagram Protocol，UDP）提供了相应的通信支持。UDP 通常先把应用层所传递来的数据信息封装为一个个独立的数据报文，称为数据报（Datagram），数据报套接字将发送数据的目的地址记录在数据报中，直接将数据报在网络中传输；UDP 不能保证每个数据报是否能够安全、完整地到达目的主机，不能保证数据报的到达时间和到达顺序，但其传输效率比基于 Socket 套接字的传输效率高。目前，基于 UDP 的网络应用有大量的实例，如在网络管理领域的 SNMP（Simple Network Management Protocol，简单网络管理协议）所采用的就是 UDP 协议，目的是提高其网络管理数据接收和发送的效率。

11.4.1　Datagram 套接字

在 JDK API 的 java.net 包中提供了与 UDP 数据报相关的类有 DatagramPacket 类和 DatagramSocket 类，前者用于创建一个待发送或接收的 DatagramPacket 数据报对象，后者是创建一个用来发送或接收 DatagramPacket 数据报的 DatagramSocket 数据报套接字对象。基于 Datagram 套接字通信的基本接收和发送流程如图 11-8 所示。

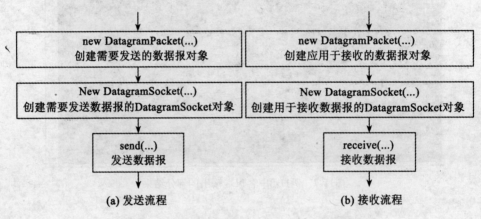

图 11-8　Datagram 套接字通信的发送和接收流程

1. DatagramPacket 类

使用 Datagram 方式实现通信，要将数据打包后才能进行传送和接收。而 DatagramPacket 类，就是用来创建数据包的，它创建的数据包分为以下两种。

（1）发送数据包

它由发送进程创建并使用，该数据包中包含所要传送的数据信息，以及要传递到的目的地址。创建发送数据包的构造方法如表 11-9 所示。

表 11-9　　　　　　　　　　创建发送数据包的构造方法

构造方法	功能
·DatagramPacket(byte[] buf, int length, InetAddress address, int port)	构造长度为 length，发送到指定主机和端口号的发送数据包
·DatagramPacket(byte[] buf, int offset, int length, InetAddress address, int port)	构造长度为 length 偏移量为 offset，包发送到指定主机端口号的发送数据包
·DatagramPacket(byte[] buf, int offset, int length, SocketAddress address)	构造将长度为 length 偏移量为 offset，发送到指定套接字地址（主机+端口号）的发送数据包
·DatagramPacket(byte[] buf, int length, SocketAddress address)	构造长度为 length，发送到指定套接字地址（主机+端口号）的发送数据包

（2）接收数据包

它由接收进程创建并使用。创建接收数据包的构造方法如表 11-10 所示。

表 11-10　　　　　　　　　　　　创建接收数据包的构造方法

构造方法	功能
·DatagramPacket(byte[] buf, int length)	·构造长度为 length 并存储到字节数组 buf 中的接收数据包
·DatagramPacket(byte[] buf, int offset, int length)	·构造长度为 length 并存储到字节数组 buf 偏移量为 offset 的接收数据包

（3）DatagramPacket 类常用方法

DatagramPacket 类常用实例方法如表 11-11 所示。

表 11-11　　　　　　　　　　DatagramPacket 类的常用实例方法

常用方法	功能
·public InetAddress getAddress()	·返回数据包将要发往或接自主机的 IP 地址
·public byte[] getData()	·返回数据包中的数据
·public int getPort()	·返回数据包将要发往或接自主机的端口号
·public SocketAddress getSocketAddress()	·返回数据包将要发往或接自主机的套接字地址(IP 地址+端口号)

2. DatagramSocket 类

数据报套接字 DatagramSocket 类的主要作用是对 DatagramPacket 对象进行接收和发送，其主要构造方法如表 11-12 所示。

表 11-12　　　　　　　　　　　DatagramSocket 类的主要构造方法

构造方法	功能
·public DatagramSocket()	·创建绑定到本地主机上任何可用端口的数据报套接字
·public DatagramSocket(int port)	·创建绑定到本地主机上指定端口的数据报套接字
·public DatagramSocket(int port, InetAddress laddr)	·创建绑定到指定主机地址和端口的数据报套接字
·public DatagramSocket(SocketAddress bindaddr)	·创建绑定到指定本地套接字地址的数据报套接字

注：表 11-9 中 DatagramSocket 类的构造方法在构造失败时会抛出 SocketException 异常。

数据报套接字 DatagramSocket 类的常用实例方法如表 11-13 所示。

表 11-13　　　　　　　　　　DatagramSocket 类的常用实例方法

常用方法	功能
·public void close()	·关闭此数据报套接字。
·public void receive(DatagramPacket p) throws IOException	·从此套接字接收数据报。
·public void send(DatagramPacket p) throws IOException	·从此套接字发送数据报。

Java 程序设计教程

11.4.2 简单 Datagram 接收程序

【例 11-9】 Datagram 接收程序能创建并循环地接收数据包，同时将接收到的数据包信息显示出来。

程序清单11-9: DatagramReceiveDemo.java

```java
package datagram;
import java.net.*;
import java.io.*;
public class DatagramReceiveDemo {
    public static void main(String[] args) {
        DatagramSocket receiveSocket = null;
        try {
            byte data[] = new byte[100];
            // 创建接收数据包
            DatagramPacket receivePacket = new DatagramPacket(data, data.length);
            // 声明并创建DatagramSocket对象，并指定接收方程序接收数据端口为55559
            receiveSocket = new DatagramSocket(55559);
            System.out.println("接收进程已启动！可循环接收数据...");
            // 利用循环监听端口是否有客户端发送的数据包
            while (true) {
                // 接收数据包
                receiveSocket.receive(receivePacket);
                // 获取发送数据包的主机的地址
                String sendIP = receivePacket.getAddress().toString();
                // 获取发送数据包的主机的端口号
                String sendPort = String.valueOf(receivePacket.getPort());
                String packer = new String(receivePacket.getData(), 0,
                        receivePacket.getLength());
                // 获取发送数据包的内容
                System.out.println("Received data from: " + sendIP + ":" + sendPort);
                System.out.println("Received data is: " + packer);
            }
        } catch (IOException e) {
            e.printStackTrace();
        } finally {
            receiveSocket.close();
        }
    }
}
```

运行方法：在待运行类的主目录下编写并运行 DatagramReceiveDemo.bat 文件，其内容如下：
java datagram.DatagramReceiveDemo
pause

运行结果：如图11-9所示。

图11-9　例11-9接收进程启动后状态

410

11.4.3 简单 Datagram 发送程序

【例 11-10】 Datagram 发送程序先创建发送数据包，然后向指定地址机器（本例中为本地主机地址）发送该数据包，同时将发送出去的信息显示出来。

程序清单11-10： DatagramSendDemo.java

```java
package datagram;
import java.net.*;
import java.io.*;
public class DatagramSendDemo {
    public static void main(String[] args) {
        DatagramSocket sendSocket = null;
        try {// 创建并初始化所要发送的字符串数据，并转换为字符数组
            String strsend = "湖南人文科技学院计算机科学技术系欢迎您！";
            byte bytedata[] = new byte[strsend.length()];
            bytedata = strsend.getBytes();
         // 创建发送数据包，并指定接收主机为本地主机地址，接收进程的接收数据端口为55559
            DatagramPacket sendPacket = new DatagramPacket(bytedata,
                    bytedata.length, InetAddress.getLocalHost(), 55559);
            // 声明并创建DatagramSocket对象，并指定发送进程的发送数据端口为55558
            sendSocket = new DatagramSocket(55558);
            // 发送数据
            sendSocket.send(sendPacket);
            System.out.println("发送进程已启动！");
            System.out.println("Send data is:"
                    + new String(sendPacket.getData()));
        } catch (IOException e) {
            e.printStackTrace();
        } finally { sendSocket.close();}
    }
}
```

运行方法：在待运行类的主目录下编写并运行 DatagramSendDemo.bat 文件，其内容如下：

java datagram.DatagramSendDemo

pause

运行结果：如图11-10、图11-11所示。

图11-10 例11-10发送进程的输出结果

图11-11 例11-9接收进程收到两个发送进程数据包后的输出结果

11.5 基于 UDP 的组播通信

第 11.4 节中所介绍数据报通信是在两台主机之间的点对点通信，称为"单播（Unicast）"。当多台主机同时接收一个数据报时，若采用单播通信，则源主机需要给每个接收主机发送一个相同的数据报；若采用组播通信，则源主机只需发送一个数据报即可到达每个接收主机，从而节省了网络带宽，降低了发送主机的负荷。

组播（Multicast）是一种特殊的数据报传输方式，它将具有相同需求的主机加入到某一个组，向组发送的信息，其所有成员均可接收到。组是用组播地址（D 类 IP 地址：224.0.0.0-239.255.255.255）和标准 UDP 端口号来标识的，即待发送数据报的目的地址为一个组播地址。主机可以申请加入某个组播地址所标识的组，也可以从该组中退出。

11.5.1 MulticastSocket 类

为了实现组播通信，java.net 包中有相应的 MulticastSocket 类。多播数据报套接字类 MulticastSocket 是 DatagramSocket 类的子类，它用来发送和接收 IP 多播包，同时可以沿用数据报通信的一些主要方法。其构造方法与常用方法如表 11-14、表 11-15 所示。

表 11-14　　　　　　　　　　MulticastSocket 类的构造方法

构造方法	功能
·public MulticastSocket()throws IOException	·创建多播套接字
·public MulticastSocket(int port) throws IOException	·创建多播套接字并将其绑定到特定端口
·public MulticastSocket(SocketAddress bindaddr) throws IOException	·创建绑定到指定套接字地址的 MulticastSocket

表 11-15　　　　　　　　　　MulticastSocket 类的常用方法

常用方法	功能
·public void joinGroup(InetAddress mcastaddr)	·加入多播组
·public void joinGroup(SocketAddress mcastaddr, NetworkInterface netIf)	·加入指定接口上的指定多播组
·public void leaveGroup(InetAddress mcastaddr)	·离开多播组
·public void leaveGroup(SocketAddress mcastaddr, NetworkInterface netIf)	·离开指定本地接口上的多播组

11.5.2 组播发送程序（服务器）

下面利用 MulticastSocket 类设计一个简单的组播应用系统，该系统由两个程序构成，其中一个程序作为组播服务器，它能将客户加入组或离开组，并采用多线程技术向组成员发送数据报；而另一个程序则作为组成员，即组播接收（客户端）程序。

【例 11-11】　组播发送程序（服务器）。

程序清单11-11: MulticastDatagramSendDemo.java

```
package datagram;
import java.util.*;
import java.io.*;
import java.net.*;
```

```java
public class MulticastDatagramSendDemo {// 主类
    public static void main(String[] args) throws java.io.IOException {
        new MulticastDatagramSendThread().start();// 创建并启动发送数据报的线程
    }
}
// 发送数据报的线程
class MulticastDatagramSendThread extends Thread {
    private DatagramSocket datagramSocket = null;// 数据报套接字引用
    private BufferedReader brin = null;// 缓存字符输入流引用
    private boolean endflag = true;// 读文件结束标志
    public MulticastDatagramSendThread() throws IOException {
        super("MulticastDatagramSendThread");
        datagramSocket = new DatagramSocket();// 创建数据报套接字
        try {// 创建来自"Message.txt"文件的缓存字符输入流
            brin = new BufferedReader(new FileReader("Message.txt"));
        } catch (FileNotFoundException e) {
            e.printStackTrace();
        }
    }
    public void run() {// 发送数据报线程的线程体
        System.out.println("组播服务端发送进程已启动...");
        while (endflag) {
            try {
                byte[] bytebuf = new byte[200];
                String message = null;
                if (brin == null)
                    message = new Date().toString();// 取系统日期
                else
                    message = getMessage();// 读入文本的内容
                bytebuf = message.getBytes();// 字符串转换为字节数组
                // 以指定D类地址和端口号创建发送数据报
                DatagramPacket packet = new DatagramPacket(bytebuf,
                    bytebuf.length, InetAddress.getByName("225.8.8.8"),
                        MulticastDatagramReceiveDemo.PORT);
                // 发送数据报
                datagramSocket.send(packet);
                System.out.println("组播服务端发送进程已发送数据包中的数据: "
                        + new String(packet.getData()));
                try {// 每隔1秒左右发送一条信息
                    sleep((long) (Math.random() * 1000));
                } catch (InterruptedException e) {
                }
            } catch (IOException e) {
                e.printStackTrace();
                endflag = false;
            }
        }
        datagramSocket.close();// 关闭数据报套接字
    }
```

```
    private String getMessage() {// 读取脚本文件数据
        String message = null;
        try {// 读入文件内容
            if ((message = brin.readLine()) == null) {
                brin.close();
                endflag = false; // 结束标志置为"false"时则结束发送循环
                message = "信息发送完毕！";
            }
        } catch (IOException e) {
            message = "发送的数据报出错！";
        }
        return message;
    }
}
```

运行方法：在待运行类的主目录下编写并运行 MulticastDatagramSendDemo.bat 文件，其内容如下：

java datagram.MulticastDatagramSendDemo

pause

运行结果：如图11-12所示。

图11-12　例11-11组播发送程序（服务器）的输出结果

11.5.3　组播接收程序（客户端）

【例 11-12】　组播接收程序（客户端）。

程序清单11-12：MulticastDatagramReceiveDemo.java

```
package datagram;
import java.net.*;
import java.io.*;
public class MulticastDatagramReceiveDemo {
    public static final int PORT = 5558;
    public static void main(String[] args) throws IOException {
        new MulticastDatagramReceiveDemo();
    }
    public MulticastDatagramReceiveDemo() throws IOException {
```

```
        // 以指定端口PORT，创建MulticastSocket组播套接字的实例
        MulticastSocket multicastSocket = new MulticastSocket(PORT);
        // D类IP地址为组播地址，其IP地址范围是：224.0.0.0~239.255.255.255
        // 以指定的D类IP地址225.8.8.8创建地址实例
        InetAddress multicastIP = InetAddress.getByName("225.8.8.8");
        multicastSocket.joinGroup(multicastIP);// 将D类地址加入组播地址组
        DatagramPacket packet; // 声明一个接收数据包引用
        System.out.println("客户端接收进程已启动...");
        // 循环地接收数据包
        for (int i = 0; i < 8; i++) {
            byte[] buf = new byte[200]; // 创建字节数组buf以保存接收到的数据包
            packet = new DatagramPacket(buf, buf.length);// 创建接收数据包
    multicastSocket.receive(packet);// 用组播套接字的实例方法接收数据包
            // 提取接收的数据包中的数据并在屏幕输出
            System.out.println("客户端接收进程收到来自"
 + packet.getAddress().getHostAddress() + "组播服务器的数据包中的数据："
                + new String(packet.getData()));
        }
        multicastSocket.leaveGroup(multicastIP);// D类地址离开组播地址组
        multicastSocket.close();// 关闭组播套接字
    }
}
```

运行方法：在待运行类的主目录下编写并同时多次运行 MulticastDatagramReceiveDemo.bat 文件，其内容如下：

    java datagram. MulticastDatagramReceiveDemo

    pause

运行结果：如图11-13所示。

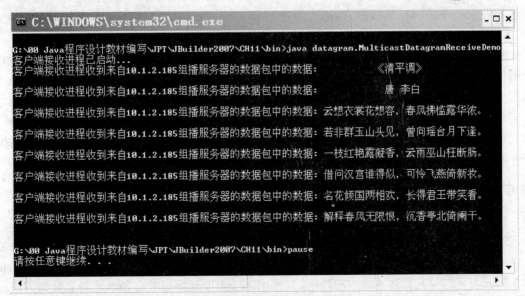

图11-13 例11-12组播接收程序（客户端）的输出结果

11.6 基于 RMI 的分布式通信

随着计算机技术和网络通信技术的快速发展，各种应用需求不断膨胀，导致计算机软件的规模不断扩大、复杂度日趋增长，计算模式（软件体系结构）的分析与设计显得尤其重要。分布对象计算模式使得面向对象技术在异构网络计算环境中得以全面、彻底和方便地实施，有效地控制并降低了系统开发、管理和维护的复杂性。

基于 Socket（端口）的通信机制靠近底层，尽管很灵活，但需要对传递的消息编码/解码等而变得繁琐且易犯错；基于 RPC（Remote Procedure Call，远程过程调用）的通信机制虽然将通信接口抽象到过程级别，却不能很好地适应分布式对象系统；相比之下，基于 RMI（Remote Method Invocation，远程方法调用）的分布计算模型，不仅保持了 Java 的对象语义，支持面向对象的多层分布式应用开发，而且屏蔽了底层的网络传输细节，不必对消息进行编码/解码，因此以其简单性与实用性成为人们的首选。RMI 使得客户端上的程序可以调用服务器上的远程对象，实现了运行在不同计算机上的 Java 对象可以通过远程方法调用来进行通信，而远程方法调用与本地对象的方法调用没有两样。

在面向过程的语言中实现类似功能的是远程过程调用（Remote Procedure Call，RPC）。RPC 使得程序可以方便地调用另一个计算机上的函数，就像调用本机上的函数一样方便，使程序员从复杂的网络通信中解脱出来，从而集中精力于应用程序的业务逻辑。但 RPC 存在两个不足：第一，RPC 采用中性语言实现，并且返回的是用外部数据表示的值，对数据表示协议依赖很强，很难应用到面向对象分布计算系统中。而 RMI 实质上模拟了应用在分布计算系统中的 RPC，使用 Java 远程信息交换协议（Java RemoteMessaging Protocol，JRMP）进行通信，而 JRMP 是专为 Java 的远程对象通信制定的协议。所以，RMI 具有 Java 的可移植性，是分布式应用的纯 Java 解决方案，具有面向对象的特征。第二，RPC 要求程序员掌握一种专用的接口定义语言（Interface Definition Language，IDL）来描述可以被远程调用的函数。而 RMI 不要求程序员学习 IDL 语言，因为所有的网络连接代码都可以从程序已有的类中直接生成。

基于 RMI 的分布通信的主要优点有：①纯面向对象：RMI 可将完整的对象作为参数和返回值进行传递，而不仅仅是预定义的数据类型。②可移动的属性：RMI 可将属性在客户端与服务器间相互移动。③面向对象设计：对象传递功能使用户可以在分布式计算中充分利用面向对象技术的强大功能，可采用两层和三层结构系统，可移动的属性支持了面向对象设计。④安全性好：RMI 使用 Java 内置的安全机制保证下载执行程序时用户系统的安全。⑤容易编写：RMI 大大简化了 Java 远程服务程序和访问服务程序的 Java 客户程序的编写。

11.6.1 基于对象的分布计算模型

在分布对象系统中，对象所提供的服务实现独立于接口，服务实现的改变对于所有客户都是透明的。通常在分布式对象计算中参与计算的计算体（分布对象）是对称的。一个对象可以向其他对象提供服务，也可以向其他对象请求服务。对象之间实现互操作时，用 Client 和 Server 表示对象在具体请求中的角色。一般来说，Client 不必关心 Server 对象是如何实现的及位于网络的哪个节点，也不必关心其运行于何种硬件和操作系统平台上。Client 只需要知道 Server 对象所提供的接口。基于分布对象的分布计算模型如图 11-14 所示。

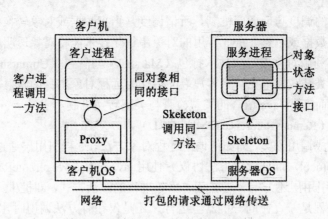

图 11-14 基于分布对象的分布计算模型

11.6.2 RMI 的体系结构与工作机制

RMI 从 JDK 1.1 开始支持，相当于简化并专用于 Java 平台的 CORBA 模型。RMI 采用三层体系结构，从上至下分别由桩/框架层、远程引用层和传输层组成，各层之间有明确定义的接口与协议，如图 11-15 所示。

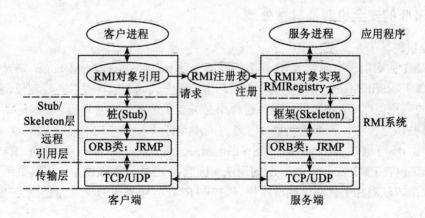

图11-15 RMI体系结构

1. 桩/框架层（Stub/Skeleton Layer）

RMI 系统采用类似 CORBA 的请求代理机制，桩（Stub）是远程对象在客户端的代理（Proxy），客户进程中的远程对象引用实际上是对本地桩的引用。桩负责将远程调用请求通过远程引用层转发给服务端的框架（Skeleton），再由服务端的框架分派给真正的远程对象实现。创建应用程序时，客户进程与服务进程都需要桩，而框架仅服务进程需要。

RMIRegistry（RMI 注册）是运行在服务器上的一个后台进程，且必须在服务进程启动之前启动，它相当于客户进程与服务进程之间的通信网关。服务进程将远程对象的名字注册到 RMI 注册表，客户进程通过 RMI 注册表将远程对象名字解析为远程对象引用，通过该对象引用调用远程对象上的方法。

需要指出的是，RMI 在桩/框架层利用了 Java 的对象串行化和动态类装载两种关键技术实现了对传输数据的调度与反调度机制。所谓调度是指把数据或对象转换成字节流,反调度则是把字节流换成数据或对象。Java 专用的对象串行化技术能将对象透明地传送到不同的地址空间,桩与框架利用对象串行化技术打包(Marshal)与解包(Unmarshal)远程调用的参数与返回值;动态类装载技术支持将客户端的桩作为远程对象本身的映射,桩实现了相同的远程接口集合,从而支持 Java 语言的类型检查与类型转换机制。

2. 远程引用层(Remote Reference Layer,RRL)

远程引用层完成调用语义,即如何调用远程对象方法。远程引用层通过定义 JRMP(Java Remote Method Protocol,Java 远程方法协议)使用 java.rmi.server.remoteRef 实现对远程对象方法的访问。远程引用层还为上一层屏蔽了服务进程的激活方式,即桩/框架层不必关心提供远程对象的服务进程是一直在同一机器上运行,还是仅在有方法调用时才被激活(JDK 1.2 开始支持不同的激活策略)。

3. 传输层(Transport Layer)

传输层一般采用 TCP 或 UDP 协议实现对字节流的传输,负责建立和管理不同 JVM 之间的连接,跟踪远程对象,以及将调用请求分派给合适对象。在服务端,传输层将调用请求向上转发给远程引用层,远程引用层作相应处理后转发给框架,再由框架向上调用远程对象的实现,最终由远程对象的实现完成真正的方法调用。远程调用的返回值送回客户端的路径是:先经过服务端的框架、远程引用层和传输层,再向上经过客户端的传输层、远程引用层和桩。

11.6.3 RMI 的安全机制及异常处理

1. 安全机制

基于 RMI 的应用程序通过 RMI 安全管理器 java.rmi.RMISecurityManager 来提供安全管理。可用 RMISecurityManager 定义安全参数,指定动态代码下载特性,并控制代码下载。在基于 RMI 的应用程序中,服务端的服务进程中必须首先装入安全管理器,以保证动态装载的类不执行某些敏感操作,若未指定安全管理器则不允许装入任何 RMI 类。在启动了 RMI 应用程序期间,还可通过调用 java.lang.System.setSecurityManager(new java.rmi. RMISecurityManager());来设置 RMISecurityManger 的用法。因此在 RMI 应用系统中,需要采用 Java 2 安全策略的标准方法对相关代码库地址授权,以控制 RMI 应用程序的权限,确保系统安全运行。

2. 异常处理

在 RMI 应用的远程接口和远程对象实现类中,每种方法都必须用 throws 子句声明远程异常 java.rmi.RemoteException,以捕获网络连接异常和服务器异常,并对被捕获的异常做出适当处理。

11.6.4 基于 RMI 的分布应用实例

1. 基本算法

基于 RMI 的多层分布式应用程序主要包括以下几部分:①远程接口:规定了客户程序与服务程序进行交互的界面;②远程对象实现:为远程接口规定的每一个方法提供真正的实现;③服务程序:远程对象并不是服务程序本身,它需要由服务程序创建并注册,服务程序中真正提供服务的对象实例又称伺服对象(Servant);④客户程序:利用服务程序中伺服对象提供的服务完成某一功能。基于 RMI 的分布计算应用的基本算法如下:

Step1　创建远程接口:引入 java.rmi 包,远程接口应为 public 类型,并扩展 java.rmi.Remote 接口。

Step2　定义服务器类：即远程接口的实现类。

　　Step2.1　实现远程接口。

　　Step2.2　实现远程方法。

　　Step2.3　创建并安装安全机制管理器。

　　Step2.4　创建远程对象实例。

　　Step2.5　注册远程对象。

Step3　定义客户类：用 Nameing.lookup("已注册对象名")查找远程对象的引用并调用远程方法。

Step4　用 RMIC 编译器产生桩和框架（_Skel.class /_Stub.class）。

Step5　创建安全策略文件 RMI.policy。

Step6　启动远程对象注册程序 RMIRegistry。

Step7　启动服务器端程序。

Step8　运行客户程序。

2.　基于 RMI 通信的有关接口与类

　　（1）java.rmi.Remote 接口。它是用于标识其方法可以从非本地虚拟机上调用的接口。任何远程对象都必须直接或间接实现此接口。远程实现类可以实现任意数量的远程接口，并且可以继承其他远程实现类。

　　（2）java.rmi.RemoteException 类。它是许多与通信相关的异常的通用超类，远程接口（扩展 java.rmi.Remote 的接口）的每个方法必须在其 throws 子句中列出 RemoteException。

　　（3）java.rmi.server.UnicastRemoteObject 类。它用于导出带 JRMP 的远程对象和获得与该远程对象通信的 stub。

　　（4）java.rmi.RMISecurityManager 类。其构造方法 RMISecurityManager()用来构造新的 RMISecurityManager。

　　（5）System 类。它的 public static SecurityManager getSecurityManager()方法用来获得系统安全接口；public static void setSecurityManager(SecurityManager s)方法用来设置系统安全性。

　　（6）java.rmi.Naming 类。它提供在对象注册表中存储和获得远程对远程对象引用的方法。其常用方法有：①public static Remote lookup(String name)类方法返回与指定 name 关联的远程对象的引用（一个 stub）；②public static void rebind(String name, Remote obj)类方法将指定名称重新绑定到一个新的远程对象。

　　需要指出的是，其方法参数中的名称是使用"//host:port/name"格式的 URL 字符串，其中 host 是注册表所在的主机（远程或本地），port 是注册表接受调用的端口号，name 是未经注册表解释的简单字符串。host 和 port 是可选项，其缺省值分别是本地主机 1099。

3.　基于 RMI 的分布式通信实例

　　基于 RMI 的分布式通信实例由 RMI 服务端程序与客户端程序两部分组成。其中，RMI 服务端程序提供了创建蛇形矩阵的服务，客户端程序基于 RMI，通过 Naming 类查找到服务器端的对象，获得远程对象后，调用该远程对象的创建蛇形矩阵的服务（方法），生成并返回一个保存在二维数组对象中的蛇形矩阵，然后由客户端显示输出。

　　按照基于 RMI 的分布计算应用的基本算法，其具体创建步骤如下：

　　（1）创建 RMI 服务端的远程接口，其代码如例 11-13 所示。

【例 11-13】 RMI 服务器端的远程接口。

程序清单11-13: SnakeShapeMatrix.java

```java
package rmi;
import java.rmi.Remote;
import java.rmi.RemoteException;
// 定义服务器类的远程接口
public interface SnakeShapeMatrix extends Remote {
    public int[][] getSnakeShapeMatrix(int size) throws RemoteException;
}
```

（2）创建 RMI 服务器端的主程序，它必须连接服务器端的远程接口，其代码如例 11-14 所示。

【例 11-14】 RMI 服务器端的主程序。

程序清单11-14: SnakeShapeMatrixServer.java

```java
package rmi;
import java.rmi.*;
import java.rmi.server.*;
public class SnakeShapeMatrixServer extends UnicastRemoteObject implements
SnakeShapeMatrix {// 需实现远程接口
    public static void main(String args[]) {// 主方法
        if (System.getSecurityManager() == null) {// 加载安全机制管理
            System.setSecurityManager(new RMISecurityManager());
        }
        try {// 创建服务器对象
    SnakeShapeMatrixServer snakeShapeMatrixServer = new
SnakeShapeMatrixServer();
            // 在register注册该对象，localhost是服务器的名字
            Naming.rebind("//localhost/SnakeShapeMatrixServer",
                snakeShapeMatrixServer);
        System.out.println("已注册服务端进程：SnakeShapeMatrixServer！");
        } catch (Exception e) {
            e.printStackTrace();
        }
    }
    public SnakeShapeMatrixServer() throws RemoteException {// 构造方法
        super();
    }
    public int[][] getSnakeShapeMatrix(int size) {// 求解蛇形矩阵的方法
        int matrix[][] = new int[size][size];
        int max = size * size;
        int row = 0, col = 0;
        int direction = 0;
        for (int j = 1; j <= max; j++) {
            matrix[row][col] = j;
            switch (direction) {
            case 0:
                if (col + 1 >= size || matrix[row][col + 1] > 0) {
                    direction += 1;
                    direction %= 4;
                    row += 1;
                } else {
                    col = col + 1;
                }
                break;
```

```
    case 1:
        if (row + 1 >= size || matrix[row + 1][col] > 0) {
            direction += 1;
            direction %= 4;
            col -= 1;
        } else {
            row = row + 1;
        }
        break;
    case 2:
        if (col - 1 < 0 || matrix[row][col - 1] > 0) {
            direction += 1;
            direction %= 4;
            row = row - 1;
        } else {
            col = col - 1;
        }
        break;
    case 3:
        if (row - 1 < 0 || matrix[row - 1][col] > 0) {
            direction += 1;
            direction %= 4;
            col += 1;
        } else {
            row = row - 1;
        }
        break;
    default:
        System.out.println("ERROR!");
        System.exit(0);
    }
  }
  return matrix;
 }
}
```

运行结果: 如图11-16所示。

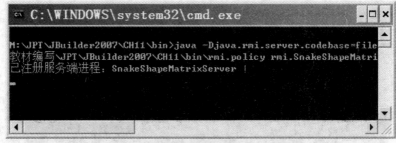

图11-16　服务器端主程序的运行结果

（3）创建客户端程序，其代码如例 11-15 所示。

【**例 11-15**】　客户端程序。

程序清单11-15: SnakeShapeMatrixClient.java

```
package rmi;
import java.rmi.*;
```

```
public class SnakeShapeMatrixClient {
    public static final int SIZE = 6;// 设置方阵大小
    public static void main(String[] argv) {
        String serverName = null;
        SnakeShapeMatrix snakeShapeMatrix = null;
        // 应用服务器的安全机制
        System.setSecurityManager(new RMISecurityManager());
        try {// 获取本地服务器的名字，在本地机器测试RMI通信
        serverName = java.net.InetAddress.getLocalHost().getHostName();
        } catch (Exception el) {
            el.printStackTrace();
        }
        try {// 根据远程接口取得服务器的对象
            snakeShapeMatrix = (SnakeShapeMatrix) Naming.lookup("//"
                    + serverName + "/SnakeShapeMatrixServer");
            System.out.println("客户端已与RMI服务器成功连接！");
            // 调用远程对象方法的showSnakeShapeMatrix()方法求解蛇形矩阵
            int[][] matrix = snakeShapeMatrix.getSnakeShapeMatrix(SIZE);
            System.out .println("由RMI服务器进程求解的台" + SIZE + "*" + SIZE + " 矩阵如下：");
            showSnakeShapeMatrix(SIZE, matrix);// 输出蛇形矩阵
        } catch (Exception e) {
            e.printStackTrace();
        }
    }
    private static void showSnakeShapeMatrix(int size, int matrix[][]) {
        for (int j = 0; j < size; j++) {// 输出蛇形矩阵的服务方法
            for (int k = 0; k < size; k++) {
                if (matrix[j][k] < 10)
                    System.out.print("  " + matrix[j][k]);
                else
                    System.out.print(" " + matrix[j][k]);
            }
            System.out.println("");
        }
    }
}
```

运行结果：如图11-17所示。

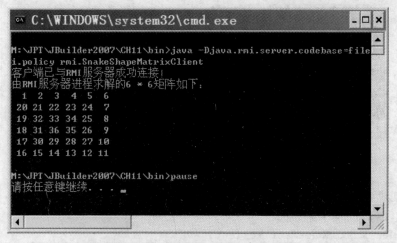

图11-17 客户端程序的运行结果

（4）编译程序：设此例中的三个源程序都在 JBuilder2007 IDE 中编写，其源程序保存在 "E:\JPT\JBuilder2007\CH11\SRC\RMI" 中，在 JBuilder2007 中，保存程序文件时会即时编译，此例中保存类的主目录为 "E:\JPT\JBuilder2007\CH11\BIN"。其对应用的 DOS 命令是：

E:\JPT\JBuilder2007\CH11\src\rmi>javac *.* -d e:\jpt\jbuilder2007\ch11\bin ←┘

则，在 e:\jpt\jbuilder2007\ch11\bin 目录中将产生：rmi.SnakeShapeMatrix.class、rmi.SnakeShapeMatrixClient.class 和 rmi.SnakeShapeMatrixServer.class 三个类文件。

（5）生成服务端的 stub 程序：在类的主目录（E:\JPT\JBuilder2007\CH11\bin）中创建并执行 RMIC-SnakeShapeMatrixServer.bat 批处理文件，其内容是：

rmic rmi.SnakeShapeMatrixServer

pause

运行效果如图 11-18 所示。

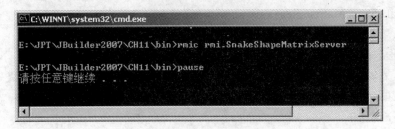

图 11-18　生成服务端的 stub 程序

结果在 "E:\JPT\JBuilder2007\CH11\bin" 中创建了 "rmi.SnakeShapeMatrixServer_Stub.class" 服务器端的桩程序。

（6）创建安全机制文件：在类的主目录（E:\JPT\JBuilder2007\CH11\bin）中创建 rmi.policy，其内容如下：

grant { permission java.net.SocketPermission　"*:1024-65535", "accept, connect, listen"; };

表示客户端可在 1024-65535 的任一端口访问服务器，并赋予连接（connect）、接收信息（accept）和监听（1isten）权限。

（7）启动 RMIRegistry 服务器：在类的主目录（E:\JPT\JBuilder2007\CH11\bin）中创建并执行 StartRMIRegistry.bat 批处理文件，其内容是：

Start RMIRegistry

启动 RMIRegistry 服务器后其状态如图 11-19 所示。

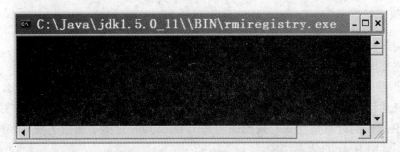

图 11-19　RMIRegistry 服务器启动后状态

（8）注册并运行服务器端主程序：在类的主目录（E:\JPT\JBuilder2007\CH11\bin）中创建并执行 SnakeShapeMatrixServer.bat 批处理文件，其内容是：

java -Djava.rmi.server.codebase=file:E:\JPT\JBuilder2007\CH11\bin

  -Djava.rmi.server.hostname=localhost

  -Djava.security.policy=file:E:\JPT\JBuilder2007\CH11\bin\rmi.policy

   rmi.SnakeShapeMatrixServer

pause

服务器端主程序的运行结果见图 11-16。

（9）连接并运行客户端程序：在类的主目录（E:\JPT\JBuilder2007\CH11\bin）中创建并执行 SnakeShapeMatrixClient.bat 批处理文件，其内容是：

java -Djava.rmi.server.codebase=file:E:\JPT\JBuilder2007\CH11\bin

  -Djava.security.policy=file:E:\JPT\JBuilder2007\CH11\bin\rmi.policy

   rmi.SnakeShapeMatrixClient

pause

客户端程序的运行结果见图 11-17。

注意：在编写运行服务器端主程序和客户端程序的批处理文件时，pause 命令之前是一条完整的加载并运行类的命令，编写这条命令时不能按回车键手动分行且路径中不能出现空格，否则该命令会出错而无法执行。

习 题 十 一

一、填空题

1. URL 类的类包是（　　　　　　）。
2. URL.getFile()方法的作用是（　　　　　　）。
3. URL.getPort()方法的作用是（　　　　　）。
4. Sockets 技术是构建在（　　　　　）协议之上。
5. Datagrams 技术是构建在（　　　　　）协议之上。
6. ServerSocket.accept()返回（　　　　　）对象，使服务器与客户端相连。
7. 为了实现组播通信，java.net 包中有相应的（　　　　　　　　）类。
8. RMI 的英文全称是（　　　　　　）。
9. 启动 RMIRegistry 服务器的命令是（　　　　　　）。

二、简答题

1. 名词解释：TCP、UDP、IP 地址、端口号、URL、套接字、RMI。
2. 简述并比较 URL 类的四种构造方法。
3. 客户/服务器模式有什么特点？Socket 类和 ServerSocket 类的区别是什么？
4. TCP 通信的特点是什么？画图说明基于 Socket 通信的 C/S 模型与基本算法。
5. UDP 通信的特点是什么？画图说明基于 Datagram 套接字通信的发送和接收流程。
6. 画图说明 RMI 的体系结构。

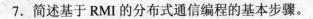

7. 简述基于 RMI 的分布式通信编程的基本步骤。

三、选择题

1. 若对 Web 页面进行操作，一般会用到的类是（　　）。
A．Socket　　　B．DatagramSocket　　　C．URL　　　D．URLConnection

2. 在套接字编程中，客户方需用到 Java 类（　　）来创建 TCP 连接。
A．ServerSocket　　　　　　　　　　B．DatagramSocket
C．Socket　　　　　　　　　　　　　D．URL

3. 在套接字编程中，服务器方需用到 Java 类（　　）来监听端口。
A．Socket　　　　　　　　　　　　　B．URL
C．ServerSocket　　　　　　　　　　D．DatagramSocket

4. URL 类的 getHost 方法的作用是（　　）。
A．返回主机的名字　　　　　　　　　B．返回网络地址的端口
C．返回文件名　　　　　　　　　　　D．返回路径名

5. URL 类的 getRef 方法的作用是（　　）。
A．返回网页的特定地址　　　　　　　B．返回主机的名字
C．返回路径名　　　　　　　　　　　D．返回协议的名字

6. Socket 类的 getOutputStream 方法的作用是（　　）。
A．返回文件路径　　　　　　　　　　B．返回文件写出器
C．返回文件大小　　　　　　　　　　D．返回文件读入器

7. Socket 类的 getInputStream 方法的作用是（　　）。
A．返回文件路径　　　　　　　　　　B．返回文件写出器
C．返回文件大小　　　　　　　　　　D．返回文件读入器

8. DatagramSocket 类的 receive 方法的作用是（　　）。
A．根据网络地址接收数据包　　　　　B．根据网络地址与端口接收数据包
C．根据端口接收数据包　　　　　　　D．根据网络地址与端口发送数据包

四、程序填空

1. 下面是基于套接字的服务端程序接收客户程序请求后创建连接，服务程序将收到的信息在屏幕上打印出来，并回送给客户程序，请在标号处完成程序编写。

```
package comsoft.nc.tcp.socket;
import java.io.*;
import java.net.*;
public class ServerSocketDemo {
    public static final int PORT = 28080;
    public static void main(String[] args) throws IOException {
        ServerSocket serversocket = _____(1)_____;
        System.out.println("Started serversocket: " + serversocket);
        try {
            Socket socket = _____(2)_____;
```

高等院校计算机系列教材

```
try {
    System.out.println("TCPConnection accepted from: " + socket);
    BufferedReader in = new BufferedReader(new
        InputStreamReader(_____(3)_____));
    PrintWriter out = new PrintWriter(new BufferedWriter(new
        OutputStreamWriter(socket.getOutputStream())), true);
    while (true) {
        String str = in.readLine();
        if (str.equals("End Communications")) {
            break;
        }
        System.out.println("Receive from Client: " + str);
        out.println("Echoing from Server: " + str );
    }
}
finally {
    System.out.println("Communications Closing...");
    socket.close();
}
}
finally {
    _____(4)_____;
}
}
}
```

2. 下面是基于套接字的客户端程序，客户程序向服务程序发出连接请求，在连接创建后向服务程序发送信息并接收服务程序的回声在屏幕上打印出来，请在标号处完成程序编写。

```
import java.io.*;
import java.net.*;
public class ClientSocketDemo {
    public static void main(String[] args) throws IOException {
        InetAddress ipaddress = InetAddress.getByName(null);
        System.out.println("ipaddress = " + ipaddress);
        Socket socket =_____(1)_____(ipaddress, ServerSocketDemo.PORT);
        try {
            System.out.println("socket : " + socket);
            BufferedReader in = new BufferedReader(new InputStreamReader(_____(2)_____));
            PrintWriter out = new PrintWriter(new BufferedWriter(new
                OutputStreamWriter(socket.getOutputStream())), true);
            for (int i = 0; i < 10; i++) {
```

```
                    （3）      ("Message " + i);
        String str =      （4）      ();
        System.out.println(str);
    }
    out.println("End Communications");
    }
    finally {
        System.out.println("Communications closing...");
        socket.close();
    }
  }
}
```

五、编程题

1. 编写一个包含 TextField 和 Label 的 Java Application 程序，其中 TextField 用于接收用户输入的主机名，Label 用于将这个主机的 IP 地址显示出来。

2. 编写 Java Applet 程序，接受用户输入的网页地址，并与程序中事先保存的地址相比较若两者相同则使浏览器指向该网页。

3. 编写 Java Applet 程序，访问并显示或播放在指定 URL 地址处的图像和声音资源。

4. 用 Socket 编程，从服务器读取几个字符，再写入本地机器且进行显示。

5. 使用 IP 组播协议实现在组播组中发送与接收数据。

6. 使用 RMI 设计一个分布式计算程序，由服务程序对客户程序提供的一组数据进行排序，然后由客户程序从屏幕输出。

实验十一　Java 网络编程技术

一、实验目的

1. 熟悉 URL、Socket、Datagram 和 MulticastSocket 的通信机制，掌握网络编程的基本方法与技术。

2. 了解 RMI 的体系结构与工作机制，初步掌握基于 RMI 的分布式编程技术。

二、实验内容

1. 使用 Socket 编写一个服务器端程序，服务器端程序在端口 8888 监听，若它接到客户端发来的"hello"请求时会回应一个"hello"，对客户端的其他请求不响应。

2. 一个 C/S 结构的多人网络聊天室，包括服务程序与客户程序。

3. 编写一个简单电子邮件收发系统，包括发送邮件与接收邮件程序。

4. 编写一个类似 FTP 的程序，实现在服务器端和客户端之间传输各种类型的文件。

5. 编程并调试"习题十一编程题"中的第 1、5、6 题。

6. 验证调试例 11-7 与例 11-8、例 11-11 与例 11-12、例 11-13、例 11-14、例 11-15 中有关的例题。

第12章 JDBC 与数据库访问技术

【本章要点】

1. 数据库的基本知识，主要包括数据库、关系型数据库、字段、记录、SQL、DDL、DML、DCL、JDBC 等。

2. JDBC 的体系结构：由 Java 应用程序、JDBC 驱动程序管理器、驱动程序和数据库四部分构成。JDBC 的四类驱动程序：JDBC-ODBC Bridge、JDBC-Native API Bridge、JDBC-Middleware 和 Pure JDBC Driver。常用 JDBC API 的类及接口：DriverManager 类、Connection 接口、Statement 接口、PreparedStatement 接口和 ResultSet 接口。

3. 使用 JDBC 访问数据库的基本算法：①加装 JDBC 驱动程序；②建立连接；③执行 SQL 语句；④检索结果；⑤关闭连接。JDBC 的应用实例：数据表的创建、数据插入、查询、更新和删除等操作。

4. JDBC 的高级应用：事务操作，存取优化，批量操作，大数据对象存取。JDBC 4.0 的新特性。

Sun Microsystems 公司自 1996 年推出了 JDBC（Java Database Connectivity，Java 数据库连接）工具包的 1.0 版后，又先后推出了 JDBC 2.0（JDK1.3）、JDBC 3.0（JDK1.4）和 JDBC 4.0（JDK1.5）。特别是 JDBC 4.0 进一步简化了 Java 应用程序访问数据库的代码，它提供有关工具类方便了对数据源和连接对象的管理，也改进了 JDBC 驱动加载和卸载机制。

JDBC 作为 Java 平台的一个标准组成部分，是根据"与平台无关"的基本原则而设计的，对独立于数据库的跨平台的数据库访问提供了有力的技术支持。在企业级应用开发中，数据访问层连接着资源层和业务逻辑层，起着承上启下的作用。数据访问层应该提供给业务层一个统一、一致的接口。关系型数据库是企业级应用中主要的数据源。JDBC API（Application Programming Interface，应用程序接口）为 Java 开发者使用数据库提供了统一的编程接口，它由一组 Java 类和接口组成。JDBC API 提供了 Java 程序与各种数据库服务器之间的连接服务，它支持 ANSI SQL-92 标准，实现了从 Java 程序内调用标准的 SQL 命令对数据库进行查询、插入、删除、更新等操作，并确保数据事务的正常进行。

本章首先简要介绍了数据库操作的基本知识，然后在剖析 JDBC 的体系结构、四类驱动程序和 JDBC 的主要类和接口的基础上，以实例的方式着重介绍用 JDBC 对各种不同数据库进行访问的基本方法与步骤。

12.1 关系数据库与 SQL

SQL（Structured Query Language，结构化查询语言）作为关系型数据库管理系统的标准语言，它集数据查询、数据操纵、数据定义和数据控制功能于一体，是一个综合的、通用的、功能极强，同时又简洁易学的语言。SQL 最初是由 IBM 公司提出，主要用来对 IBM 开发的关系型数据库进行操作。由于 SQL 语言结构性好，功能完善，简单易学，于是 1987 年美国国家标准局（ANSI）和国际标准化组织（ISO）以 IBM 的 SQL 语言为蓝本，制定并公布了 SQL-89 标准。此后 ANSI 不断改进和完善 SQL 标准，于 1992 年公布了 SQL-92 标准。目前数据库的种类繁多，如常用的有 Oracle、SQL Server、Sybase、IBM DB2、Informix、MySQL、Access 和 Visual FoxPro 等关系型数据库，尽管不同的数据库有着不同的结构和数据存放方式，但是它们都支持 SQL 语言标准，可以通过 SQL 语言来存取和操作不同数据库的数据。

12.1.1　关系数据库的基本概念

数据库（Database）是存储数据信息的中心，是一个长期存储在计算机内的、有组织的、可共享的数据集合。在关系型数据库中，数据以记录（Record）和字段（Field）的形式存储在数据表（Table）中，由若干个数据表构成一个数据库。数据表是关系数据库的一种基本数据结构。如表 12-1 所示，数据表是一个二维表格（关系代数中称为关系），其中的一行称为一条记录，任意一列称为一个字段，字段有字段名与字段值之分。字段名是表的结构部分，由它确定该列的名称、数据类型和约束条件。字段值是该列中的一个具体值。

表 12-1　　　　　　　学生表及术语

学　号	姓　名	性别	年龄	系部
07000101	王　辉	男	18	政法系
07010101	李云龙	男	19	教育系
07020101	郭惠敏	女	21	计算机系
07040108	高原红	女	20	通控系
⋮	⋮	⋮	⋮	⋮
07040608	曾　睿	男	19	计算机系
07050306	杨旭军	女	22	经管系

表（关系）→　　　　字段/属性（列）　　　←记录/元组（行）

SQL 语言的操作对象主要是数据表。SQL 共有 9 个命令，根据其功能的不同可分成数据查询语言 DQL（Data Query Language）、数据定义语言 DDL（Data Definition Language）、数据操纵语言 DML（Data Manipulation Language）和数据控制语言 DCL（Data Control Language）四大类，如表 12-2 所示。

表 12-2　　　　　　　　　　　　　　　SQL 语言的动词

SQL 功能	命令动词
数据查询语言（DQL）	SELECT
数据定义语言（DDL）	CREATE, DROP, ALTER
数据操纵语言（DML）	INSERT, UPDATE, DELETE
数据控制语言（DCL）	GRANT, REVOKE

12.1.2 结构化查询语言（SQL）

1. 数据查询语言

数据库查询是数据库的核心操作。SQL 语言提供了 SELECT 语句进行数据库的查询，并以数据表的形式返回符合用户查询要求的结果数据。SELECT 语句具有丰富的功能和灵活的使用方式，其一般的语法格式是：

SELECT [DISTINCT] 字段名 1[，字段名 2，……] FROM 表名 [WHERE 条件]

其中：DISTINCT 表示不输出重复值，即当查询结果中有多条记录具有相同的值时，只返回满足条件的第一条记录值；语句中的字段名用来决定哪些字段将作为查询结果返回。用户可以按照自己的需要返回数据表中的任意的字段，也可以使用通配符"*"来表示查询结果中包含所有字段。

2. 数据定义语言

数据定义语言提供对数据库及其数据表的创建、修改、删除等操作，属于数据定义语言的命令有 CREATE、ALTER 和 DROP。

（1）创建数据表

在 SQL 语言中，使用 CREATE TABLE 语句创建新的数据库表。CREATE TABLE 语句的使用格式：

CREATE TABLE   <表名> (<字段名> <数据类型> [列级完整性约束条件]

[,<字段名><数据类型>[列级完整性约束条件]]…

[,<表级完整性约束>])；

说明：①表名是指存放数据的表的名称；字段名是指表格中某一列的名称，通常也称为列名。表名和字段名都应遵守标识符命名规则。②数据类型用来设定某一个具体列中数据的类型。③列级完整性约束条件就是当输入此列数据时必须遵守的规则。这通常由系统给定的关键字来说明。例如，使用 UNIQUE 关键字限定本列的值不能重复；NOT NULL 用来规定表格中该列的值不能为空；PRIMARYKEY 表明该列为该表的主键（也称主码），它既限定本列的值不能重复，也限定该列的值不能为空。④[ ]表示可选项（下同）。

例：创建供应商表 S(Sno,Sname,Status,City)的 SQL 命令是：CREATE TABLE S(Sno CHAR(5) NOT NULL UNIQUE,Sname CHAR(30) UNIQUE,Status CHAR(8),City CHAR(20) PRIMARY KEY (Sno));

（2）修改数据表

修改数据表包括向表中添加字段和删除字段。这两个操作都使用 ALTER 命令，但其中的关键字有所不同。添加字段使用的格式为：

ALTER TABLE <表名> [ADD <字段名> <数据类型> [完整性约束条件]]

删除字段使用的格式为：ALTER TABLE <表名> DROP <字段名>

（3）删除数据表

在 SQL 语言中使用 DROP TABLE 语句删除某个表格及表格中的所有记录，其使用格式是：DROP TABLE <表名>

3. 数据操纵语言

数据操纵语言用来维护数据库的内容，属于数据操纵语言的命令有 INSERT、DELETE 和 UPDATE。

（1）向数据表中插入数据

SQL 语言使用 INSERT 语句向数据库表格中插入或添加新的数据行，其格式是：

INSERT INTO <表名>(<字段名> [,字段名]…) VALUES(常量[,常量]…)

说明：命令行中的"常量"表示对应字段的插入值。在使用时要注意字段名的个数与值的个数要严格对应，二者的数据类型也应该一一对应，否则就会出现错误。

（2）数据更新语句

SQL 语言使用 UPDATE 语句更新或修改满足规定条件的现有记录，使用格式是：

UPDATE <表名> SET 字段名 新值 [,字段名 新值…] WHERE 条件

说明：关键字 WHERE 引出更新时应满足的条件，即满足此条件的字段值将被更新。在 WHERE 从句中可以使用所有的关系运算符和逻辑运算符。

（3）删除记录语句

SQL 语言使用 DELETE 语句删除数据库表格中的行或记录，其使用格式是：

DELETE　FROM <表名> WHERE <条件>

说明：通常情况下，由关键字 WHERE 引出删除时应满足的条件，即满足此条件的记录将被删除。如果省略 WHERE 子句，则删除当前记录。

4. 数据控制语言

数据控制语言包括对基本表和视图的授权、完整性规则的描述、事务控制等内容，主要命令有 GRANT 和 REVOKE

授权语句的格式：

GRANT <权限> [,<权限>]…

　　[ON <对象类型><对象名>]

　　TO <用户> [,<用户>]…

　　[WITH GRANT OPTION]

收回权限语句的格式：

REVOKE <权限> [,<权限>]…

　　[ON <对象类型><对象名>]

　　FROM <用户> [,<用户>]…

12.2　JDBC 的体系结构

12.2.1　JDBC 的结构

JDBC 是实现 Java 应用程序与各种不同数据库对话的一种机制。JDBC 由两层组成，上面一层是面向程序开发人员的 JDBC API，下面一层是面向底层的 JDBC 驱动程序 API。JDBC API 负责与 JDBC 管理器驱动程序 API 进行通信，将各个不同的 SQL 语句发送给它。通用的 JDBC Driver Manager（驱动程序管理器）对程序员是透明的，它负责管理各种数据库软件商所提供的 JDBC 驱动程序，并与实际连接到数据库的各个第三方驱动程序进行通信，返回查询的信息，或者执行由查询规定的操作。此外，对没有提供相应 JDBC 驱动程序的数据库系统，开发了特殊的驱动程序：JDBC-ODBC 桥，该驱动程序支持 JDBC 通过现有的 ODBC 驱动程序访问其数据库系统。JDBC 的基本层次结构由 Java 程序、JDBC API、JDBC 驱动程序

管理器、驱动程序和数据库五部分组成，如图 12-1 所示。下面分别论述各个部分。

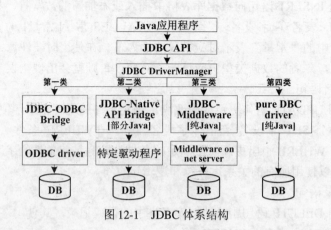

图 12-1　JDBC 体系结构

1. Java 应用程序

Java 应用程序包括 Java 应用程序、小应用程序 Java Applet 和 Servlet，主要是根据 JDBC 方法实现对数据库的访问和操作。其主要任务有：请求与数据库建立连接；向数据库发送 SQL 请求；为结果集定义存储应用和数据类型；查询结果；处理错误；控制传输、提交及关闭连接等操作。

2. JDBC 驱动程序管理器

JDBC 驱动程序管理器能够动态地管理和维护数据库查询所需要的所有厂商或第三方所提供的驱动程序对象，实现 Java 程序与特定驱动程序的连接，从而体现 JDBC 的"与平台无关"这一特点。其主要任务有：为特定数据库选择驱动程序；处理 JDBC 初始化调用；为每个驱动程序提供 JDBC 功能的入口；为 JDBC 调用执行参数等。

3. 驱动程序

驱动程序一般由数据库厂商或第三方提供，其主要功能包括：它由 JDBC 方法调用，向特定数据库发送 SQL 请求，并为 Java 程序获取结果。在必要的时候，驱动程序可以翻译或优化请求，使 SQL 请求符合 DBMS 支持的语言。其主要任务有：建立与数据库的连接；向数据库发送请求；用户程序请求时，执行翻译；将错误代码格式化成标准的 JDBC 错误代码等。

JDBC 是独立于 DBMS（数据库管理系统）的，而每个数据库系统均有自己的协议与客户机通信，因此，JDBC 利用数据库驱动程序来使用这些数据库引擎。JDBC 驱动程序由数据库软件商和第三方的软件商提供，因此，根据编程所使用的数据库系统不同，所需要的驱动程序也有所不同。

4. 数据库

数据库是指 Java 程序需要访问的数据库及其数据库管理系统。

12.2.2　JDBC 的驱动程序

JDBC 驱动程序实现在 JDBC API 中定义的所有抽象类和接口，为通用的 Driver Manager 提供 JDBC API。JDBC 驱动程序通常由数据库厂商提供，目前主流数据库产品都提供相关的 JDBC 驱动程序。根据访问数据库的技术不同，JDBC 驱动程序相应地分为 JDBC-ODBC Bridge、JDBC-Native API Bridge、JDBC-Middleware 和 Pure JDBC Driver 四种类型，如图 12-1

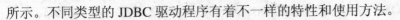

所示。不同类型的 JDBC 驱动程序有着不一样的特性和使用方法。

1. JDBC–ODBC 桥驱动程序（JDBC–ODBC Bridge）

第一类驱动程序提供了通过 ODBC 驱动程序的 JDBC 访问。其特点是必须在本地计算机上先安装好 ODBC 驱动程序，然后通过 JDBC-ODBC Bridge 的转换，将 Java 程序中使用的 JDBC API 访问指令转换成 ODBC API 指令，进而通过 ODBC 驱动程序调用本地数据库驱动代码完成对数据库的访问。

JDBC-ODBC Bridge 是一种 JDBC 驱动程序，它充分发挥了支持 ODBC（对象数据库连接性）大量数据源的优势。JDBC 利用 JDBC-ODBC Bridge，通过 ODBC 来提取数据，JDBC 调用被传入 JDBC-ODBC Bridge 并转化为 C 语言的 ODBC API，然后通过 ODBC 调用适当的 ODBC 驱动程序，以实现最终的数据存储。

使用 JDBC-ODBC Bridge，JDBC 调用最终转化为 ODBC 调用，应用程序可以通过选择适当的 ODBC 驱动程序来实现对多个厂商的数据库访问。但是这种方式也存在局限性：① JDBC-ODBC Bridge 采用 Native 代码（C 语言），因此，在使用时，所有的本地数据库都必须安装在一台计算机上，并被正确设置。②这种数据库连接有着相当的开销和复杂性，因为调用必须从 JDBC 到 Bridge，再到 ODBC，并再从 ODBC 到本地客户 API，直到数据库。③这种驱动程序不允许 Java Applet 即时发送。④ODBC 不能解决的问题，JDBC-ODBC Bridge 也不能解决，比如：Bridge 不能通过 Internet 来访问数据库。

可以考虑采用 JDBC-ODBC Bridge 的情况有：①快速建立原型系统；②三层数据库系统；③数据库系统只提供了 ODBC 驱动，而没有提供 JDBC 驱动；④已经拥有 ODBC 驱动程序时的低成本解决方案。

这种方法的不足是：①执行效率比较低，不适合对大数据量存取的应用；②要求客户端必须安装 ODBC 驱动；③不适合基于 Internet/Intranet 的应用。

2. 部分 Java 的本地 JDBC API 桥驱动程序（JDBC–Native API Bridge）

同第一类一样，JDBC-Native API Bridge 驱动程序也必须在本地计算机上先安装好特定的驱动程序（类似 ODBC），然后通过 JDBC-Native API Bridge 的转换，把 Java 程序中使用的 JDBC API 转换成 Native API，进而存取数据库。这种方法效率比第一类驱动程序效率虽然高一些，但是仍然需要在每台客户机上预先安装本地 API 库，因此不利于维护和使用。

大多数的数据库供应商都为其产品提供了这种类型的驱动程序。可以考虑使用 JDBC-Native API Bridge 驱动程序的情况有：①作为使用 JDBC-ODBC Bridge 的替代。由于是直接与数据库连接，因此这种类型的驱动程序能够比 JDBC-ODBC Bridge 更好地完成工作。②作为低成本的数据库解决方案，当使用了某种提供了这种类型的驱动程序的数据库时，使用这种驱动程序是一个方便的选择。

3. 纯 Java 的 JDBC 中间件驱动程序（JDBC–Middleware）

第三种 Middleware 类型的 JDBC 驱动程序是四种类型中最灵活的。这种驱动程序通常被用在 3 层网络解决方案中，并能够被发布到 Internet 上。这种类型的驱动程序是一种纯 Java 的驱动程序，它将 JDBC 调用转换为一种与 DBMS 独立的网络协议并与某种中间层连接，然后通过中间层，采用第一、第二或第四种驱动程序与数据库通信。这种驱动程序通常由一些与数据库产品无关的公司开发。

使用这类驱动程序时不需要在本地计算机上安装任何附加软件，但是必须在安装数据库管理系统的服务器端加装中间件（Middleware），这个中间件负责所有存取数据库时必要的转换。此类驱动程序能将 JDBC 访问转换成与数据库无关的标准网络协议（通常是 HTTP 或 HTTPS）送出，然后由一个中间件服务器再将之转换成数据专用的访问指令，完成对数据库的操作。中间件服务器能支持对多种数据库的访问。由于是基于中间件服务器的，这类驱动程序的体积最小，效率较高，具有最大的灵活性，缺点是需要一个中间服务器的支持。这类驱动采用标准的网络协议，可以被防火墙支持，是 Internet 应用理想的解决方案。

可以考虑采用这种驱动程序的情况有：①不需要任何预先安装或配置的 Java Applet；②数据库产品将被保护在一个中间层之后的安全系统中；③使用了多种不同的数据库产品，此时中间层通常就是通过 JDBC 访问数据库接口的；④当客户端需要的是一个较小的驱动程序时，采用该类型的驱动程序通常比其他类型的小。

4. 纯 Java 的 JDBC 驱动程序（Pure JDBC Driver）

这种 JDBC 驱动程序也是一种纯 Java 的驱动程序，它通过本地协议直接与数据库引擎相连。使用这类驱动程序时无需安装任何附加的软件（无论是本地计算机或是数据库服务器端），所有存取数据库的操作都直接由 JDBC 驱动程序来完成。此类驱动程序能将 JDBC 调用转换成 DBMS 专用的网络协议。数据库厂商是这一类驱动程序主要的提供者。它允许从客户机到数据库服务器的直接调用。这种驱动程序的效率最高，但由于采用 DBMS 专用的网络协议，可能不被防火墙支持。有了合适的通信协议，这种驱动程序也能够应用于 Internet。

该类驱动程序相对于其他类型的驱动程序的优势在于它的性能，在它与数据库引擎和客户端之间没有本地代码层或中间层软件。可以考虑使用该类型的驱动程序的情况有：①高性能是关键；②只使用了一种数据库产品；③Java Applet。

综上所述，最佳的 JDBC 驱动程序类型是第四类，它不会增加任何额外的负担，并且由纯 Java 语言开发而成的而拥有最佳的兼容性。由于第一类和第二类的 JDBC 驱动程序都必须事先安装其他附加的软件，有损 Java 数据库程序的兼容性。第三类 JDBC 驱动程序也是不错的选择，它也是由纯 Java 语言开发而成的，并且中介软件也仅需要在服务器上安装。因此，建议最好以第三类和第四类 JDBC 驱动程序为主要选择，第一类和第二类的 JDBC 驱动程序为次要选择。

12.2.3 常用 JDBC API

JDBC API 所包含的接口和类非常多，都定义在 java.sql 和 javax.sql 包中。表 12-3 列出了 java.sql 包中主要的接口及类。其他请参见 JDBC API Javadoc™ Comments 中的对应的 java.sql 包和 javax.sql 包。

表 12-3　　java.sql 包中的主要类和接口

常用类或接口	主要功能
·java.sql.Connection 接口	·表示与一个特定的数据连接（会话），可在一个连接的上下文中，执行 SQL 语句并返回结果集
·java.sql.Driver 接口	·数据库驱动程序必须实现的接口
·java.sql.Statement 接口	·用于执行一条静态的 SQL 语句并获取它产生的结果
·java.sql.PreparedStatement 接口	·用于有效地多次执行预编译的 SQL 语句
·java.sql.CallableStatement 接口	·用于执行 SQL 的存储过程
·java.sql.ResultSet 接口	·提供了通过执行一条语句访问所生成的数据表的功能
·java.sql.DatabaseMetaData 接口	·提供了关于数据库的整体信息

续表

常用类或接口	主要功能
·java.sql.DriverManager 类	·数据库驱动程序的加载，以及与数据连接的建立
·java.sql.DriverPropertyInfo 类	·程序员与驱动器交互的类，以发现和提供连接特性
·java.sql.DataTruncation 类	·截断一个数据的值时产生的异常
·java.sql.SQLException	·提供了关于数据库访问异常的信息
·java.sql.SQLWarning	·提供了关于数据库访问的警告信息
·java.sql.Types 类	·定义用于标识 SQL 类型的常量
·java.sql.Date 类	·关于日期的处理类
·java.sql.Time 类	·处理时间的类
·java.sql.Timestamp 类	·处理具有毫秒级的时间

　　JDBC 中的各种接口与类之间的关系，使用其进行数据库连接、执行和获取数据的过程如图 12-2 所示。

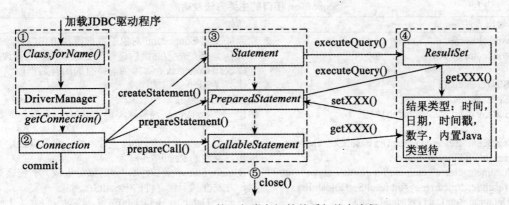

图 12-2　JDBC 接口与类之间的关系与基本流程

1. DriverManager 类

　　使用 Class.forName( )方法加载和注册驱动程序后，由 DriverManager 类负责管理并跟踪 JDBC 驱动程序，在数据库和相应驱动程序之间建立连接。DriverManager 类还处理如驱动程序登录时间限制及登录和跟踪消息的显示等事务。DriverManager 类提供的常用成员方法如表 12-4 所示。

表 12-4　　　　　　　　　　DriverManager 类的主要方法及功能

常用方法	主要功能
* public static Connection getConnection(String url)	* 建立到给定 URL 的数据库连接
* public static Connection getConnection(String url, Properties info)	* 建立到给定 URL 和相关信息（用户名、用户密码等属性列表）的数据库连接
* public static Connection getConnection(String url, String user, String password)	* 建立到给定 URL、用户名和用户密码的数据库连接
* public static Driver getDriver(String url)	* 查找能理解给定 URL 的数据库驱动程序
* public static void registerDriver(Driver driver)	* 向 DriverManager 注册给定的驱动程序
* public static void deregisterDriver(Driver driver)	* 从 DriverManager 的列表中删除一个驱动程序

续表

常用方法	主要功能
·public static int getLoginTimeout()	·获取驱动程序试图登录到某一数据库时可以等待的最长时间,以秒为单位
·public static PrintWriter getLogWriter()	·获取日志输出流 writer
·public static void setLogWriter(PrintWriter out)	·设置由 DriverManager 和所有驱动程序使用的日志/追踪 PrintWriter 对象
·public static void println(String message)	·将一条消息打印到当前 JDBC 日志流中

说明:表中标有"*"的方法(同下),若发生数据库访问错误,则抛出一个 SQLException 异常。

2. Connection 接口

java.spl.Connection 接口负责建立与指定数据库的连接。Connection 接口提供的常用成员方法如表 12-5 所示:

表 12-5   Connection 接口的主要方法及功能

常用方法	主要功能
* void close()	* 立即释放此 Connection 对象的数据库和 JDBC 资源
* void commit()	* 使所有上一次提交/回滚后进行的更改成为持久更改,并释放此 Connection 对象当前持有的所有数据库锁
* Blob createBlob()	* 创建实现 Blob 接口的对象
* Clob createClob()	* 创建实现 Clob 接口的对象
* Statement createStatement()	* 创建一个 Statement 对象来将静态 SQL 语句发送到数据库
*Statement createStatement(int resultSetType, int resultSetConcurrency)	* 创建一个 Statement 对象,该对象将生成具有给定类型和并发性的 ResultSet 对象
*Statement createStatement(int resultSetType, int resultSetConcurrency, int resultSetHoldability)	* 创建一个 Statement 对象,该对象将生成具有给定类型、并发性和可保存性的 ResultSet 对象
* DatabaseMetaData getMetaData()	* 获取一个 DatabaseMetaData 对象,该对象包含关于此 Connection 对象所连接的数据库的元数据
* CallableStatement prepareCall(String sql)	* 创建一个 CallableStatement 对象来调用数据库存储过程
*CallableStatement prepareCall(String sql, int resultSetType, int resultSetConcurrency)	* 创建一个 CallableStatement 对象,该对象将生成具有给定类型和并发性的 ResultSet 对象
*CallableStatement prepareCall(String sql, int resultSetType, int resultSetConcurrency, int resultSetHoldability)	* 创建一个 CallableStatement 对象,该对象将生成具有给定类型和并发性的 ResultSet 对象
* PreparedStatement prepareStatement(String sql)	* 创建一个 PreparedStatement 对象来将参数化的 SQL 语句发送到数据库
* PreparedStatement prepareStatement(String sql, int autoGeneratedKeys)	* 创建一个默认 PreparedStatement 对象,该对象能获取自动生成的键
*PreparedStatement prepareStatement(String sql, int[] columnIndexes)	* 创建一个能返回由给定数组指定的自动生成键的默认 PreparedStatement 对象
* PreparedStatement prepareStatement(String sql, int resultSetType, int resultSetConcurrency)	* 创建一个 PreparedStatement 对象,该对象将生成具有给定类型和并发性的 ResultSet 对象
* PreparedStatement prepareStatement(String sql, int resultSetType, int resultSetConcurrency, int resultSetHoldability)	* 创建一个 PreparedStatement 对象,该对象将生成具有给定类型、并发性和可保存性的 ResultSet 对象
*PreparedStatement prepareStatement(String sql, String[] columnNames)	* 创建一个能返回由给定数组指定的自动生成键的默认 PreparedStatement 对象
* void rollback()	* 取消在当前事务中进行的所有更改,并释放此 Connection 对象当前持有的所有数据库锁
* void rollback(Savepoint savepoint)	* 取消所有设置给定 Savepoint 对象之后进行的更改
* void setAutoCommit(boolean autoCommit)	* 将此连接的自动提交模式设置为给定状态

3. Statement 接口

Statement 接口的主要功能是将 SQL 命令传送给数据库，并将 SQL 命令的执行结果返回。Statement 接口提供的常用成员方法如表 12-6 所示：

表 12-6　　　　　　　　　　　　Statement 接口的主要方法及功能

常用方法	主要功能
* void clearWarnings()	* 清除在此 Statement 对象上报告的所有警告
* void close()	* 立即释放此 Statement 对象的数据库和 JDBC 资源
* boolean execute(String sql)	* 执行给定的 SQL 语句，该语句可能返回多个结果，如果执行结果为一个结果集对象，则返回 true，其他情况返回 false
* ResultSet executeQuery(String sql)	* 执行给定的 SQL 语句，该语句返回单个 ResultSet 对象
* int executeUpdate(String sql)	* 执行给定 SQL 语句，该语句可能为 INSERT、UPDATE 或 DELETE 语句，或者不返回任何内容的 SQL 语句（如 SQL DDL 语句）
* Connection getConnection()	* 获取生成此 Statement 对象的 Connection 对象
* ResultSet getResultSet()	* 以 ResultSet 对象的形式获取当前结果
* int getUpdateCount()	* 以更新计数的形式获取当前结果；如果结果为 ResultSet 对象或没有更多结果，则返回-1

4. PreparedStatement 接口

PreparedStatement 接口的对象可以代表一个预编译的 SOL 语句，它是 Statement 接口的子接口。由于 PreparedStatement 接口会将传入的 SQL 命令编译并暂时存储在内存中，所以当某一 SQL 命令在程序中被多次执行时，使用PreparedStatement 接口的对象执行速度要快于Statement 接口的对象。因此，可将需要多次执行的 SQL 语句创建为 PreparedStatement 对象，以提高效率。

PreparedStatement 对象继承 Statement 对象的所有功能，另外还添加一些特定的方法。PreparedStatement 接口提供的常用成员方法如表 12-7 所示：

表 12-7　　　　　　　　　　　PrepareStatement 接口的主要方法及功能

常用方法	主要功能
* boolean execute()	* 在此 PreparedStatement 对象中执行 SQL 语句，该语句可以是任何种类的 SQL 语句
* ResultSet executeQuery()	* 在此 PreparedStatement 对象中执行 SQL 查询，并返回该查询生成的 ResultSet 对象
* int executeUpdate()	* 在此 PreparedStatement 对象中一个 SQL DML，如 INSERT、UPDATE 或 DELETE；或是无返回内容的 SQL DDL 语句
*void setBlob(int parameterIndex, InputStream ins)	* 将指定参数设置为 InputStream 对象
* void setByte(int parameterIndex, byte x)	* 将指定参数设置为给定 Java byte 值
* void setBytes(int parameterIndex, byte[] x)	* 将指定参数设置为给定 Java byte 数组
* void setClob(int parameterIndex, Clob x)	* 将指定参数设置为给定 java.sql.Clob 对象
* void setDate(int parameterIndex, Date x)	* 将指定参数设置为给定 java.sql.Date 值
* void setDouble(int parameterIndex, double x)	* 将指定参数设置为给定 Java double 值
* void setFloat(int parameterIndex, float x)	* 将指定参数设置为给定 Java REAL 值
* void setInt(int parameterIndex, int x)	* 将指定参数设置为给定 Java int 值
* void setLong(int parameterIndex, long x)	* 将指定参数设置为给定 Java long 值
* void setString(int parameterIndex, String x)	* 将指定参数设置为给定 Java String 值
* void setTime(int parameterIndex, Time x)	* 将指定参数设置为给定 java.sql.Time 值

5. ResultSet 接口

ResultSet 接口表示从数据库中返回的结果集。当使用 Statement 和 PreparedStatement 接口提供的 executeQuery( )方法来执行 Select 命令以查询数据库时，executeQuery()方法将会把数据库响应的查询结果存放在 ResultSet 接口对象中供以后使用。ResultSet 接口提供的常用成员方法如表 12-8 所示。

表 12-8	ResultSet 接口的主要方法及功能
常用方法	主要功能
* boolean absolute(int row)	* 将光标移动到此 ResultSet 对象的给定编号的记录
* void afterLast()	* 将光标移动到此 ResultSet 对象的末尾（位于最后一条记录之后）
* void beforeFirst()	* 将光标移动到此 ResultSet 对象的开头（位于第一条记录之前）
* void close()	* 立即释放此 ResultSet 对象的数据库和 JDBC 资源
* boolean first()	* 将光标移动到此 ResultSet 对象的第一条记录
* boolean previous()	* 将光标移动到此 ResultSet 对象的后（上）一条记录
* boolean next()	* 将光标从当前位置向前（下）移一条记录
* boolean last()	* 将光标移动到此 ResultSet 对象的最后一条记录
* void deleteRow()	* 从此 ResultSet 对象和底层数据库中删除当前记录
* void insertRow()	* 将插入记录的内容插入到此 ResultSet 对象和数据库中
* void updateRow()	* 用此 ResultSet 对象的当前记录的新内容更新底层数据库
* XXX getXXX(int columnIndex)	* 获取此 ResultSet 对象的当前记录中指定列号的 XXX 类型的值
* XXX getXXX(String columnLabel)	* 获取此 ResultSet 对象的当前记录中指定列名的 XXX 类型的值

12.3 使用 JDBC 访问数据库

使用 Java 程序访问并操作数据库，必须先与待访问的数据库建立连接。通过连接，方可以执行 SQL 语句，并返回数据库操作的结果。在建立连接之前，必须找到所要连接的数据库，及其对应的 JDBC 驱动程序的名字。每一种数据库或是同一种数据库的不同版本所对应的驱动程序都可能不同，如表 12-9 所示，列出使用较多的数据库及对应的 JDBC 驱动程序名与连接数据库的 URL 的字符串值。

表 12-9	数据库对应的 JDBC 驱动程序名和数据库连接的 URL 值
数据库	对应的 JDBC 驱动程序 / 连接数据库的 URL 的字符串值
·ODBC 数据源	·sun.jdbc.odbc.JdbcOdbcDriver jdbc:odbc:数据库的 ODBC 数据源名字 DSN
·Microsoft SQL Server 2000	·com.microsoft.jdbc.sqlserver.SQLServerDriver jdbc:microsoft:sqlserver://数据库服务器的 IP 地址或名字:1433;DatabaseName=数据库名;User=用户名;Password=口令
·Oracle 9i	·oracle.jdbc.driver.OracleDriver jabc:oracle:thin:@数据库服务器的 IP 地址或名字:1521:数据库名 注：用户名和口令由 DriverManager.getConnection(String url, String user, String password)给出
·MySQL 5.0	·com.mysql.jdbc.Driver jdbc:mysql://数据库服务器的 IP 地址或名字:3306/?user=用户名&password=口令
·IBM DB2	·com.ibm.db2.jcc.DB2Driver jdbc:db2://数据库服务器的 IP 地址或名字:50000/数据库名 注：用户名和口令由 DriverManager.getConnection(String url, String user, String password)给出

找到了数据库对应的 JDBC 驱动程序名之后，还必须找到驱动程序所在的程序库，也就是对应 JDBC 驱动的 JAR 包（如 MySQL 使用的 JDBC 的 JAR 包名为 mysql-connector-java-3.1.12-bin.jar），这样才能够通过 DriverManager 类的对象，来选择数据库驱动程序，并建立连接。

12.3.1　JDBC 的连接技术

1. JDBC–ODBC 连接

（1）Microsoft Access 数据库的 JDBC-ODBC 连接

若使用 JDBC-ODBC 桥来作为 JDBC 驱动程序，则先配置 ODBC 数据源。下面以 Microsoft Access 数据库为例说明其数据库的创建与 ODBC 数据源的基本配置方法。

①打开 Windows【控制面板】，在【管理工具】中双击【数据源（ODBC）】，弹出如图 12-3（a）所示的窗口。②在【系统 DNS】选项卡，单击【添加】按钮，弹出【创建新数据源】对话框，如图 12-3（b）所示。③选择创建 Microsoft Access Driver 类型的数据源，然后单击【完成】按钮，弹出【ODBC Microsoft Access 安装】对话框，如图 12-3、(c) 所示。④在此对话框中，输入数据源名称，并单击【创建】按钮，弹出【新建数据库】对话框，如图 12-3（d）所示。如果事先已经建立了数据库，可以单击【选择】按钮，并指明数据库的存放路径。⑤在【新建数据库】对话框中，输入需要新建的数据库名称，选择数据库的保存路径，然后单击【确定】按钮，返回【ODBC MicrosoftAccess 安装】对话框。⑥在【ODBC Microsoft Access 安装】对话框中单击【确定】按钮，返回【ODBC 数据源管理器】对话框，新添加的用户数据源将出现在此对话框中，如图 12-3（a）所示。此时，单击【确定】按钮，新用户数据源创建完成。数据源创建完成之后，便可以对这个数据源进行数据表的创建和修改，记录的添加、修改和删除等数据库操作。

（a）ODBC 数据源管理器

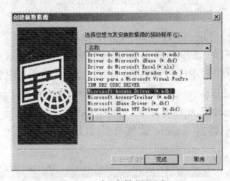

（b）创建数据源窗口

（c）ODBC Microsoft Access 安装

（d）新建数据库窗口

图 12-3　ODBC 配置

（2）Microsoft SQL Server 数据库的 JDBC-ODBC 连接

若使用 JDBC-ODBC 桥作为 JDBC 驱动程序连接 Microsoft SQL Server 数据库，同样也要先配置 ODBC 数据源。其 DSN 的配置方法与 Microsoft Access 数据库的 DSN 配置方法基本相同，只是其 ODBC 的驱动程序改为"SQL Server"即可。

2. JDBC 连接

（1）Microsoft SQL Server 数据库的 JDBC 连接

用户可从微软官方网站 http://www.microsoft.com/sql 下载 Microsoft SQL Server 的 JDBC 驱动程序，其安装文件是 setup.exe，双击 setup.exe 文件按向导提示安装即可，安装完成后在安装目录（此处为 C:\Java\JDBC\MSSQLServe2000DriverforJDBC）的 LIB 文件夹中有其 JDBC 驱动程序的三个 JAR 包类文件（msbase.jar、mssqlserver.jar 和 msutil.jar）。在 JBuilder2007 的项目中添加 JDBC 驱动程序类的操作方法是：先右击【项目】文件，在弹出的快捷菜单中执行【Properties】命令，然后在出现的"Properties"窗口中选中【Java Build Path】项，单击选中【Libraies】选项卡，执行【Add External JARs…】按钮命令，选择要待增加的 JDBC 驱动程序 JAR 文件（下同），如图 12-4 所示。

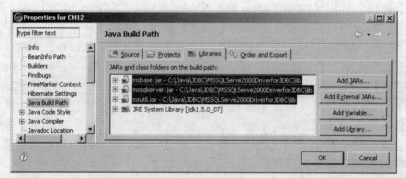

图 12-4　添加 Microsoft SQL Server 数据库的 JDBC 驱动程序的 JAR 包类文件

（2）Oracle 数据库的 JDBC 连接

用户可以在 Oracle 数据库的安装目录（此处为 C:\oracle\ora90\）的"jdbc\ LIB"文件夹中，找到其 JDBC 驱动程序的有关 JAR 包和 ZIP 包类的 10 个文件（classes111.jar、classes111.zip、classes12.jar、classes12.zip、nls_charset11.jar、nls_charset11.zip、nls_charset12.jar、nls_charset12.zip、ocrs12.jar 和 ocrs12.zip）。应用中只要加载其中一类即可，在 JBuilder2007 的项目中增加 Oracle 数据库的 JDBC 驱动程序 JAR 包的方法如图 12-5 所示。

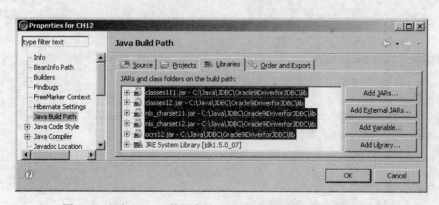

图 12-5　添加 Oracle 数据库的 JDBC 驱动程序的 JAR 包类文件

（3）DB2 数据库的 JDBC 连接

DB2 的 JDBC 驱动程序的有关 JAR 包类的 2 个文件（db2jcc.jar 和 db2jcc_license_cu.jar）。在 JBuilder2007 的项目中增加 DB2 数据库的 JDBC 驱动程序 JAR 包的方法如图 12-6 所示。

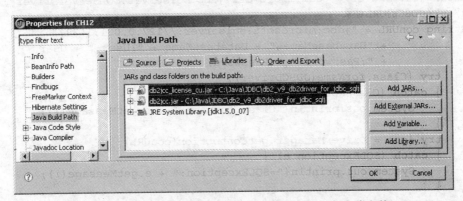

图 12-6　添加 DB2 数据库的 JDBC 驱动程序的 JAR 包类文件

（4）MySQL 数据库的 JDBC 连接

用户可从 MySQL 官方网站 http://www.mysql.com/downloads/index.html 下载其 JDBC 驱动程序，其 JDBC 驱动程序的有关 JAR 包类的 1 个文件是 mysql-connector-java-5.0.4-bin.jar。在 JBuilder2007 的项目中增加 MySQL 数据库的 JDBC 驱动程序 JAR 包的方法如图 12-7 所示。

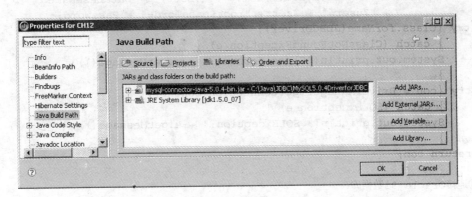

图 12-7　添加 MySQL 数据库的 JDBC 驱动程序的 JAR 包类文件

3. JDBC 连接工具包

【例 12-1】　创建一个以 JDBC-ODBC 和纯 Java 的第三方 JDBC 驱动程序方式连接 MS SQL Server 2000 和 Oracle 等各种不同类型数据库的连接工具类 db.connection. DatabaseConnection。

程序清单12-1：DatabaseConnection.java

```java
package db.connection;
import java.sql.Connection;
import java.sql.DriverManager;
import java.sql.SQLException;
public class DatabaseConnection {
```

```
    // ①连接Microsoft SQL Server 2000数据库
    public Connection getMsSqlServerConnection(String DatabaseName, String User, String Password) {
        Connection con = null;
        // 声明JDBC驱动程序类型
        String JDBCDriver = "com.microsoft.jdbc.sqlserver.SQLServerDriver";
        // 定义JDBC的URL对象
        String conURL = "jdbc:microsoft:sqlserver://127.0.0.1:1433;"
                + "DatabaseName=" + DatabaseName + ";User=" + User
                + ";Password=" + Password;
        try {Class.forName(JDBCDriver);
        } catch (ClassNotFoundException e) {
            System.out.println("Class.forname:" + e.getMessage());
        }
        try {con = DriverManager.getConnection(conURL);
        } catch (SQLException e) {
            System.out.println("=SQLException:" + e.getMessage());
        }
        return con;
    }
    // ②连接MySQL数据库
    public Connection getMySqlConnection(String DatabaseName, String User,String Password) {
    Connection con = null;
    // 声明JDBC驱动程序类型
    String JDBCDriver = "com.mysql.jdbc.Driver";
    // 定义JDBC的URL对象
    String conURL = "jdbc:mysql://127.0.0.1:3306/" + DatabaseName
                + "?user=" + User + "root&password=" + Password;
    try {Class.forName(JDBCDriver);
        } catch (ClassNotFoundException e) {
        System.out.println("Class.forname:" + e.getMessage());
        }
    try {con = DriverManager.getConnection(conURL);
        } catch (SQLException e) {
        System.out.println("=SQLException:" + e.getMessage());
        }
    return con;
    }
    // ③连接Oracle 9i数据库
    public Connection getOracleConnection(String ServerName, String port, String Database, String User, String
Password) {
        Connection con = null;
        // 声明JDBC驱动程序类型
        String JDBCDriver = "oracle.jdbc.driver.OracleDriver";
        // 定义JDBC的URL对象
    String conURL = "jabc:oracle:thin:@" + ServerName + ":" + port + ":" + Database;
        try {   Class.forName(JDBCDriver);
        } catch (ClassNotFoundException e) {
        System.out.println("Class.forname:" + e.getMessage());
        }
        try {// 连接数据库URL
        con = DriverManager.getConnection(conURL, User, Password);
        } catch (SQLException e) {
```

```
            System.out.println("=SQLException:" + e.getMessage());
        }
        return con;
    }
// ④连接DB2数据库
    public Connection getDB2Connection(String ServerName, String port, String Database) {
        Connection con = null;
        // 声明JDBC驱动程序类型
        String JDBCDriver = "com.ibm.db2.jcc.DB2Driver";
        // 定义JDBC的URL对象
        String conURL = "jdbc:db2://" + ServerName + ":" + port + "/" + Database;
        try {Class.forName(JDBCDriver);
        } catch (ClassNotFoundException e) {
            System.out.println("Class.forname:" + e.getMessage());
        }
        try {con = DriverManager.getConnection(conURL);
        } catch (SQLException e) {
            System.out.println("=SQLException:" + e.getMessage());
        }
        return con;
    }
// ⑤通过JDBC-ODBC桥连接各种ODBC的DSN数据源
    public Connection getJDBCODBCConnection(String DatabaseDSN) {
        Connection con = null;
        // 声明JDBC驱动程序类型
        String JDBCDriver = "sun.jdbc.odbc.JdbcOdbcDriver";
        // 定义JDBC的URL对象
        String conURL = "jdbc:odbc:" + DatabaseDSN;
        try {
            Class.forName(JDBCDriver);
        } catch (ClassNotFoundException e) {
            System.out.println("Class.forname:" + e.getMessage());
        }
        try {
            con = DriverManager.getConnection(conURL);
        } catch (SQLException e) {
            System.out.println("=SQLException:" + e.getMessage());
        }
        return con;
    }
}
```

说明：本例中用本地主机和默认端口作为数据库服务器的连接测试，实际中可以在连接方法中增加相应主机 IP 地址参数和端口参数，进一步提高其通用性。

12.3.2 使用 JDBC 访问数据库的基本算法

使用 JDBC 访问数据库前的一些准备工作：①根据求解问题，运用数据库相关理论设计数据库和数据表；②安装好相关数据库的 JDBC 驱动程序；③若采用 JDBC-ODBC Bridge 来建立连接时，则必须先建立 ODBC 数据源，可参考 12.3.1 介绍的方法在本机建立 ODBC 数据源。

　　使用 JDBC 访问数据库的基本算法如图 12-8 所示，在各个步骤中所用的类与接口如图 12-2 所示。图 12-8（a）是一个用简单的 JDBC 模型进行连接、执行和获取数据的基本过程，其中只做了一次连接。实际上 DriverManager 一次可以有多个连接，且一个 Connection 可以执行多个 SQL 语句，如图 12-8（b）所示。

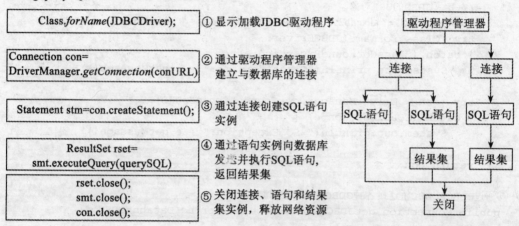

(a) 使用JDBC访问数据库的基本算法　　　　　　　　(b) 使用JDBC访问数据库的复杂算法

图 12-8　使用 JDBC 访问数据库的算法

　　下面对使用 JDBC 访问数据库的基本算法进一步说明如下：

1. 加装 JDBC 驱动程序

　　DriverManager 类用来管理各种数据库驱动程序，建立新的数据库连接，以便 Java 应用程序能使用正确的 JDBC 驱动程序。

　　DriverManager 类包含一系列 Driver 类，通过调用 DriverManager.registerDriver()方法进行注册。Driver 类包含有创建该类实例的一个静态方法，并在加载其实例时向 DriverManager 类进行注册。因此，用户正常情况下将不会直接调用 DriverManager.registerDriver()，而是在加载驱动程序时由驱动程序自动调用。加载 Driver 类并在 DriverManager 中注册的方式有以下三种：

　　（1）调用方法 Class.forName()。这是以显式方式加载驱动程序类，它与外部设置无关，推荐使用之。例如加载 Microsoft SQL Server 2000 的驱动程序类的方法是：

　　Class.forName("com.microsoft.jdbc.sqlserver.SQLServerDriver");

　　（2）将驱动程序添加到 java.1ang.System 类的 jdbc.drivers 属性中。该属性是一个由 DriverManager 类加载的驱动程序类名的列表，由冒号分隔。初始化 DriverManager 类时，系统会自动搜索 jdbc.drivers 属性，若用户已输入了一个或多个驱动程序，则 DriverManager 类将试图加载之。以下代码将准备加载 3 个驱动程序类：

　　jdbc.drivers=foo.bah.Driver:wombat.sql.Driver:bad.taste.ourDriver

　　（3）通过配置文件自动加载。在 JDBC 4.0 Drivers 中必须包括 META-INF/services/java.sql.Driver 文件。此文件包含 java.sql.Driver 的 JDBC 驱动程序实现的名称。如

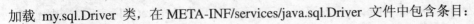

加载 my.sql.Driver 类，在 META-INF/services/java.sql.Driver 文件中包含条目：

    my.sql.Driver

应用程序不再需要使用 Class.forName()显式地加载 JDBC 驱动程序。

注意：加载驱动程序的第 2 种方法需要持久的预设环境。若对这一点不能保证，则调用 Class.forName()方法显示地加驱动程序会更安全。因为一旦 DriverManager 类被初始化，它将不再检查 jdbc.drivers 属性列表。

2. 建立连接

与数据库建立连接的标准调用方法是：

- DriverManager.getConnection(String url)
- DriverManager.getConnection(String url, Properties info)
- DriverManager.getConnection(String url, String user, String password)

JDBC 中 URL 的标准语法是：

jdbc:\<subprotocol\>:\<subname\>

其中，①subprotocol：说明使用哪种 JDBC 驱动程序，若使用 JDBC-ODBC Bridge，则写为"odbc"；若使用 MySQL 的 JDBC 驱动程序，则写为"mysql"；②subname：为驱动程序提供连接数据库所需要的一切信息，如 jdbc:mysql://127.0.0.1:3306/DBStudent?user=root&password=admin，表示使用 MySQL JDBC 驱动程序，且连接到 IP 地址为 127.0.0.1 的服务器的 3306 端口的 DBStudent 数据库中，用户名为 root，口令为 admin。对于 JDBC-ODBC Bridge 来说，subname 就是数据源名，如 jdbc:odbc:StudentDB，表示连接到本地机器的 DSN（数据源名）为"StudentDB"的数据库。

要特别指出的是 Oracle 的 URL 比较特别，它以"jabc"开头，如 jabc:oracle:thin:@comsoft-p4:1521:OraPDB，表示使用 Oracle 驱动程序，以 thin 方式连接到名为 comsoft-p4 的服务器的 1521 端口的 OraPDB 数据库，为了存取数据，还要提供用户名和口令。例如：

    String conURL = "jabc:oracle:thin:@comsoft-p4:1521:OraPDB";

    Connection con = DriverManager.getConnection(conURL, "uadmin","padmin");

    其中，用户名为 uadmin，口令为 padmin。

3. 执行 SQL 语句

待连接建立后，即可通过连接实例向所连接的数据库传送 SQL 语句。JDBC 对可被发送的 SQL 语句类型没有任何限制，允许使用特定的数据库语句甚至于非 SQL 语句。因此，要求由用户负责确保所连接的数据库可以处理所发送的 SQL 语句，否则将产生错误。例如，若某个应用程序试图向不支持存储程序的 DBMS 发送存储过程调用，就会失败并将抛出异常。

JDBC 提供了 3 个类，用于向数据库发送 SQL 语句，分别用 Connection 接口中的 3 个方法来创建相应的实例。

（1）创建 Statement 接口的实例：它由连接实例的 createStatement()实例方法创建，用来发送简单的静态 SQL 语句。

（2）创建 PreparedStatement 接口的实例：它由连接实例的 PreparedStatement()实例方法创建，用来发送带有一个或多个输入参数的动态 SQL 语句。PreparedStatement 接口有一组用来设置输入参数值的方法，执行语句时输入参数会被送到数据库中。PreparedStatement 实例扩展了 Statement，而拥有 Statement 的方法，且比 Statement 对象的效率更高，因为它被预编译处理后存放在缓冲区，可被多次调用。

（3）创建 CallableStatement 接口的实例：它由连接实例的 prepareCall()实例方法所创建，用来执行 SQL 存储过程。CallableStatement 对象从 PreparedStatement 中继承了用于处理 IN 参数的方法，而且还增加了用于处理 OUT 参数和 INOUT 参数的方法。

4. 检索结果

SQL 语句被发送执行以后，返回的结果通常存放在一个 ResultSet 接口的对象中。可将 ResultSet 对象看做一个表，这个表中包含由 SQL 返回的列名和相应的值，ResultSet 对象中维持了一个指向当前行（记录）的指针，通过一系列的 getXXX()方法，可以检索当前行的各个列，并显示出来。

5. 关闭连接

在连接实例、语句实例和结果集实例使用完毕后，应当使用 close( )方法关闭，以及时解除与数据库的连接，关闭数据库，释放网络资源。例如：con.close();

12.4　JDBC 的应用实例

本应用实例使用 JDBC-ODBC 桥作为 JDBC 驱动程序，通过 Access 数据库（StudentDB.mdb）的 ODBC 数据源 DNS（StudentDB），先在数据库中创建一个数据表（tblstudent），然后对数据库中的记录进行插入、修改、删除、更新和查询等基本操作。

12.4.1　创建数据库并配置 ODBC 数据源

1. 创建 Access 数据库文件

先创建存放数据文件的文件夹，此处为"E:\JPT\JBuilder2007\CH12\database"，然后打开"database"文件右击空白处，在弹出的快捷菜单中执行【新建】→【Microsoft office Access 应用程序】命令，输入数据库文件名"StudentDB.mdb"即可。

2. ODBC 配置

参照 12.3.1 节中介绍的 ODBC 数据源的基本配置方法，将"StudentDB.mdb"数据库的"系统 DNS"配置为"StudentDB"，如图 12-9 所示。

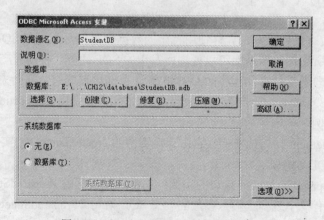

图 12-9　StudentDB.mdb 数据库的 DSN

12.4.2　创建数据表

【例 12-2】　创建学生表 tblstudent（sno, sname, sex, score），此表有学号 sno, 姓名 sname, 性别 sex 和成绩 score 四个字段, 主键为 sno。

程序清单12-2：CreateTableDemo.java

```java
package jdbcodbc.access;
import java.sql.*;
public class CreateTableDemo {
    public static void main(String[] args) {
        // 声明JDBC驱动程序类型
        String JDBCDriver = "sun.jdbc.odbc.JdbcOdbcDriver";
        // 定义JDBC的URL对象
        String conURL = "jdbc:odbc:StudentDB";
        try {// 加载JDBC驱动程序
            Class.forName(JDBCDriver);
        } catch (ClassNotFoundException e) {
            System.out.println("Class.forname:" + e.getMessage());
        }
        try {// 连接数据库URL
            Connection con = DriverManager.getConnection(conURL);
            // 建立Statement类对象
            Statement stm = con.createStatement();
            // 创建一个含有四个字段的学生表
        String query = "create table tblstudent(sno char(12) primary key not null,"
                    + "sname char(15),sex char(2),score real)";
            stm.executeUpdate(query); // 执行SQL语句
            System.out.println("数据表:tblstudent创建成功！");
            stm.close(); // 释放statement所连接的数据库及JDBC资源
            con.close();// 关闭与数据库的连接
        } catch (SQLException e) {
            System.out.println("=SQLException:" + e.getMessage());
        }
    }
}
```

运行结果：
数据表:tblstudent创建成功！

12.4.3　插入记录

【例 12-3】　在学生表 tblstudent 中插入 4 条学生记录, 然后在屏幕上输出 tblstudent 表中的全部记录。

程序清单12-3：InsertRecordDemo.java

```java
package jdbcodbc.access;
import java.sql.*;
//引入自定义的数据库连接工具类
import db.connection.*;
public class InsertRecordDemo {
    public static void main(String[] args) {
        try {// 调用数据库连接工具类的方法连接数据库URL
            Connection con = new DatabaseConnection()
```

```
                        .getJDBCODBCConnection("StudentDB");
        // 使用SQL命令insert插入4条学生记录到表中
        Statement smt = con.createStatement();
        String rec1 = "insert into tblstudent values('20063561001','李小波','男',98.5)";
        String rec2 = "insert into tblstudent values('20063561002','郭国强','男',90.5)";
        String rec3 = "insert into tblstudent values('20063561003','张丽芬','女',88.0)";
        String rec4 = "insert into tblstudent values('20063561004','朱安邦','男',98.0)";
        smt.executeUpdate(rec1);
        smt.executeUpdate(rec2);
        smt.executeUpdate(rec3);
        smt.executeUpdate(rec4);
        System.out.println("向数据表:tblstudent插入4条记录成功！");
        // 查询数据库并把数据表的内容输出到屏幕上
        ResultSet rset = smt.executeQuery("select * from tblstudent");
        while (rset.next()) {
            System.out.println(rset.getString("sno") + "\t"
                + rset.getString("sname") + "\t"
                + rset.getString("sex") + "\t" + rset.getInt("score"));
        }
        smt.close();
        con.close();
    } catch (SQLException e) {
        System.out.println("=SQLException:" + e.getMessage());
    }
  }
}
```

运行结果:

```
向数据表:tblstudent插入4条记录成功！
20063561001      李小波         男    98
20063561002      郭国强         男    90
20063561003      张丽芬         女    88
20063561004      朱安邦         男    98
```

12.4.4　查询记录

【例 12-4】　在学生表 tblstudent 中查询姓名为"李小波"的记录，并在屏幕上输出其全部信息。

程序清单12-4: SelectRecordDemo.java

```
package jdbcodbc.access;
import java.sql.*;
//引入自定义的数据库连接工具类
import db.connection.*;
public class SelectRecordDemo {
    public static void main(String[] args) {
        try {// 调用数据库连接工具类的方法连接数据库URL
            Connection con = new DatabaseConnection().getJDBCODBCConnection("StudentDB");
            Statement smt = con.createStatement();
            // 查询数据库中姓名为'李小波'的记录并输出到屏幕上
            ResultSet rset = smt.executeQuery("select * from tblstudent where sname = '李小波'");
            while (rset.next()) {
                System.out.println(rset.getString("sno") + "\t"
```

```
            + rset.getString("sname") + "\t"
            + rset.getString("sex") + "\t" + rset.getInt("score"));
            }
            smt.close();
            con.close();
        } catch (SQLException e) {
            System.out.println("=SQLException:" + e.getMessage());
        }
    }
}
```

运行结果：

```
20063561001        李小波                    男        98
```

12.4.5　更新记录

【例 12-5】　将学生表 tblstudent 中学号为"20063561001"和"20063561003"的学生记录的成绩字段的值分别修改为 100 分和 99 分，然后在屏幕上输出修改后的 tblstudent 表中的全部记录。

程序清单12-5：UpdateRecordDemo.java

```
package jdbcodbc.access;
import java.sql.*;
//引入自定义的数据库连接工具类
import db.connection.*;
public class UpdateRecordDemo {
    public static void main(String[] args) {
        String[] sno = { "20063561001", "20063561003" };
        int[] score = { 100, 99 };
        try {// 调用数据库连接工具类的方法连接数据库URL
            Connection con = new DatabaseConnection()
                .getJDBCODBCConnection("StudentDB");
            // 修改数据库中数据表的内容
            PreparedStatement psmt = con .prepareStatement("UPDATE tblstudent set score=? where
sno=?");
            int i = 0, idlen = sno.length;
            do {psmt.setInt(1, score[i]);
                psmt.setString(2, sno[i]);
                if (psmt.executeUpdate() == 1) {
                    System.out.println("修改数据表:tblstudent中学号为 " + sno[i] + " 的记录成功！ ");
                } else {
                    System.out.println("错误=数据表:tblstudent中没有学号为 " + sno[i] + " 的记录！");
                }
                ++i;
            } while (i < sno.length);
            psmt.close();
            // 查询数据库并把数据表的内容输出到屏幕上
            Statement smt = con.createStatement();
            ResultSet rset = smt.executeQuery("select * from tblstudent");
            while (rset.next()) {
                System.out.println(rset.getString("sno") + "\t"
                    + rset.getString("sname") + "\t"
```

```
                    + rset.getString("sex") + "\t" + rset.getInt("score"));
            }
            smt.close();
            con.close();
        } catch (SQLException e) {
            System.out.println("SQLException:" + e.getMessage());
        }
    }
}
```

运行结果:

修改数据表:tblstudent中学号为 20063561001 的记录成功!
修改数据表:tblstudent中学号为 20063561003 的记录成功!

20063561001	李小波	男	100
20063561002	郭国强	男	90
20063561003	张丽芬	女	99
20063561004	朱安邦	男	98

12.4.6 删除记录

【例 12-6】 删除学生表 tblstudent 中学号为 "20063561003" 的学生记录，然后在屏幕上输出删除后的 tblstudent 表中的全部记录。

程序清单12-6: DeleteRecordDemo.java

```
package jdbcodbc.access;
import java.sql.*;
//引入自定义的数据库连接工具类
import db.connection.*;
public class DeleteRecordDemo {
    public static void main(String[] args) {
        try {// 调用数据库连接工具类的方法连接数据库URL
            Connection con = new DatabaseConnection()
                    .getJDBCODBCConnection("StudentDB");
            Statement smt = con.createStatement();
            // 删除第3条记录
            PreparedStatement pstm = con
            .prepareStatement("delete from tblstudent where sno=?");
            pstm.setString(1, "20063561003");
            if (pstm.executeUpdate() == 1) {
              System.out.println("删除数据表:tblstudent中学号为 20063561003 的记录成功! ");
            } else {
              System.out.println("=数据表:tblstudent中没有待删除学号为20063561003记录! ");
            }
            pstm.close();
            // 查询数据库并把数据表的内容输出到屏幕上
            ResultSet rset = smt.executeQuery("select * from tblstudent");
            while (rset.next()) {
                System.out.println(rset.getString("sno") + "\t"
                        + rset.getString("sname") + "\t"
                        + rset.getString("sex") + "\t" + rset.getInt("score"));
            }
            smt.close();
            con.close();
```

```
        } catch (SQLException e) {
            System.out.println("SQLException:" + e.getMessage());
        }
    }
}
```

运行结果:

删除数据表:tblstudent中学号为 20063561003 的记录成功!

20063561001	李小波	男	98
20063561002	郭国强	男	90
20063561004	朱安邦	男	98

12.5　JDBC 的高级应用

12.5.1　JDBC 的事务操作

　　数据事务(Data Transaction)用来保证数据读写时不出错,事务是具有原子性的操作。当程序进行数据库操作时,要么成功完成,要么一点也不改变数据库中的数据。在 JDBC 的数据库操作中,一个事务指由一个或多个 SQL 语句组成的一个不可分割的工作单元,这些语句要么执行成功被提交,要么执行失败而被还原。JDBC 通过提交 commit()或回滚 rollback()来结束一个事务操作,同时另一个事务随即开始。事务提交方法 commit()能使 SQL 语句对数据库所做的任何更改成为永久性的,并能释放事务持有的全部锁,而事务回滚方法 rollback()将会丢弃那些更改,回滚到本次事务前的状态。

　　在默认情况下,新建连接将处于自动提交模式,即每执行一条 SQL 语句就会自动对该语句调用 commit()方法,即一个事务只由一个语句组成。可通过调用 setAutoCommit(false)禁止自动提交,禁止后即可把多个数据库操作的语句作为一个事务,在操作完成后调用 commit()整体提交。若其中一个表达式操作失败,则不会执行到 commit()且产生响应异常,此时可在异常捕获时调用 rollback()回滚。这样可保持多次更新操作后,相关数据的一致性。事务控制基本算法如例 12-7 所示。

　　【例 12-7】　事务控制的基本算法。

程序清单12-7: TransControl.java

```
import java.sql.*;
import java.util.*;
public class TransControl {
    public static void main(String arg[]) {
        try {Connection con = DriverManager.getConnection(
            "jabc:oracle:thin:@comsoft-p4:1521:OraPDB",
"username","userpwd");
            Statement st = con.createStatement();
            try {
            con.setAutoCommit(false);// 禁止自动提交,设置回滚点
            st.executeUpdate("alter table …");// 数据库更新操作,可添加具体内容
            st.executeUpdate("insert into table …");
            con.commit();//提交事务
        } catch (Exception e) {
            e.printStackTrace();
            con.rollback();// 操作不成功则回滚事件
```

451

```
    }
        st.close();// 释放所连接的数据库及JDBC资源
        con.close();// 关闭与数据库的连接
    } catch (Exception ex) {
        ex.printStackTrace();
    }
}}
```

此外，JDBC API 提供允许或禁止脏数据读写（Dirty Reads）、重复读写（Repeatable Reads）和影像读写（Phantom Reads）三种操作以支持事务。JDBC 根据数据库提供的默认值设置事务支持及其加锁，也允许手工设置，可使用 getTransactionIsolation()查看数据库的当前设置。注意在手动设置时，数据库及其驱动程序必须支持相应的事务操作。大多数 JDBC 驱动程序都支持事务。事实上，符合 JDBC 的驱动程序必须支持事务。DatabaseMetaData 接口给出的信息描述了 DBMS 所提供的事务支持水平。

12.5.2　数据库存取优化

在前面的 JDBC 应用实例中，都是将 SQL 语句嵌入在 Java 代码中，然后通过 JDBC 接口将这些 SQL 语句送到数据库并由数据库解释执行。

为优化对数据库的访问，提高程序的数据独立性，还可以利用许多关系型数据库管理系统支持的"存储过程"来完成数据查询与更新操作。数据独立性使得在数据库中表的属性或表之间的关联发生某些变化时，程序员无需对应用程序作任何修改。使用存储过程访问数据库还可提高 SQL 语句查询与更新数据库的效率，在网络环境下加强数据库的安全性等。在不同的数据库管理系统中，存储过程可能有不同的名字，如保留过程、触发器、查询等。

在 JDBC 中也提供相应的一些类和方法来访问数据库的存储过程，以及一些更为复杂的动态数据库访问类来支持数据的存取优化，使用存储过程和动态数据库访问能帮助用户创建更加健壮通用的数据库访问类。数据库系统通过 Prepared SQL 来优化 SQL 程序。Prepared SQL 有 prepared 语句和存储过程两种类型。

1. prepared 语句

prepared 语句被应用程序调用之前就被送到数据库进行解释，且允许数据库对相应的语句仅建立一次查询计划而被反复多次执行。JDBC 提供了 PreparedStatement 类来处理 prepared SQL 语句。PreparedStatement 类是 Statement 类的子类，并增加了在执行 SQL 调用之前，将输入参数绑定到 SQL 调用中的功能。所谓绑定参数，是指它允许将相关参数转换为 Java 数据类型。当需要在同一个数据库表中完成一组记录的更新时，使用 PreparedStatement 类是一个很好的选择，如例 12-5 所示。

在调用 Connection 中的 PrepareStatement()方法获得一个 PreparedStatement 对象时，SQL 语句就被发送到了数据库中，但是此时 SQL 语句并没有被立即执行，而是在 do-while 循环体内部待每次参数绑定后才执行，虽然更新在循环体中被重复执行，但是更新语句仅生成了一次。下面是例 12-5 更新学生的记录的关键操作：

PreparedStatement psmt = con.prepareStatement("UPDATE tblstudent set score=? where sno=?");

int i=0;

do {psmt.setInt(1, score[i]);// 绑定参数 1

```
    psmt.setString(2, sno[i]); // 绑定参数 2
    ++i;
} while (i < sno.length);
psmt.close();
```

从上面代码可见，在执行 SQL 语句之前，必须告诉 JDBC 哪些值作为输入参数，为了绑定输入参数，PreparedStatement 提供了 setXXX()方法，如 setString()、setFloat()和 setInt()等。这些方法与 ResultSet 中提供的 getXXX()方法相对应，getXXX()方法被用来读出 SQL 语句的查询结果，而 setXXX()方法则按照 prepareStatement()中的顺序从左到右绑定参数。在上面的例子中，将第一个参数绑定为 score[i]，第二个参数绑定为 sno[i]，SQL 语句中的第 1 个 "?" 对应第 1 个参数，第 2 个 "?" 对应第 2 个参数，其他以此类推。

2. 存储过程

CallableStatement 接口提供通过存储过程来访问数据库。存储过程与嵌入的 SQL 语句相比有以下优点：

（1）存储过程一般在数据库中进行预编译，它的执行速度要比每次都需要进行解释的动态 SQL 执行速度快得多。

（2）存储过程中的任何语法错误都能在编译时被发现，提高了程序的健壮性。

（3）Java 应用程序只需要知道存储过程的名字以及它的输入与输出参数即可调用，提高了程序的可扩展性。

一个存储过程通常是带有一些参数，这些参数在该过程被调用时被绑定到相应的列。列绑定是指定存储过程参数的一个好方法，下面是一个 Microsoft SQL Server 的存储过程：

```
CREATE PROCEDURE SelectWithSno
        @StudentNo    varchar
AS
SELECT sno, sname, sex, score FROM tblstudent WHERE sno = @StudentNo;
```

这个存储过程的名字是 SelectWithSno。它有一个输入参数，用@给出。这个存储过程的功能是按动态给定的学号查询学生信息。

CallableStatement 类与 PreparedStatement 类类似，通过调用 prepareCall()方法来初始化 CallableStatement 对象并指定所要调用的存储过程。通常不同数据库引擎使用不同的调用语法，但是 JDBC 提供了一组独立于数据库的语法，即：{ call 存储过程名[(?, ?)] }

对于有返回值的存储过程，可以采用以下形式：{ ? = call 存储过程名[(?, ?)] }

其中，每一个 "?" 代表一个存储过程的输入变量或返回变量，JDBC 会将这些语句转换成数据库驱动程序自己的存储过程语法。若存储过程有输出参数，则必须在执行该存储过程前通过 registerOutParameter()方法注册其返回值的类型。

【例 12-8】　调用 Access 数据库中的存储过程。

先在 Access 的 StudenDB 数据库中创建按学号查询的存储过程 SelectWithSno，其内容是：

SELECT sno, sname, sex, score FROM tblstudent WHERE sno =[StudentNo];

其中，方括号 "[]" 中的 StudentNo 为输入参数。

程序清单12-8: StoredProcedureDemo.java

```
package jdbcodbc.access;
import java.sql.*;
```

高等院校计算机系列教材

```
//引入自定义的数据库连接工具类
import db.connection.*;
import java.util.*;
public class StoredProcedureDemo {
    public static void main(String[] args) {
        try {// 调用数据库连接工具类的方法连接数据库URL
            Connection con = new DatabaseConnection()
                    .getJDBCODBCConnection("StudentDB");
            // 调用Access数据StudentDB中定义的存储过程SelectWithSno
            CallableStatement cs = con.prepareCall("{call SelectWithSno[(?)]}");
            System.out.print("请输入学号: ");
            Scanner sc = new Scanner(System.in);
            String sname = sc.next();
            cs.setString(1, sname);
            // 查询数据库中指定学号的记录并输出到屏幕上
            ResultSet rset = cs.executeQuery();
            while (rset.next()) {
                System.out.println(rset.getString("sno") + "\t"
                + rset.getString("sname") + "\t"
                + rset.getString("sex") + "\t" + rset.getInt("score"));
            }
            cs.close();
            con.close();
        } catch (SQLException e) {
            System.out.println("=SQLException:" + e.getMessage());
        }
    }
}
```

运行结果:
请输入学号: 20063561003
20063561003　　　张丽芬　　　女　　　88

12.5.3　数据库批量操作

批量操作的作用是向数据库同时提交一系列的 SQL 语句。批量操作的应用接口是 Statement，其方法如有:

（1）addBatch(String sql): 向 Statement 接口加入 SQL 命令。

（2）executeBatch(): 执行一系列 SQL 命令。

【例 12-9】　将例 12-3 改为批量操作，在学生表 tblstudent 中插入 4 条学生记录，然后在屏幕上输出 tblstudent 表中的全部记录。

程序清单12-9: BatchRecordDemo.java

```
package jdbcodbc.access;
import java.sql.*;
//引入自定义的数据库连接工具类
import db.connection.*;
public class BatchDemo {
    public static void main(String[] args) {
        try {// 调用数据库连接工具类的方法连接数据库URL
            Connection con = new DatabaseConnection().getJDBCODBCConnection("StudentDB");
            // 使用SQL命令insert插入4条学生记录到表中
```

```
Statement smt = con.createStatement();
String rec1 = "insert into tblstudent values('20063561001','李小波','男',98.5)";
String rec2 = "insert into tblstudent values('20063561002','郭国强','男',90.5)";
String rec3 = "insert into tblstudent values('20063561003','张丽芬','女',88.0)";
String rec4 = "insert into tblstudent values('20063561004','朱安邦','男',98.0)";
// 添加SQL语句
smt.addBatch(rec1);
smt.addBatch(rec2);
smt.addBatch(rec3);
smt.addBatch(rec4);
// 批量执行SQL语句
smt.executeBatch();
System.out.println("向数据表:tblstudent插入四条记录成功! ");
// 查询数据库并把数据表的内容输出到屏幕上
ResultSet rset = smt.executeQuery("select * from tblstudent");
while (rset.next()) {
    System.out.println(rset.getString("sno") + "\t"
        + rset.getString("sname") + "\t"
        + rset.getString("sex") + "\t" + rset.getInt("score"));
}
smt.close();
con.close();
} catch (SQLException e) {
    System.out.println("=SQLException:" + e.getMessage());
}
}
}
```

运行结果:
向数据表:tblstudent插入4条记录成功!

20063561001	李小波	男	98
20063561002	郭国强	男	90
20063561003	张丽芬	女	88
20063561004	朱安邦	男	98

12.5.4 大数据对象存取

支持大对象（LOB）是当今关系型数据库的一个重要特征，SQL3 标准定义了许多用于管理大对象的数据类型，JDBC2.0 扩展支持的新的 SQL3 大对象数据类型包括：①ARRAY：可以将数组以列值存储；②BLOB(Binary Large Object，二进制大对象)：可以将大量数据作为字节存储；③CLOB(字符型大对象)：可以存储大量的字符数据；④结构类型；⑤对结构类型的应用。

BLOB 是非常巨大的不定的二进制或者字符型数据，通常是文档(.txt、.doc、.xls)和图片(.jpeg、.gif、.bmp)，它可以存储在数据库中。在 SQL Server 中，BLOB 可以是 text、ntext 或者 image 数据类型。

image 数据类型存储的是长度不确定的二进制数据，最大长度是 2GB。image 数据中的数据被存储为位串，SQL Server 不对它进行解释。image 列数据的解释必须由应用程序完成。例如，应用程序可以使用 DOC、PDF、GIF 或 JPEG 格式把数据存储在 image 列中。读取 image 列的数据的应用程序必须识别该数据格式并正确显示数据。image 列所做的全部工作就是提供一个位置,用来存储组成图像数据值的位流。下面介绍在 Microsoft SQL Server 数据库中采用二进制数据流技术,将 Word 文档以 BLOB 的形式在数据库的 image 类型的字段进行存取。

【例 12-10】 创建数据表,以存储 BLOB 数据。

先在 Microsoft SQL Server 中创建数据库文件 DBdocument,其命令为:

create database DBdocument;

go

程序清单12-10: CreateTableDemo.java

```java
package blob.document.mssqlserver;
import java.sql.*;
import db.connection.DatabaseConnection;
public class CreateTableDemo {
    public static void main(String[] args) {
        // 验证用户名和口令后,连接到指定数据库
        Connection con = new DatabaseConnection().getMsSqlServerConnection(
                "DBdocument", "sa", "ok");
        try {// 建立Statement类对象
            Statement stm = con.createStatement();
            // 创建文档表tbldocuments,此表有4个字段:
            // 文档号docid,文件名docname,文档说明docdescription,文档内容docicture
            String query = "create table tbldocuments(docid varchar(50) primary key not null,"
                    + "docname varchar(100),docdescription varchar(200),document image not null)";
            stm.executeUpdate(query); // 执行SQL语句
            System.out.println("数据表:tbldocuments创建成功! ");
            stm.close(); // 释放statement所连接的数据库及JDBC资源
            con.close();// 关闭与数据库的连接
        } catch (SQLException e) {
            System.out.println("=SQLException:" + e.getMessage());
        }
    }
}
```

运行结果:
数据表:tbldocuments创建成功!

【例 12-11】 将磁盘文件写入 BLOB 数据。

程序清单12-11: InsertRecordDemo.java

```java
package blob.document.mssqlserver;
import java.sql.*;
import java.io.*;
import db.connection.DatabaseConnection;
public class InsertRecordDemo {
    public static void main(String[] args) {
        // 创建文档的磁盘文件名数组
        String[] fileNames = { "教高厅[2004]21号.doc", "教高厅[2004]14号.doc",
                "教高[2005]1号.doc", "教高[2007]1号.doc", "教高[2007]2号.doc" };
        // 创建文档的名字数组
        String[] dName = { "教高厅[2004]21号", "教高厅[2004]14号", "教高[2005]1
号",
                "教高[2007]1号", "教高[2007]2号" };
        // 创建文档的描述数组
```

```
        String[] dDescriptions = { "普通高等学校本科教学工作水平评估方案(试行)",
"教育部办公厅关于加强普通高等学校毕业设计(论文)工作的通知", "关于进一步加强高等学校本科教
学工作的若干意见", "教育部财政部关于实施高等学校本科教学质量与教学改革工程的意见","教育部
关于进一步深化本科教学改革全面提高教学质量的若干意见" };
        File file = null;
        FileInputStream fs = null;
        String query = "select * from tbldocuments";
        byte pBytes[];
        int i;
        try {// 连接数据库
        Connection con = new DatabaseConnection().getMsSqlServerConnection(
            "DBdocument", "sa", "ok");
                // 创建可以滚动,更新数据的sql语句执行类
Statement smt = con.createStatement(ResultSet.TYPE_SCROLL_SENSITIVE,
ResultSet.CONCUR_UPDATABLE);
                // 创建可更新数据的数据集
        ResultSet rs = smt.executeQuery(query);
        for (i = 0; i < 5; ++i) {
            // 获取文件名
            file = new File(fileNames[i]);
            // 读入文档文件,当前路径是运行路径
            fs = new FileInputStream(file);
            // 根据文件大小创建byte数组
            pBytes = new byte[fs.available()];
            // 获取文件读入类的二进制数据
            fs.read(pBytes);
            // 将数据集的游标移到新记录位置
            rs.moveToInsertRow();
            // 更新文档号字段
            rs.updateString(1, new Integer(i + 1).toString());
            // 更新文档名字字段
            rs.updateString(2, dName[i]);
            // 更新文档描述字段
            rs.updateString(3, dDescriptions[i]);
            // 更新文档字段
            rs.updateBytes(4, pBytes);
            // 向数据库插入记录
            rs.insertRow();
        System.out.println("记录" + (i + 1) + "的文件长度 = " + pBytes.length);
        }
        System.out.println("向数据表:tbldocuments插入" + i + "条记录成功! ");
        smt.close();
        con.close();
    } catch (IOException e) {
        e.printStackTrace();
    } catch (SQLException e) {
        System.out.println("=SQLException:" + e.getMessage());
    }
    }
}
```

运行结果:

记录1的文件长度 = 178176

记录2的文件长度 = 30208

记录3的文件长度 = 35328

记录4的文件长度 = 47616

记录5的文件长度 = 46080

向数据表:tbldocuments插入5条记录成功!

【例 12-12】 读取 BLOB 数据并保存到磁盘文件。

程序清单12-12: ReadDocumentDemo.java

```
package blob.document.mssqlserver;
import java.sql.*;
import java.io.*;
import db.connection.DatabaseConnection;
public class ReadDocumentDemo {
    private Connection con = null;
    private Statement st = null;
    private PreparedStatement ps = null;
    private ResultSet rs = null;
    public static void main(String[] args) {
        new ReadDocumentDemo();
    }
    public ReadDocumentDemo() {
        File file = null;
        FileOutputStream fileOutputStream = null;
        // 声明byte数组，保存文档
        byte[] pBytes = null;
        // 创建文档文件的名字数组
    String[] fileNames = { "文件01.doc", "文件02.doc", "文件03.doc", "文件04.doc","文件05.doc" };
        try { // 连接数据库
            con = new DatabaseConnection().getMsSqlServerConnection(
                    "DBdocument", "sa", "ok");
            // 创建SQL语句执行类
            st = con.createStatement(ResultSet.TYPE_SCROLL_SENSITIVE,
                    ResultSet.CONCUR_READ_ONLY);
            String query = "select * from tbldocuments";
            // 取得数据集
            rs = st.executeQuery(query);
            for (int i = 0; i < 5; ++i) {
                // 将数据集的游标移到相应的位置
                rs.absolute(i + 1);
                // 获取文件
                file = new File(fileNames[i]);
                // 根据文件创建文档写出类
                fileOutputStream = new FileOutputStream(file);
                pBytes = rs.getBytes(4);
                // 向文件写出文档数据
                fileOutputStream.write(pBytes);
                // 保存文件
                fileOutputStream.close();
    System.out.println("成功创建文档文件: " + fileNames[i] + ", 数据长度 = " +
```

```
pBytes.length);
            }
        } catch (SQLException e) {
            e.getMessage();
        } catch (IOException e) {
            e.getMessage();
        }
        // 关闭连接
        closeAll(con, st, ps, rs);
    }
    public void closeAll(Connection con, Statement smt, PreparedStatement pstm,ResultSet rset) {
        try {con.close();
            smt.close();
            pstm.close();
            rset.close();
        } catch (SQLException e) {
            e.getMessage();
        }
    }
}
```

运行结果：
成功创建文档文件：文件01.doc，数据长度 = 178176
成功创建文档文件：文件02.doc，数据长度 = 30208
成功创建文档文件：文件03.doc，数据长度 = 35328
成功创建文档文件：文件04.doc，数据长度 = 47616
成功创建文档文件：文件05.doc，数据长度 = 46080

【例12-13】 删除 BLOB 数据。

程序清单12-13：DeleteRecordDemo.java

```
package blob.document.mssqlserver;
import java.sql.*;
import db.connection.DatabaseConnection;
public class DeleteRecordDemo {
    private Connection con = null;
    private Statement smt = null;
    private PreparedStatement pstm = null;
    private ResultSet rset = null;
    public static void main(String[] args) {
        new DeleteRecordDemo();
    }
    public DeleteRecordDemo() {
        try {// 连接数据库
            con = new DatabaseConnection().getMsSqlServerConnection(
                "DBdocument", "sa", "ok");
            smt = con.createStatement();
        } catch (SQLException e) {
            e.getMessage();
        }
        // 删除指定文档号记录
        deleteRecoredByPid("2");
        // 显示输出
```

```
            showAllRecord();
            System.out.println("-------------------");
            // 删除全部记录
            deleteAllRecored();
            // 显示输出
            showAllRecord();
            // 关闭连接
            closeAll(con, smt, pstm, rset);
        }
        public void deleteRecoredByPid(String docid) {
            try { // 删除记录
                pstm = con.prepareStatement("delete from tbldocuments where docid=?");
                pstm.setString(1, docid);
                if (pstm.executeUpdate() == 1) {
                    System.out.println("删除数据表tbldocuments中文档号为" + docid + "的记录！");
                } else {
                    System.out.println("数据表tbldocuments中没有待删除文档号为" + docid + "的记录！
");
                }
            } catch (SQLException e) {
                System.out.println("SQLException:" + e.getMessage());
            }
        }
        public void deleteAllRecored() {
            try {
                String delete = "delete tbldocuments ";
                pstm = con.prepareStatement(delete);
                // 删除全部记录
                int rc = pstm.executeUpdate();
                System.out.println("成功:删除数据表tbldocuments中的全部" + rc + "条记录！");
            } catch (SQLException e) {
                System.out.println("SQLException:" + e.getMessage());
            }
        }
        public void showAllRecord() {
            try {// 查询数据库并把数据表的内容输出到屏幕上
                rset = smt.executeQuery("select * from tbldocuments");
                while (rset.next()) {
                    System.out.println(rset.getString("docid") + "\t"
                            + rset.getString("docname") + "\t"
                            + rset.getString("docdescription"));
                }
            } catch (SQLException e) {
                System.out.println("SQLException:" + e.getMessage());
            }
        }
        public void closeAll(Connection con, Statement smt, PreparedStatement pstm,ResultSet rset) {
            try {con.close();
                smt.close();
```

```
            pstm.close();
            rset.close();
        } catch (SQLException e) {
            e.getMessage();
        }
    }
}
```

运行结果：

删除数据表tbldocuments中文档号为2的记录！

1	教高厅[2004]21号	普通高等学校本科教学工作水平评估方案（试行）
3	教高[2005]1号	关于进一步加强高等学校本科教学工作的若干意见
4	教高[2007]1号	教育部财政部关于实施高等学校本科教学质量与教学改革工程的意见
5	教高[2007]2号	教育部关于进一步深化本科教学改革全面提高教学质量的若干意见

成功：删除数据表tbldocuments中的全部4条记录！

12.5.5　Java 数据类型和 SQL 数据类型间的关系

Java 的数据类型与 SQL 数据类型并非完全相同。因此，需要为常规 SQL 数据类型提供合理的 Java 映射，也需要确保有足够的类型信息以便能正确地存储和检索参数并从 SQL 语句获得结果。表 12-10 给出了各种常规 SQL 数据类型与 Java 类型之间的相互映射。

表 12-10　　　　SQL 数据类型与 Java 类型之间的相互映射

SQL 类型	Java 类型
CHAR	String
VARCHAR	String
LONGVARCHAR	String
NUMERIC	java.math.BigDecimal
DECIMAL	java.math.BigDecimal
BIT	Boolean
TINYINT	byte
SMALLIHT	short
INTEGER	int
BIGINT	long
REAL	float
FLOAT	double
DOUBLE	double
BINARY	byte[]
VARBINARY	byte[]
LONGVARBINARY	byte[]
DATE	java.sql.Date
TEME	java.sql.Time
TIMESTAMP	java.sql.Timestamp

12.5.6　JDBC 4.0 的新特性

JDBC 4.0 中增加的主要特性包括：

（1）JDBC 驱动类的自动加载：DriverManager.getConnection()方法被修改，以利用 JSE 的服务提供者（Service Provider）机制来自动加载 JDBC 驱动。这样就不需要调用 Class.forName 方法了。

（2）连接管理的增强：Connection 和 Statement 接口得到了增强，以利于对连接状态的跟踪，并增加在池环境中管理 Statement 对象的灵活性。

（3）对 RowId SQL 类型的支持：添加了 java.sql.RowID 数据类型，使得 JDBC 程序可以访问 SQL ROWID。

（4）SQL 的 DataSet 实现使用了注解（Annotations）：添加了标准 JDBC 注解，支持数据集（DataSet），使 Java 应用调用 SQL 数据源更加方便。

（5）对 SQL/XML 和 XML 的支持：SQL2003 引入了用 SQL 表达 XML 数据的概念。一些类库被添加进来以支持应用对这些数据的访问。

（6）包装器（Wrapper）模式：添加了解包 JDBC 实现的能力，使开发者可以利用在厂商实现中提供的非标准 JDBC 方法。

（7）增强了对 BLOB 和 CLOB 的支持：Connection 接口添加了生产 BLOB，CLOB 和 NCLOB 对象的方法。PreparedStatement 接口添加了通过 InputStream 插入 BLOB 的方法和使用 Reader 插入 CLOB、NCLOB 的方法。Blob、Clob 和 NClob 现在可以通过 free 方法释放资源。

（8）SQL 异常处理的增强：添加对 JSE 链式异常的支持，SQLException 现在支持 Iterable 接口，所以可以在 for-each 循环里读取 SQLExceptions。新添加了 SQLTransientException 和 SQLNonTransientException 两个 SQL 异常类。每个类都提供映射到普通 SQLState 类型值的子类。

（9）支持本地字符集转换（National Character Set Conversion）：添加了 NCHAR、NVARCHAR、LONGVARCHAR 和 NCLOB 等 JDBC 类型，其对应的方法 setNString、setNCharacterStream、setNClob 也被添加到 PreparedStatement 接口中。

习　题　十　二

一、填空题

1. JDBC 的基本层次结构由（　　　　）、（　　　　）、（　　　　）、（　　　　）和数据库五部分组成。

2. 根据访问数据库的技术不同，JDBC 驱动程序相应地分为（　　　　）、（　　　　）、（　　　　）和（　　　　）四种类型。

3. JDBC API 所包含的接口和类非常多，都定义在（　　　　）包和（　　　　）包中。

4. 使用（　　　　）方法加载和注册驱动程序后，由（　　　　）类负责管理并跟踪 JDBC 驱动程序，在数据库和相应驱动程序之间建立连接。

5.（　　　　　　）接口负责建立与指定数据库的连接。

6.（　　　　　）接口的对象可以代表一个预编译的 SOL 语句，它是（　　　　　）接口的子接口。

7.（　　　　　）接口表示从数据库中返回的结果集。

二、简答题

1．名词解释：数据库、关系型数据库、字段、记录、SQL、DDL、DML、DCL、JDBC、BLOB。

2．简述数据定义语言、数据操纵语言和数据查询语言的功能。

3．简述四类 JDBC 驱动程序的特点。

4．画图表示 JDBC 中的各种接口与类之间的关系。

5．简述使用 JDBC 连接 ODBC 数据源、Microsoft SQL Server、Oracle、MySQL 和 IBM DB2 等数据库所对应的 JDBC 驱动程序名和数据库连接的 URL 值。

6．简述使用 JDBC 访问数据库的基本算法。

7．简述 Statement 接口和 PreparedStatement 接口的主要区别。

8．简述 JDBC 4.0 的新增特性。

三、程序填空

下面的程序采用 JDBC 方式，在 MS SQL Server 数据库管理系统的 DBStudent 数据库中，对学生表 tblstudent 的学号为"20063561001"和 "20063561003"的学生的成绩进行修改，并将修改后的结果在屏幕输出，请完成程序编写。

```
package comsoft.db.jdbc.mssqlserver;
import java.sql.*;
public class UpdateRecord {
    public static void main(String[] args) {
    String JDBCDriver = "com.microsoft.jdbc.sqlserver.SQLServerDriver";
    // 声明JDBC驱动程序类型
    String conURL = "jdbc:microsoft:sqlserver://127.0.0.1:1433;" +
        "DatabaseName=DBStudent;User=sa;Password=ok"; // 定义JDBC的URL对象
    String[] sno = { "20063561001", "20063561003"};
    int[] score = { 100, 99};
    try {
            (1)        ;
    }
    catch (ClassNotFoundException e) {
        System.out.println("Class.forname:" + e.getMessage());
    }
    try {
        Connection con =       (2)       (conURL);
        // 修改数据库中数据表的内容
        PreparedStatement psmt =       (3)       (
```

高等院校计算机系列教材

```
                "UPDATE tblstudent set score=? where sno=?");
        int i = 0, idlen = sno.length;
        do {
            psmt.setInt(1, score[i]);
            psmt.setString(2, sno[i]);
            if (_____(4)_____ == 1) {
        System.out.println("修改数据表:tblstudent中学号为 " + sno[i] + " 的记录成功！");
            }
            else {
        System.out.println("错误=数据表:tblstudent中没有学号为 " + sno[i] + " 的记录！");
            }
            ++i;
        }
        while (i < sno.length);
        psmt.close();
        // 查询数据库并把数据表的内容输出到屏幕上
        Statement smt = con.createStatement();
        ResultSet rset = smt.executeQuery("select * from tblstudent");
        while (rset.next()) {
            System.out.println(rset.getString("sno") + "\t" +rset.getString("sname") +
                             "\t" + rset.getString("sex") + "\t" +rset.getInt("score"));
        }
        smt.close();
        con.close();
    }
    catch (SQLException e) {
        System.out.println("SQLException:" + e.getMessage());
    }
    }
}
```

四、编程题

1. 设有客户数据表 Customer(CNO,name,sex,principalship,company,telephone,address,
background)，其中每个字段的类型和含义如下：

字段名	类型	字段说明
CNO	Varchar(20)	编号（primary key）
Name	Varchar(20)	姓名
Sex	Varchar(4)	性别
Principalship	Varchar(10)	职务
Company	Varchar(40)	公司/单位

Telephone	Varchar(20)	公司电话
Address	Varchar(40)	公司地址
Background	Varchar(80)	公司背景

（1）使用 JDBC 在 Access 或 SQL Server 或 Oracle 或 MySQL 中创建数据库 CRMDB。

（2）使用 JDBC 在数据库 CRMDB 中建立上述数据表 Customer。

（3）使用 JDBC 将下面的数据添加到 Customer 表中。

CNO	Name	Sex	Principalship	Company	Telephone	Address	Background
2007001	胡振	男	总经理	华夏大邦	8226858	上海	上市公司
2007002	李兴	男	经理	九洲方圆	6182755	北京	上市公司
2008001	江中	女	董事长	时代在线	8372168	长沙	上市公司
2008002	郭华	女	董事长	光华集团	8221089	深圳	上市公司

（4）从 Customer 表中查找"时代在线"公司的基本信息。

（5）将"胡振"的电话改为"021-8226859"。

（6）从 Customer 表中查找全部"男"客户的信息。

（7）删除"2007002"号记录。

2. 在 Microsoft SQL Server 中依次创建数据库 DBPhoto 和数据表 tblPhoto(id varchar(50) primary key not null,name varchar(100),description varchar(200),photo image not null)"，然后将你的一组照片存储到 tblPhoto 表中，并能方便地存取与浏览照片。

3. 创建一个以 JDBC-ODBC 和纯 Java 的第三方 JDBC 驱动程序方式连接 MS SQL Server 2000、Oracle、MySQL 和 IBM DB2 等各种不同类型数据库的连接工具类。

实验十二 JDBC 技术

一、实验目的

1. 了解 JDBC 的体系结构和四类驱动程序；掌握 JDBC API 的类及接口功能与使用。

2. 熟练掌握 JDBC 访问数据库的基本算法。

3. 了解 JDBC 事务操作，存取优化，批量操作和大数据对象存取技术。

4. 初步掌握利用 JDBC 与 GUI 等技术开发简单的管理信息系统。

二、实验内容

1. 编程并调试"习题十二 编程题"中的三个程序。

2. 使用 JDBC 技术与 Java GUI 技术开发一个简单的图书管理系统，其主要功能包括：

（1）图书管理：包括图书的录入、修改、删除、查询和统计等。

（2）用户管理：用户分为系统管理员、图书管理员和普通用户，包括对用户的查询、修改、删除等。

（3）借书管理。

（4）还书管理。

3. 验证调试例 12-2 至例 12-13 中有关的例题。

第13章　JavaBean 组件技术

【本章要点】

1．面向组件体系结构的基本知识：软件组件、软件组件模型。

2．JavaBean 的特性、结构、设计规范；JavaBean 的属性和事件处理。

13.1　组件的概念

13.1.1　软件组件

软件组件是分离的、可重用的软件部分，可以方便地将其装配成各种应用程序，提高了开发效率。软件组件可以分为可视化软件组件和非可视化软件组件两类。

（1）可视化软件组件：它是具有可视化表示的软件组件，要求在父应用程序（容器）的显示区域上拥有空间。如按钮、标签、文本框等，它们是可以与父应用程序交互的独立实体。可视化设计工具提供以图形方式操纵组件的支持。除了可视化操作外，还可以进行交互式编程，例如单击按钮时将执行一段代码。单击按钮被称为用户输入事件，可视化组件会将事件传递给事件处理者。

（2）非可视化软件组件：它是另外一种组件技术的应用。如定时器（Timer）就是一个非可视化组件的典型例子。在程序设计阶段可以图形化地操作它，但是在程序运行阶段，它又不占据容器的空间。

13.1.2　软件组件模型

软件组件模型定义了软件组件的体系结构，确定组件在动态环境中如何交互，以及如何操纵组件。

软件组件模型定义了组件和容器两个基本元素。其中，组件是创建和使用组件的基础，它提供了创建组件的模板。容器本身也是组件，它定义了将组件组合成有用的结构的方法，为组件的组合与交互提供了上下文支持。

组件模型除了定义组件和容器的结构外，还提供自检、事件处理、持久化、布局和应用程序生成器支持等服务功能。自检是向外界展示组件功能的机制；事件处理是组件生成事件通知，以响应组件内部状态变化的机制；持久化是将组件的状态保存下来以便将来再恢复的机制；布局是组件在自己空间中的布局和与在同一容器中共享空间的其他组件相关的布局；应用程序生成器支持，使得用户能够以图形方式使用组件建立复杂的应用程序。

13.2　JavaBean 的概述

从 Java 语言的角度来看，JavaBean 是一个纯粹的 Java 类，它遵守一些规则与命名模式，比如它是一个公有的类，具有公有的 setter()与 getter()方法，支持事件处理，等等。JavaBean 是平台独立的、可重用的软件组件模型，其目标是 "编写一次，随处运行，随处重用"，它可应用在应用程序、组件、Web 站点和应用程序生成器中。JavaBean 的组件模型规范规定了 Bean 的如下特性。

1.　自检（Introspection）

自检是组件可以向外界暴露其支持的方法，事件和属性的机制，也是支持在程序构建工具中发现其方法、事件和属性的机制。组件模型通过两种方式支持自检：

（1）命名模式（Design Pattern）：在对 Bean 的属性、事件、方法等特性命名的时候遵循一定的设计模式。这样，依赖于 Java 的反射 API 中的 Introspector 类就能够识别出 Bean 的特性。

（2）BeanInfo 类：是一个实现了接口 BeanInfo 的类，在其中列出了 Bean 向外界暴露的方法、属性和事件。

2.　属性（Properties）

Bean 的内部状态、外观和行为特征，在设计时可以改变。程序设计工具可以通过 Bean 的自检机制来发现。

3.　定制（Customization）

Bean 通过发布其属性使其可以在设计时被定制。有属性编辑器和 Bean 定制器两种方式实现定制。

4.　通信（Communication）

Bean 之间通过事件进行交互，一个 Bean 通过向另一个 Bean 注册，能够接受它感兴趣的事件。程序构建工具可以检测到一个 Bean 可以接收和发送的事件。

5.　持久（Persistence）

使 Bean 可以存储和恢复其状态。一个 Bean 的属性被修改后，能够通过对象的持续化机制保存下来，并可以在需要的时候恢复。

13.3　JavaBean 的结构

一个 JavaBean 由属性、方法和事件三部分组成。

13.3.1　JavaBean 的属性

JavaBean 的属性，通常是组件对象中的私有数据成员，外界不能够直接访问，需要通过专门的访问（Accessor）方法才能访问。Accessor 方法是在 Bean 中定义的 public 方法，一般以 getXxx()和 setXxx()的形式成对出现，分别用于读取和写入属性的值，例如有一个 Bean 的属性 department，则它访问方法定义为：public String getDepartment（ ）；public void setDepartment (String str)。

属性（Property）是 Bean 的共有特性。属性的类型分为简单、索引、绑定和限制属性。

一个属性可以属于多个类型，例如，限制属性还应为绑定属性。

1. Simple（简单）属性

简单属性是指对象内部的简单变量，它表示一个单独的值，并且通过 getXxx()方法和 setXxx()方法进行读取和设置。

用于访问简单属性的命名模式如下：

public <PropertyType> get<propertyName>( );

public void set<propertyName>（<PropertyType> value）；

其中，<PropertyType>是属性的类型，<propertyName>是属性的名称。如下面的代码所示：

public double getWidth( );

public void setWidth (double width)；

2. Index（索引）属性

索引属性是用于处理数组及其单个元素的属性，它包含类型相同的元素。可通过整型下标访问这些元素，因此它们成为索引属性。有两对 Accessor 方法，一对使用索引获得和设置数组中的各个元素，另一对获得和设置整个属性数组。访问索引属性的命名模式为：

获取或设置整个数组的 get/set 定义格式：

public <PropertyType> [ ] get<propertyName> ( )；

public void set<propertyName>(<PropertyType> values[ ])；

获取或设置数组中某个特定元素的 get/set 定义格式：

public <PropertyType> get<propertyName>(int index)；

public void set<propertyName>(int index，<PropertyType> valae)；

3. Bound（绑定）属性

绑定属性表示组件之间的关联特性，它是在被修改时能向其他对象提供通知的属性。绑定属性需要向 Bean 注册外部监听器，监听器有兴趣知道属性发生的修改。一旦修改绑定属性的值，监听器就会得到通知。

将绑定属性连接至监听器的机制非常简单，具有绑定属性的 Bean 应支持事件监听器的注册方法，注册监听器的方法采用实现 PropertyChangeListener 接口的对象作为其惟一参数。

public void addPropertyChangeListener(PropertyChangeListener 1)

public void removePropertyChangeListener(PropertyChangeListener 1)

调用 addPropertyChangeListener( )方法将监听器绑定至一个属性。任何时候绑定属性的值发生变化，都将调用所注册的 PropertyChangeListener 接口的 propertyChange()方法。PropertyChangeEvent 对象会被传递至此方法，其中包含有关已经修改的特定属性的信息以及它的新值和旧值。

4. Constrained（约束）属性

约束属性与绑定属性类似，它们在被修改时都会发出通知。但是与绑定属性不同的是，注册为约束属性监听器的对象可以拒绝属性的修改。通常约束属性还应为绑定属性。

在修改约束属性的值之前，用户必须通过外部监听器检查此值，可以接受或拒绝修改。如果拒绝属性值的修改，则抛出 PropertyVetoException 异常，包含此属性的 Bean 将处理异常。任何时候出现异常，Bean 都必须将属性的值返回到其原始值；如果没有异常，可为此属性发布属性修改通知。

13.3.2 JavaBean 的方法

JavaBean 组件的属性描述了组件的静态特征，而动态行为则用 JavaBean 组件的方法表述。在这些方法中有用来实现获取属性值和设置属性值的；有用来响应事件的；还有供组件内部调用的。JavaBean 本身是由一些 Java 类组成，Bean 的所有的公有方法是 Bean 和外界交互接口的一部分。同普通类不同的是，一方面调用 Bean 的实例方法不是主要途径；另一方面，属性和事件是和 Bean 交互的主要方式。

13.3.3 JavaBean 的事件

Bean 能够接收和发送事件，Bean 的事件处理遵循 Java 的 AWT 中规定的委托（授权）事件处理模型。Bean 与其他软件组件的交流方式主要就是发送和接收事件。

事件用于组件之间的交互，一个 Bean 产生的事件，可以被多个 Bean 接受。事件处理是 JavaBean 体系结构的核心之一。通过事件处理机制，可以让一些组件作为事件源，发出可被组件环境或者其他组件接受的事件。这样不同的组件就可以在构造工具内组合在一起，组件之间通过事件的传递进行通信，构成一个应用。

从概念上讲，事件是一种在源对象和监听器对象之间，某种状态发生变化的传递机制。事件有许多不同的用途，例如在 Windows 中常要处理的鼠标事件、窗口边界改变事件、键盘事件等。Java 和 JavaBean 中，定义了一个一般的、可扩充的事件机制，被称为委托事件模型，它提供了一种标准的机制：事件源产生一个事件，把它发送到一系列的监听器。为了收到特定类型的通知，监听器必须向事件源注册。事件模型包括 3 个要素：事件、事件源和监听器。

1. 事件

一个事件对象描述事件源的状态变化。当用户在图形用户界面中与一个控件相互作用时，事件就被产生。这类事件的简单例子包括单击按钮。还有一类事件用户不能直接控制，如缓冲区溢出等。

在 Bean 中添加绑定或约束属性时，这些属性值无论何时变化都会激发 PropertychangeEvent 事件。但在这里谈到的事件不一样，是属于定制类，需要有定制的监听器来捕获。

如同属性一样，JavaBean 的事件也要遵循一定的命名模式，使得编程工具能够分析一个 Bean 的事件。对于事件而言，命名模式很简单，如果用户的 Bean 产生的是 XxxEven 类型的事件（所有的事件都以 Event 结尾，"Xxx"表示事件的名称）。那么，监听器接口一定要被称做 XxxListener，而且一定要调用增加和取消监听器的方法：

public void addXxxListener(XxxListener e)

public void removeXxxListener(XxxListener e)

2. 事件源

一个事件源产生事件，事件源的责任是：①提供注册监听器的方法，允许监听器为了获得特定类型的事件通知进行注册；②产生一个事件；③把事件发送到所有注册过的监听器。

3. 监听器

监听器接收事件通知，它的职责是：①向事件源注册，以便接收到特定事件的通知；②实现接口，接受该类型的事件；③如果不再要求事件通知，则取消事件注册。

13.3.4　JavaBean 的设计规范

（1）一个 JavaBean 类必须是一个公共类。

（2）一个 JavaBean 类必须有一个空的构造函数。

（3）一个 JavaBean 类不应有公有实例变量。

（4）持有值应该通过一组存取方法（getXxx( )和 setXxx( )）来访问。

13.4　JavaBean 的 API

JavaBean 的 API 主要是包括 java.beans 中的一些类和接口，可以分为以下三组：

（1）功能类：Beans、PropertyChangeEvent、PropertyEditorManager、Introspector 等。

（2）描述类：所有的以 Descriptor 结尾的类。

（3）支持类：PropertyChangeSupport、VetoableChangeSupport、PropertyEditorSupport、SimpleBeanInfo 等。

下面简要介绍一些 API 类，详细说明请参考 JDK 5.0 文档。

1．PropertyChangeEvent

任何时候 Bean 的绑定属性的修改，都将通过调用方法 propertyChange() 将 PropertyChangeEvent 类的实例发送至监听器。通过此对象可以确定属性修改的性质，以及属性所在的 Bean。PropertyChangeEvent 类的构造方法如下：

public PropertyChangeEvent(Object source,String propertyName,Object oldValue,Object newValue)

其中：source 表示事件源,激发事件的 Bean；propertyName 表示修改的属性名称；oldValue 表示属性的旧值；newValue 表示属性的新值。

2．PropertyChangeSupport

Bean 体系结构提供了 PropertyChangeSupport 类，简化了属性修改事件的触发过程。要向多个独立的监听器触发此事件，只需创建 PropertyChangeSupport 对象，其构造方法是：public PropertyChangeSupport(Object srcBean)；此构造方法接受事件源对象作为参数，一般是它所在的 Bean。

3．PropertyChangeListener

ProperyChangeListener 是一个接口。作为绑定属性变化的监听器必须实现此接口。它先向 Bean 注册，此后对 Bean 属性的任何修改都将调用监听器的 propertyChange()方法，此方法是该接口惟一的方法，其定义是：propertyChange(PropertyChangeEvent evt)。

4．PropertyVetoException

任何否决监听器拒绝 Bean 属性的修改，都将抛出 PropertyVetoException。它的构造函数是：PropertyVetoException(String msg, PropertyChangeEvent evt)；其中，msg 表示不接受 Bean 属性修改的原因；evt 表示属性修改事件。该类中惟一的方法是 getPropertyChangeEvent()，它返回被否决的属性修改事件对象。

5．VetoabIeChangeSupport

与 PropertyChangeSupport 类似，也提供方法向多个监听器激发事件。它的构造方法是：public VetoableChangeSupport(Object sourceBean)；它接受事件源对象作为参数，一般是使用它的 Bean。

6. VetoableChangeListener

VetoableChangeListener 是一个接口，所有要成为可否决属性变化的监听器都应该实现此接口。它仅包含一个 propertyChange()方法，任何时候注册了此接口的 Bean 属性发生变化，都将调用此方法，如果属性的变化被否决，则将抛出 PropertyVetoException。其定义是：public void vetoableChange(PropertyChangeEvent evt) throws PropertyVetoException。

13.5 JavaBean 的开发

在 Eclipse 中，编写 JavaBean 的方法与编写一般的 Java 程序基本相同，先创建一个简单的 Java 类，接着写好类的私有成员变量，然后在代码编辑区中单击右键，在弹出的快捷菜单中执行【源代码】→【生成 getters 和 setters】命令快速生成各成员变量既定模式的公有 getters 和 setters 方法。

13.5.1 JavaBean 在 JSP 中的应用实例

对于动态网页（如 JSP）来说，若它既要负责网页内容的生成，又要负责数据的处理与保存，最后导致的结果是表示层的页面部分与程序的业务逻辑处理，以及数据对象的处理等混合在一起，对于必须相互合作的网页设计人员与程序设计人员来说都是一种困扰。JavaBean 作为一个可重用的组件可应用于 JSP 网页中的业务逻辑处理与数据加工传输，能够将程序的业务逻辑处理与表示层的页面分离。

【例 13-1】 设计一个 JavaBean，其功能是求解两个数的最大公约数，然后在 JSP 页面中调用这个 JavaBean，以求解任意两个整数的最大公约数。

程序清单13-1-1: //GCDBean.java

```java
package javabeans.math;
public class GCDBean {
    private int m;
    private int n;
    public int getM() {
        return m;
    }
    public void setM(int m) {
        this.m = m;
    }
    public int getN() {
        return n;
    }
    public void setN(int n) {
        this.n = n;
    }
    public int getGCD() {
        int r = 0;
        while (n != 0) {
            r = m % n;
            m = n;
            n = r;
```

```
        }
        return m;
    }
}
```

注意在 JSP 2.0 之后，JavaBean 的类一定要有 package 加以管理；上面这个类所拥有的方法都是公开的，而且使用 setXxx()与 getXxx()的模式来命名，将这个类编译完成后，将类*.class 放置于 Web 应用程序的 WEB-INF\classes\文件夹中，注意由于设定 package 为 javabeans.math，所以*.class 文件所在的路径应该是 WEB-INF\classes\javabeans\math\GCDBean.class，（若此处采用 Tomcat-5.5.9 作为 Web 服务器且其应用程序文件夹的路径为 "C:\jakarta-tomcat-5.5.9\webapps\"，则类文件的完整路径为："C:\jakarta-tomcat-5.5.9\webapps\testjavabean\WEB-INF\classes\javabeans\math\GCDBean.class"）

接下来编写一个 JSP 网页文件（testjavabean.jsp）以调用 MaxCommonFactorBean.class 这个 JavaBean，其存放位置为 "C:\jakarta-tomcat-5.5.9\webapps\testjavabean\jsp\testjavabean.jsp"，其内容如下：

程序清单13-1-2: // testjavabean.jsp

```
<%@ page language="java" contentType="text/html; charset=ISO-8859-1"
    pageEncoding="ISO-8859-1"%>
<!DOCTYPE html PUBLIC "-//W3C//DTD HTML 4.01 Transitional//EN"
"http://www.w3.org/TR/html4/loose.dtd">
<html>
<head>
<meta http-equiv="Content-Type" content="text/html; charset=ISO-8859-1">
<title>The application of JavaBean in JSP</title>
</head>
<body>
  <jsp:useBean id="gcdb" class="javabeans.math.GCDBean" />
  <jsp:setProperty name="gcdb" property="*" />
  <p>jsp:setProperty
  <p>m =<%=request.getParameter("m")%>
  <p>n = <%=request.getParameter("n")%>
  <p>jsp:getProperty
  <p>m = <jsp:getProperty name="gcdb" property="m" />
  <p>n = <jsp:getProperty name="gcdb" property="n" />
  <p>GCD = <%=gcdb.getGCD()%>
</body>
</html>
```

1. 文件目录结构

```
C:\JAKARTA-TOMCAT-5.5.9\WEBAPPS\TESTJAVABEAN
├──jsp
│         testjavabean.jsp
└──WEB-INF
    └──classes
        └──javabeans
            └──math
                        GCDBean.class
```

2. 运行方法

（1）启动 Tocamt：执行 C:\jakarta-tomcat-5.5.9\bin\startup.bat 批处文件即可。

（2）启动 IE 后在地址框中输入：

http://localhost:8088/testjavabean/jsp/testjavabean.jsp?m=128&n=1000

（3）运行结果，如图 13-1 所示。

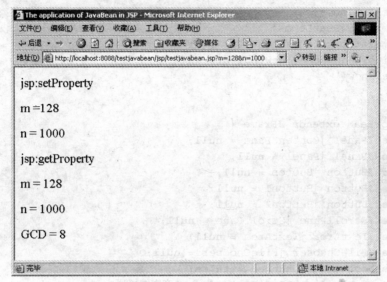

图 13-1　例 13-1 运行结果

（4）有关说明。①<jsp:useBean>标记：是用来调用 JavaBean 的构造方法，id 属性用于指定 JavaBean 实例的名称，它实际将转换为 Servlet 中的一个对象的名字，class 属性用以指定将实例化 JavaBean 类，在执行 JSP 网页时，它会检查 JavaBean 的实例是否已经存在，如果不存在，则实例化一个 JavaBean。②<jsp:setProperty>标记：用于给 JavaBean 设定属性值，name 属性用于指定所调用的 JavaBean 实例；在属性设定时我们使用了自检机制，在 property 设定"*"，表示将自动寻找 request 中符合 JavaBean 中 setter 名称的参数值，即如果 request 的参数名称若符合 setXxx()中 Xxx 名称，则将 request 中对应的值设定给 setXxx()。③<jsp:setProperty>标记：用来取得 JavaBean 所携带的属性值，name 用于指所调用的 JavaBean 实例；在 property 中指定的是要哪一个属性值，即如果指定为 Xxx，则使用 getXxx()方法取得值。

使用 JavaBean，可以将部分的程序逻辑移至 JavaBean 中，而不用在 JSP 网页中直接撰写业务逻辑，只要在 JSP 网页中使用<jsp:useBean>、<jsp:setProperty>与<jsp:getProperty>等标记，标记的使用在 HTML 网页中比较直观，不会带有太多的程序逻辑部分，可以实现"部分的"视图与逻辑分离的目的（仅靠 JavaBean 要达到完全的分离仍有困难）。

需要指出的是，当 JavaBean 程序内容改变并重新编译后，容器 Container（如 Tomcat Web 服务器）不一定知道 JavaBean 的内容已经被修改，从而不会重新加载修改的类，这是 JavaBean 的缺陷之一，解决的方法就是重新启动 Container，让 Container 重新加载修改后的 JavaBean。

13.5.2 JavaBean 的可视化应用实例

【例13-2】 设计一个可视化 JavaBean，实现一个简单文本编辑器的编辑、打开文件和保存文件等基本功能。

程序清单13-2: //JavaBeanDemo.java

```java
import java.io.*;
import java.awt.event.*;
import javax.swing.*;
public class JavaBeanDemo {
    public static void main(String[] args) {
        EditorBean ste = new EditorBean();
        ste.show();
    }
}
class EditorBean extends JFrame {
    private JPanel jContentPane = null;
    private JPanel jPanel = null;
    private JButton jButton = null;
    private JButton jButton1 = null;
    private JButton jButton2 = null;
    private JScrollPane jScrollPane = null;
    private JTextArea jTextArea = null;
    private JFileChooser jFileChooser = null;
    private boolean hasChanged = false;
    private static final String title = "文本编辑器";
    public EditorBean() {
        super();
        initialize();
    }
    private JPanel getJContentPane() {
        if (jContentPane == null) {
            jContentPane = new JPanel();
            jContentPane.setLayout(new java.awt.BorderLayout());
            jContentPane.add(getJPanel(), java.awt.BorderLayout.SOUTH);
jContentPane.add(getJScrollPane(), java.awt.BorderLayout.CENTER);
jContentPane.setBorder(BorderFactory.createEmptyBorder(5, 5, 5, 5));
        }
        return jContentPane;
    }
    private void initialize() {
        this.setContentPane(getJContentPane());
        this.setSize(480, 284);
        this.setTitle(title);
    this.setDefaultCloseOperation(WindowConstants.DO_NOTHING_ON_CLOSE);
        this.addWindowListener(new WindowAdapter() {
            public void windowClosing(WindowEvent e) {
                doExit();
            }
        });
    }
    private JPanel getJPanel() {
```

```java
            if (jPanel == null) {
                jPanel = new JPanel();
                jPanel.add(getJButton(), null);
                jPanel.add(getJButton1(), null);
                jPanel.add(getJButton2(), null);
            }
            return jPanel;
        }
        private JButton getJButton() {
            if (jButton == null) {
                jButton = new JButton();
                jButton.setText("打开文件");
                jButton.addActionListener(new ActionListener() {
                    public void actionPerformed(ActionEvent e) {
                        loadFile();
                    }
                });
            }
            return jButton;
        }
        private JButton getJButton1() {
            if (jButton1 == null) {
                jButton1 = new JButton();
                jButton1.setText("保存文件");
                jButton1.addActionListener(new ActionListener() {
                    public void actionPerformed(ActionEvent e) {
                        saveFile();
                    }
                });
            }
            return jButton1;
        }
        private JButton getJButton2() {
            if (jButton2 == null) {
                jButton2 = new JButton();
                jButton2.setText("退出");
                jButton2.addActionListener(new ActionListener() {
                    public void actionPerformed(ActionEvent e) {
                        doExit();
                    }
                });
            }
            return jButton2;
        }
        private JScrollPane getJScrollPane() {
            if (jScrollPane == null) {
                jScrollPane = new JScrollPane();
                jScrollPane.setViewportView(getJTextArea());
            }
            return jScrollPane;
        }
```

高等院校计算机系列教材

```java
    private JTextArea getJTextArea() {
        if (jTextArea == null) {
            jTextArea = new JTextArea();
            jTextArea.addKeyListener(new KeyAdapter() {
                public void keyTyped(KeyEvent e) {
                    if (!hasChanged) {
                        setTitle(title + " *");
                        hasChanged = true;
                    }
                }
            });
        }
        return jTextArea;
    }
    private JFileChooser getJFileChooser() {
        if (jFileChooser == null) {
            jFileChooser = new JFileChooser();
            jFileChooser.setMultiSelectionEnabled(false);
        }
        return jFileChooser;
    }
    private void loadFile() {
        int state = getJFileChooser().showOpenDialog(this);
        if (state == JFileChooser.APPROVE_OPTION) {
            File f = getJFileChooser().getSelectedFile();
            try {
                BufferedReader br = new BufferedReader(new FileReader(f));
                getJTextArea().read(br, null);
                br.close();
                setTitle(title);
                hasChanged = false;
            } catch (FileNotFoundException e1) {
                e1.printStackTrace();
            } catch (IOException e1) {
                e1.printStackTrace();
            }
        }
    }
    private void saveFile() {
        int state = getJFileChooser().showSaveDialog(this);
        if (state == JFileChooser.APPROVE_OPTION) {
            File f = getJFileChooser().getSelectedFile();
            try {
                BufferedWriter bw = new BufferedWriter(new FileWriter(f));
                getJTextArea().write(bw);
                bw.close();
                setTitle(title);
                hasChanged = false;
            } catch (FileNotFoundException e1) {
                e1.printStackTrace();
            } catch (IOException e1) {
```

```
            e1.printStackTrace();
        }
    }
}
private void doExit() {
    if (hasChanged) {
        int state = JOptionPane.showConfirmDialog(this,
                "File has been changed. Save before exit?");
        if (state == JOptionPane.YES_OPTION) {
            saveFile();
        } else if (state == JOptionPane.CANCEL_OPTION) {
            return;
        }
    }
    System.exit(0);
}
}
```

运行结果:如图13-2所示。

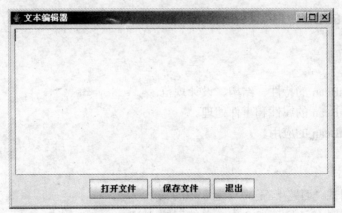

图13-2 简单文本编辑器

习 题 十 三

一、简答题

1. 名词解释:软件组件、软件组件模型。

2. 简述什么是JavaBean。

3. 简述JavaBean的创建语法,它由哪几部分组成?具有什么特性?

4. 简述JavaBean的事件操作。

二、选择题

1. JavaBean 就是( )。

A. JSP   B. Servlet   C. 类   D. 对象

2. JavaBean 的属性必须用( )修饰。

A. public   B. protected   C. private   D. 默认

3. JavaBean 的方法必须用（　　）修饰。

A. public   B. protected   C. private   D. 默认

4. Bound 属性应用的接收器是（　　）。

A. WindowListener   B. PropertyChangeListener

C. ActionListener   D. CarpetListener

5. Constrained 属性应用的接收器是（　　）。

A. KeyListener   B. PropertyChangeListener

C. WindowListener   D. VetoableChangeListener

三、编程题

1. 编写一个能显示日历的 JavaBean。

2. 编写一个提供累加和累乘方法的 JavaBean。

3. 编写一个可以作为动作接收器的 JavaBean。

实验十三　JavaBean 组件技术

一、实验目的

1. 了解 JavaBean 的特性、结构、设计规范。

2. 了解 JavaBean 的属性和事件处理。

3. 掌握 JavaBean 的应用。

二、实验内容

1. 编程并调试"习题十三　编程题"中的三个程序。

2. 验证调试例 13-1、例 13-2 中有关的例题。

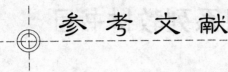

参 考 文 献

[1] J2SE 5.0 Documentation．http://java.sun.com/javase/downloads/index_jdk5.jsp

[2] The Java^{TM} Tutorials, Learning the Java Language．http://java.sun.com/docs/books/tutorial

[3] [美] Bruce Eckel．JAVA 编程思想（英文版·第 4 版）．北京：机械工业出版社,2007

[4] [美]Roger Garside, John Mariani 著．Java 教程（英文版· 第 2 版）．北京：机械工业出版社，2003

[5] 李芝兴等编著．Java 程序设计之网络编程．北京：清华大学出版社，2006

[6] 吕凤翥,马皓编著．Java 语言程序设计．北京：清华大学出版社,2006

[7] 孙卫琴编著．Java 面向对象编程．北京：电子工业出版社,2006

[8] [美]Cay S. Horstmann, Gary Cornell 著, 叶乃文,邝劲筠译．Java 2 核心技术卷Ⅰ：基础知识（原书第 7 版）．北京：机械工业出版社,2006

[9] [美]Cay S. Horstmann, Gary Cornell 著，陈昊鹏,王浩,姚建平等译．Java 2 核心技术卷Ⅱ：高级特性（原书第 7 版）．北京：机械工业出版社,2006

[10] 吴其庆编著．Java 编程思想与实践．北京：冶金工业出版社, 2006

[11] 张白一等编著．面向对象程序设计 JAVA（第二版）．西安：西安电子科技大学出版社，2005

[12] 王晓悦编著．精通 Java —JDK、数据库系统开发、Web 开发．北京：人民邮电出版社,2007

[13] 吴亚峰,王鑫磊编著．精通 NetBeans —Java 桌面、Web 与企业级程序开发详解．北京：人民邮电出版社,2007

高等院校计算机系列教材书目

计算机网络	李勇帆等
数据库系统原理与应用	刘先锋等
C++程序设计教程	刘　宏等
计算机组成与系统结构	陈书开等
计算机操作系统	王志刚等
Delphi 2005 数据库基础教程	徐长梅等
网页制作与网站设计	阳西述等
C 语言程序设计（公共课）	杨克昌等
汇编语言程序设计	李　浪等
数据结构(C++版)	王艳华等
数据结构(C++版)复习题要与实验指导	王艳华等
数值分析与应用程序	全惠云等
微机系统与接口技术	熊　江等
Visual Basic 程序设计	李康满等
Visual FoxPro 程序设计教程	何昭青等
数字电子技术基础	杨建良等
单片机原理与嵌入式应用系统设计	刘连浩等
电路与电子技术	杨建良等
Java 程序设计教程	郭广军等